3단계 완성 스케줄표

공부한 날	주	일	학습 내용
월 일	1주	도입	이번 주에는 무엇을 공부할까요?
		1일	선분, 반직선, 직선의 수 구하기
월 일		2일	각 그리기
월 일		3일	찾을 수 있는 각의 개수
월 일		4일	도형 만들기
월 일		5일	겹쳐진 부분의 도형 찾기
		평가 / 특강	누구나 100점 맞는 테스트 / 창의·융합·코딩
월 일	2주	도입	이번 주에는 무엇을 공부할까요?
		1일	점을 옮겨 주어진 도형 만들기
월 일		2일	도형 똑같이 나누기
월 일		3일	서로 다른 도형 그리기
월 일		4일	크고 작은 도형의 개수
월 일		5일	조각을 사용하여 모양 만들기
		평가 / 특강	누구나 100점 맞는 테스트 / 창의·융합·코딩
월 일	3주	도입	이번 주에는 무엇을 공부할까요?
		1일	원의 중심, 반지름, 지름
월 일		2일	원 그리기
월 일		3일	원의 반지름과 지름의 관계
월 일		4일	원의 크기 비교하기
월 일		5일	여러 가지 모양 그리기
		평가 / 특강	누구나 100점 맞는 테스트 / 창의·융합·코딩
월 일	4주	도입	이번 주에는 무엇을 공부할까요?
		1일	원 안에 원이 있을 때 원의 지름(반지름)구하기
월 일		2일	원과 사각형의 관계
월 일		3일	크기가 같은 원에서 선분의 길이 구하기
월 일		4일	중심을 이어 만든 도형의 길이의 합 구하기
월 일		5일	원의 지름을 이용하여 직사각형의 변의 길이 구하기
		평가 / 특강	누구나 100점 맞는 테스트 / 창의·융합·코딩

공부한 날을 표시하고 하루하루 학습 내용을 살펴보세요.

Chunjae
Maketh
Chunjae

▼

기획총괄 지유경
편집개발 정소현, 조선영, 원희정
최윤석, 김선주, 박선민
디자인총괄 김희정
표지디자인 윤순미, 안채리
내지디자인 박희춘, 이혜진
제작 황성진, 조규영

발행일 2020년 11월 15일 초판 2022년 4월 1일 2쇄
발행인 (주)천재교육
주소 서울시 금천구 가산로9길 54
신고번호 제2001-000018호
고객센터 1577-0902

※ 정답 분실 시에는 천재교육 홈페이지에서 내려받으세요.
※ KC 마크는 이 제품이 공통안전기준에 적합하였음을 의미합니다.
※ 주의
책 모서리에 다칠 수 있으니 주의하시기 바랍니다.
부주의로 인한 사고의 경우 책임지지 않습니다.
8세 미만의 어린이는 부모님의 관리가 필요합니다.

똑 똑 한 하루 도형

3단계

주별 Contents

이 책의 **특징**

도입 이번 주에는 무엇을 공부할까요?

▶ **이번 주에 공부할 내용**을 만화로 재미있게!

개념완성 주 5일 학습

▶ **활동**을 통해 **도형 개념**을 쉽게 이해해요!

도형 개념을
만화로 쏙쏙!

1일 선분, 반직선, 직선의 수 구하기

활동을 통해 도형 개념을
쉽게 이해해요.

꼭 알아야 할 유형을
매일매일 학습!

평가 주별 평가

▶ **한 주간 배운 내용**을 확인해요.

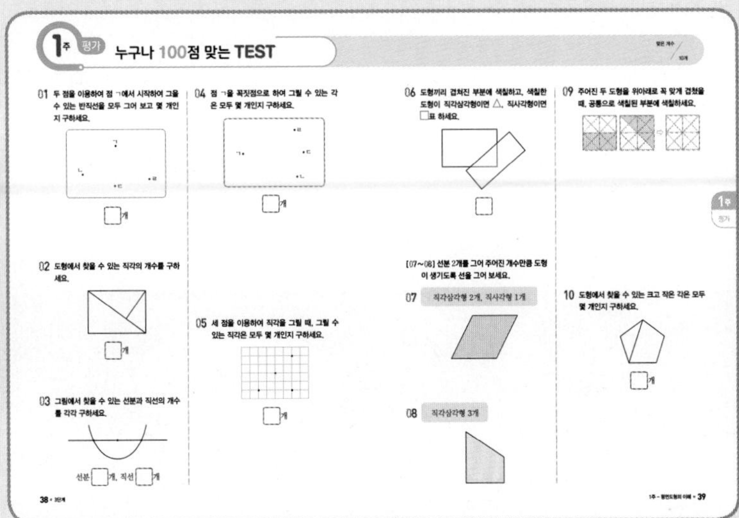

5일 동안 공부한 내용을 확인해요.

특강 창의·융합·코딩

▶ **창의·융합·코딩** 문제로 창의력과 사고력이 길러져요!

특강 문제까지 해결하면 창의력과 사고력이 쑥쑥!

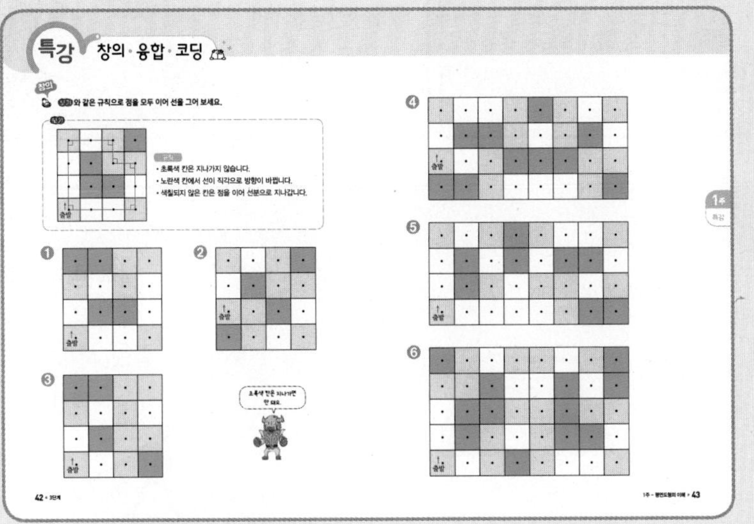

이 책에 나오는 인물

윤우

변신 전엔 소심, 변신 후엔 과감! 잠이 많고 매사 귀찮아하지만 도형 문제는 놓칠 수 없지!

예지

변신 전엔 새초롬, 변신 후엔 난리법석!
활달발랄 귀염둥이~.

우주 경찰 우핫맨

나서는 것을 좋아해서 매번 사고를 치지만 위급할 때의 실력은 진짜!

대마왕

지구를 파괴하겠다!
우주에서 악명 높은 파괴자,
근데 의외로 허당?!

1주 평면도형의 이해

이번 주에는 무엇을 공부할까요? 1

학습내용

1일 선분, 반직선, 직선의 수 구하기

2일 각 그리기

3일 찾을 수 있는 각의 개수

4일 도형 만들기

5일 겹쳐진 부분의 도형 찾기

도형의 이름을 간단하게 지을 수 없을까?
글쎄…….

그럼 간단한 이름을 지을 수 있게 도형을 잘 관찰해 볼까?

위와 아래는 알파벳 V 같아 보이는데 왼쪽은 ㄴ자 모양이네!
맛있겠다~

모르겠다. 우선 배부터 채우고 보자! 헤헤~.
우물
우물

이번 주에는 무엇을 공부할까요? 2

각 알아보기

보기 와 같이 도형에서 찾을 수 있는 각을 모두 찾아 ○표 하세요.

보기

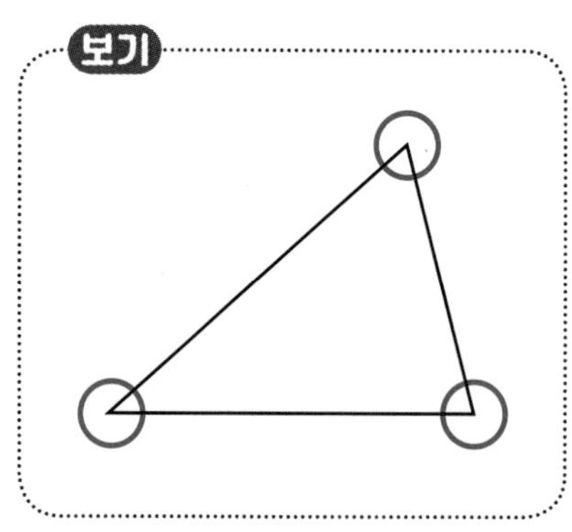

1-1

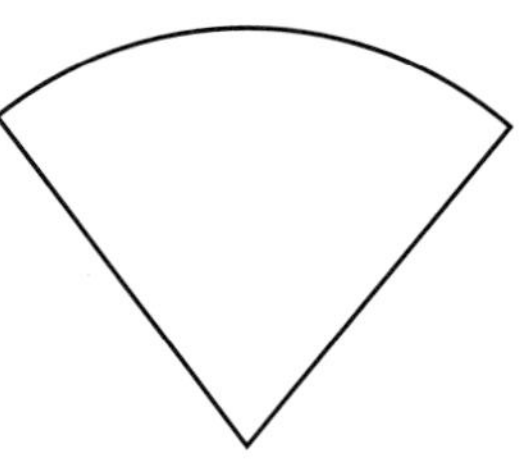

1-2

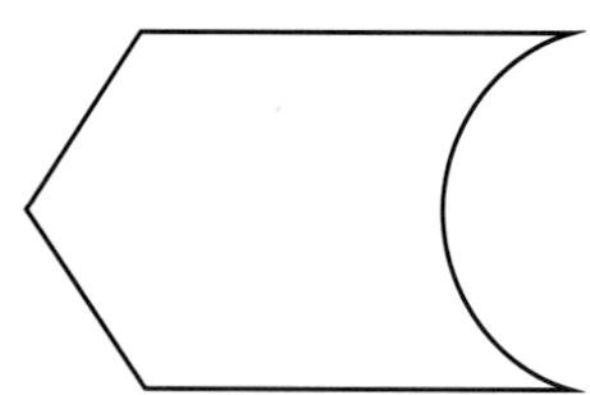

1-3

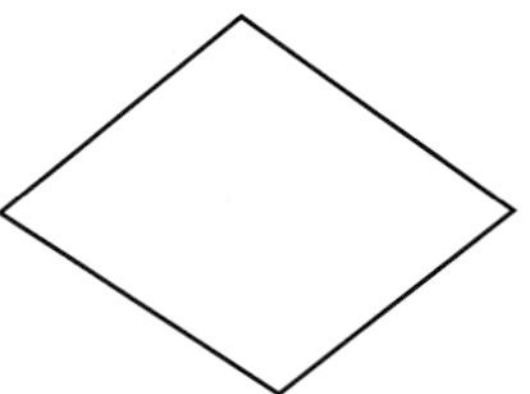

1-4

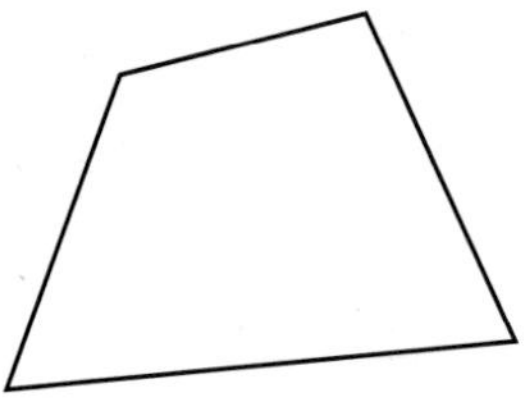

1-5

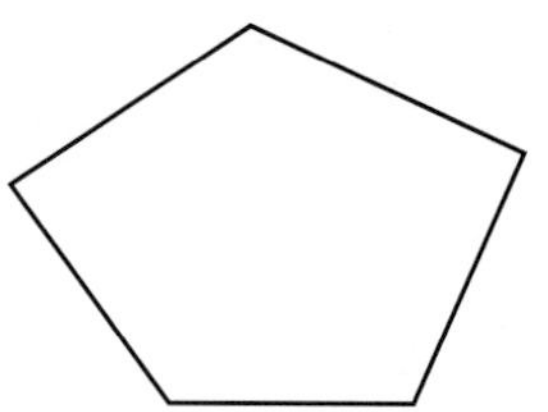

직각 알아보기

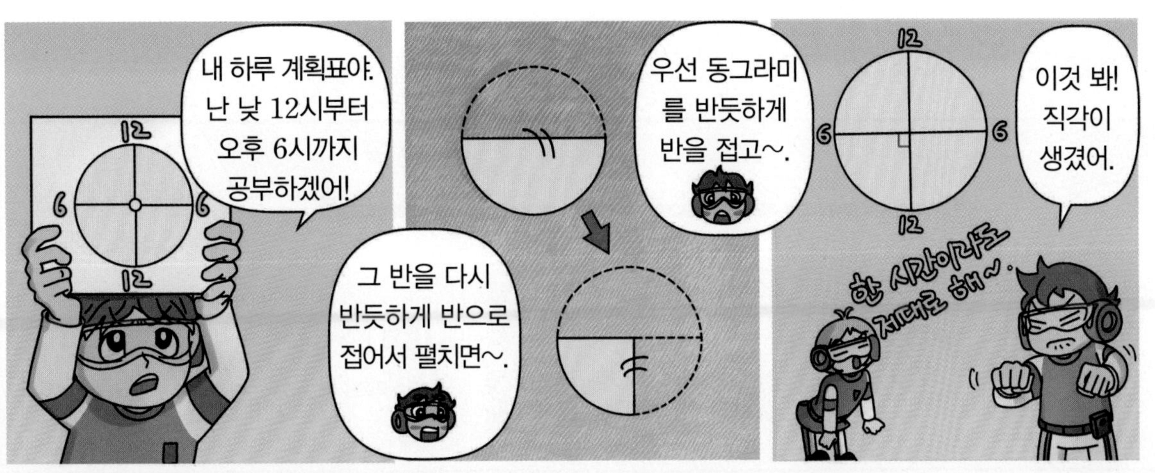

보기 와 같이 그림에서 직각은 모두 몇 개인지 구하세요.

보기

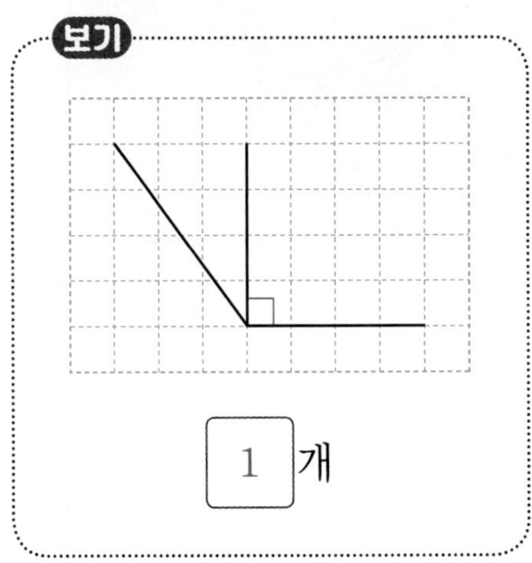

1 개

2-1

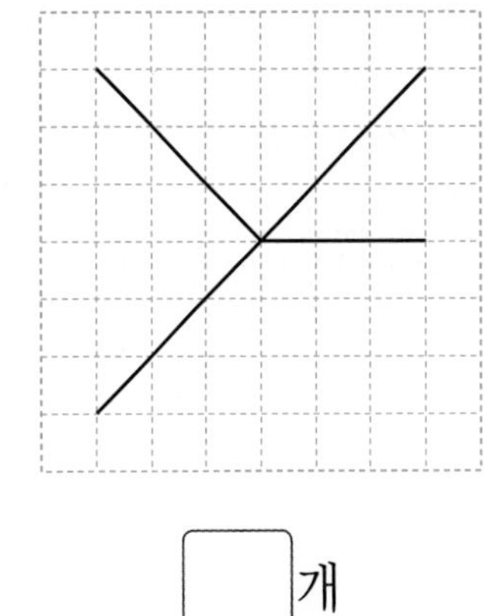

□개

2-2

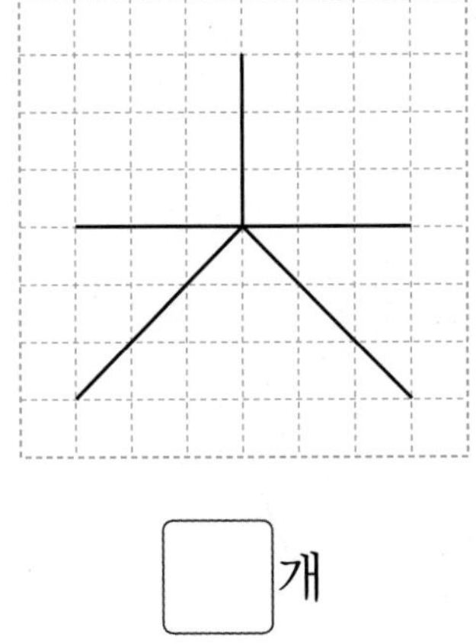

□개

2-3

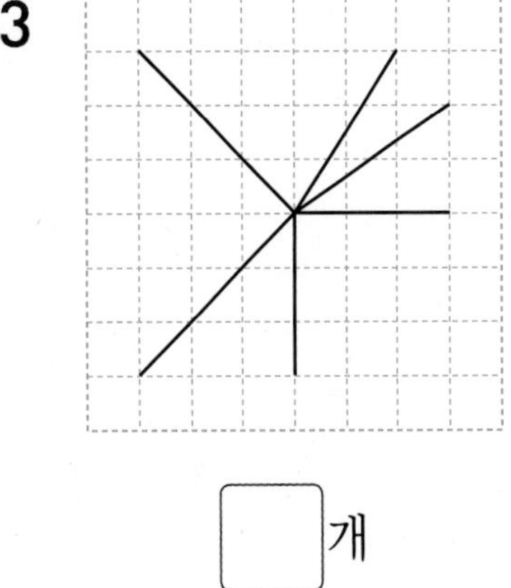

□개

1일 선분, 반직선, 직선의 수 구하기

오늘은 무엇을 공부할까요?

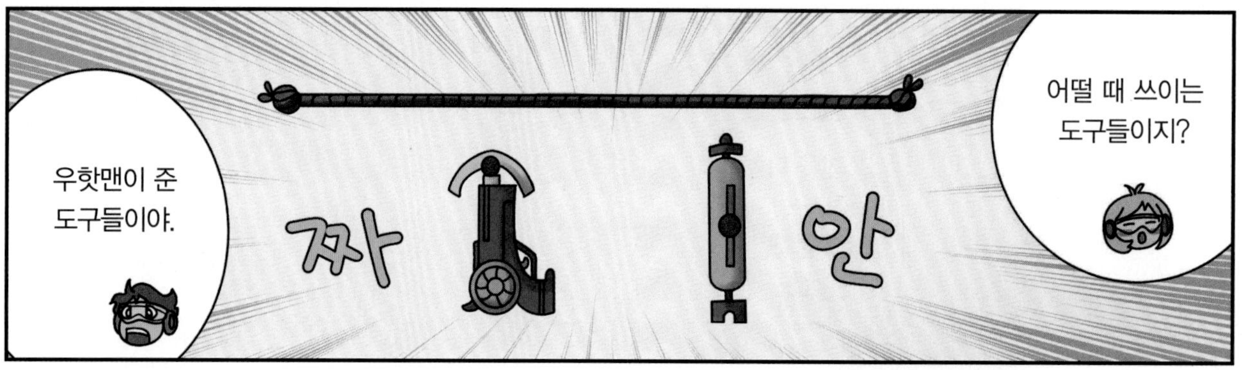

1주
1일

도형 기본 개념

● **선분**: 두 점을 곧게 이은 선

ㄱ ㄴ ⇨ 선분 ㄱㄴ 또는 선분 ㄴㄱ

● **반직선**: 한 점에서 시작하여 한쪽으로 끝없이 늘인 곧은 선

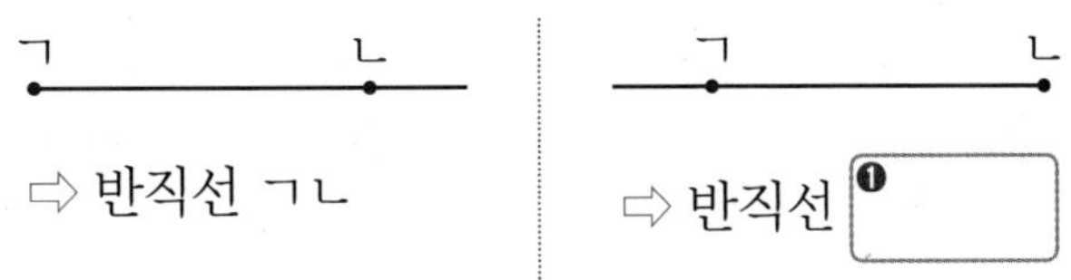

⇨ 반직선 ㄱㄴ　　⇨ 반직선 ❶

● ❷　　: 선분을 양쪽으로 끝없이 늘인 곧은 선

ㄱ ㄴ ⇨ 직선 ㄱㄴ 또는 직선 ㄴㄱ

정답 ❶ ㄴㄱ ❷ 직선

선분, 반직선, 직선의 수 구하기

두 점을 이용하여 여러 가지 선 그어 보기

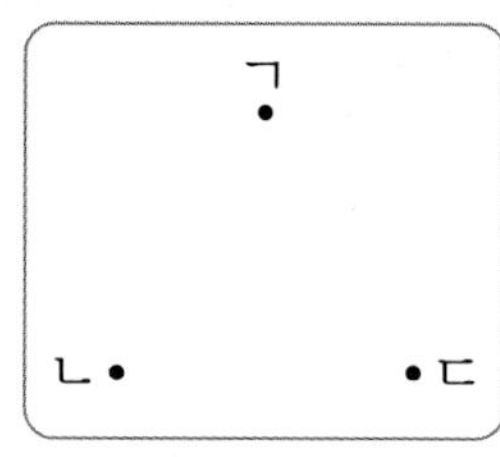

활동 1 그을 수 있는 선분 모두 그어 보기

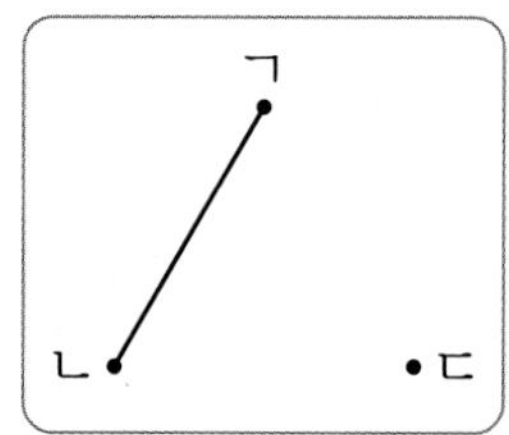

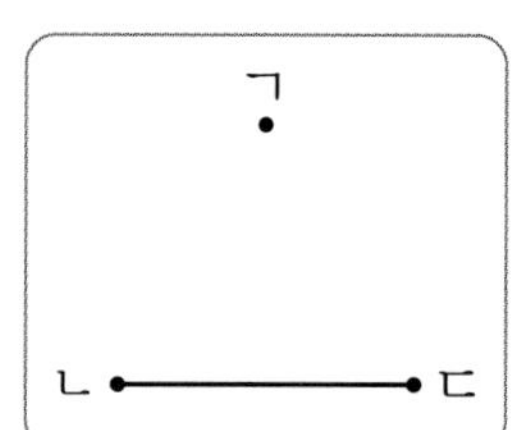

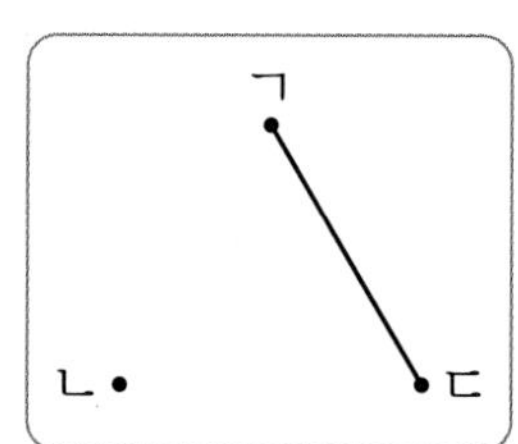

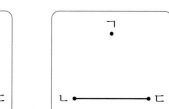

선분은 모두 3개 그을 수 있어요.

활동 2 그을 수 있는 반직선 모두 그어 보기

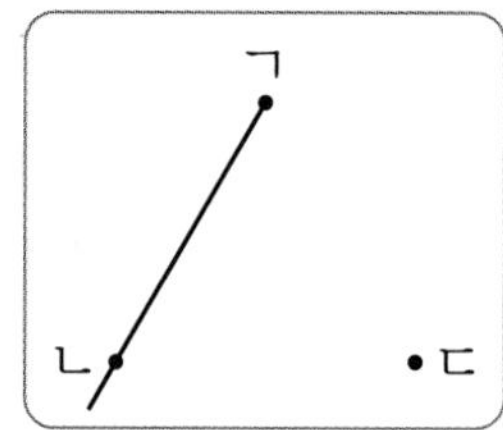

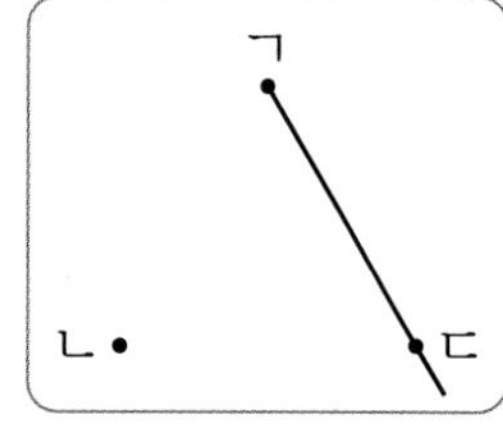

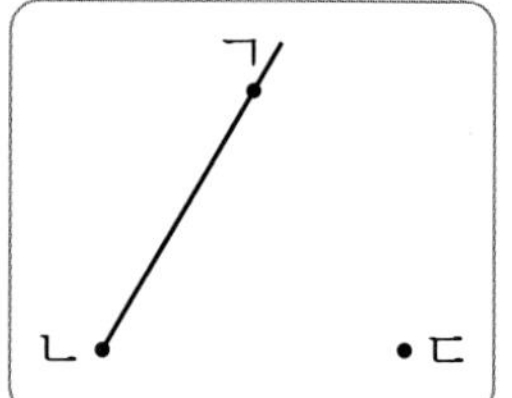

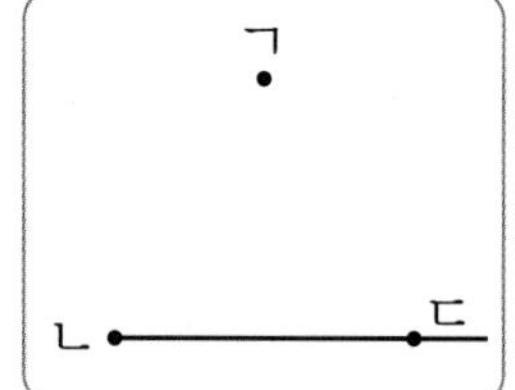

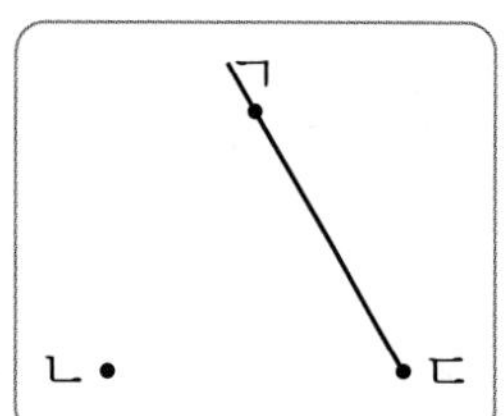

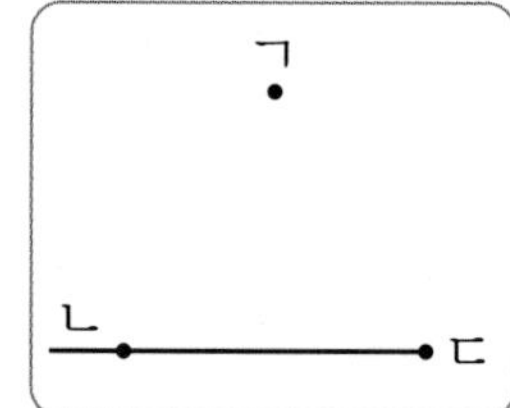

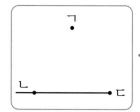

반직선은 모두 6개 그을 수 있어요.

활동 3 그을 수 있는 직선 모두 그어 보기

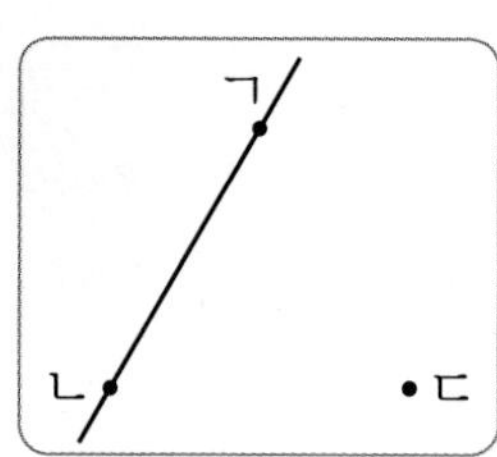

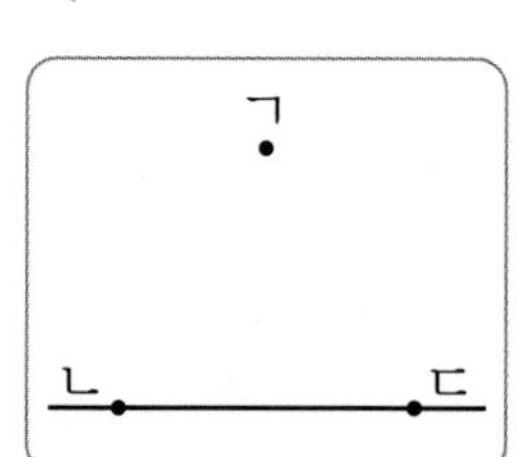

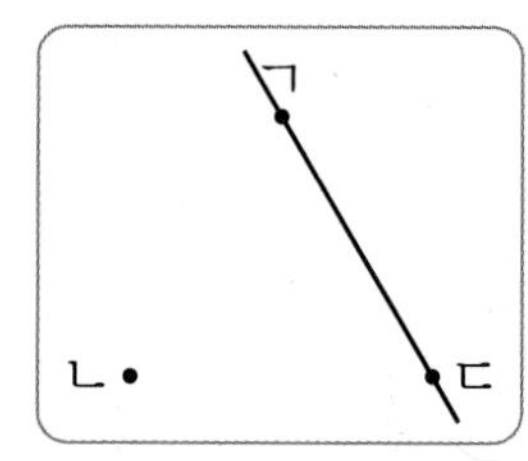

직선은 모두 3개 그을 수 있어요.

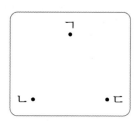

활동 개념 확인

점 ㄱ을 이용하여 그을 수 있는 선을 모두 그어 보세요.

1-1 선분

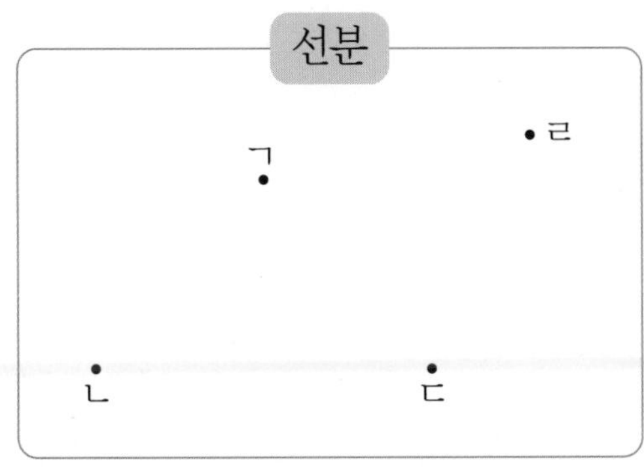

1-2 선분

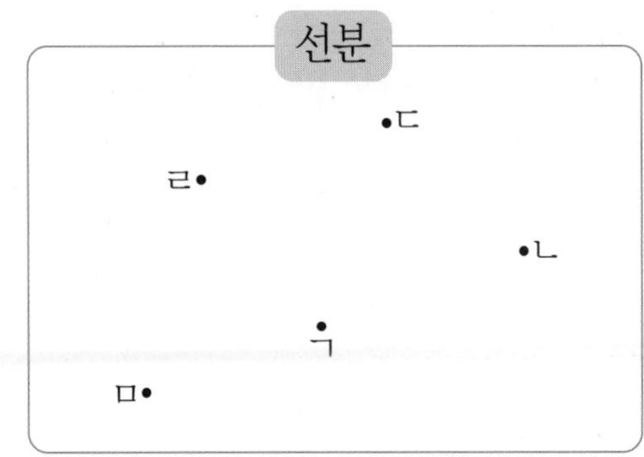

1-3 직선

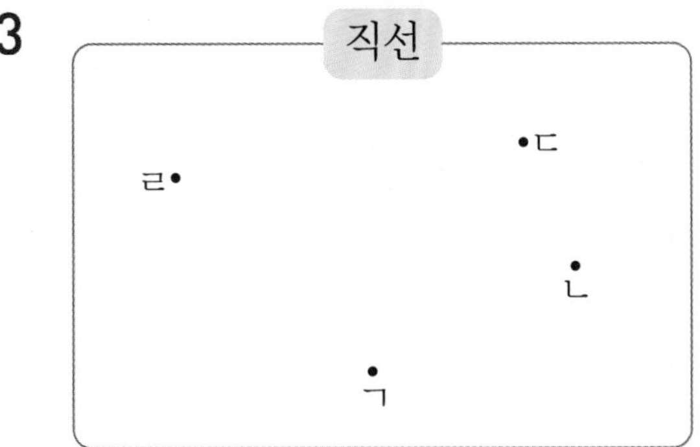

1-4 직선

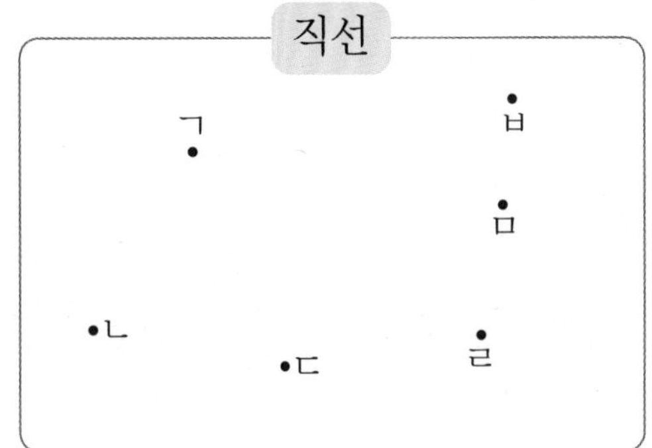

주어진 별자리에서 선분은 모두 몇 개인지 구하세요.

2-1

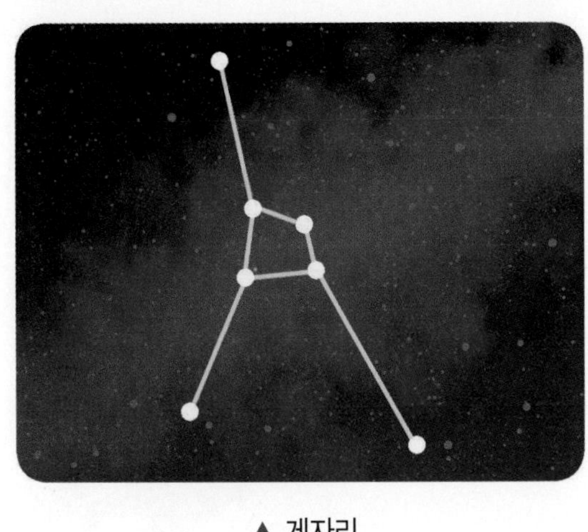

▲ 게자리

□개

2-2

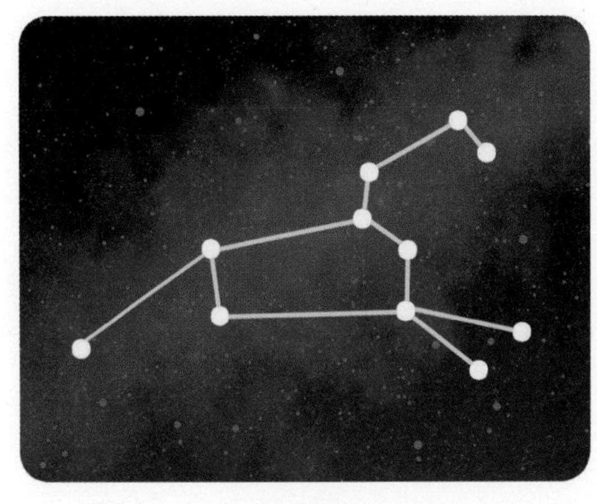

▲ 사자자리

□개

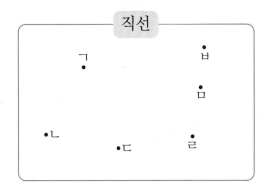

1일 선분, 반직선, 직선의 수 구하기

도형 집중 연습

다섯 점 중에서 두 점을 이용하여 반직선을 그어 보려고 합니다. 주어진 점에서 시작하여 그을 수 있는 반직선을 모두 그어 보고 몇 개인지 구하세요.

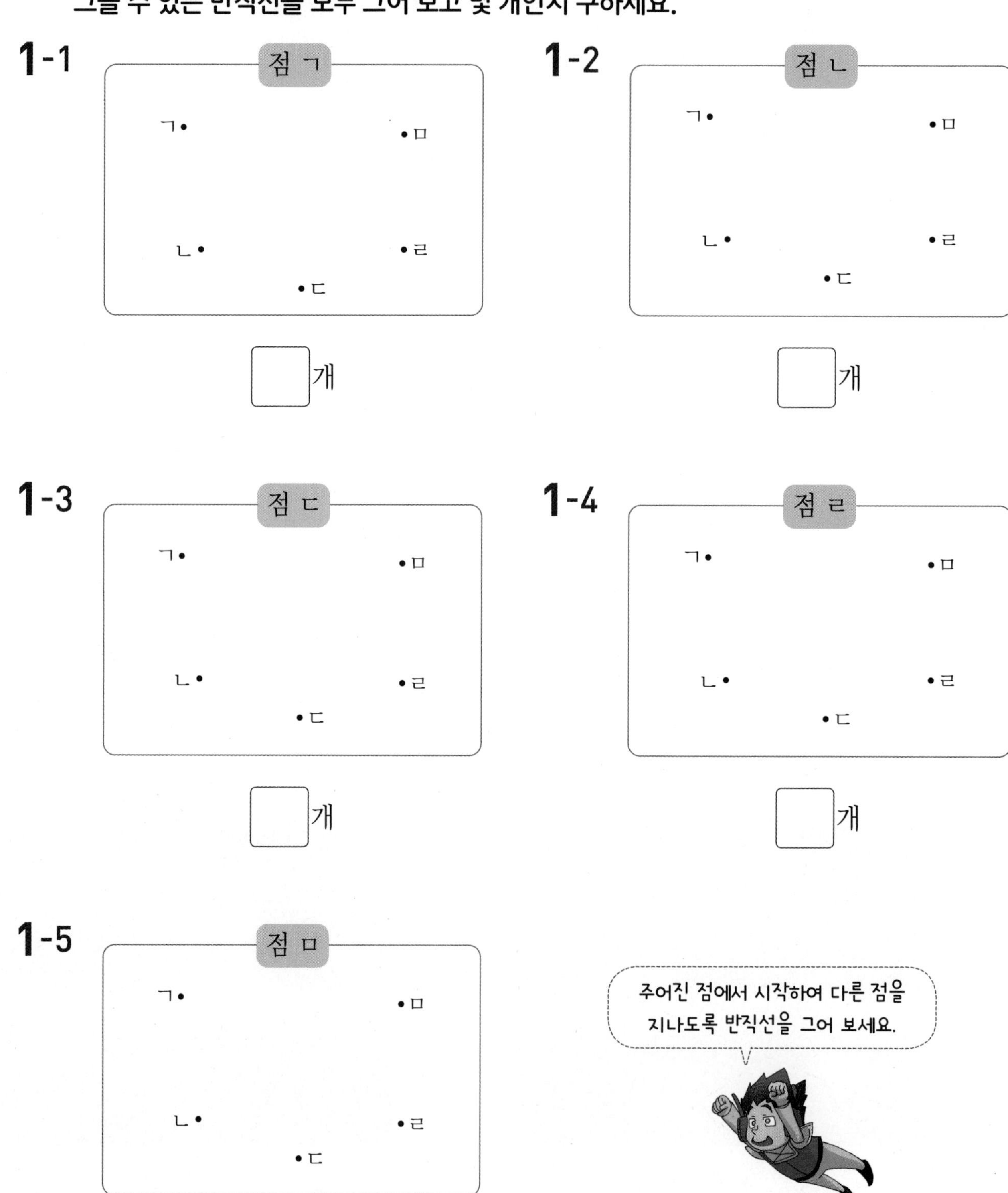

주어진 점에서 시작하여 다른 점을 지나도록 반직선을 그어 보세요.

보기 와 같이 그림에서 찾을 수 있는 선분과 직선의 개수를 각각 구하세요.

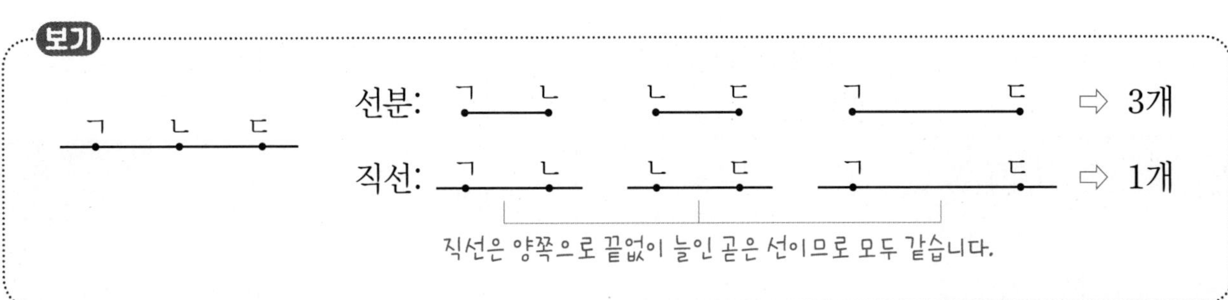

2-1

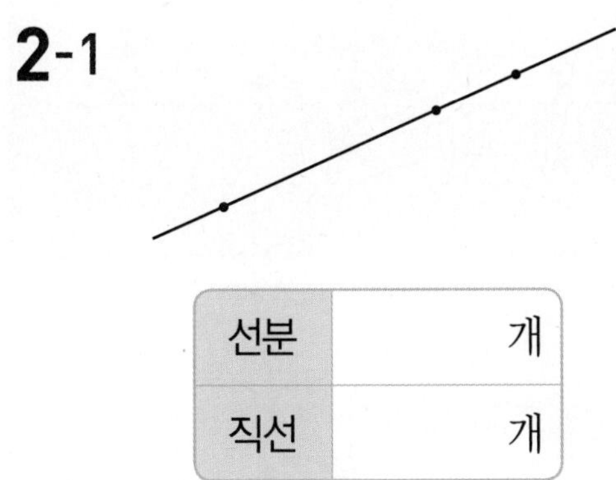

선분	개
직선	개

2-2

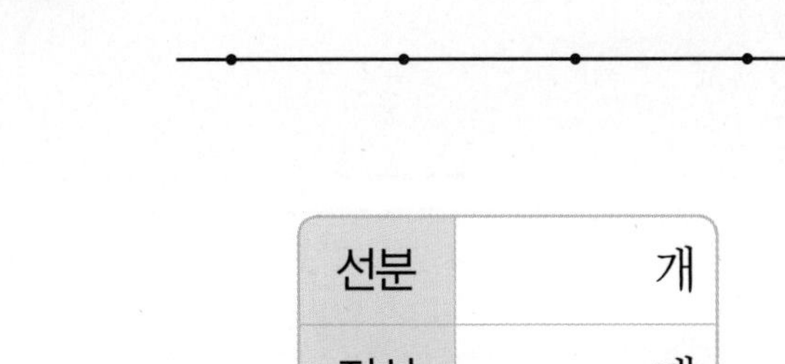

선분	개
직선	개

2-3

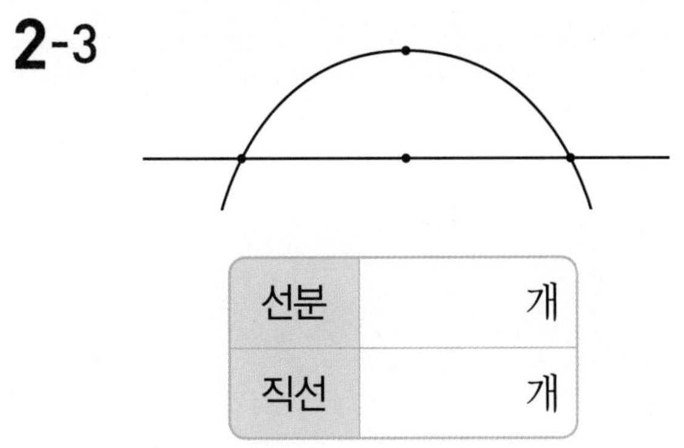

선분	개
직선	개

2-4

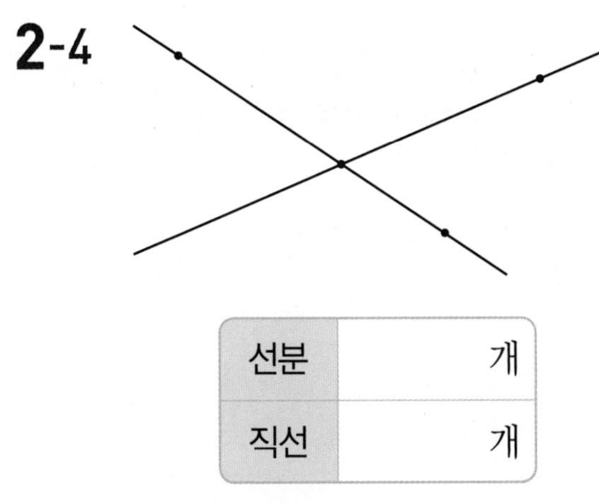

선분	개
직선	개

2-5

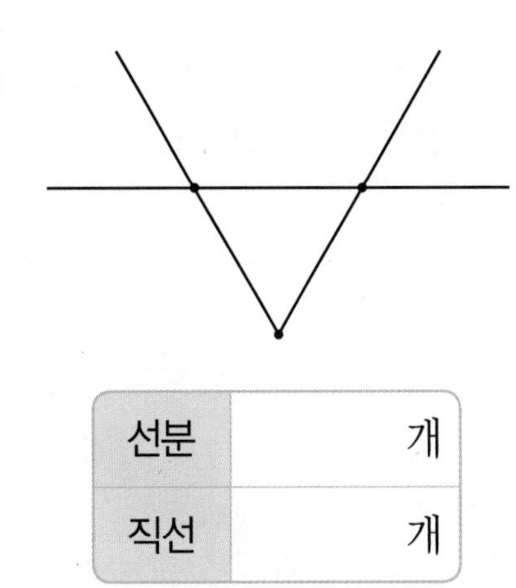

선분	개
직선	개

2일 각 그리기

오늘은 무엇을 공부할까요?

1주
2일

도형 기본 개념

- 각: 한 점에서 그은 두 반직선으로 이루어진 도형

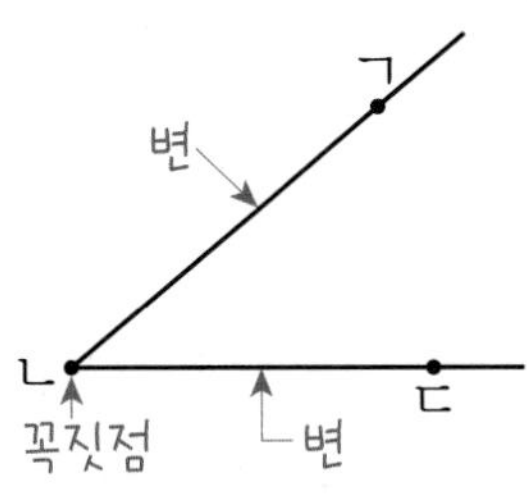

각 읽기	각의 꼭짓점	변 읽기
각 ㄱㄴㄷ 또는 각 ㄷㄴㄱ	점 ❶ [　]	변 ㄴㄱ, 변 ㄴㄷ

- ❷ [　　]: 종이를 반듯하게 두 번 접었을 때 생기는 각

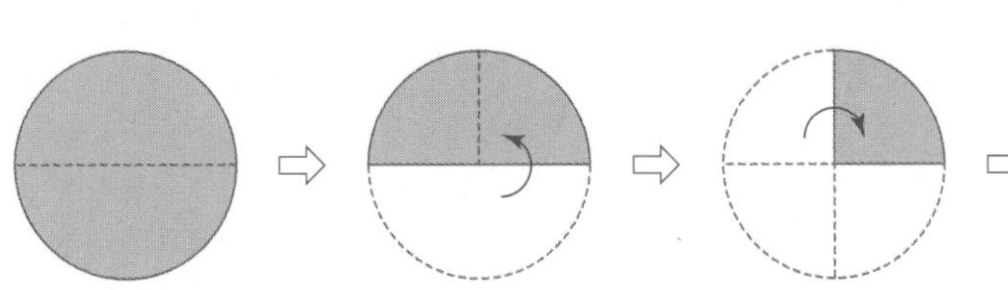

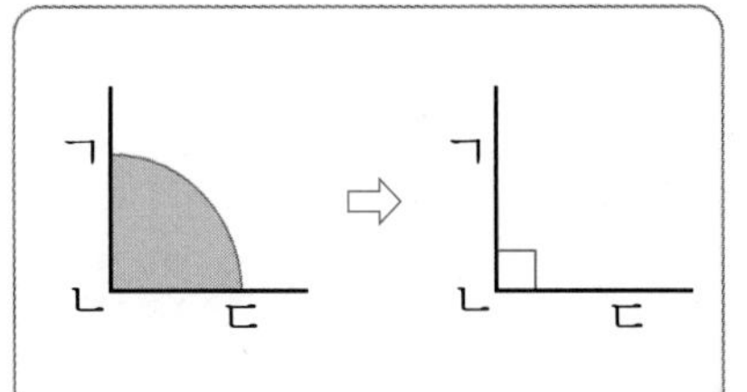

정답 ❶ ㄴ ❷ 직각

2일 각 그리기

활동을 통하여 개념을 알아보아요.

◎ 세 점을 이용하여 점 ㄴ을 꼭짓점으로 하는 여러 가지 각 그리기

점 ㄴ에서 시작하여 점 ㄱ과 점 ㄷ을 지나는 반직선을 각각 그어 보세요.

활동 1 각 ㄱㄴㄷ 그리기

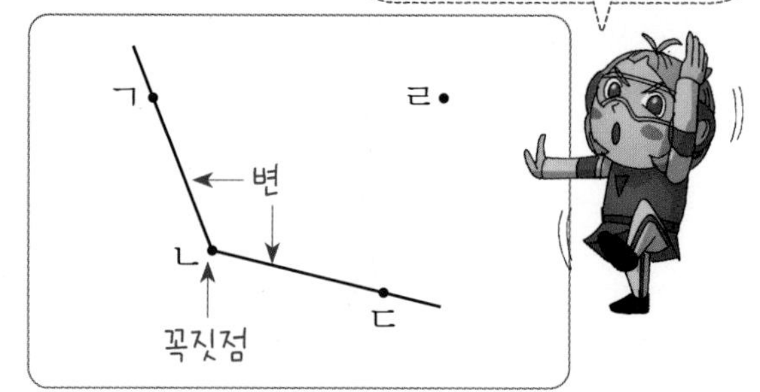

꼭짓점 ㄴ을 찾습니다. ⇨ 반직선 ㄴㄱ, 반직선 ㄴㄷ을 그립니다.

활동 2 각 ㄱㄴㄹ 그리기

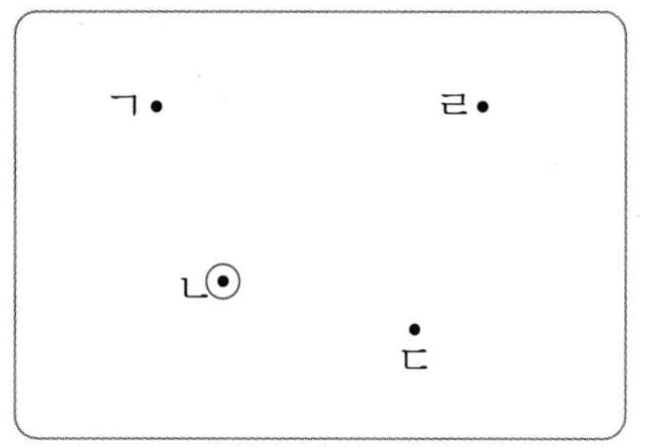

꼭짓점 ㄴ을 찾습니다.

⇨

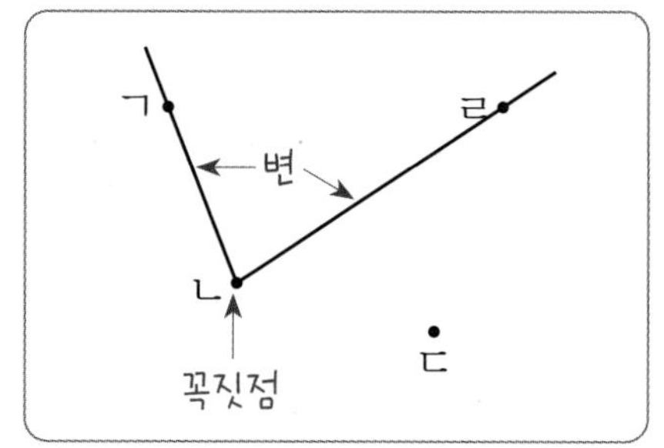

반직선 ㄴㄱ, 반직선 ㄴㄹ을 그립니다.

활동 3 각 ㄹㄴㄷ 그리기

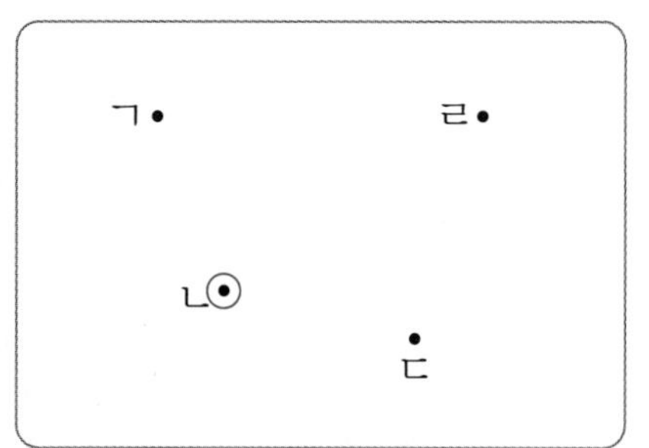

꼭짓점 ㄴ을 찾습니다.

⇨

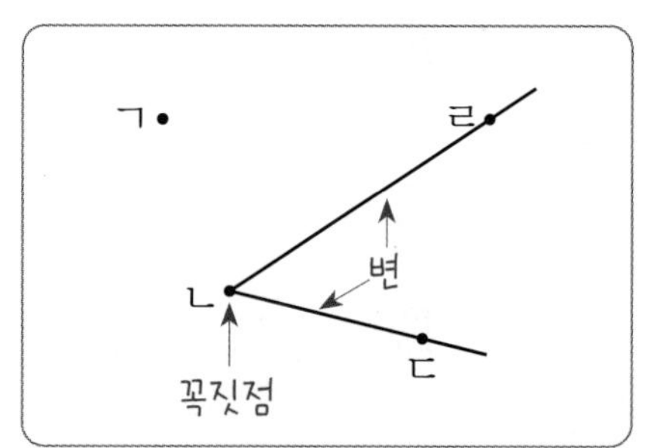

반직선 ㄴㄹ, 반직선 ㄴㄷ을 그립니다.

활동 개념 확인

보기 와 같이 주어진 점을 꼭짓점으로 하는 서로 다른 각을 그려 보세요.

보기

점 ㄱ

(그림: 점 ㄱ을 꼭짓점으로 하는 서로 다른 각 3개 — ㄹ, ㄱ, ㄷ / ㄷ, ㄱ, ㄴ / ㄹ, ㄱ, ㄴ)

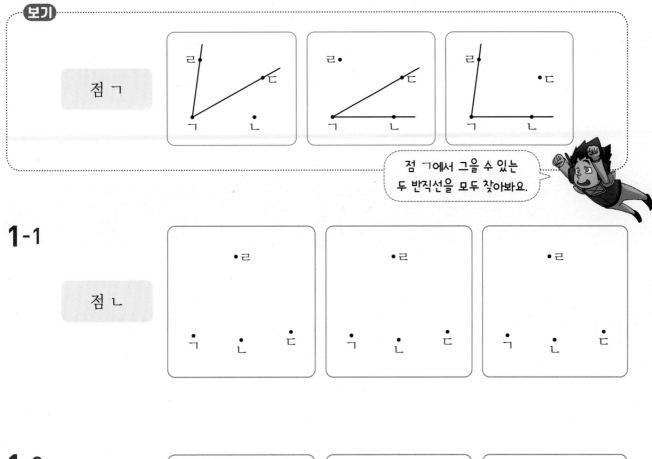

점 ㄱ에서 그을 수 있는 두 반직선을 모두 찾아봐요.

1-1 점 ㄴ

(점 ㄱ, ㄴ, ㄷ, ㄹ이 찍힌 빈칸 3개)

1-2 점 ㄷ

(점 ㄱ, ㄴ, ㄷ, ㄹ이 찍힌 빈칸 3개)

1-3 점 ㄹ

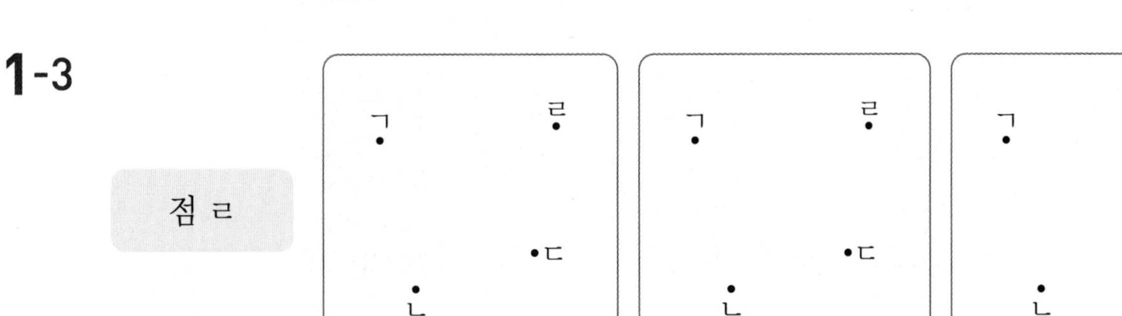

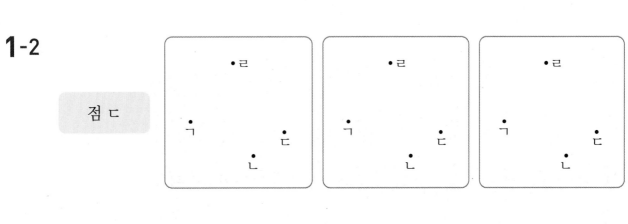

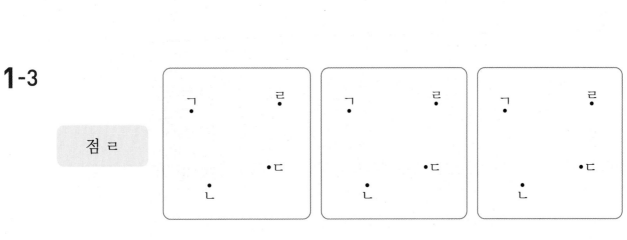

2일 각 그리기

도형 집중 연습

점 ㄱ을 꼭짓점으로 하여 그릴 수 있는 각은 모두 몇 개인지 구하세요.

1-1

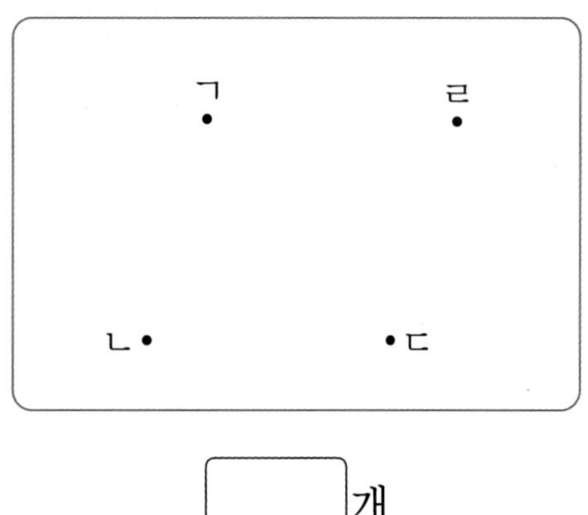

개

1-2

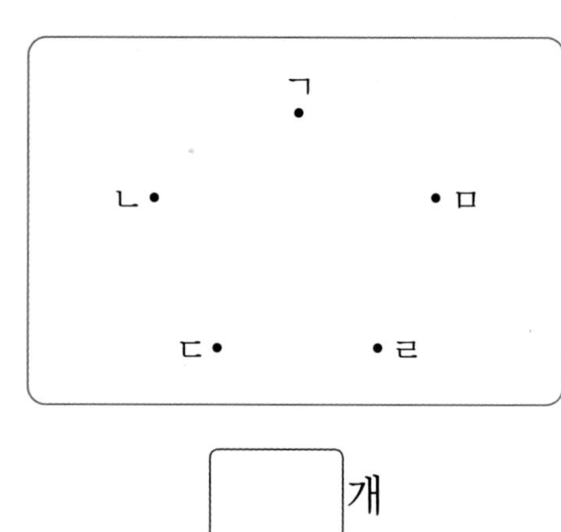

개

1-3

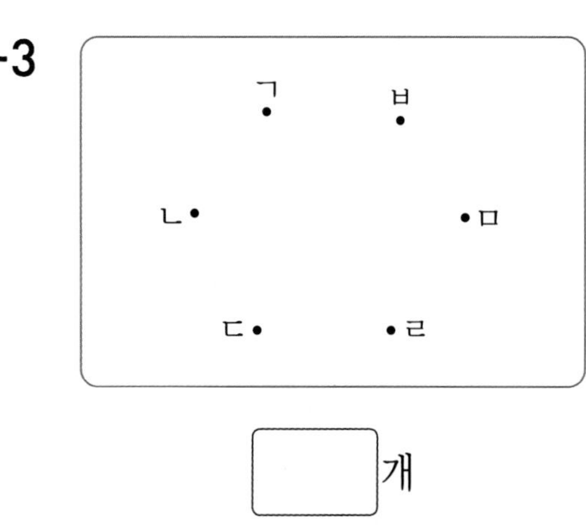

개

1-4

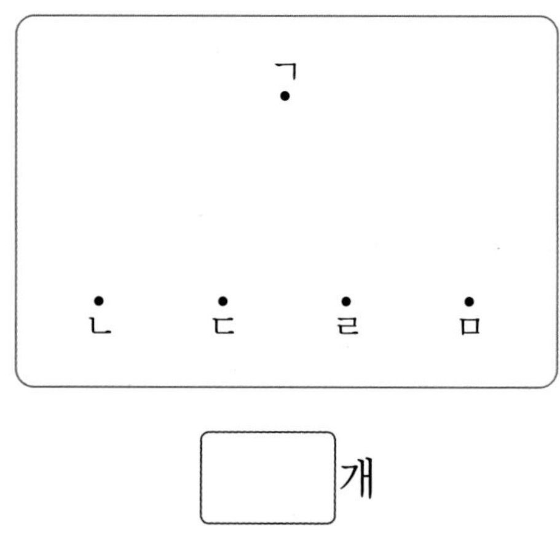

개

세 점을 이용하여 각을 그릴 때, 그릴 수 있는 각은 모두 몇 개인지 구하세요.

2-1

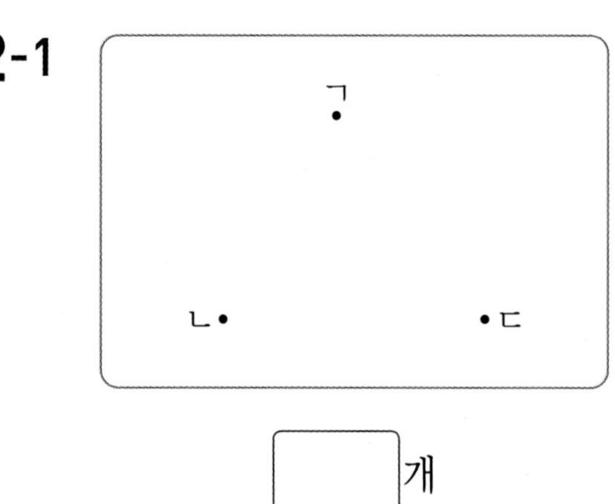

개

2-2

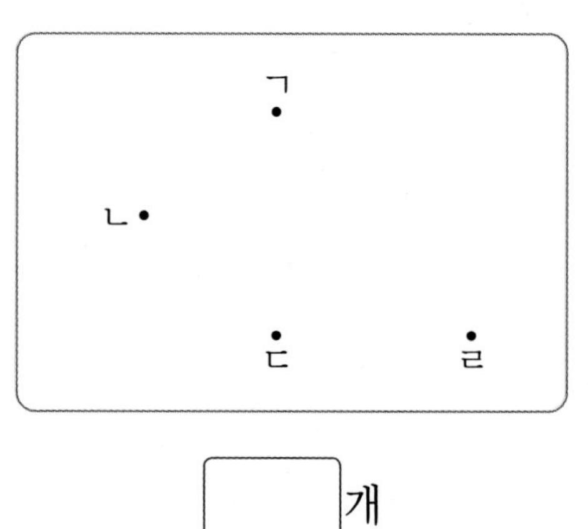

개

보기 와 같이 세 점을 이용하여 직각을 그릴 때, 그릴 수 있는 직각은 모두 몇 개인지 구하세요.

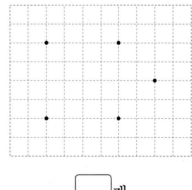

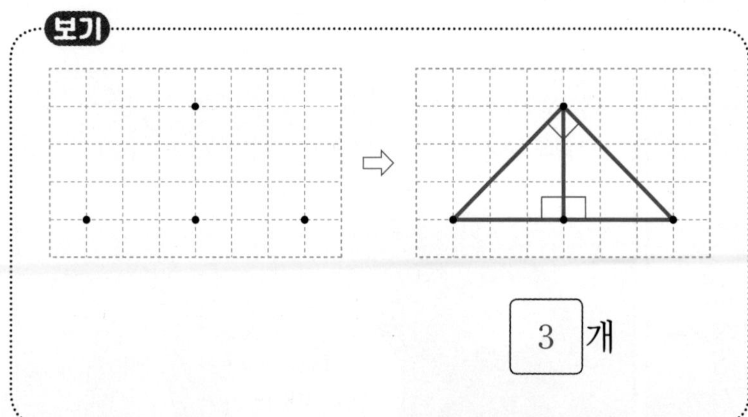
보기
3 개

삼각자의 직각 부분을 이용하여 직각을 찾을 수도 있어요.

1주
2일

3-1

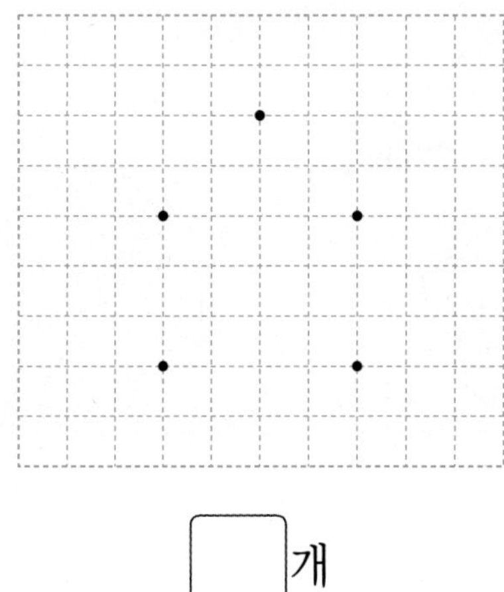

☐개

3-2

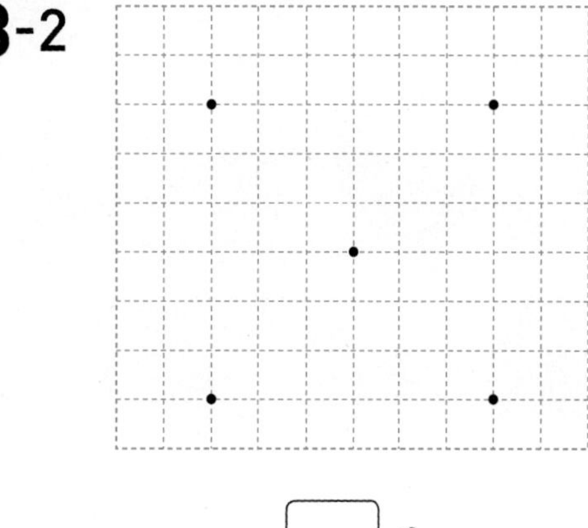

☐개

3-3

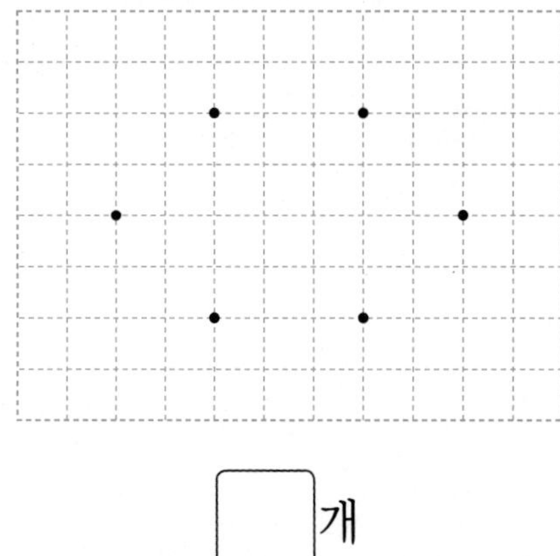

☐개

3-4

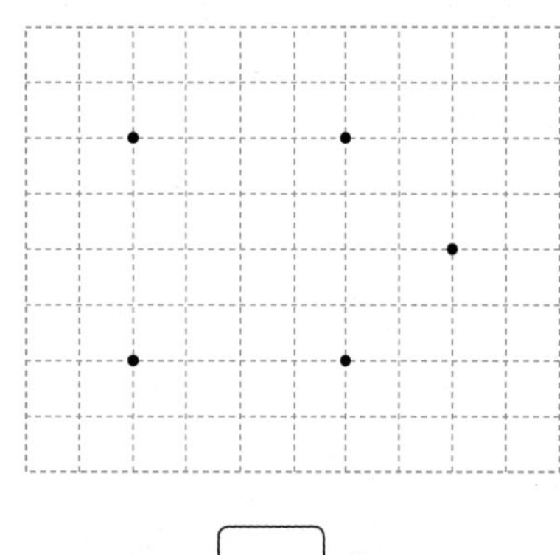

☐개

찾을 수 있는 각의 개수

오늘은 무엇을 공부할까요?

1주 3일

도형 기본 개념

● **도형에서 찾을 수 있는 크고 작은 각의 개수 구하기**

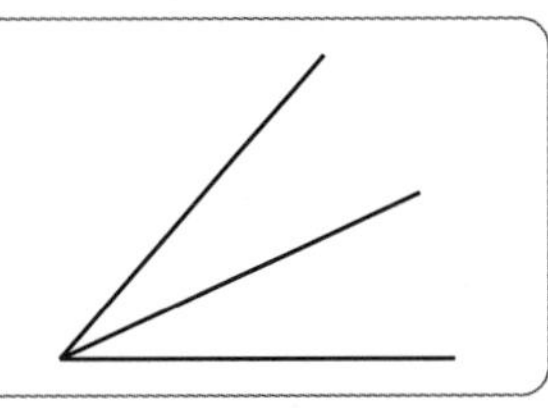

① 각 1개로 이루어진 각 찾아보기

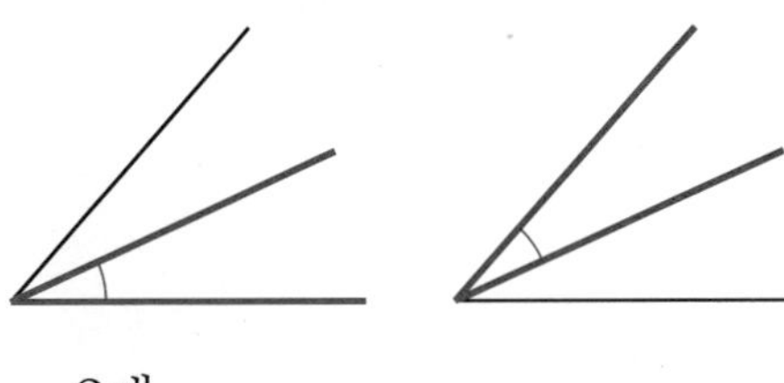

→ 2개

② 각 2개로 이루어진 각 찾아보기

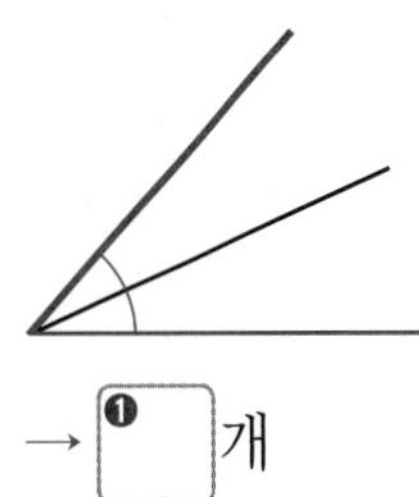

→ ❶ [ ] 개

⇨ 주어진 도형에서 찾을 수 있는 크고 작은 각은 모두 $2+1=$ ❷ [ ] (개)입니다.

정답 ❶1 ❷3

찾을 수 있는 각의 개수

활동을 통하여 해결 방법을 알아보아요.

도형에서 찾을 수 있는 크고 작은 각의 개수 구하기

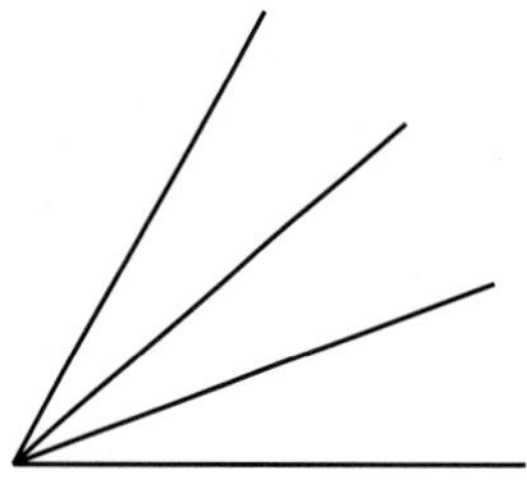

① 각 1개로 이루어진 각 찾아보기

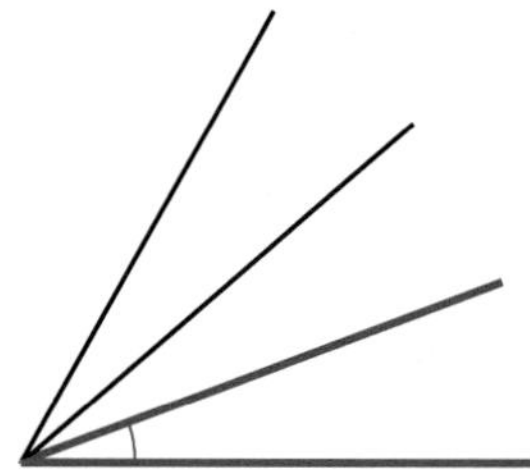
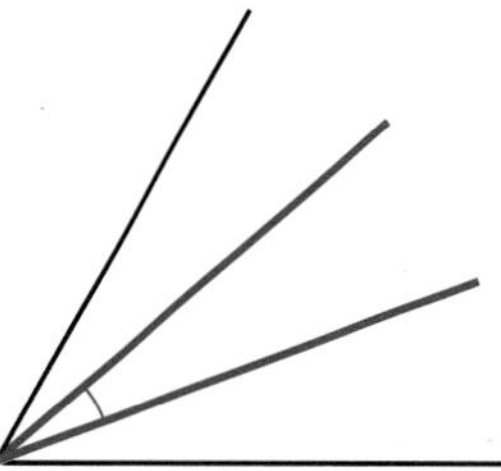
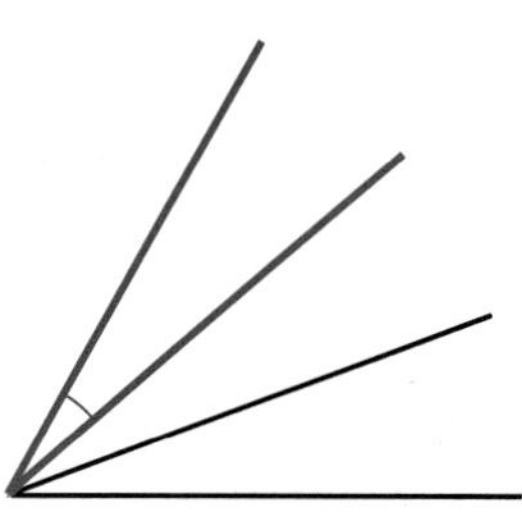

→ 3개

② 각 2개로 이루어진 각 찾아보기

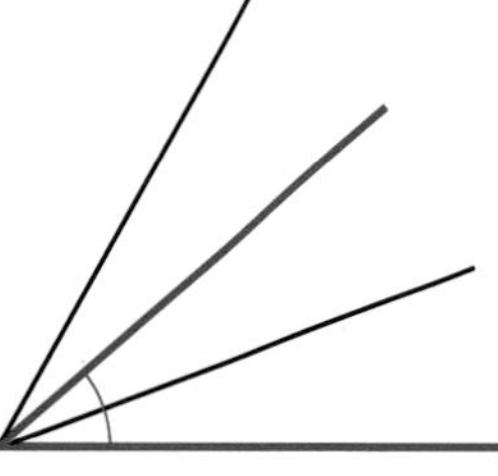
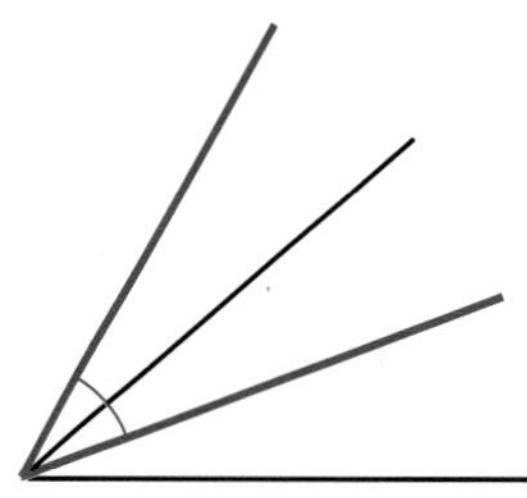

→ 2개

③ 각 3개로 이루어진 각 찾아보기

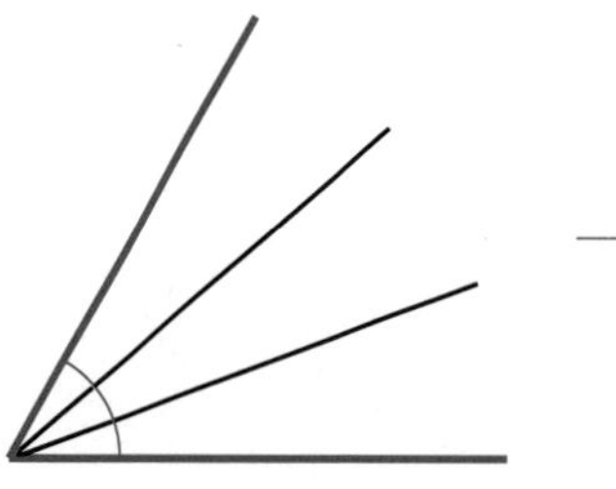

→ 1개

각 1개, 2개, 3개로 이루어진 각의 개수를 각각 세어 모두 더해요.

⇨ 주어진 도형에서 찾을 수 있는 크고 작은 각은 모두 $3+2+1=6$(개)입니다.

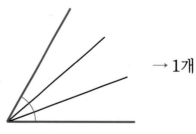

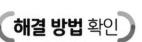

해결 방법 확인

도형에서 찾을 수 있는 크고 작은 각은 모두 몇 개인지 구하세요.

1-1

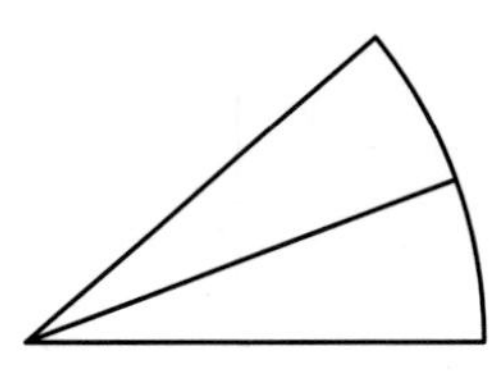

- 각 1개로 이루어진 각: ☐개
- 각 2개로 이루어진 각: ☐개

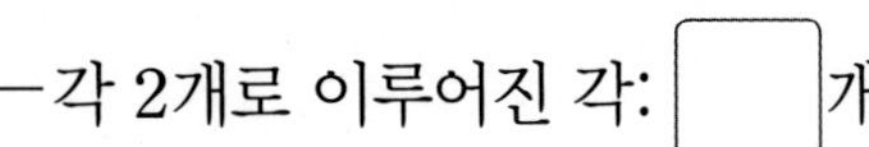

⇨ 찾을 수 있는 크고 작은 각: ☐개

1-2

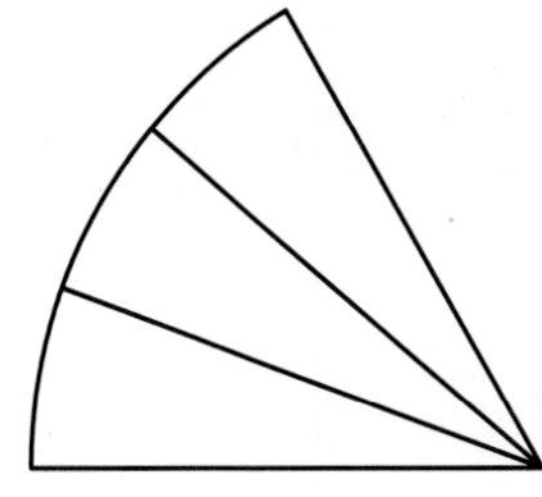

- 각 1개로 이루어진 각: ☐개
- 각 2개로 이루어진 각: ☐개
- 각 3개로 이루어진 각: ☐개

⇨ 찾을 수 있는 크고 작은 각: ☐개

1-3

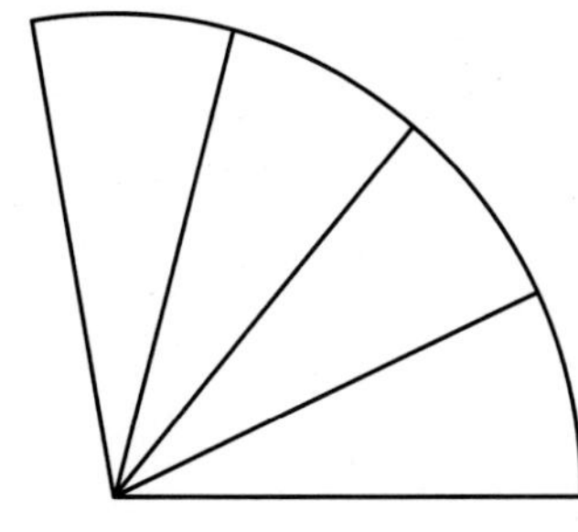

- 각 1개로 이루어진 각: ☐개
- 각 2개로 이루어진 각: ☐개
- 각 3개로 이루어진 각: ☐개
- 각 4개로 이루어진 각: ☐개

⇨ 찾을 수 있는 크고 작은 각: ☐개

3일 찾을 수 있는 각의 개수

도형 집중 연습

도형에서 찾을 수 있는 직각의 개수를 구하세요.

1-1

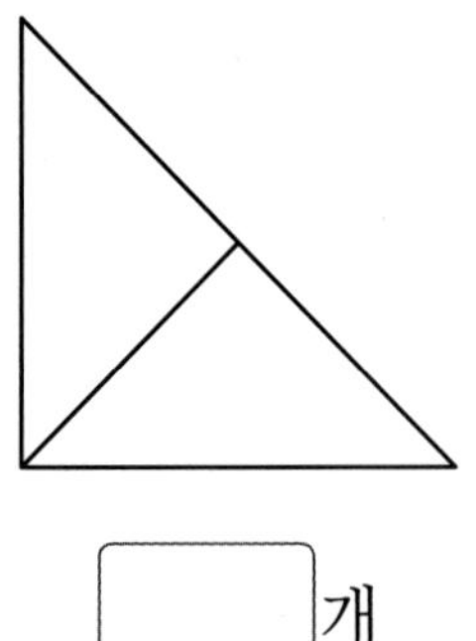

[ ]개

1-2

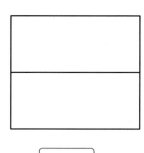

[ ]개

1-3

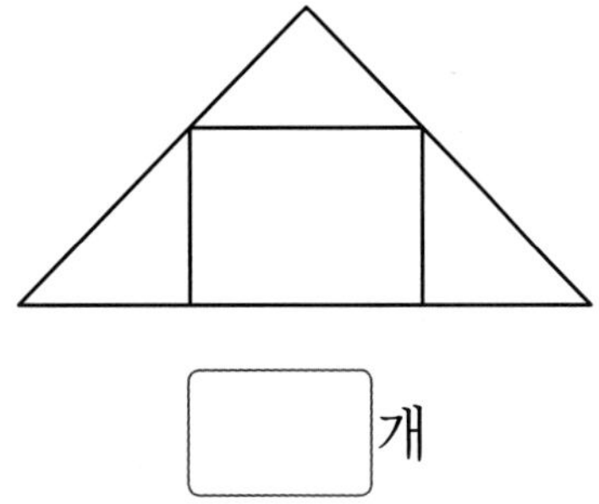

[ ]개

1-4

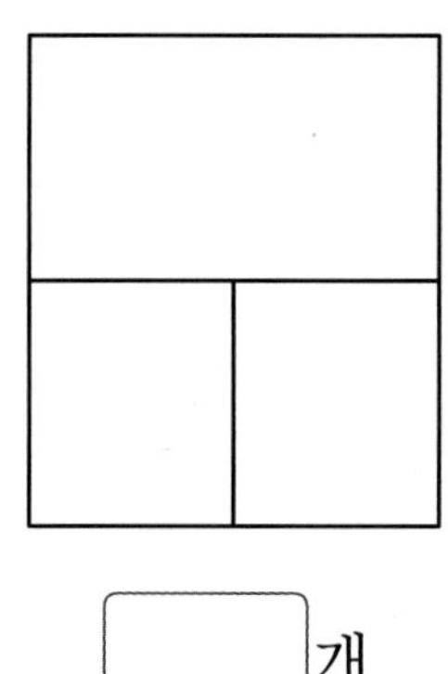

[ ]개

1-5

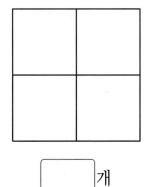

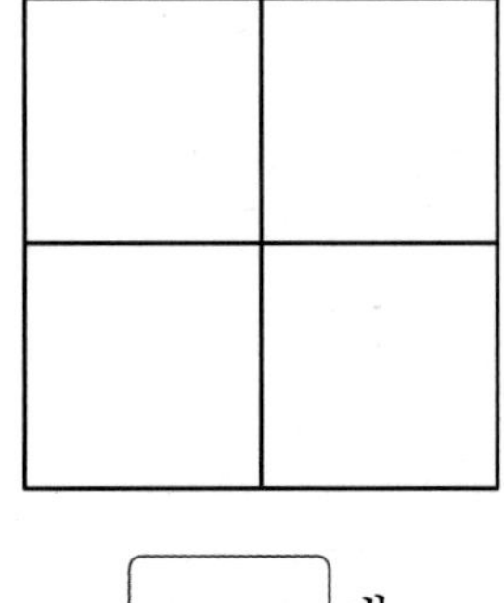

[ ]개

1-6

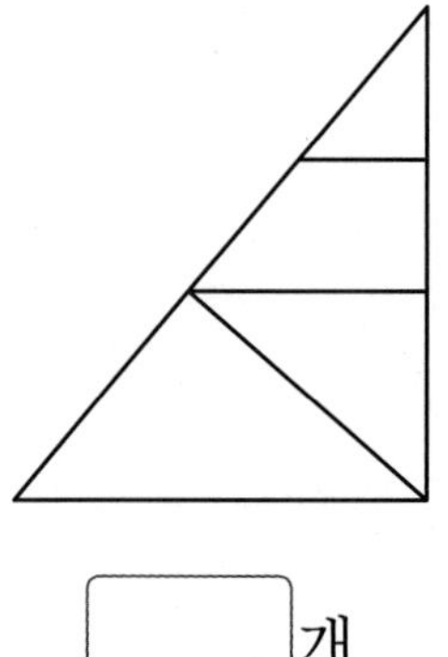

[ ]개

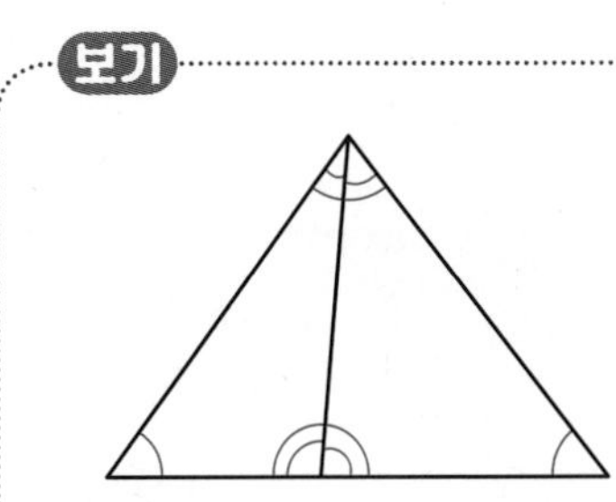

보기 와 같이 도형에서 찾을 수 있는 크고 작은 각은 모두 몇 개인지 구하세요.

보기

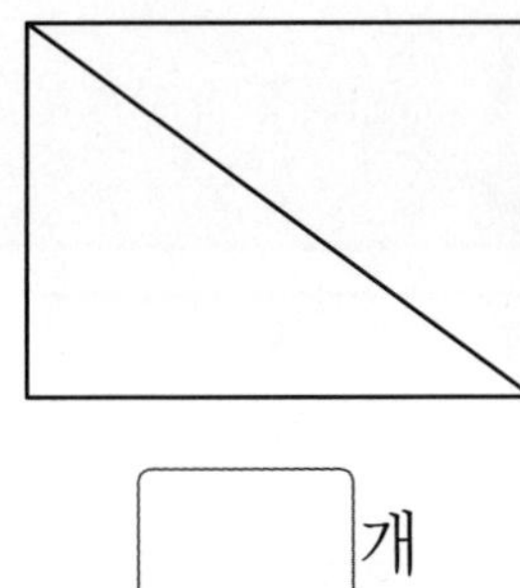

각 1개로 이루어진 각: 6개
각 2개로 이루어진 각: 2개
⇨ 크고 작은 각: 6+2=8(개)

여러 각이 합쳐서 되는 각을 빠뜨리지 않도록 주의하세요.

2-1

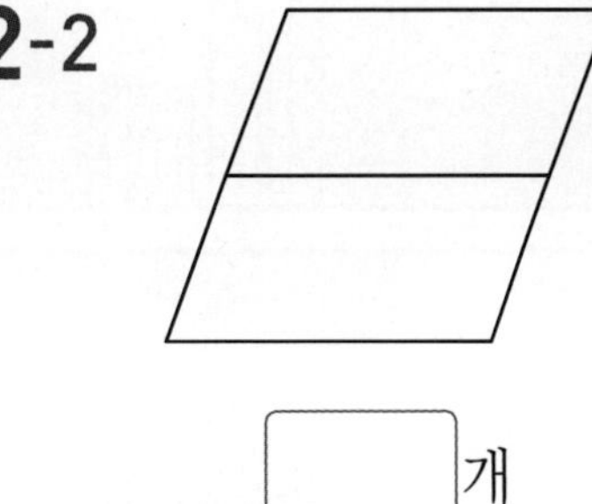

☐개

2-2

☐개

2-3

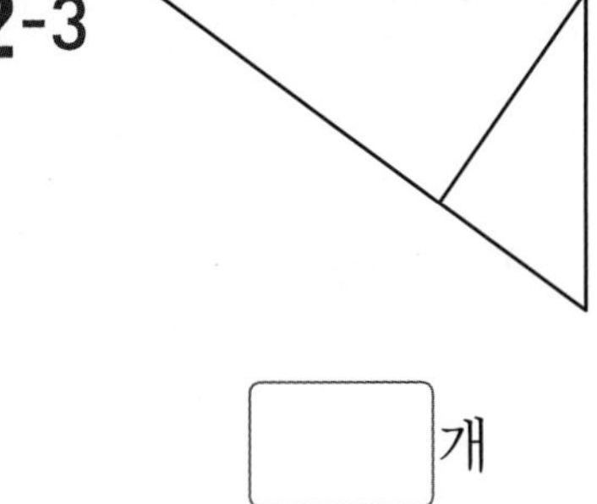

☐개

2-4

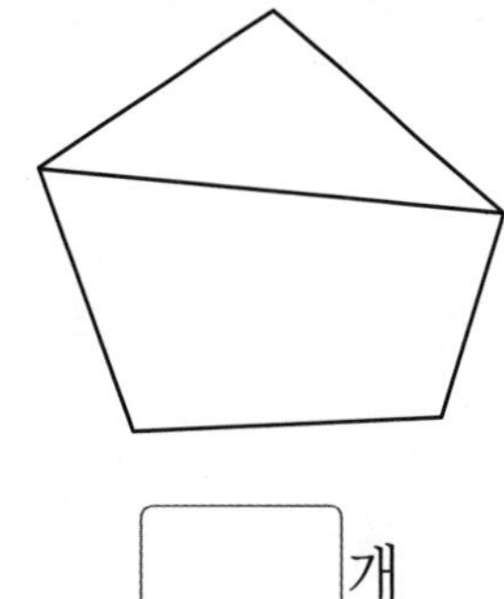

☐개

2-5

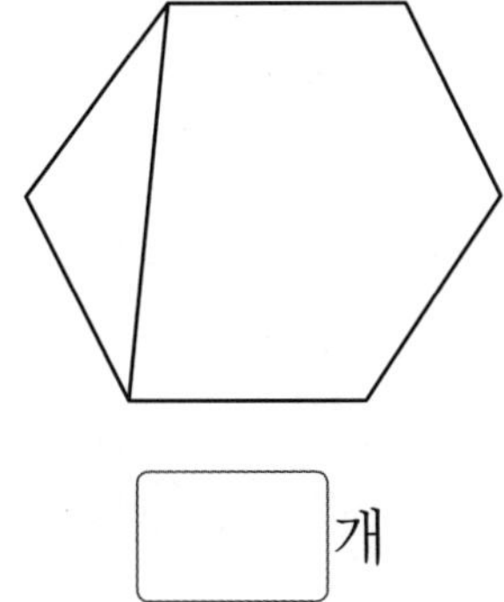

☐개

2-6

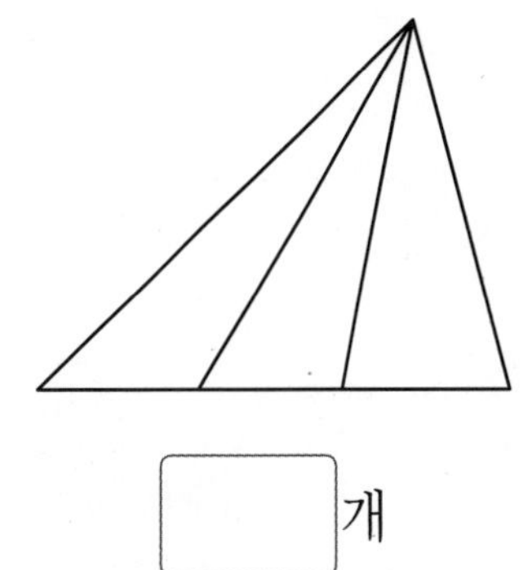

☐개

4일 도형 만들기

오늘은 무엇을 공부할까요?

윤우네 집

짠!

우핫맨이
보낸 거야.

이게 웬
상자야?

음……. 뭐가
들어 있는지 봐봐.

후두둑

응~.
정사각형과 직사각형
모양의 종이가
1장씩 들어 있네.

종이를
잘라 퍼즐을
맞추면~.

우핫맨이 보낸
선물을
받을 수 있대.

노란색 종이로
직각삼각형 2개,
빨간색 종이로
정사각형과 직사각형을
1개씩 만들어야 해.

어떤 선물일까?

궁금

진정해. 먼저 종이를
잘라서 도형을
만들어 보자.

짠

직각삼각형
2개

정사각형,
직사각형

이렇게 자르면
되겠어!

1주
4일

도형 기본 개념

- **직각삼각형**: 한 각이 직각인 삼각형
- **직사각형**: 네 각이 모두 직각인 사각형
- **정사각형**: 네 각이 모두 직각이고, 네 변의 길이가 모두 같은 사각형

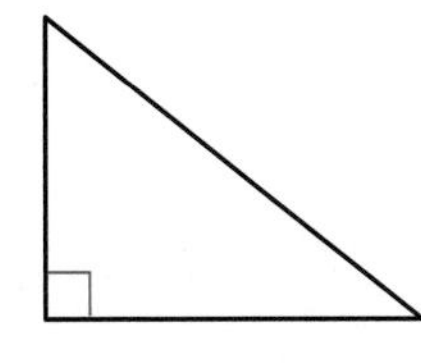
직각삼각형

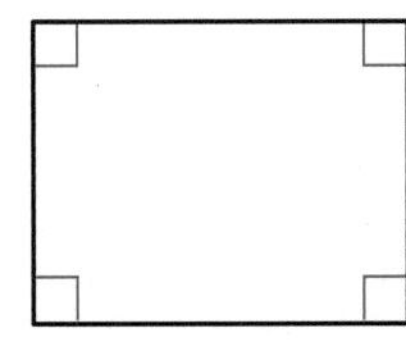
직사각형

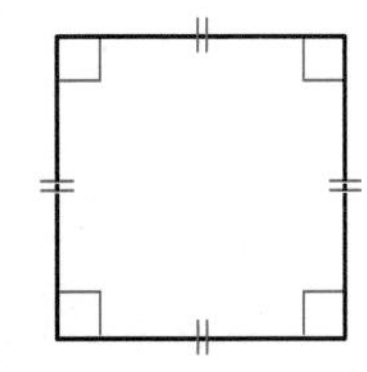
정사각형

도형	직각삼각형	직사각형	정사각형
각의 수	3개	4개	4개
직각의 수	❶ ☐개	4개	❷ ☐개

정답 ❶ 1 ❷ 4

4일 도형 만들기

활동을 통하여 개념을 알아보아요.

정사각형, 직사각형 모양의 종이로 도형 만들기

활동 1 정사각형 모양의 종이로 직각삼각형 만들기

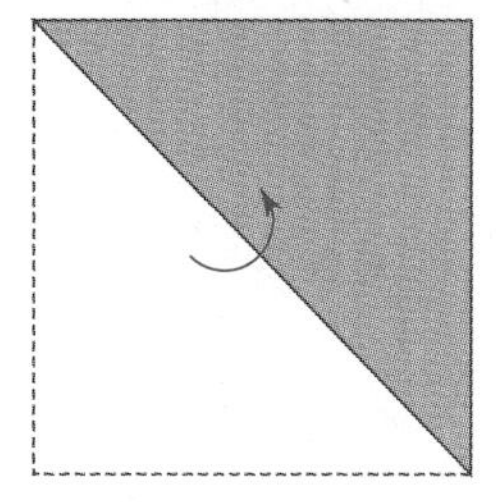

종이를 그림과 같이 접습니다.

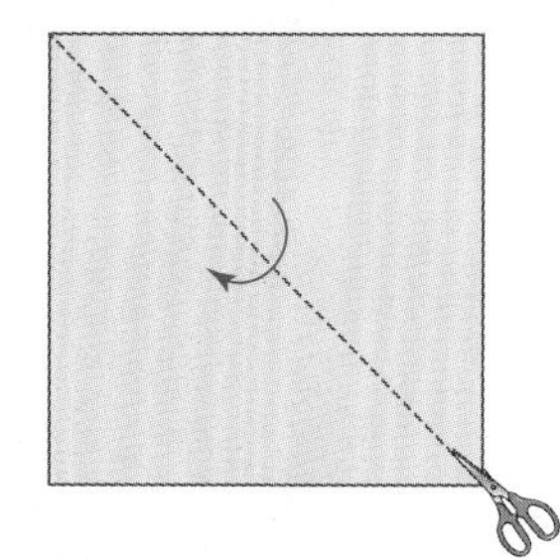

종이를 펼쳐서 점선을 따라 자릅니다.

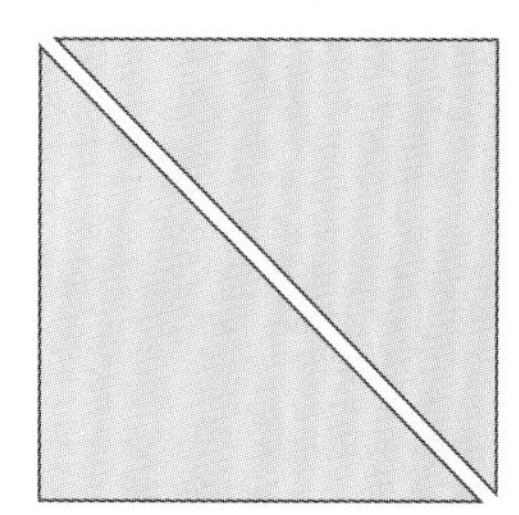

직각삼각형 2개가 만들어집니다.

활동 2 직사각형 모양의 종이로 직사각형, 정사각형 만들기

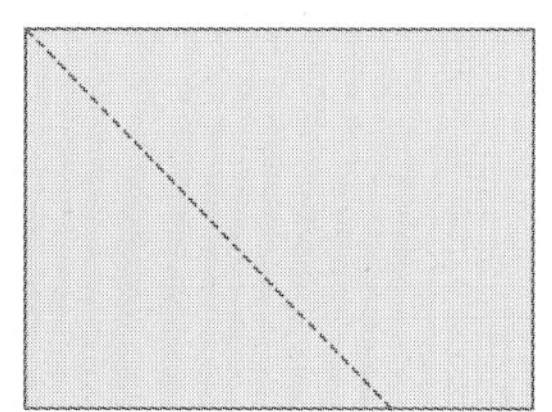

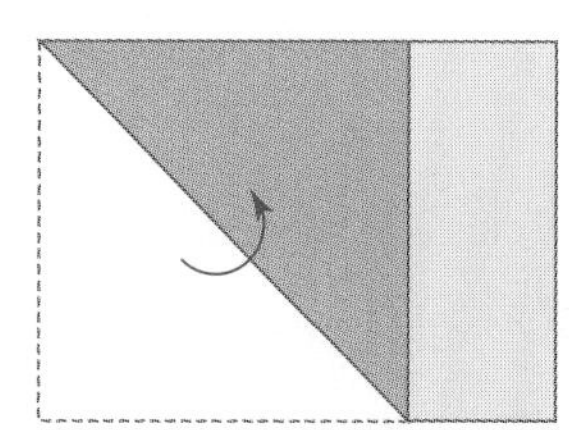

종이를 그림과 같이 접습니다.

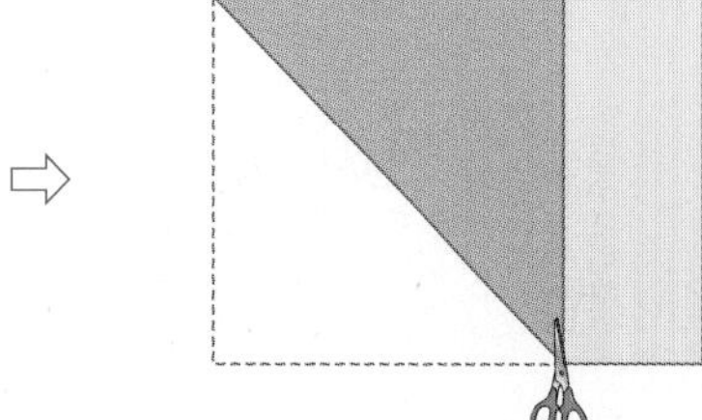

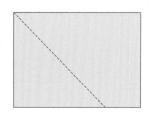

접은 종이를 자릅니다.

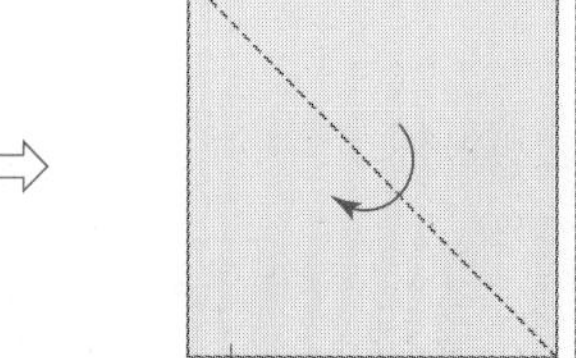

자른 종이를 펼치면 정사각형 1개, 직사각형 1개가 만들어집니다.

활동 개념 확인

다음 색종이를 선을 따라 모두 잘랐을 때, 생기는 도형의 개수를 구하세요.

1-1

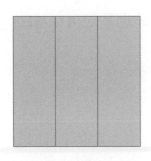

직사각형
개

1-2

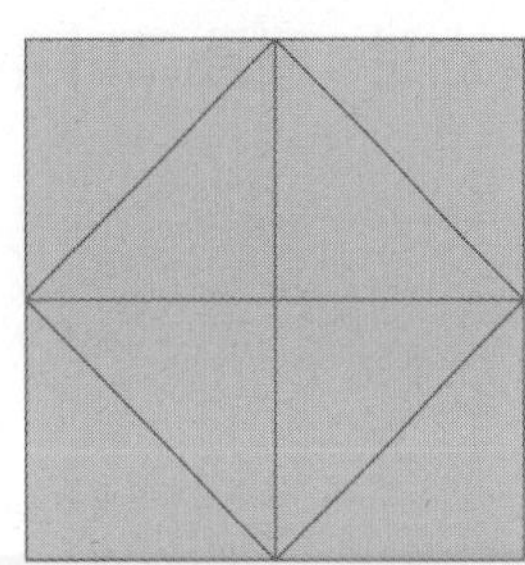

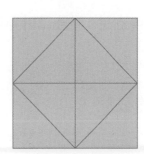

직각삼각형
개

1-3

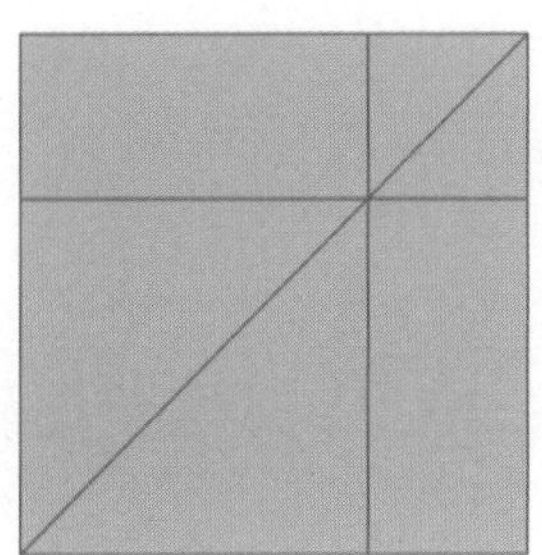

직각삼각형	직사각형
개	개

1-4

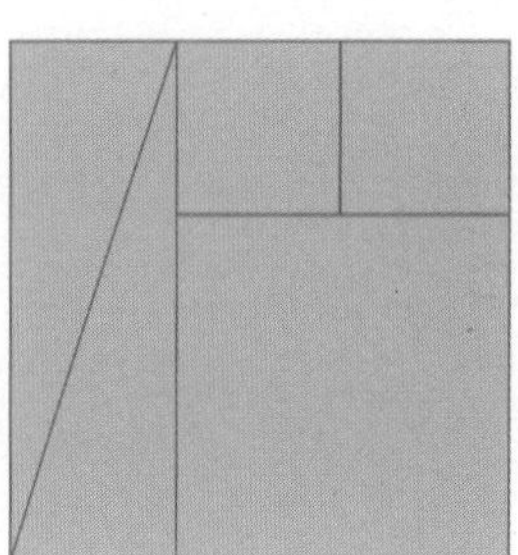

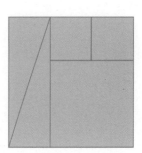

직각삼각형	정사각형
개	개

1-5

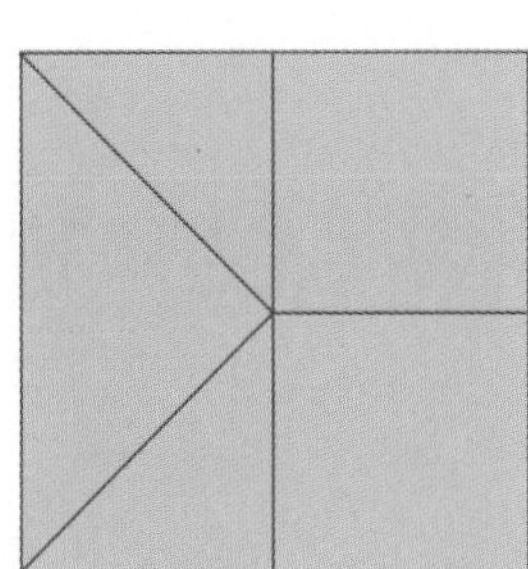

직각삼각형	정사각형
개	개

1-6

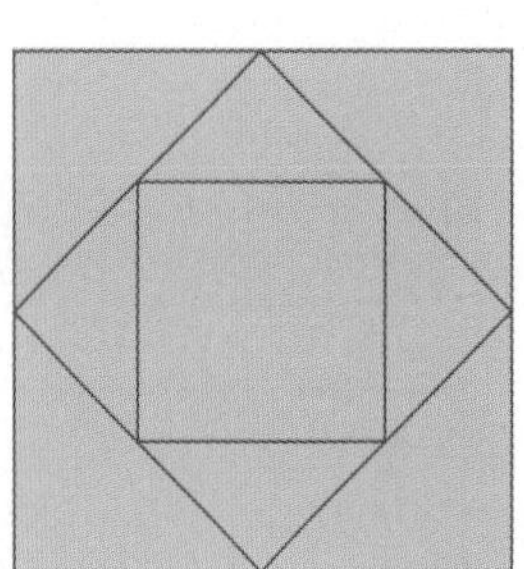

직각삼각형	정사각형
개	개

1주 4일

4일 도형 만들기

도형 집중 연습

보기 와 같이 선분 1개를 그어 주어진 개수만큼 도형이 생기도록 선을 그어 보세요.

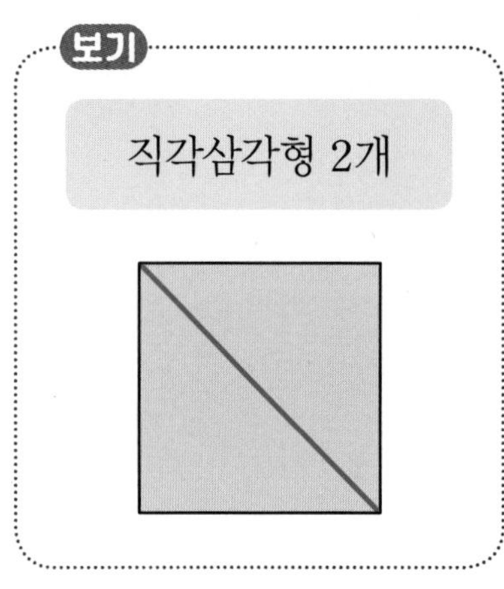

1-1 직각삼각형 2개

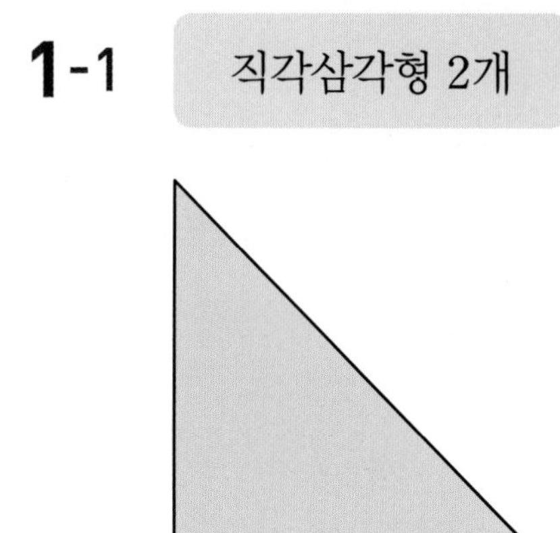

1-2 정사각형 2개

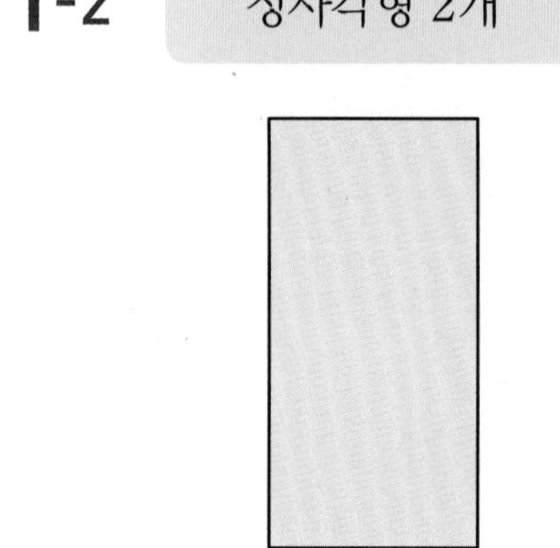

1-3 직각삼각형 2개

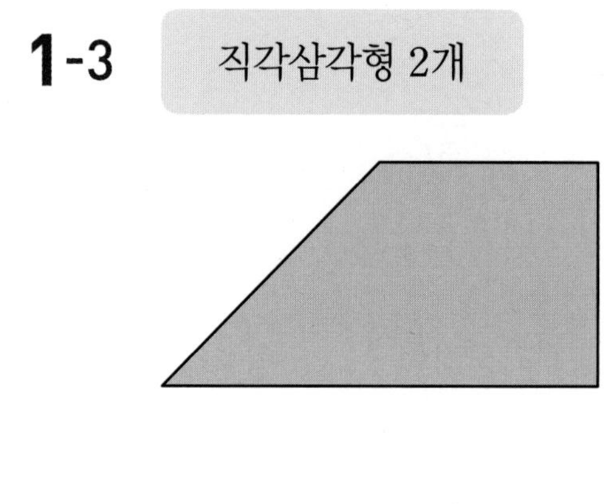

1-4 직각삼각형 1개, 직사각형 1개

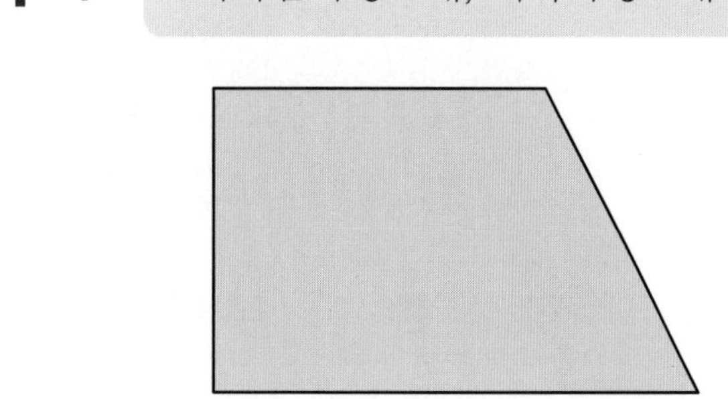

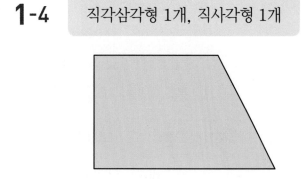

1-5 직각삼각형 1개, 정사각형 1개

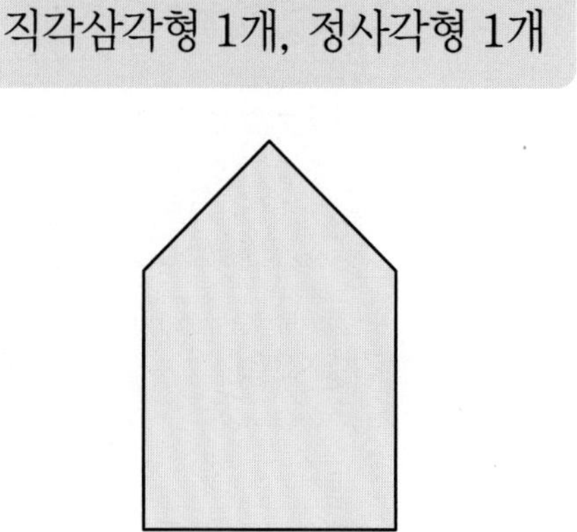

보기 와 같이 선분 2개를 그어 주어진 개수만큼 도형이 생기도록 선을 그어 보세요.

보기

직각삼각형 2개, 직사각형 1개

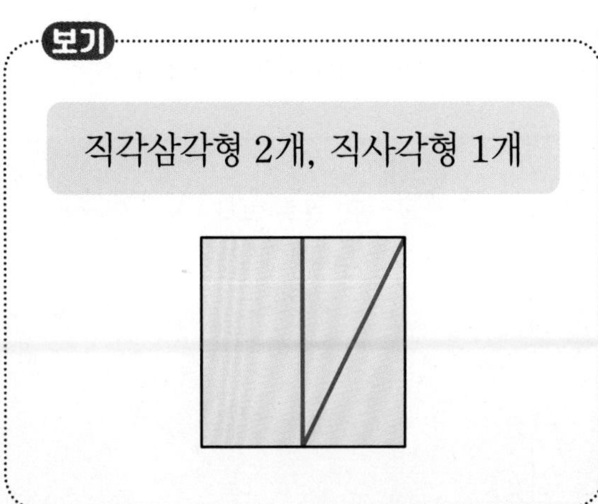

2-1 정사각형 3개

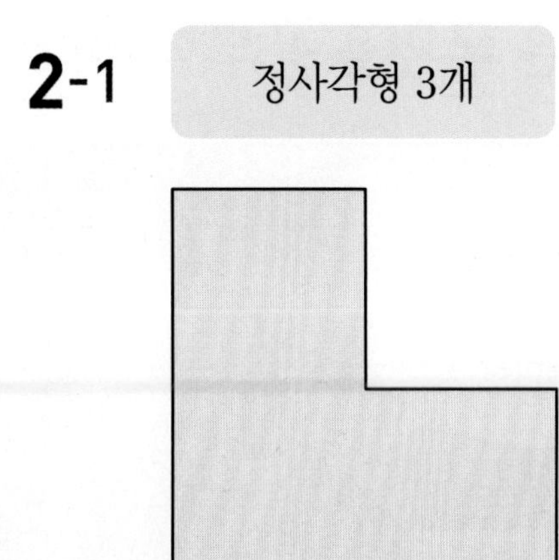

2-2

직각삼각형 3개

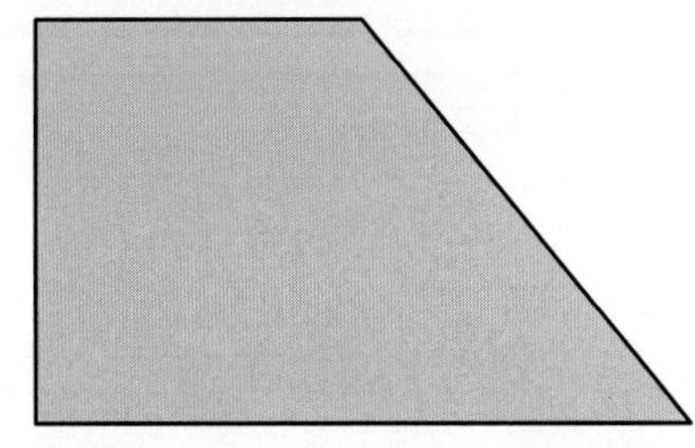

2-3 직각삼각형 3개

2-4 직각삼각형 2개, 정사각형 1개

2-5 직각삼각형 2개, 정사각형 1개

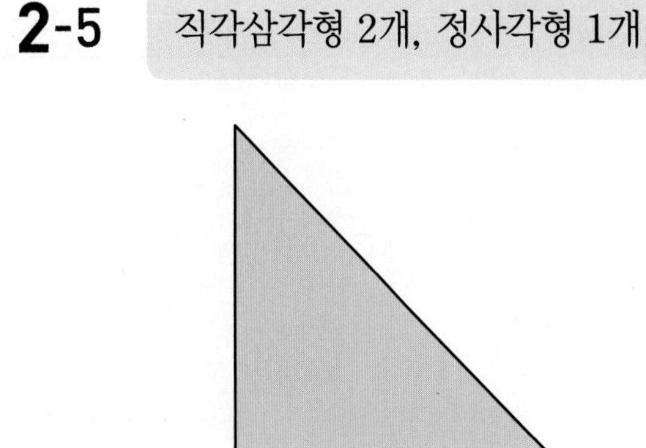

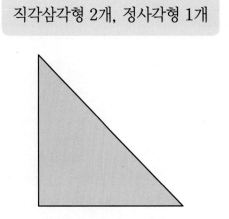

5일 겹쳐진 부분의 도형 찾기

오늘은 무엇을 공부할까요?

후후~.
침략 준비가 끝나가는구나!
기다려라!
지구인들아~.
대마왕의 기지

대마왕님!
왕큰 로봇이 준비
되었습니다.
크큭
오! 크크 박사,
드디어 때가
되었다!
출격하라!

아! 심심해~.
뭐 좀 재미있는
게 없을까?
그러게 말이야~.

말이 끝나기가 무섭게!

사각형과
삼각형 모양의
로봇이야.
그럼 새로운 무기를
사용해야지!
팟!
팟!

이 도형을 겹쳐서
겹친 부분을 쏘아
맞혀야겠어.
윙
윙

삑!

도형 기본 개념

- **겹쳐진 부분의 도형 찾아보기**

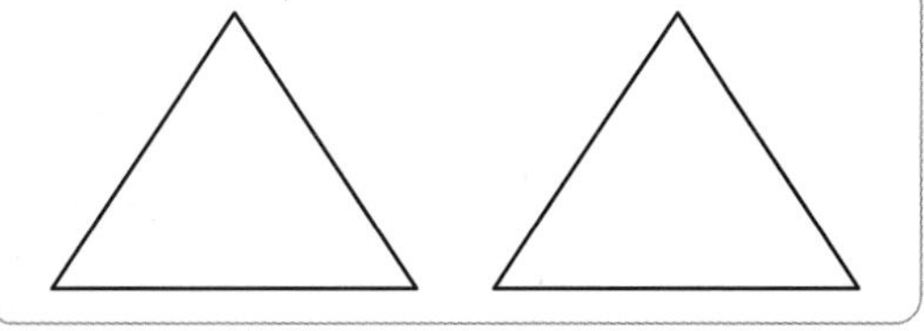

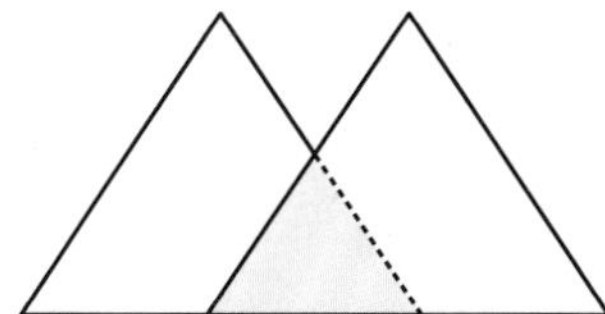

겹쳐진 부분이 삼각형 모양입니다.

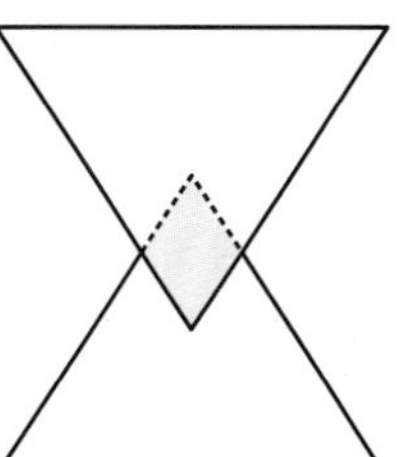

겹쳐진 부분이 ❶ [ ] 모양입니다.

정답 ❶ 사각형

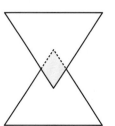

5일 겹쳐진 부분의 도형 찾기

겹쳐진 부분의 도형 찾아보기

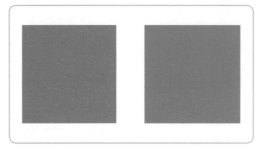

활동 셀로판지 2장을 겹쳐서 여러 가지 도형 만들기

파란색 셀로판지를 왼쪽으로 밀어 봅니다.

파란색 셀로판지를 왼쪽으로 조금 더 밀어 봅니다.

파란색 셀로판지를 시계 반대 방향으로 돌려 봅니다.

겹쳐진 부분이 직각삼각형 모양으로 바뀌었어요.

겹쳐진 부분이 직사각형 모양이에요.

활동 개념 확인

보기와 같이 도형끼리 겹쳐진 부분에 색칠하세요.

보기

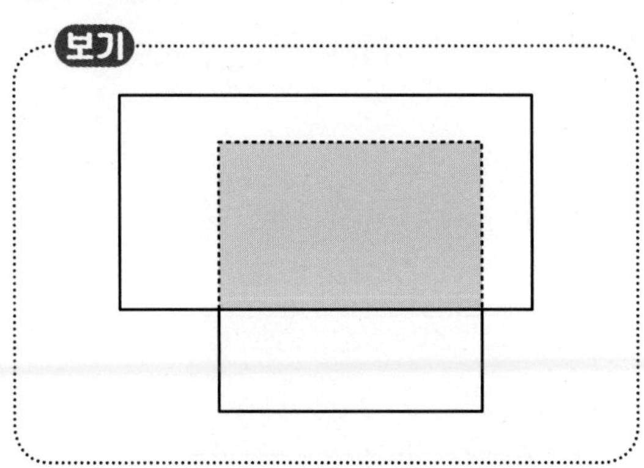

1-1

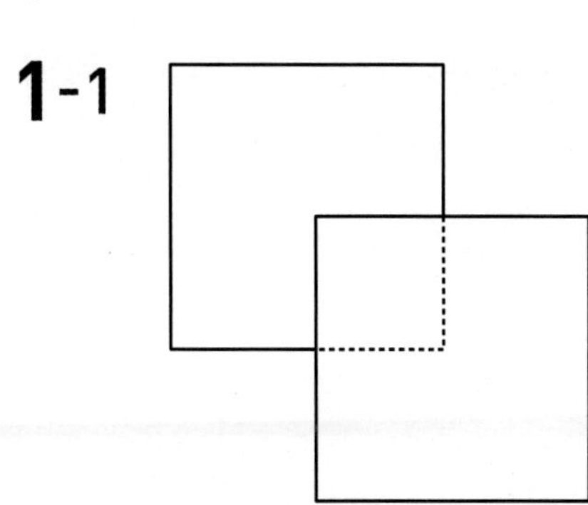

1-2

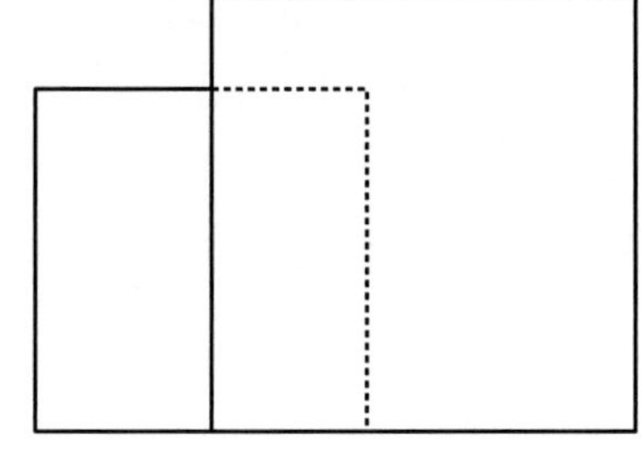

1-3

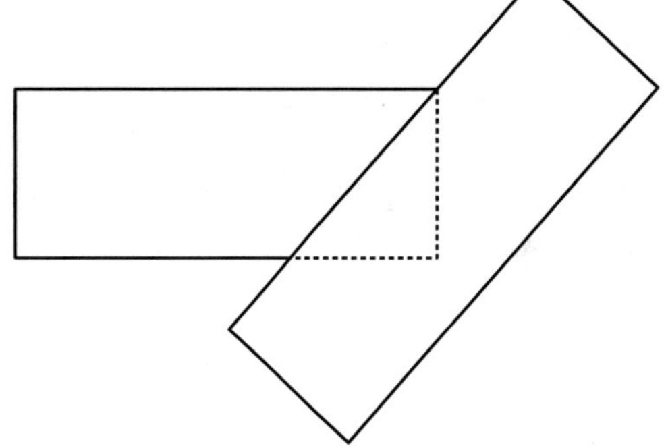

1-4

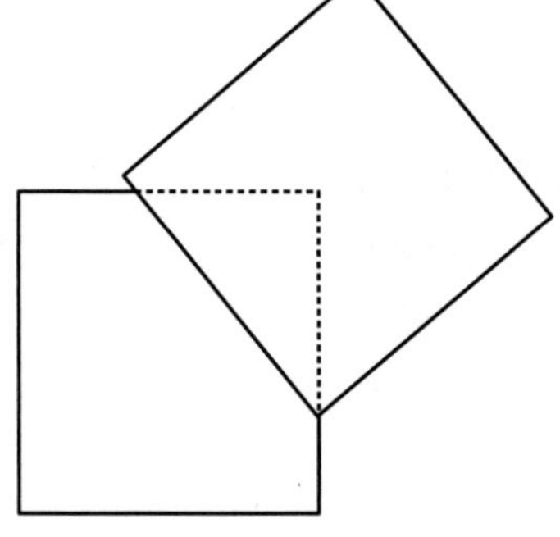

1-5

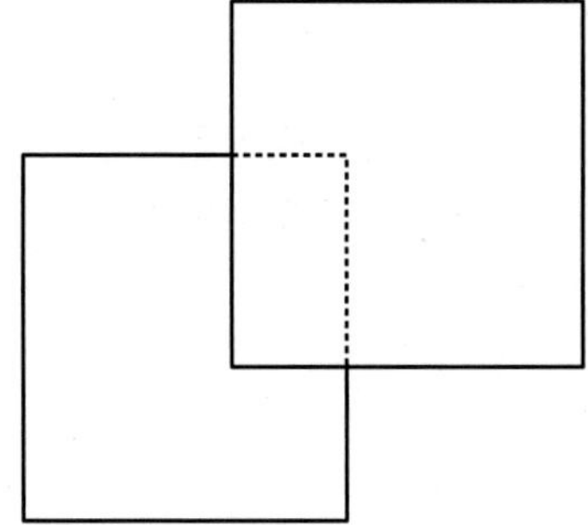

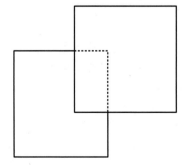

5일 겹쳐진 부분의 도형 찾기

도형 집중 연습

종이를 겹쳤을 때 겹쳐진 부분의 도형이 직각삼각형이면 △, 직사각형이면 □, 직각삼각형도 직사각형도 아니면 ×표 하세요.

1-1

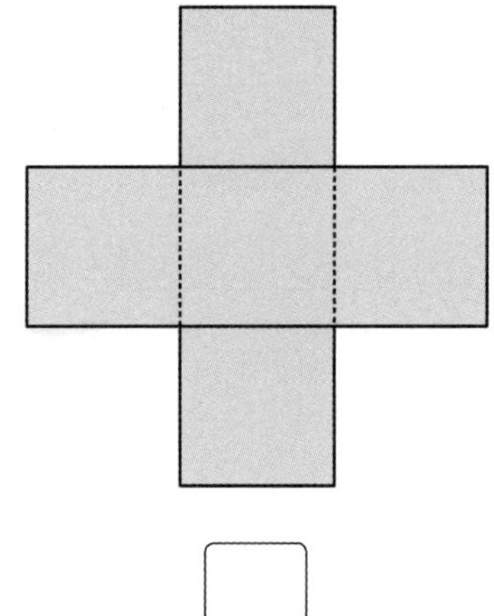

□

1-2

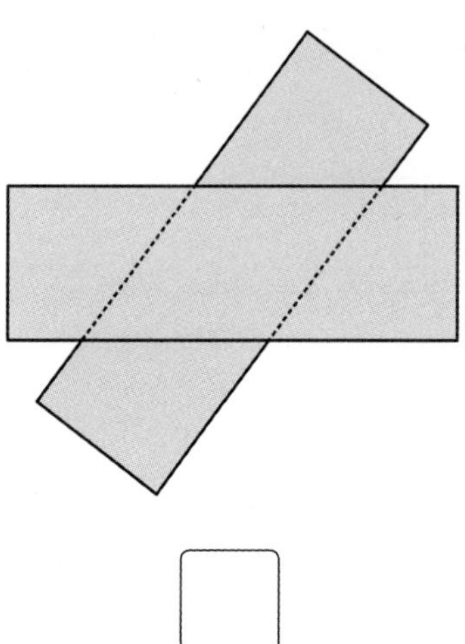

□

1-3

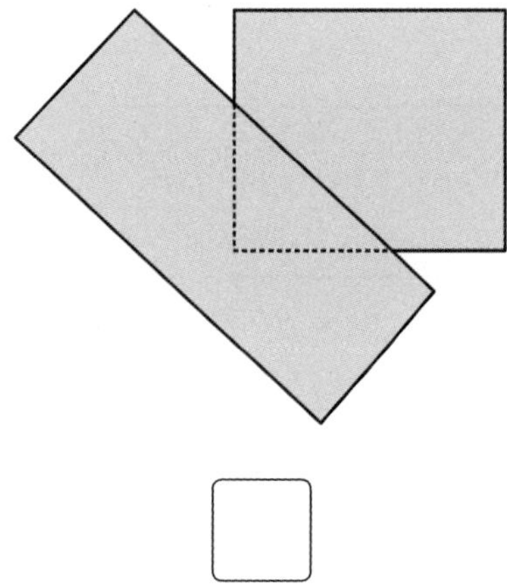

□

1-4

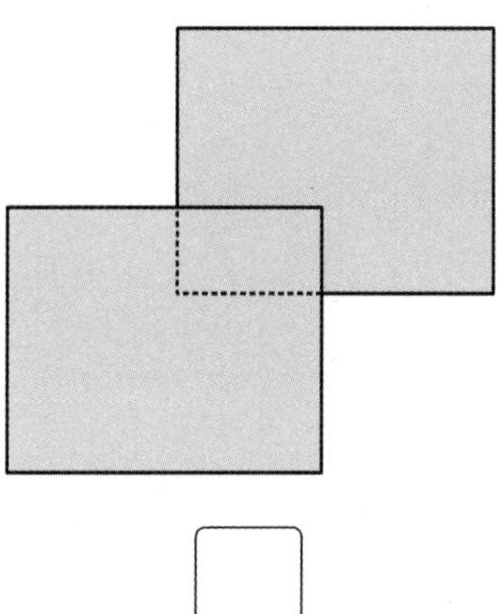

□

1-5

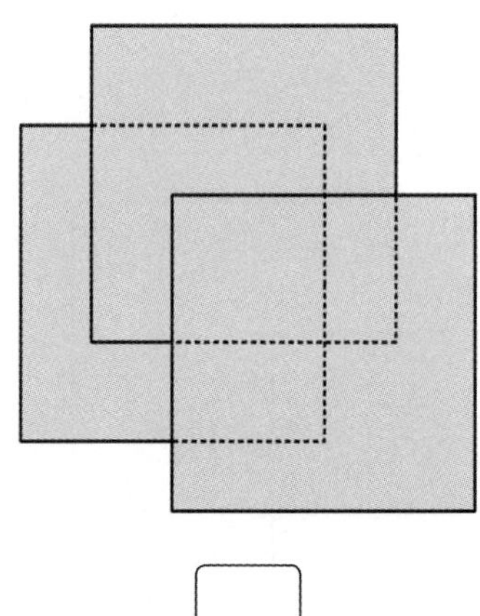

□

<보기>와 같이 주어진 두 도형을 위아래로 꼭 맞게 겹쳤을 때, 공통으로 색칠된 부분에 색칠하세요.

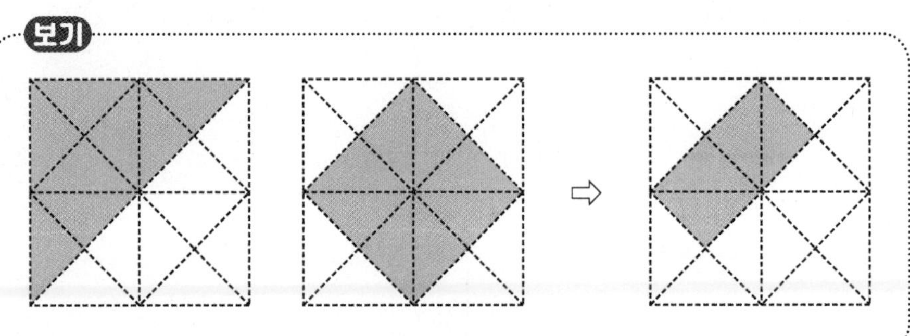

2-1

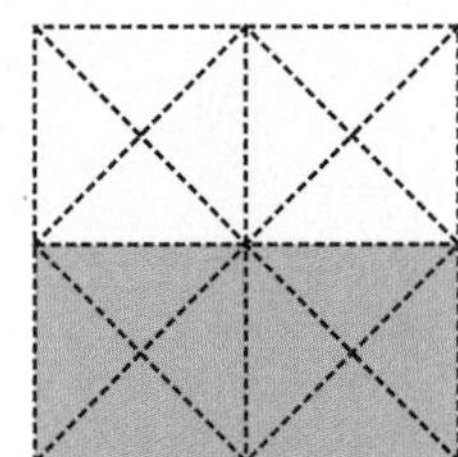 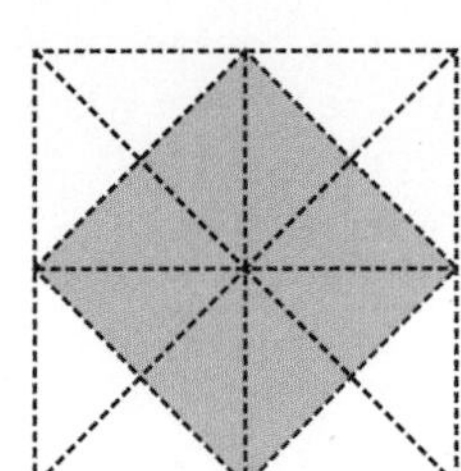  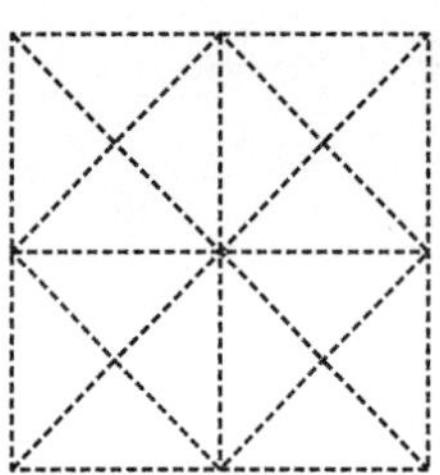

2-2

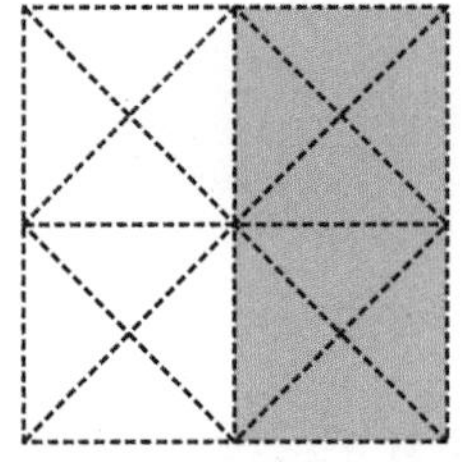 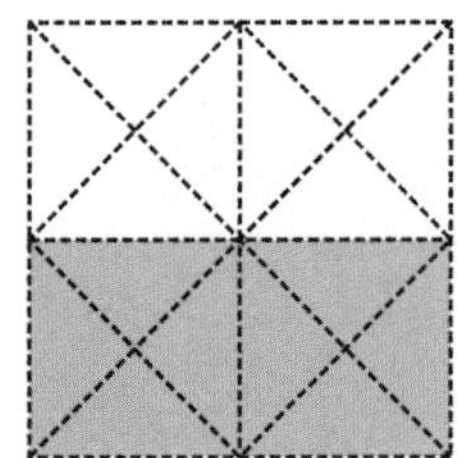  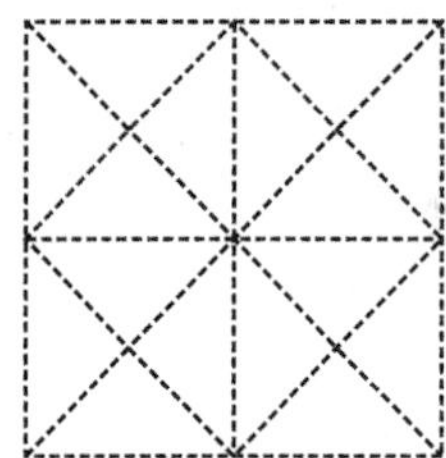

2-3

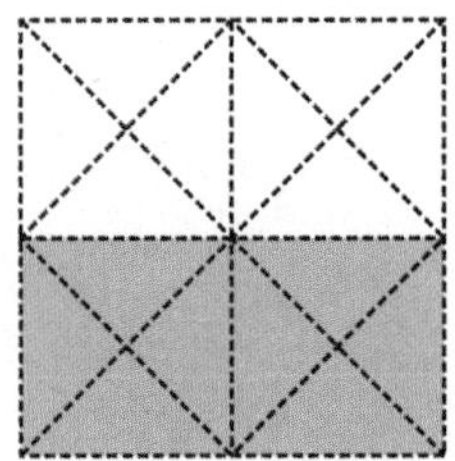 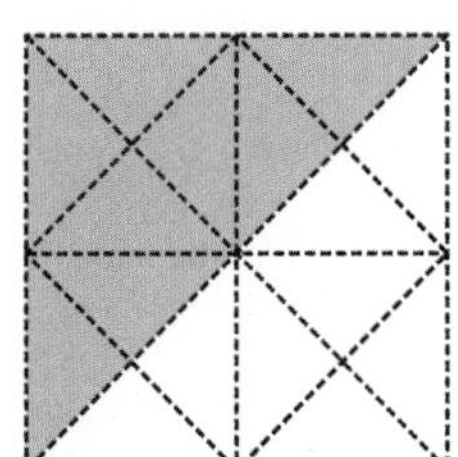 ⇨ 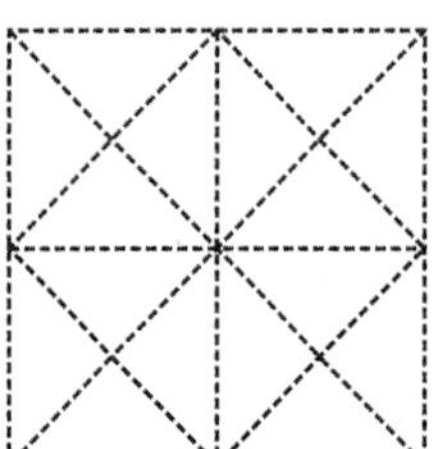

2-4

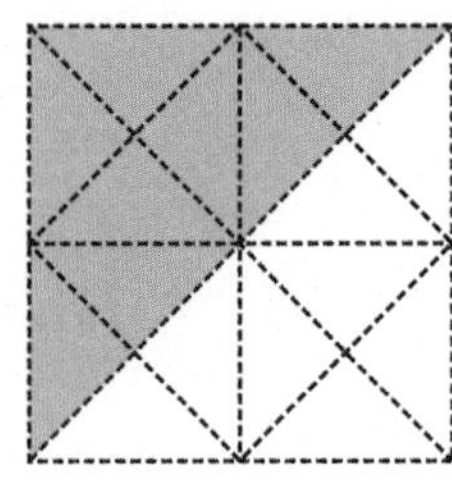 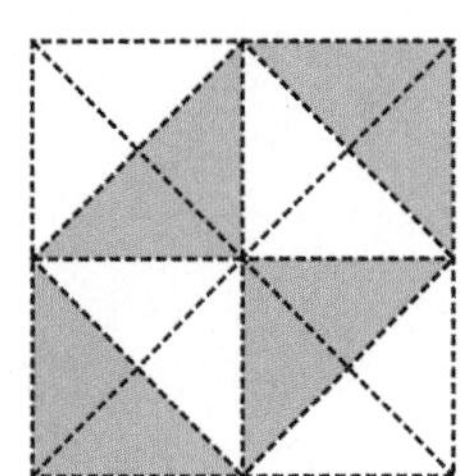 ⇨ 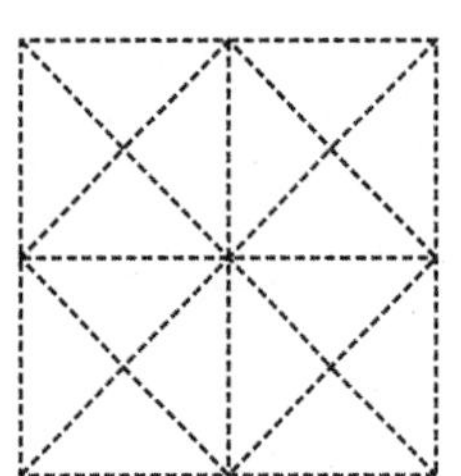

1주 평가 누구나 100점 맞는 TEST

01 두 점을 이용하여 점 ㄱ에서 시작하여 그을 수 있는 반직선을 모두 그어 보고 몇 개인지 구하세요.

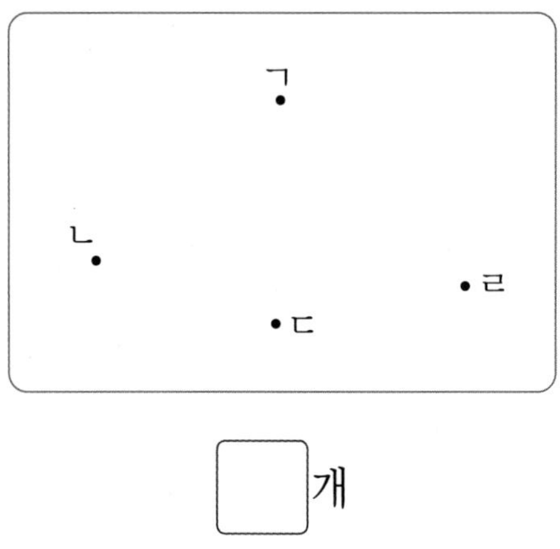

□개

02 도형에서 찾을 수 있는 직각의 개수를 구하세요.

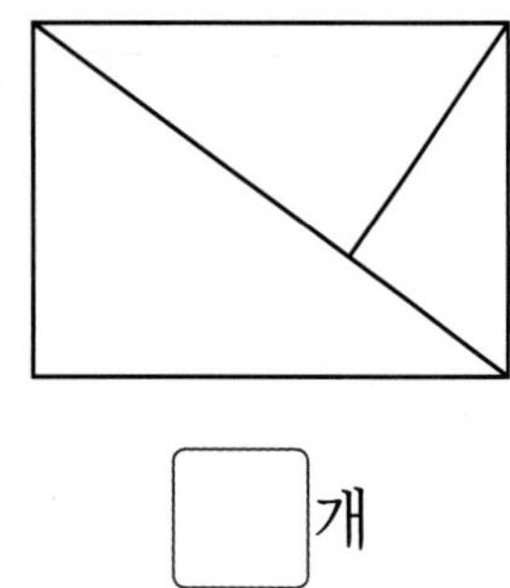

□개

03 그림에서 찾을 수 있는 선분과 직선의 개수를 각각 구하세요.

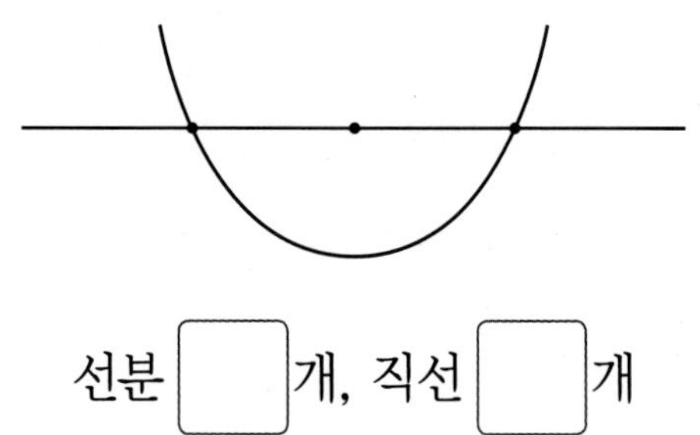

선분 □개, 직선 □개

04 점 ㄱ을 꼭짓점으로 하여 그릴 수 있는 각은 모두 몇 개인지 구하세요.

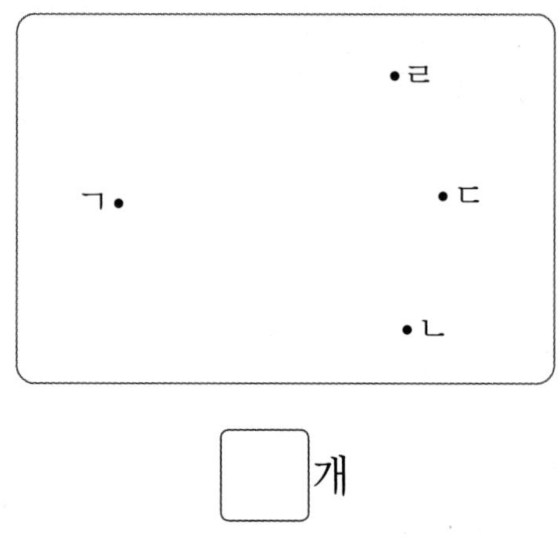

□개

05 세 점을 이용하여 직각을 그릴 때, 그릴 수 있는 직각은 모두 몇 개인지 구하세요.

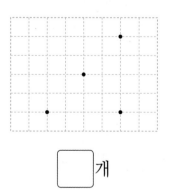

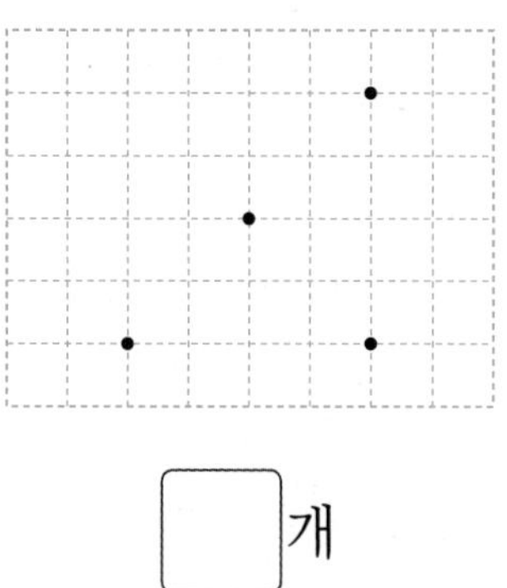

□개

06 도형끼리 겹쳐진 부분에 색칠하고, 색칠한 도형이 직각삼각형이면 △, 직사각형이면 □표 하세요.

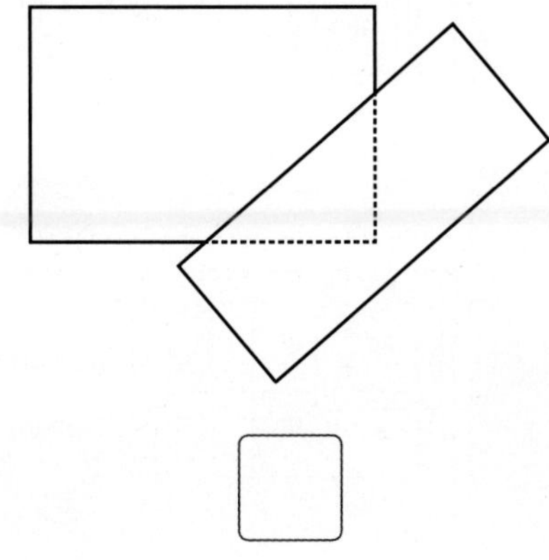

□

[07~08] 선분 2개를 그어 주어진 개수만큼 도형이 생기도록 선을 그어 보세요.

07 직각삼각형 2개, 직사각형 1개

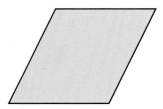

08 직각삼각형 3개

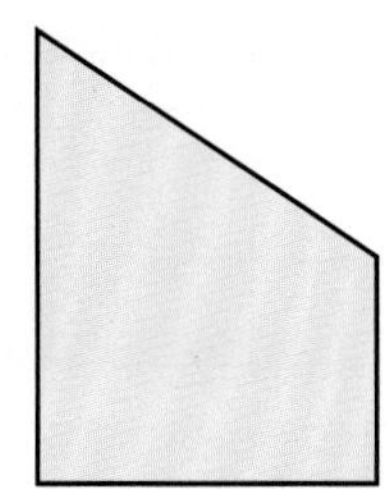

09 주어진 두 도형을 위아래로 꼭 맞게 겹쳤을 때, 공통으로 색칠된 부분에 색칠하세요.

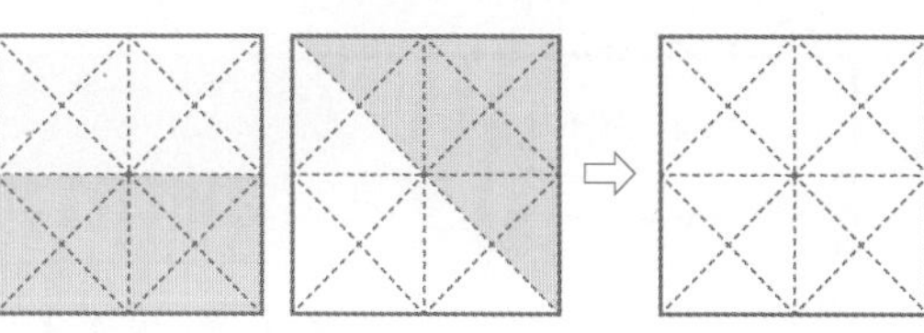

10 도형에서 찾을 수 있는 크고 작은 각은 모두 몇 개인지 구하세요.

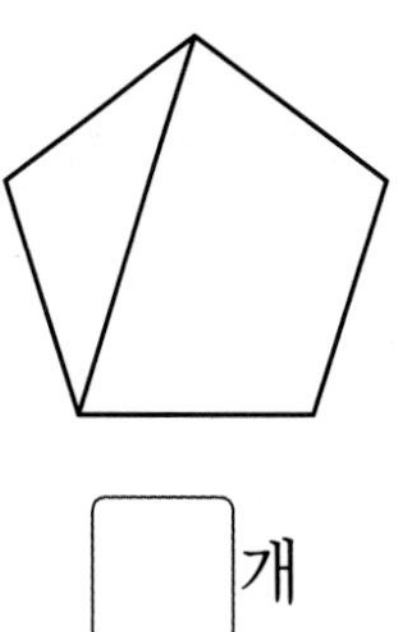

□개

특강 창의 · 융합 · 코딩

점을 모두 이어 선 긋기

● 규칙 을 보고 점을 모두 이어 선 긋기

규칙

- 초록색 칸은 지나가지 않습니다.
- 노란색 칸에서 선이 직각으로 방향이 바뀝니다.
- 색칠되지 않은 칸은 점을 이어 선분으로 지나갑니다.

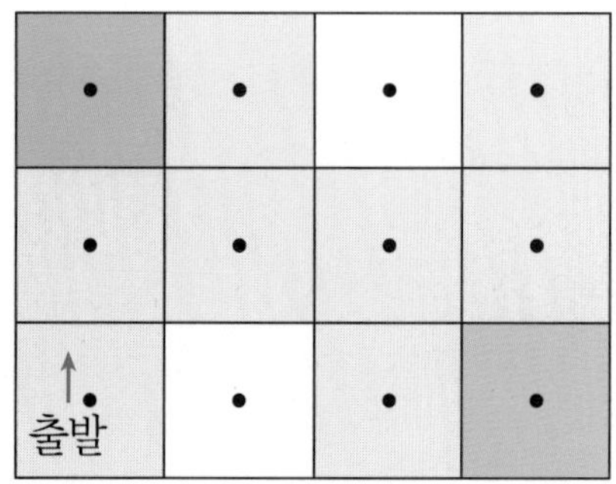

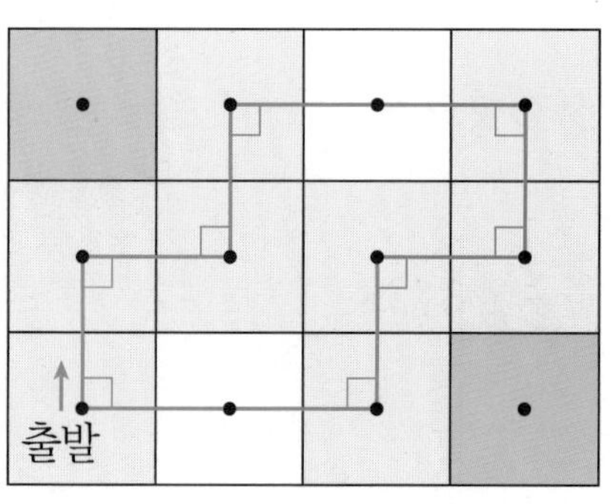

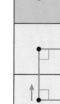

빛이 지나가는 길

● **빛이 거울에 부딪혀 직각으로 반사될 때, 빛이 지나가는 길 알아보기**

• 거울이 없을 때

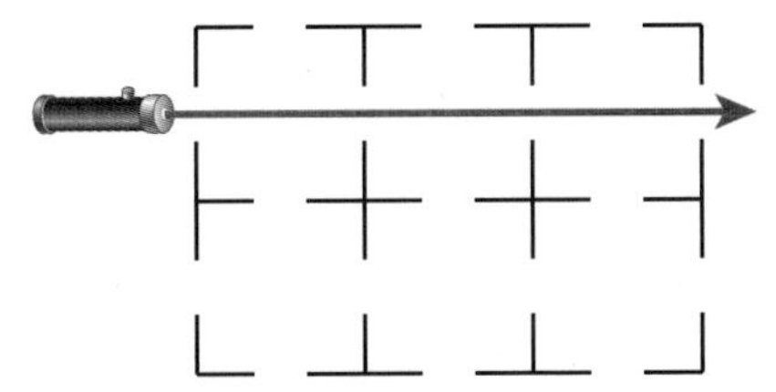

반사는 빛이 물체(거울)에 부딪혀 진행 방향을 바꾸는 현상이에요.

• 거울에 부딪혀 직각으로 반사될 때

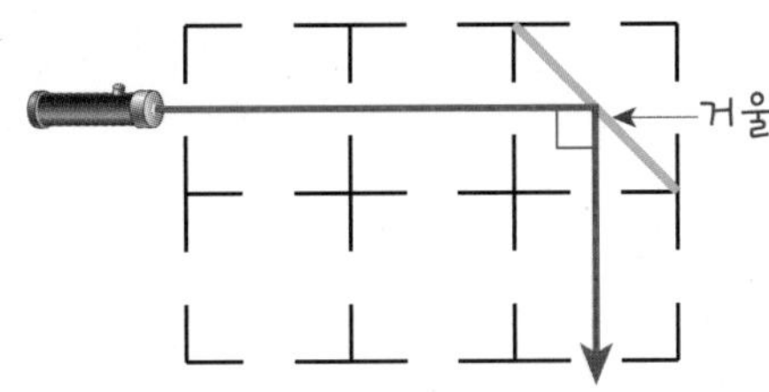

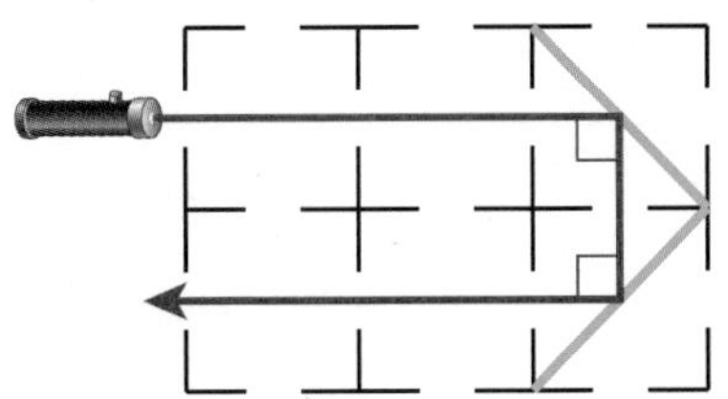

1주 특강

특강 창의 · 융합 · 코딩

창의

보기 와 같은 규칙으로 점을 모두 이어 선을 그어 보세요.

보기

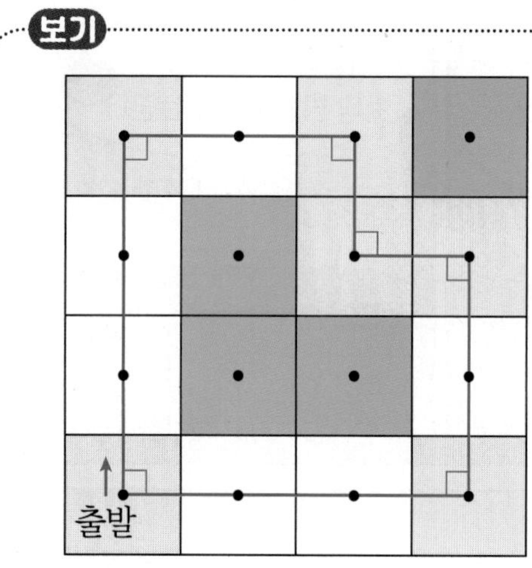

규칙

- 초록색 칸은 지나가지 않습니다.
- 노란색 칸에서 선이 직각으로 방향이 바뀝니다.
- 색칠되지 않은 칸은 점을 이어 선분으로 지나갑니다.

❶

출발

❷

출발

❸

출발

초록색 칸은 지나가면 안 돼요.

④

출발

⑤

출발

⑥

출발

1주
특강

특강 창의·융합·코딩

레이저를 쏘면 빛은 반직선으로 나옵니다. 보기 와 같이 빛이 거울에 부딪혀 직각으로 반사될 때, 레이저의 빛이 모든 거울에 반사되어 지나가는 길을 그려 보세요.

보기

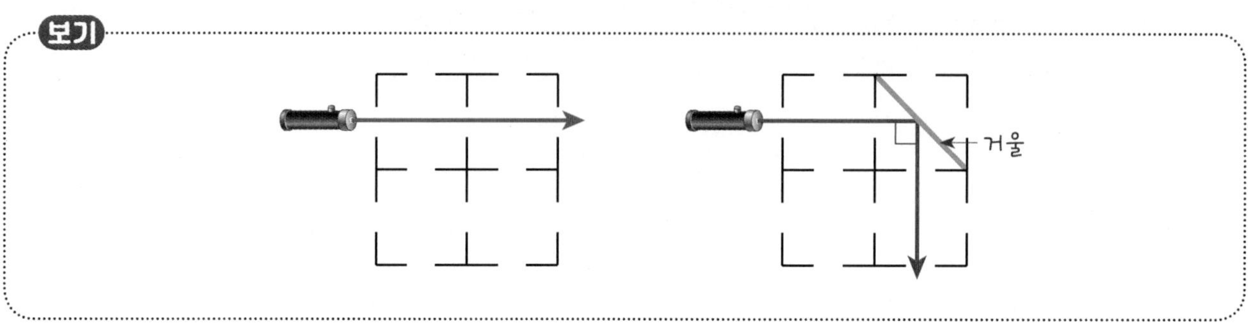

7

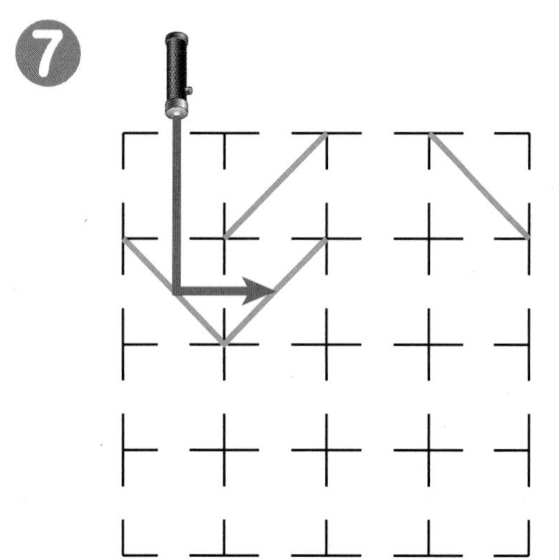

8

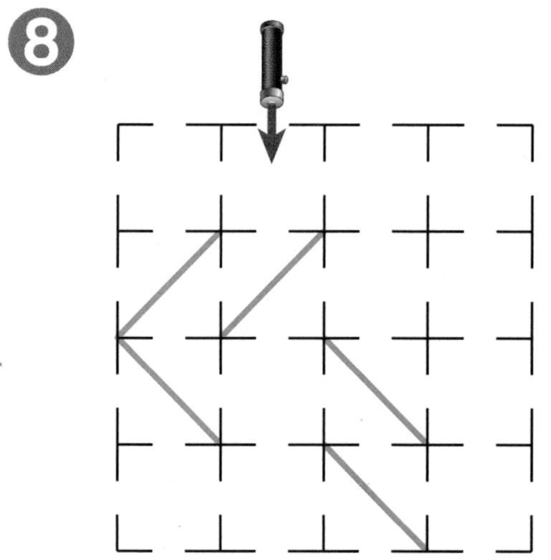

9

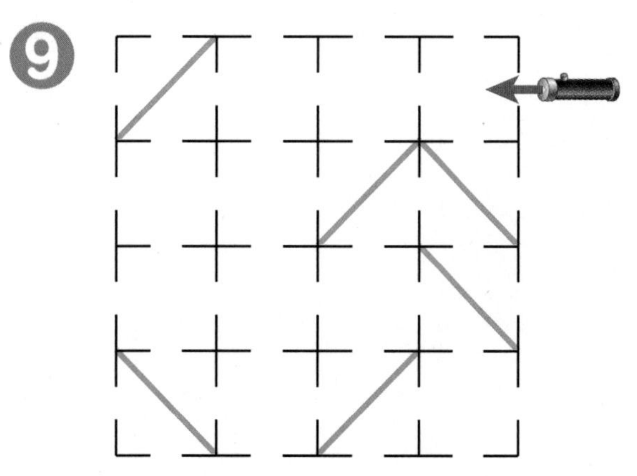

10

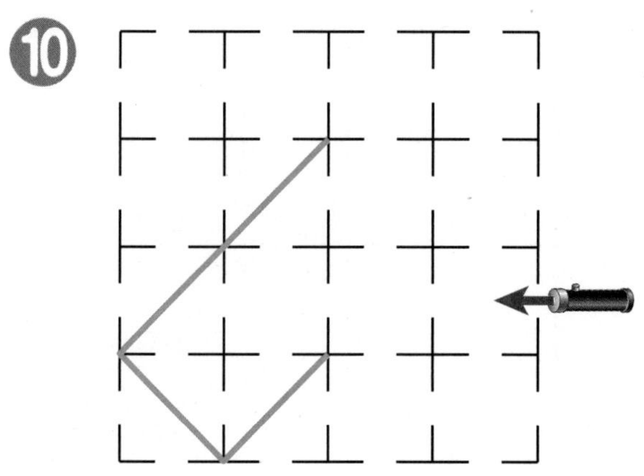

레이저의 빛이 모든 거울에 반사되어 화살표 방향으로 나오도록 하려고 합니다. 알맞은 곳에 거울 1개를 더 그려 넣으세요.

11

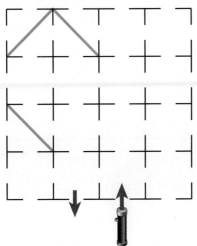

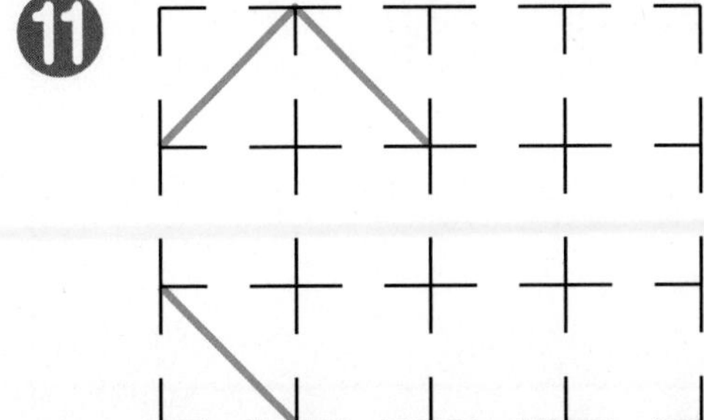

12

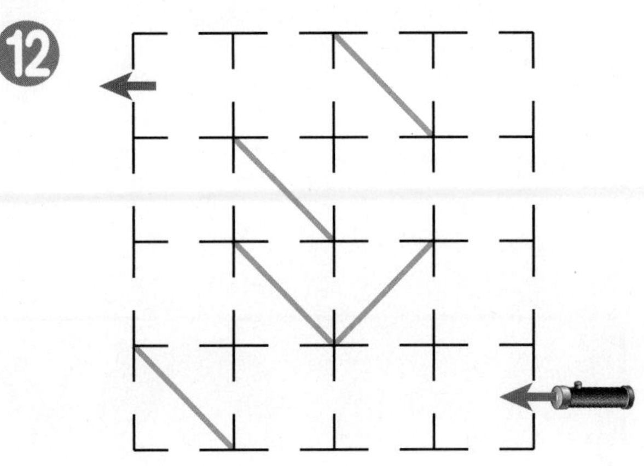

13

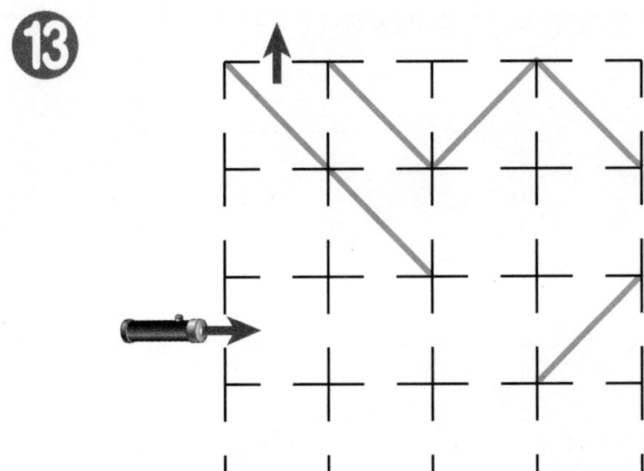

빛이 지나가는 길을 그려 문제를 해결하세요.

14

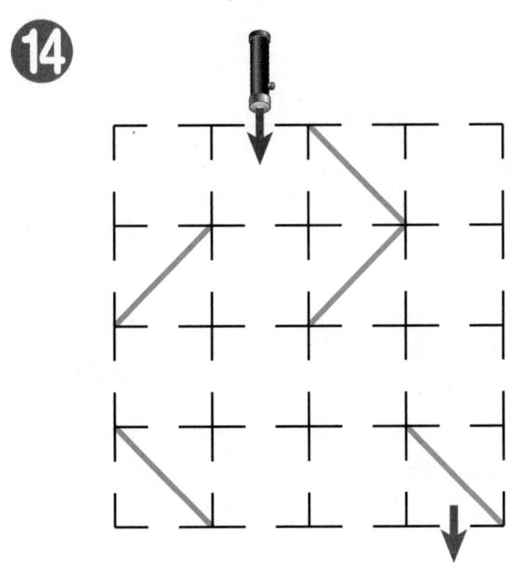

15

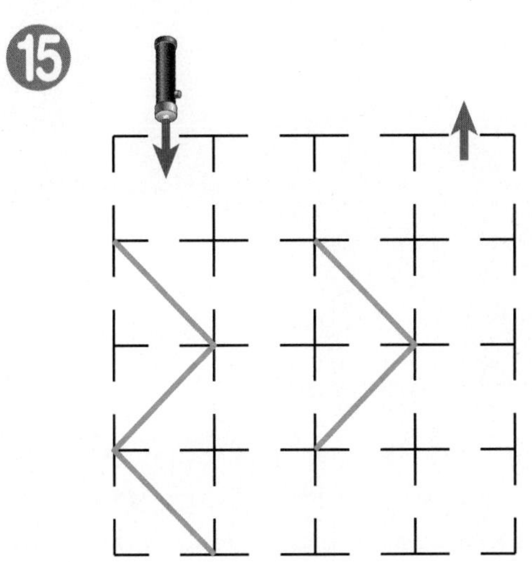

2주 직각삼각형, 직사각형, 정사각형

이번 주에는 무엇을 공부할까요? 1

학습내용

1일 점을 옮겨 주어진 도형 만들기

2일 도형 똑같이 나누기

3일 서로 다른 도형 그리기

4일 크고 작은 도형의 개수

5일 조각을 사용하여 모양 만들기

이번 주에는 무엇을 공부할까요?

직각삼각형 그리기

쓱
쓱
직각삼각형을 그릴 때에는 직각 삼각자의 직각 부분을 이용하면 쉽게 그릴 수 있어!
새로운 히어로 도구인가?

직각 삼각자를 사용하여 주어진 선분을 한 변으로 하는 직각삼각형을 그려 보세요.

1-1

1-2

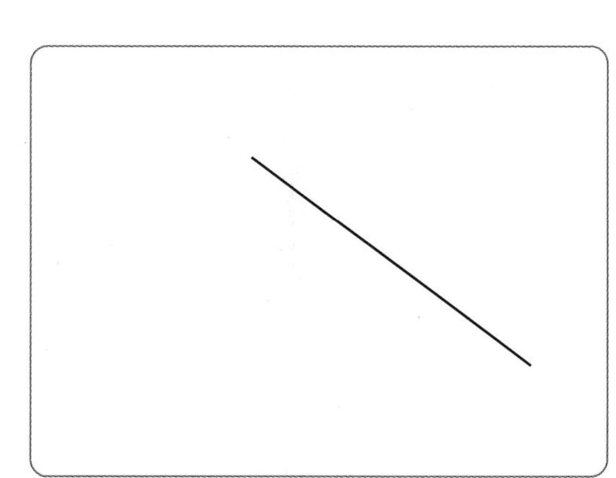

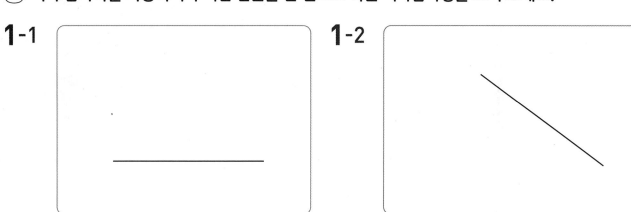

2 모눈종이에 주어진 직각삼각형과 모양과 크기가 다른 직각삼각형을 2개 그려 보세요.

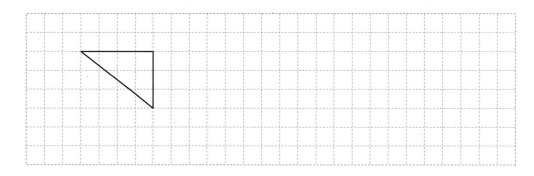

직사각형 그리기

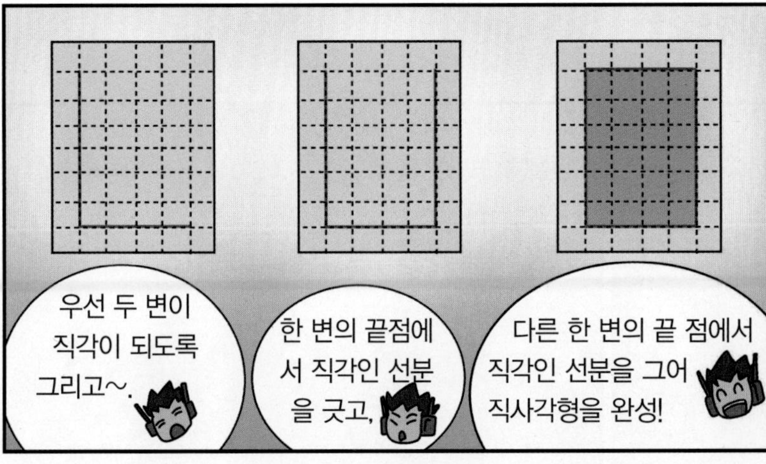

모눈종이에 그어진 선분을 이용하여 주어진 도형을 완성하세요.

3-1 직사각형

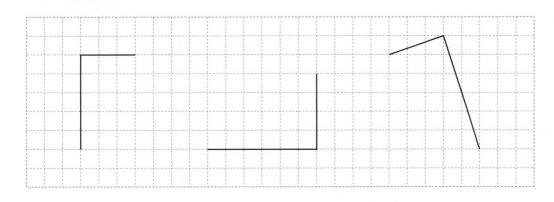

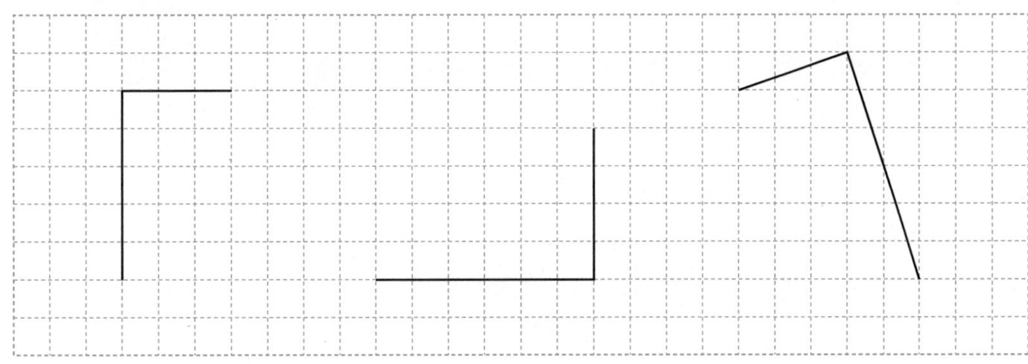

3-2 정사각형

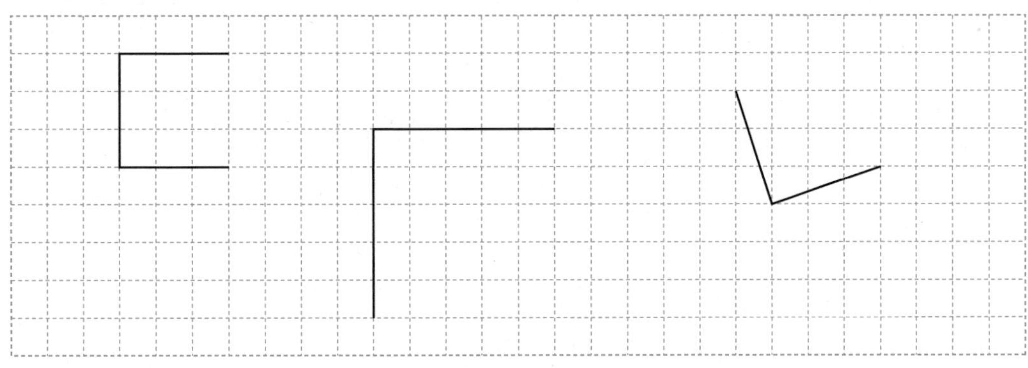

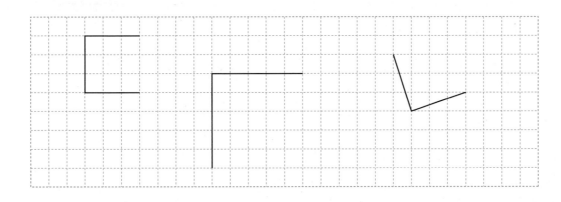

점을 옮겨 주어진 도형 만들기

오늘은 무엇을 공부할까요?

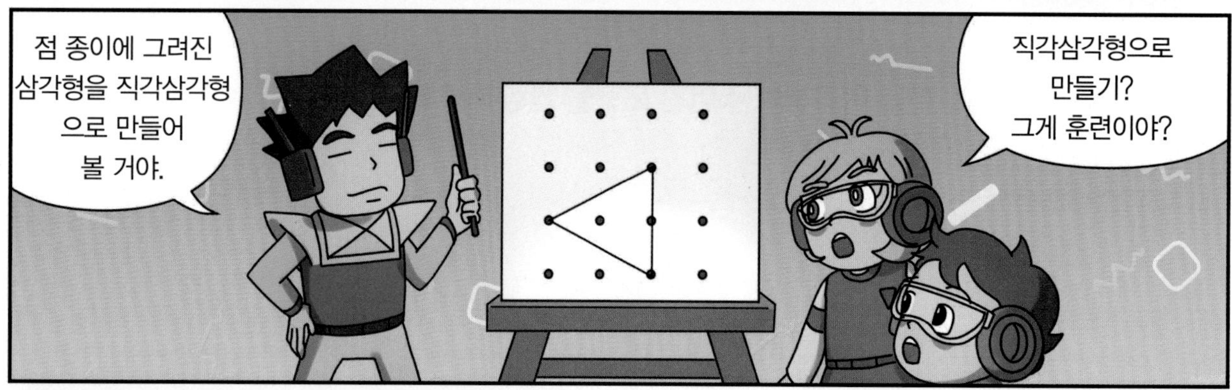

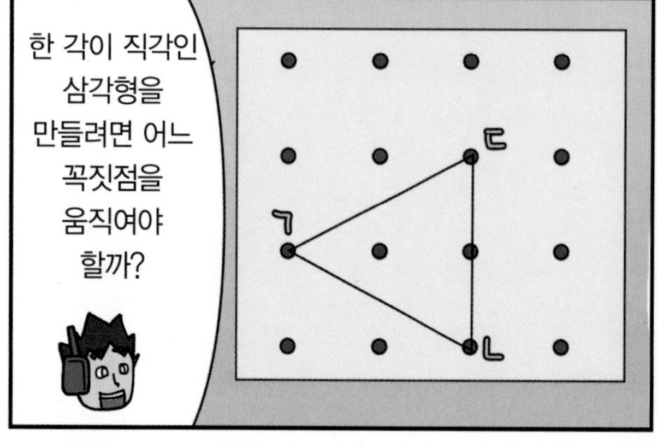

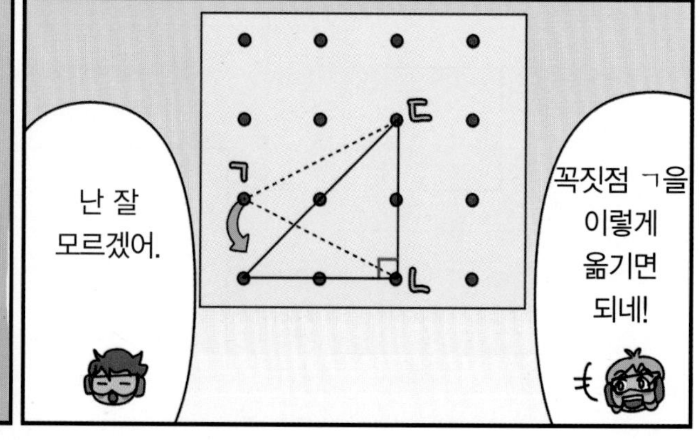

2주
1일

도형 기본 개념

● **꼭짓점 ㄱ을 옮겨 직각삼각형, 직사각형, 정사각형 만들기**

• 직각삼각형

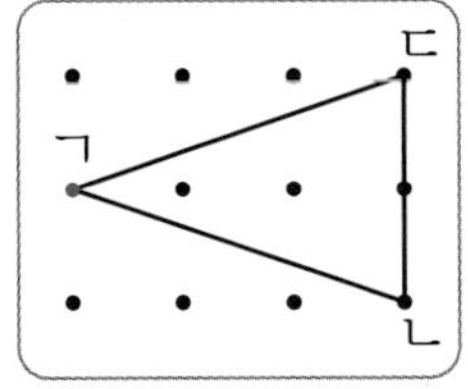

⇩

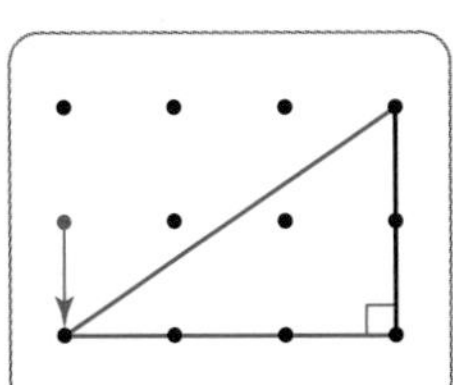

• 직사각형

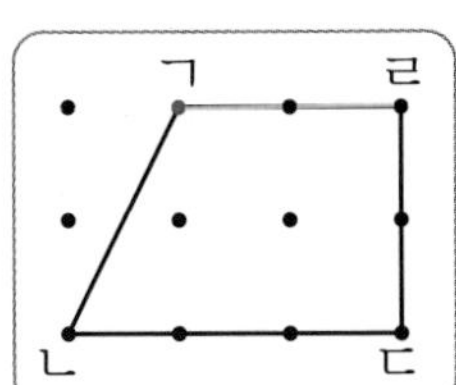

⇩

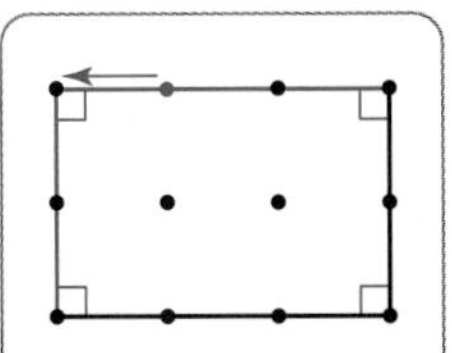

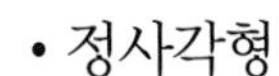
• 정사각형

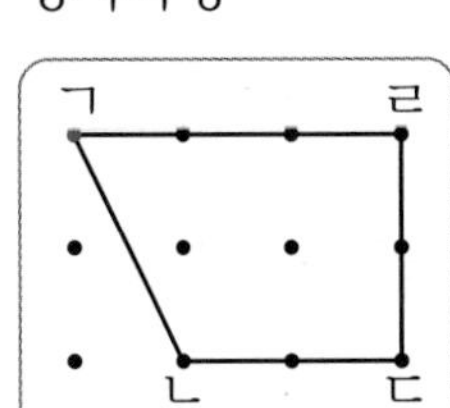

⇩

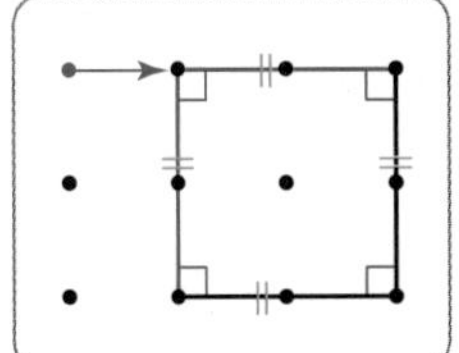

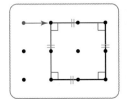

1일 점을 옮겨 주어진 도형 만들기

활동을 통하여 개념을 알아보아요.

◎ 점 종이에서 꼭짓점 ㄱ을 옮겨 직각삼각형 만들기

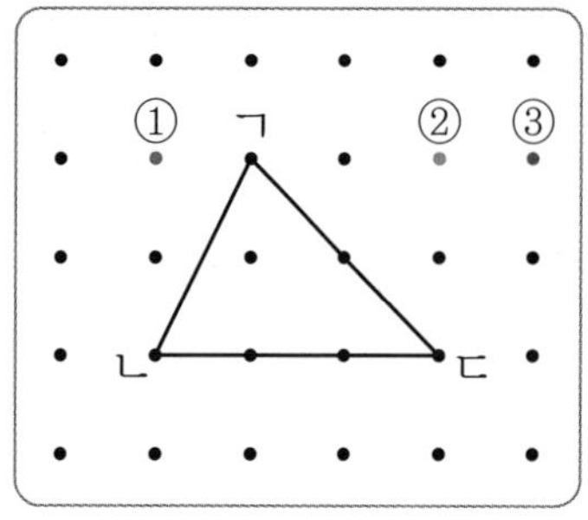

꼭짓점 ㄱ을 ①, ②, ③으로 이동하여 한 각이 직각인 삼각형을 찾아봐요.

(활동) 꼭짓점 ㄱ을 ①, ②, ③으로 각각 옮겨 직각삼각형 찾기

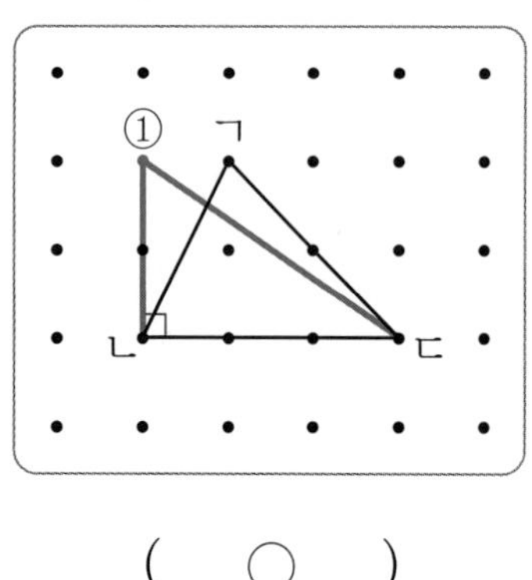

(○)

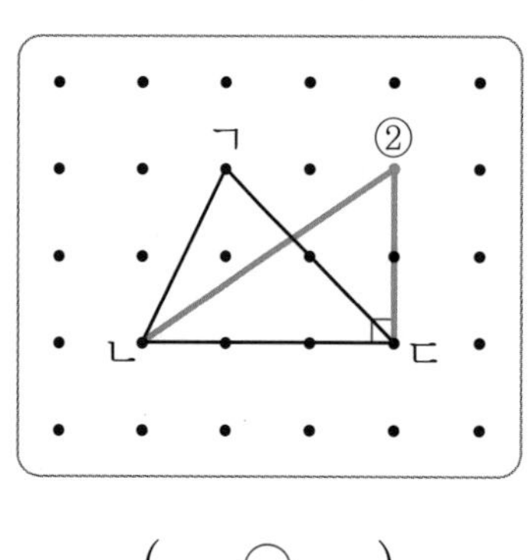

(○)

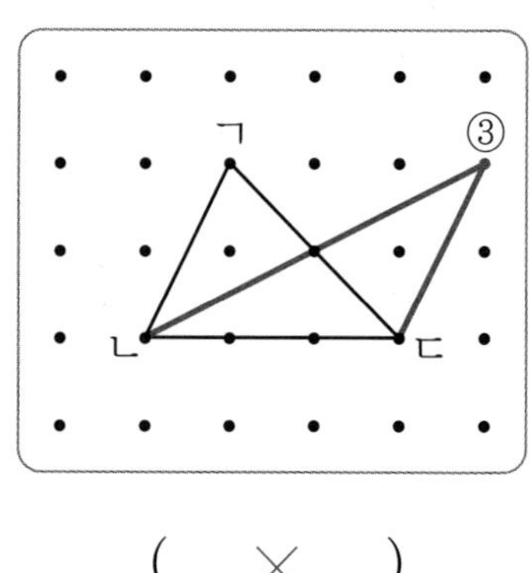

(×)

꼭짓점 ㄴ이나 꼭짓점 ㄷ을 옮겨 직각삼각형을 만들 수도 있어요.

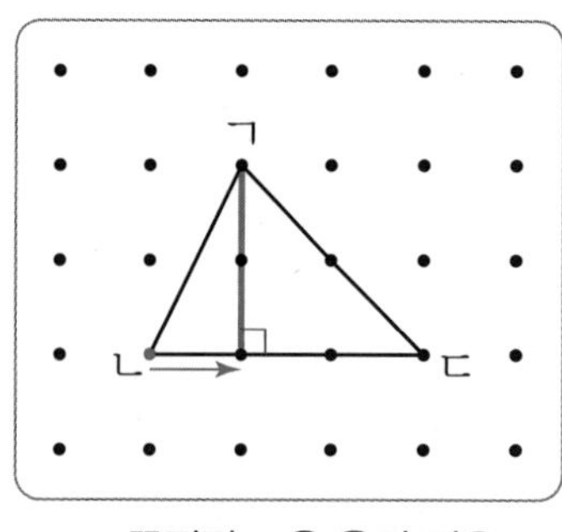

▲ 꼭짓점 ㄴ을 옮긴 경우

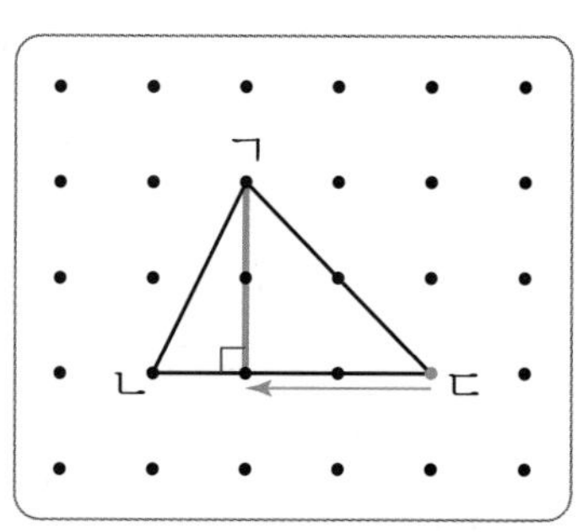

▲ 꼭짓점 ㄷ을 옮긴 경우

활동 개념 확인

보기 와 같이 점 종이에서 꼭짓점 하나를 ㉠, ㉡, ㉢으로 각각 옮겨 주어진 도형을 만들려고 합니다. 주어진 도형을 만들 수 없는 점을 찾아 □ 안에 기호를 써넣으세요.

보기

직각삼각형

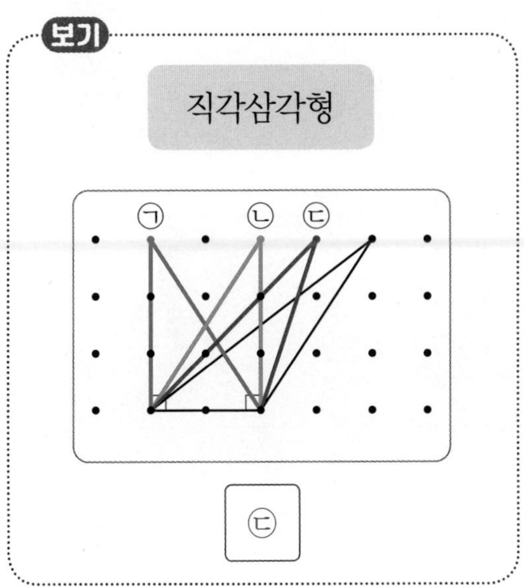

㉢

1-1 직사각형

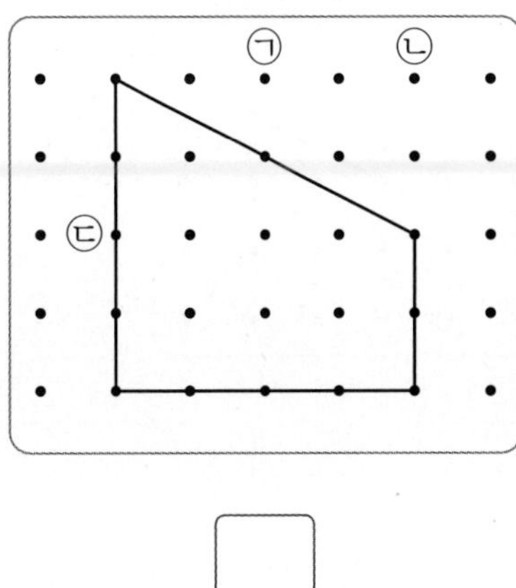

□

1-2 직사각형

□

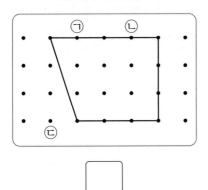

1-3 직각삼각형

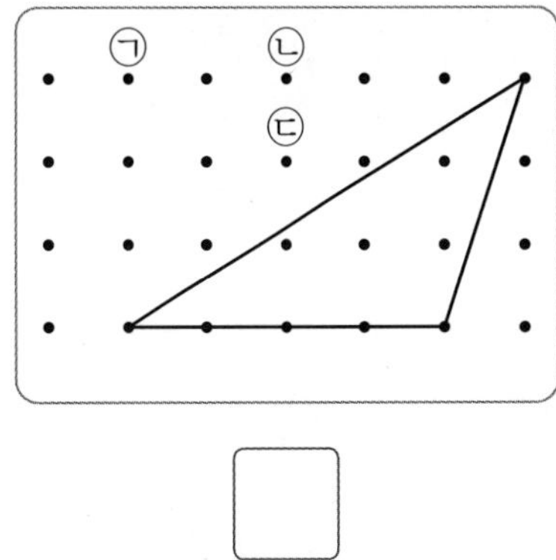

□

1-4 직사각형

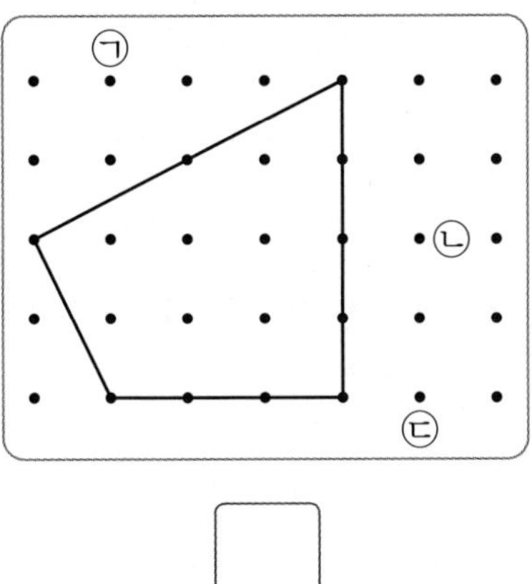

□

1-5 직각삼각형

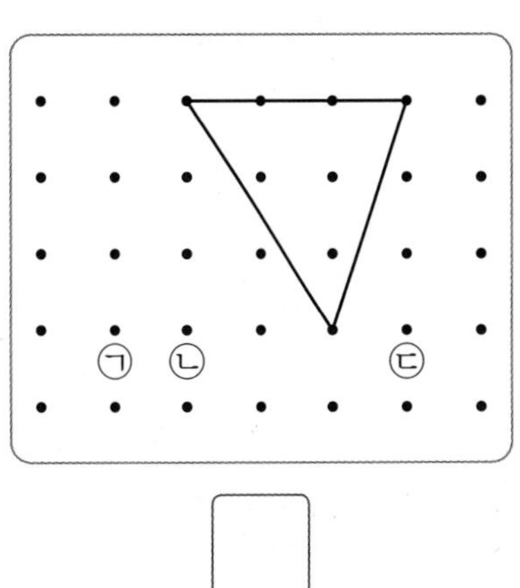

□

2주 1일

1일 점을 옮겨 주어진 도형 만들기

도형 집중 연습

보기와 같이 점 종이에서 도형의 꼭짓점 1개를 옮겨 직사각형을 만들어 보세요.

보기

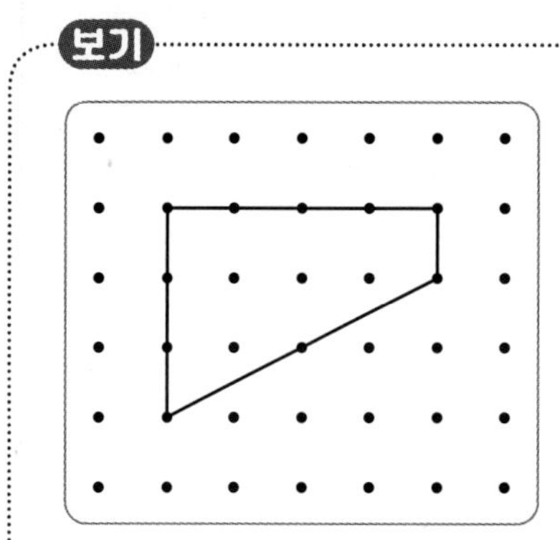

⇨

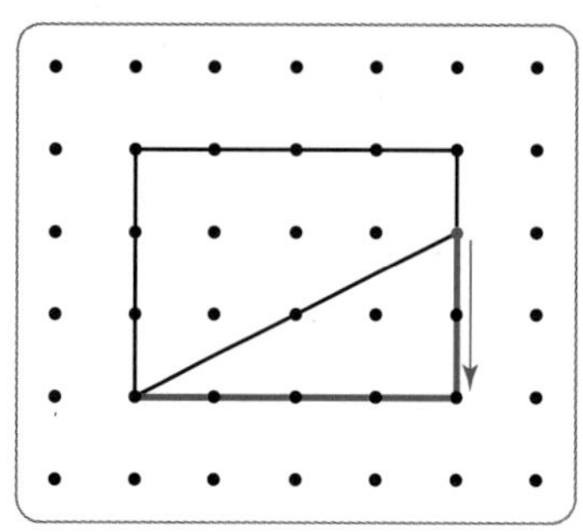

네 각이 모두 직각인 사각형이 되도록 어떤 꼭짓점을 옮겨야 할지 생각해 봐요.

1-1

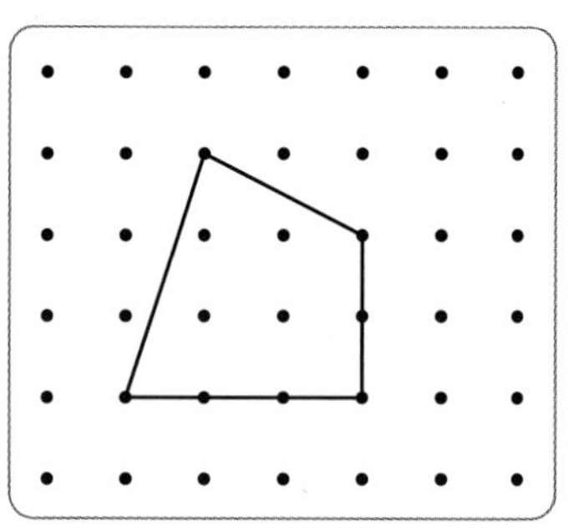

1-2

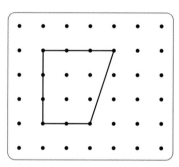

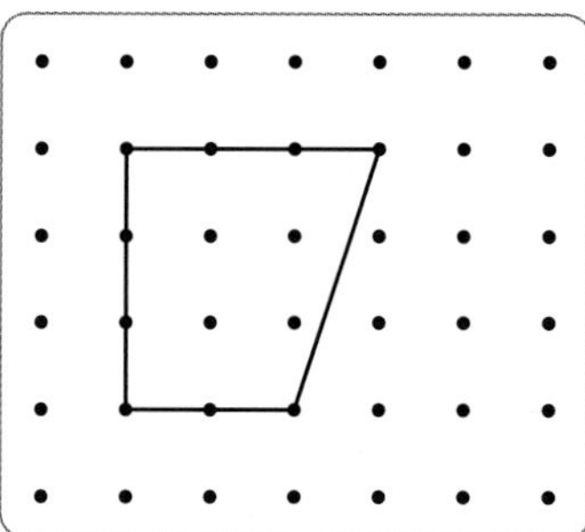

1-3

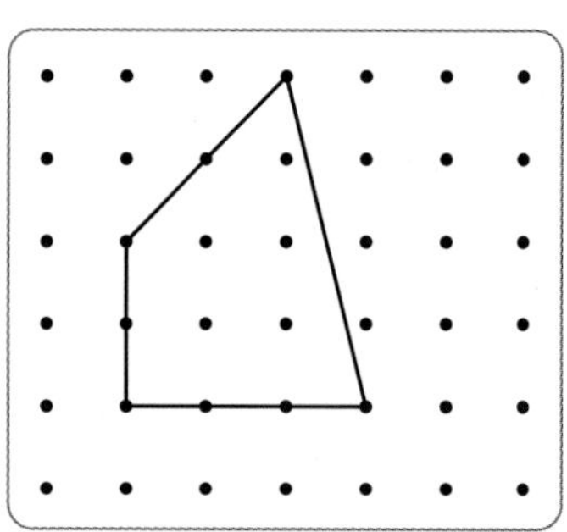

1-4

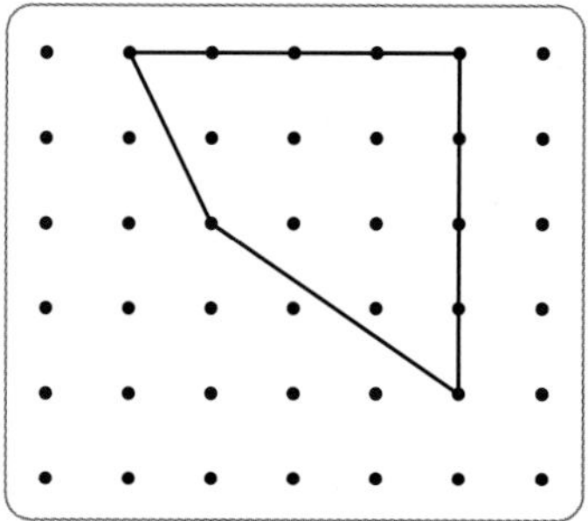

1-5

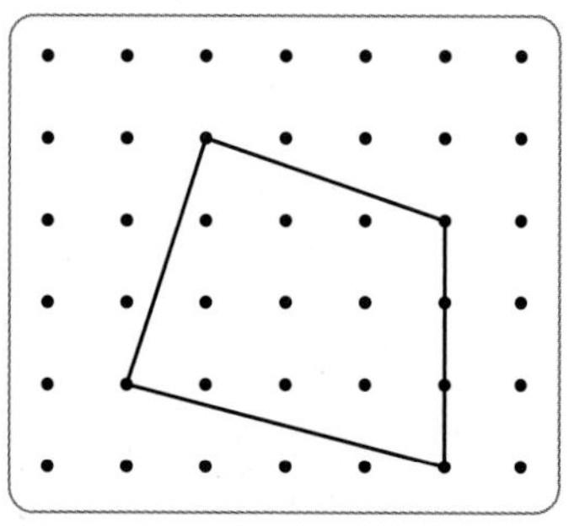

1-6

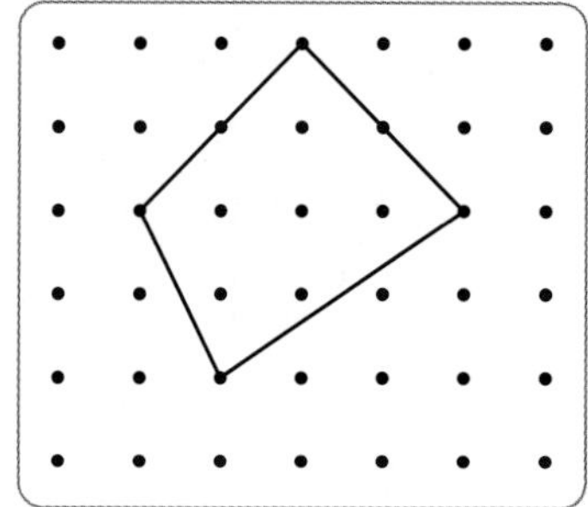

보기 와 같이 일정한 간격으로 점이 찍힌 원에서 한 점을 옮겨 주어진 도형을 만들어 보세요.

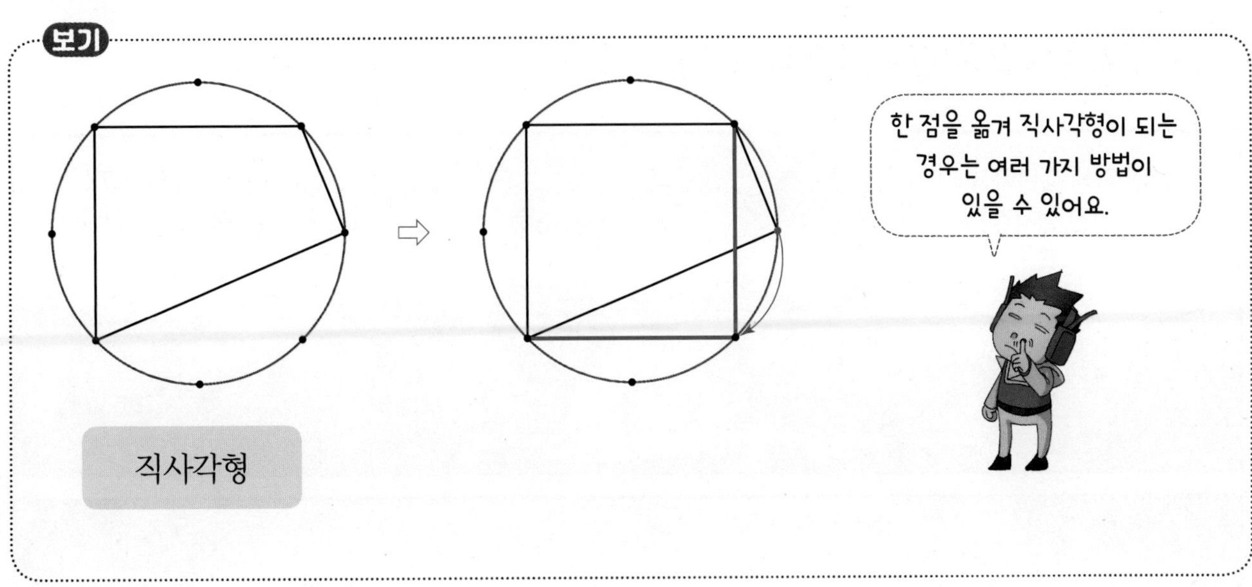

2-1

정사각형

2-2

직사각형

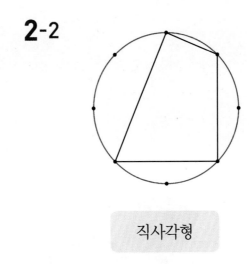

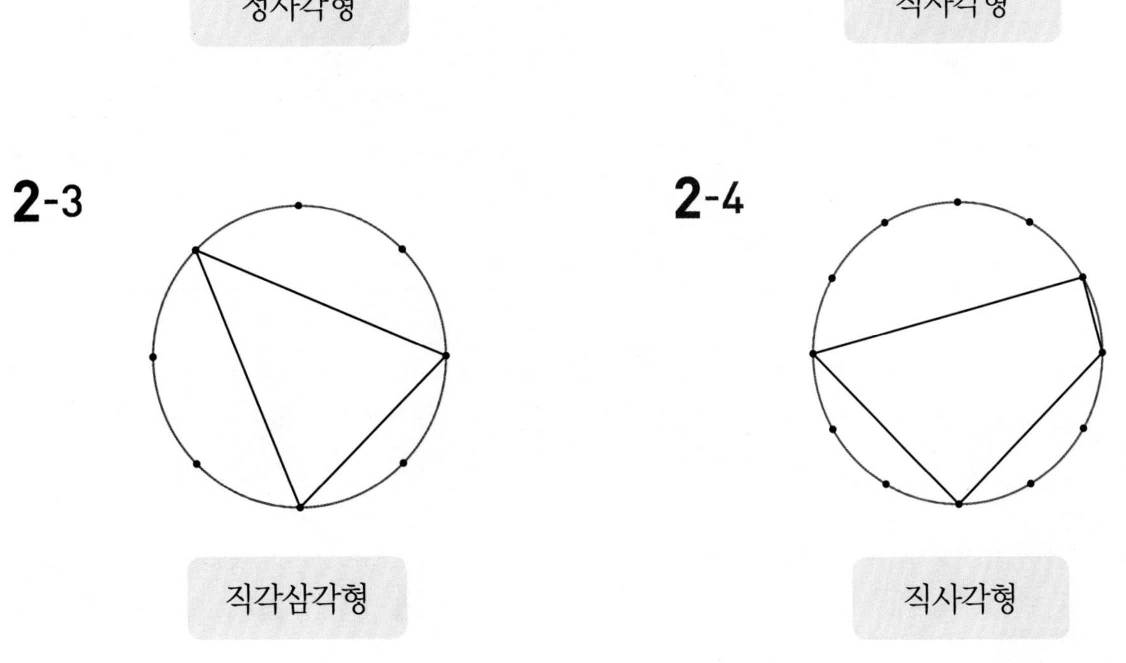

도형 똑같이 나누기

오늘은 무엇을 공부할까요?

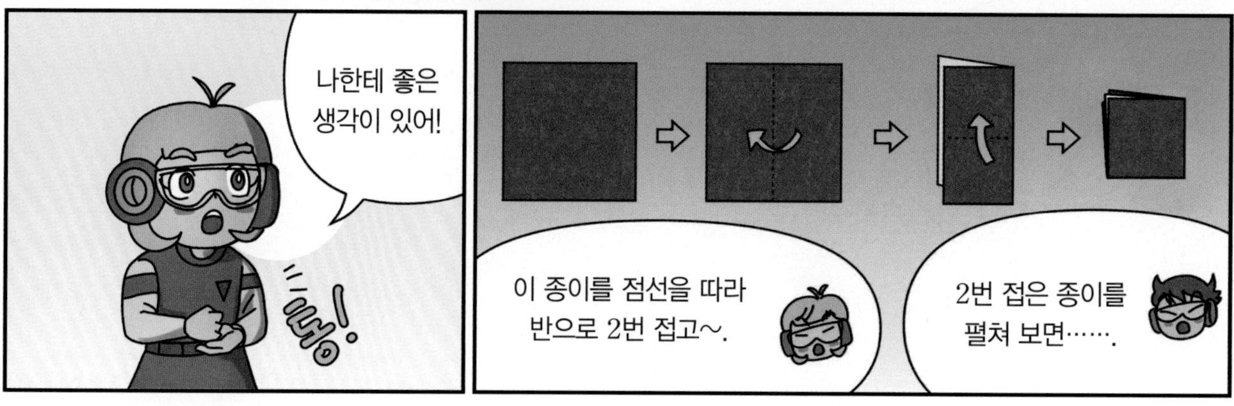

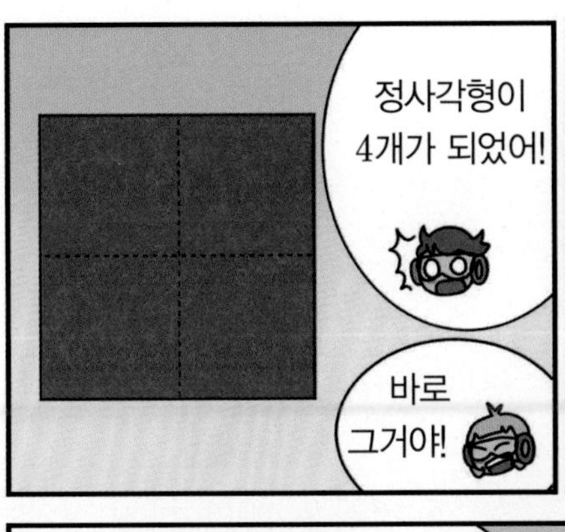

도형 기본 개념

● 도형 똑같이 나누기

• 도형을 크기와 모양이 같은 도형 ❶ ☐ 개로 나누기

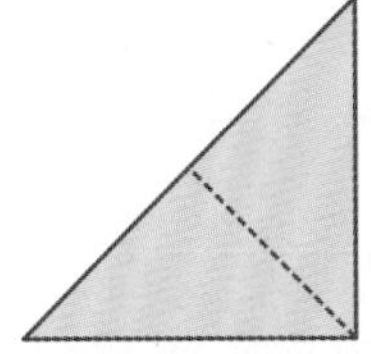 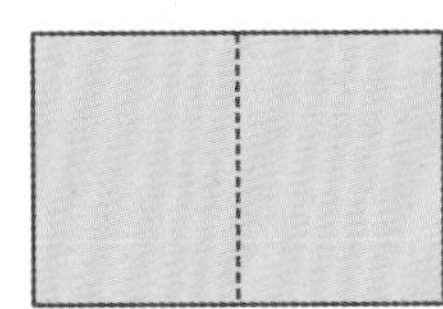 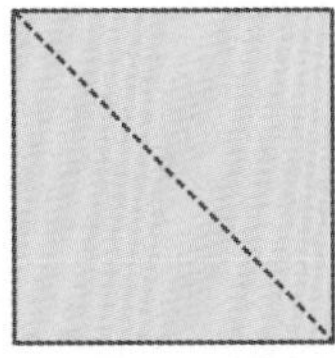

• 도형을 크기와 모양이 같은 도형 4개로 나누기

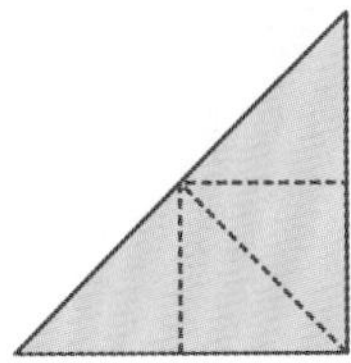 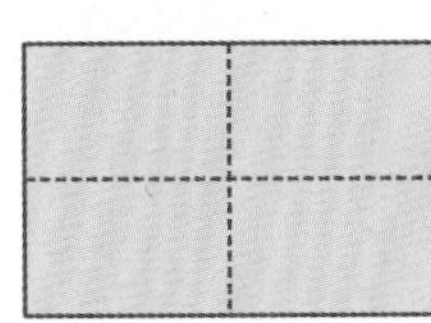 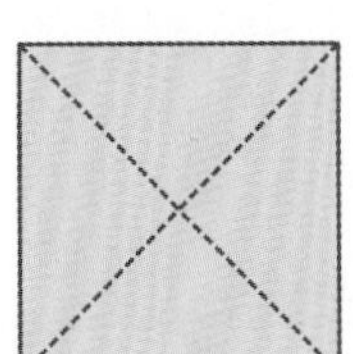

정답 ❶ 2

2주
2일

2일 도형 똑같이 나누기

활동을 통하여 개념을 알아보아요.

색종이를 크기와 모양이 같은 정사각형 4개로 나누기

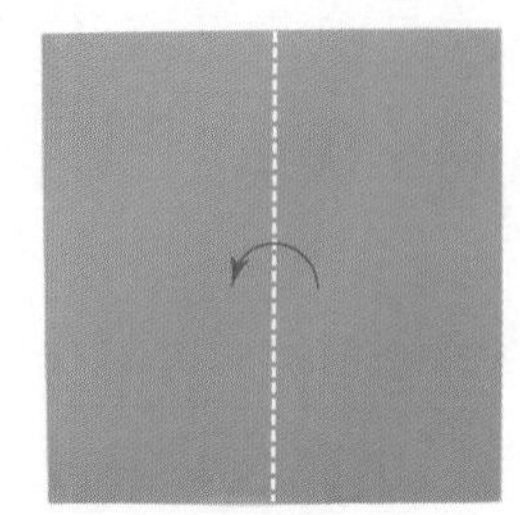

① 색종이를 점선을 따라 반으로 접어요.

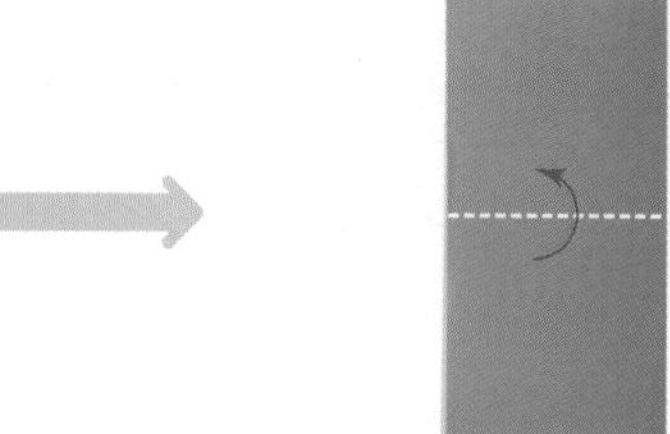

② 점선을 따라 다시 반으로 접어요.

③ 접은 종이를 펼쳐 봐요.

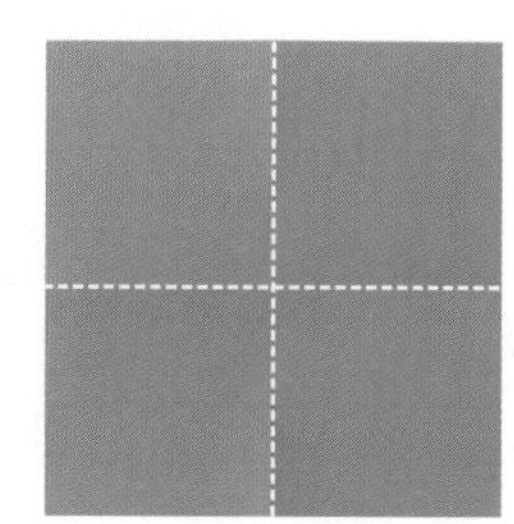

④ 크기와 모양이 같은 정사각형 4개로 나누어져요.

정사각형은 네 각이 직각이고 네 변의 길이가 모두 같아요.

개념 짚어 보기

• 색종이를 크기와 모양이 같은 정사각형 4개로 나누려면 먼저 도형을 똑같은 직사각형 2개로 나눈 후 나누어진 두 직사각형을 다시 똑같이 2개로 나눕니다.

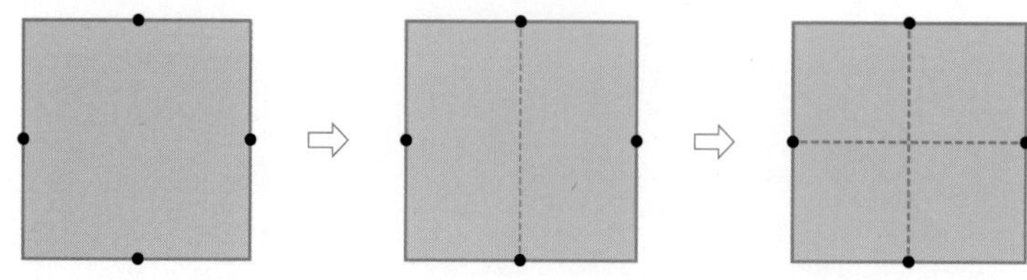

활동 개념 확인

다음과 같이 정사각형 모양의 색종이를 점선을 따라 접었다 펼쳤습니다. 색종이는 빗금 친 도형과 크기와 모양이 같은 도형 몇 개로 나누어지는지 □ 안에 써넣으세요.

1-1

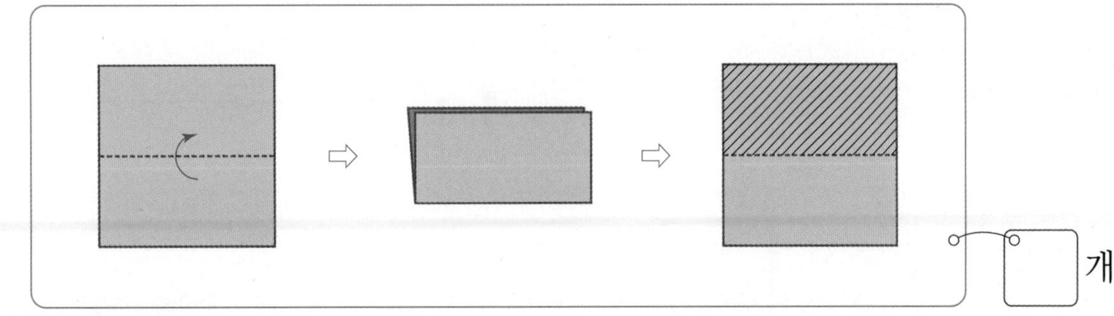

□개

1-2

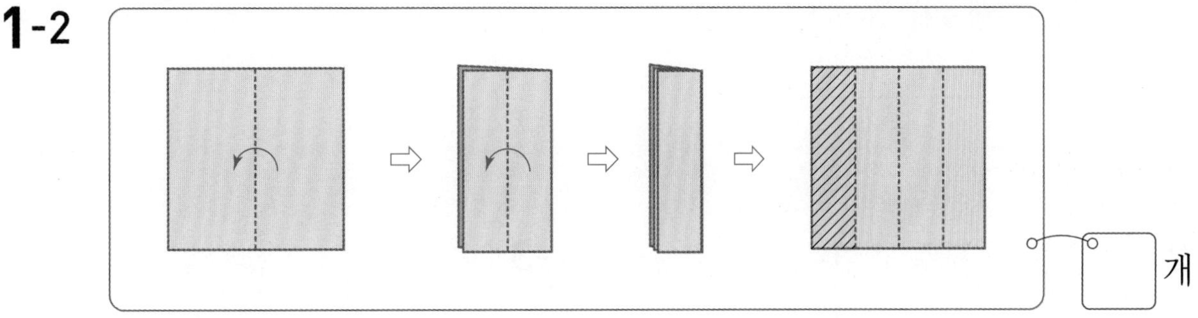

□개

1-3

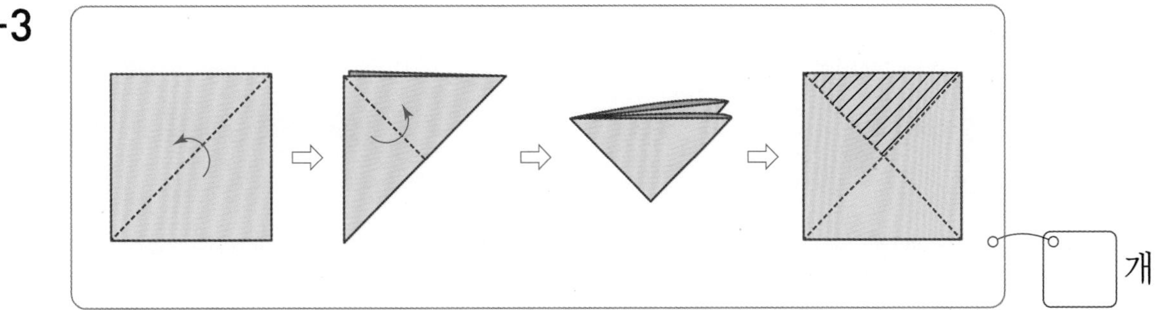

□개

1-4

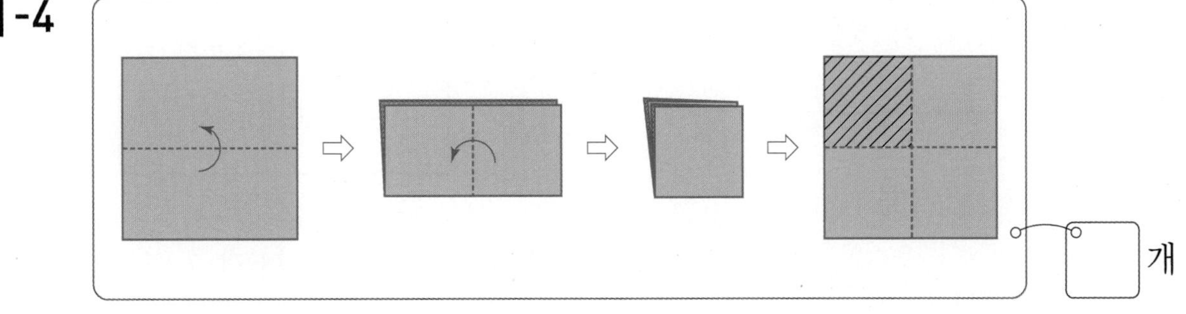

□개

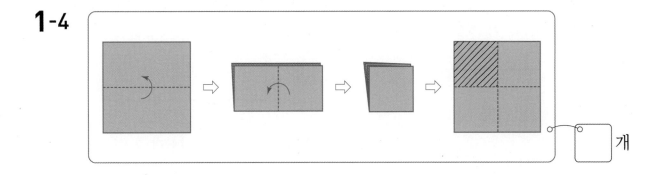

2일 도형 똑같이 나누기

도형 집중 연습

보기와 같이 주어진 점을 이용하여 주어진 도형의 개수만큼 크기와 모양이 같도록 나누는 선을 그어 보세요.

보기

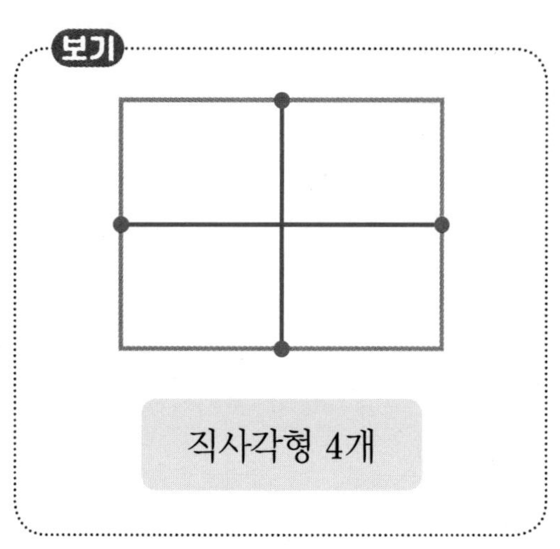

직사각형 4개

1-1

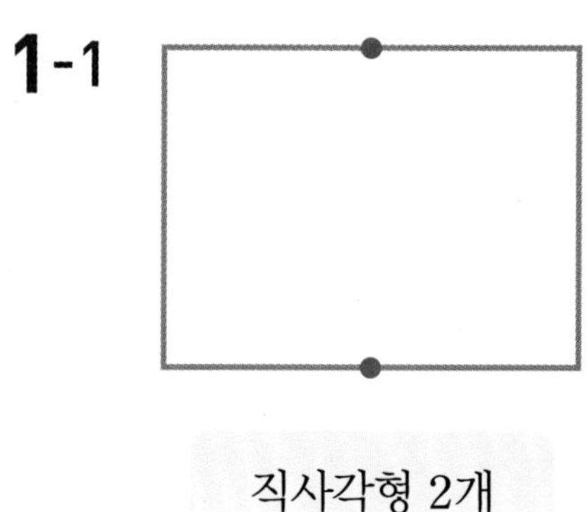

직사각형 2개

1-2

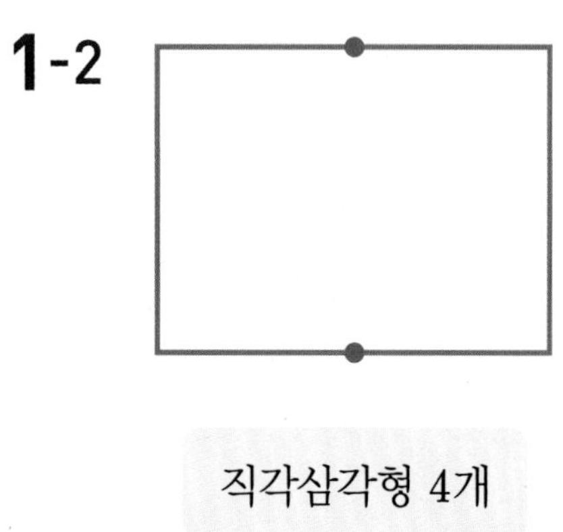

직각삼각형 4개

1-3

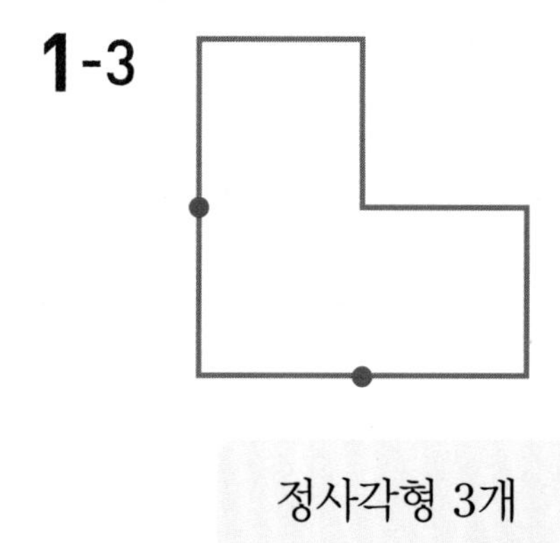

정사각형 3개

1-4

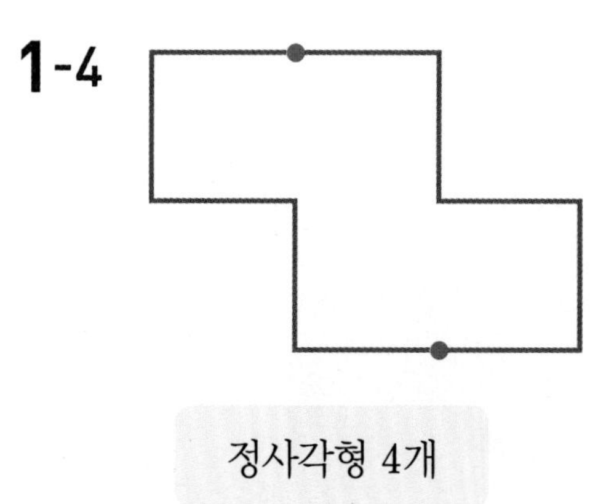

정사각형 4개

1-5

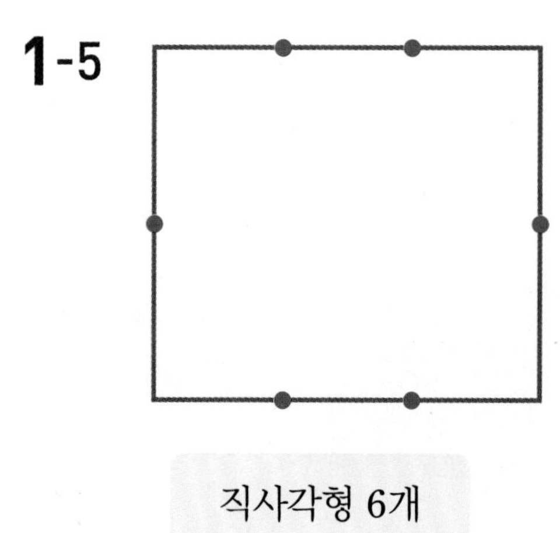

직사각형 6개

보기 와 같이 점선을 따라 주어진 개수만큼 크기와 모양이 같은 직사각형이 되도록 나누는 선을 그어 보세요.

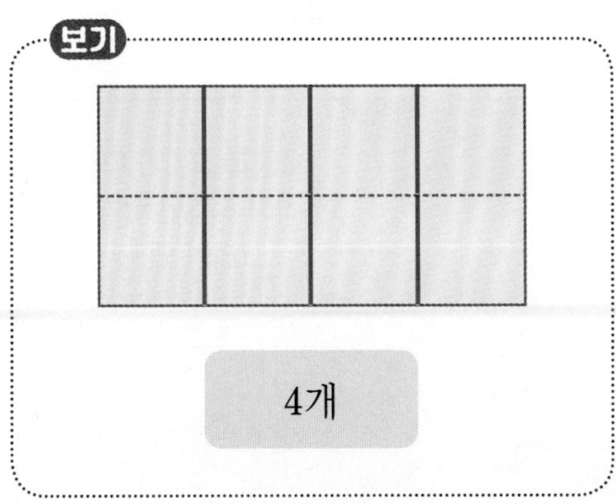

2-1

2개

2-2

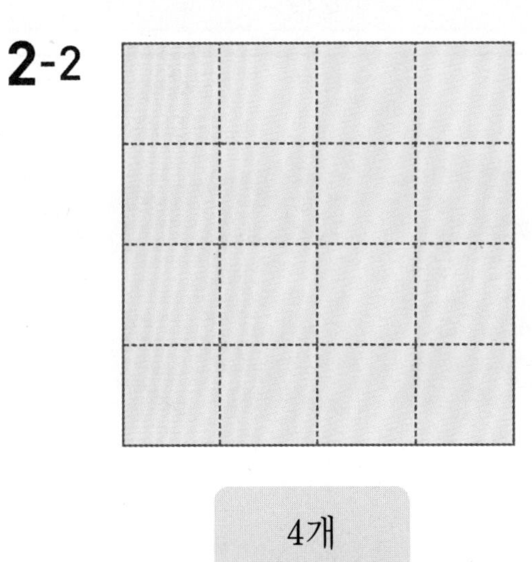

2-3

3개

2주
2일

목장을 만들기 위해 울타리를 세우려고 합니다. 젖소가 한 마리씩 들어가도록 크기와 모양이 같은 직사각형 모양의 울타리를 나누는 선을 그어 보세요.

3-1

3-2

3일 서로 다른 도형 그리기

오늘은 무엇을 공부할까요?

이번에는 점 종이에 서로 다른 직각삼각형을 모두 그려 볼 거야!

아직 멀었어? 휴…….

우하!

모양과 크기가 다른 한 각이 직각인 삼각형을 그리면 돼~.

룰루~

히어로 훈련이 맞는걸까?

글쎄……. 나도 모르겠어.

점 종이에 그릴 수 있는 서로 다른 직각삼각형의 개수는 몇 개일까?

척!

오, 윤우!

1.

2.

3.

그릴 수 있는 서로 다른 직각삼각형은 모두 3개입니다!

저… 정답이야.
흠!

우와~.
대단한걸~!
이 정도쯤이야.
후후~!

열심히 준비했는데…
엥?
내가 점 종이에
도형 그리는 건
자신있다고~!

2주
3일

도형 기본 개념

● **점 종이에 서로 다른 직각삼각형 그리기**

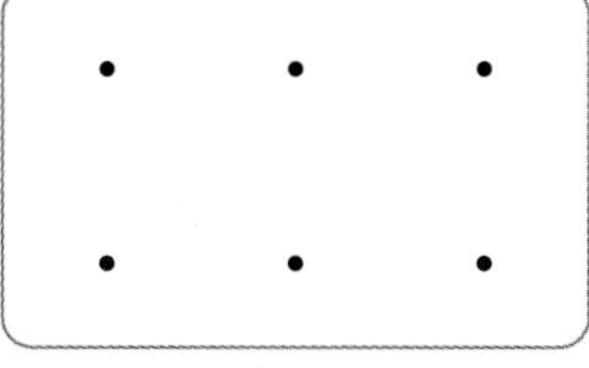

크기나 모양이 다른
한 각이 직각인 삼각형을
모두 그려 봐요.

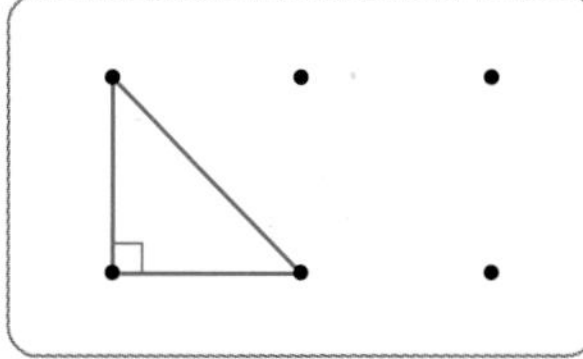

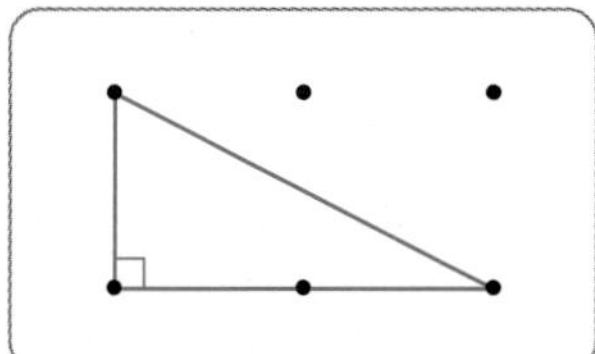

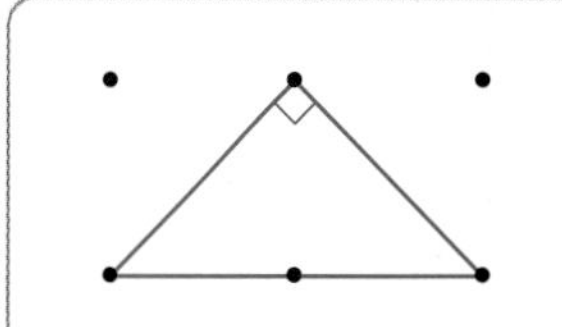

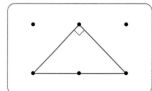

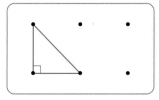

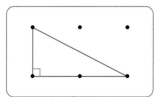

⇨ 그릴 수 있는 서로 다른 직각삼각형은 모두  개입니다.

정답 ❶ 3

3일 서로 다른 도형 그리기

활동을 통하여 해결 방법을 알아보아요.

점 종이에 서로 다른 직각삼각형 모두 그리기

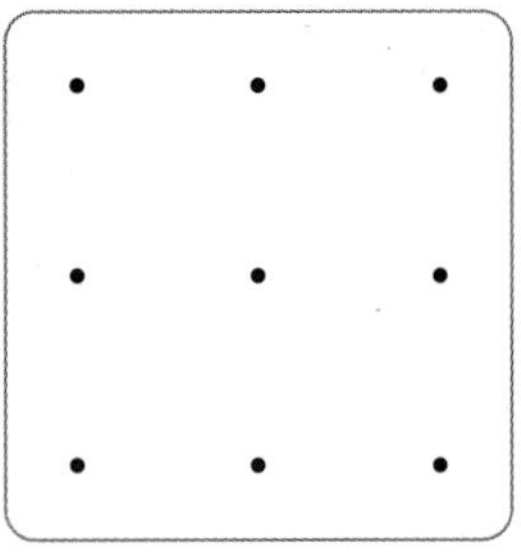

① 직각삼각형의 한 변이 　　 인 경우

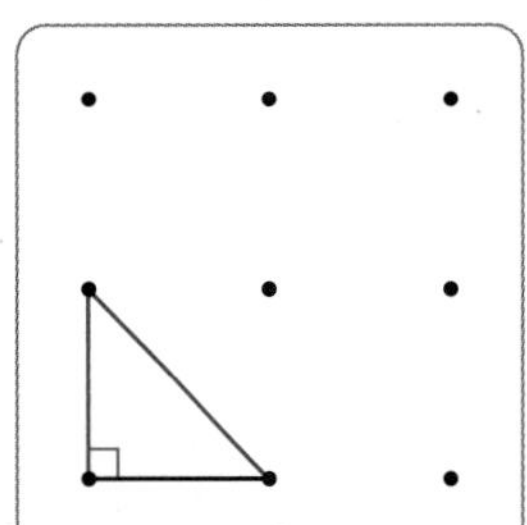

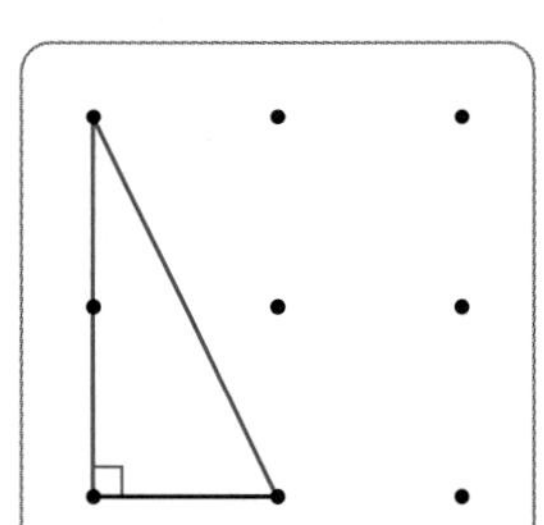

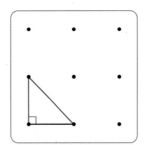

② 직각삼각형의 한 변이 　　 인 경우

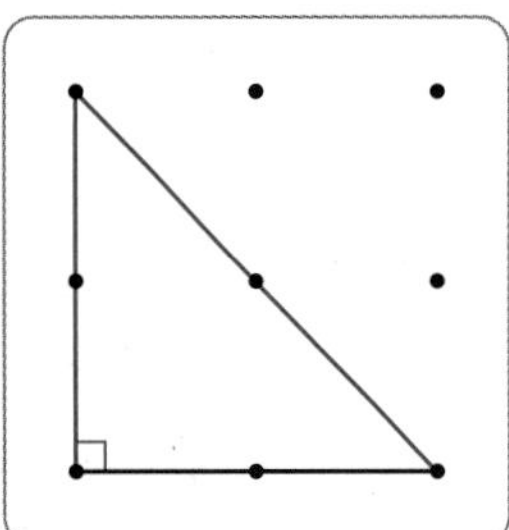

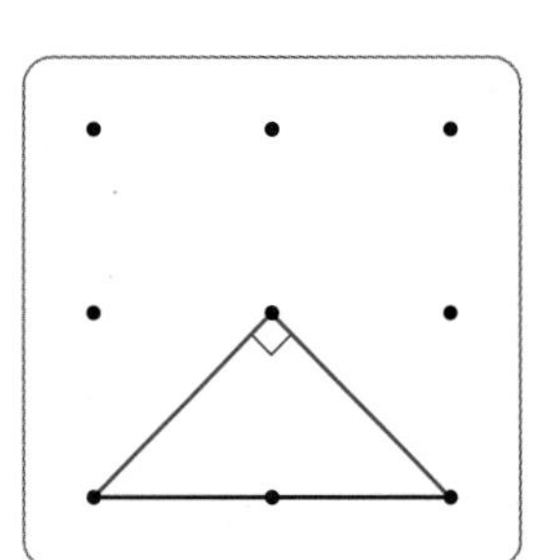

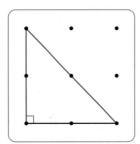

참고

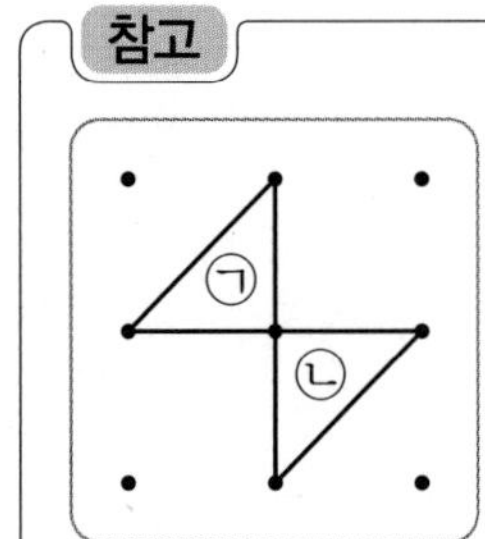

㉠과 ㉡처럼 돌리거나 뒤집어서 완전히 겹쳐지는 도형은 크기와 모양이 같은 도형입니다.

해결 방법 확인

점 종이에 주어진 선분을 한 변으로 하는 서로 다른 도형을 3개 그려 보세요.

1-1 직각삼각형

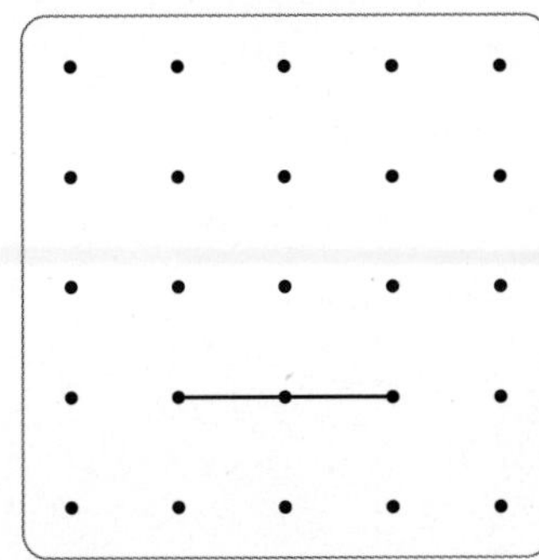
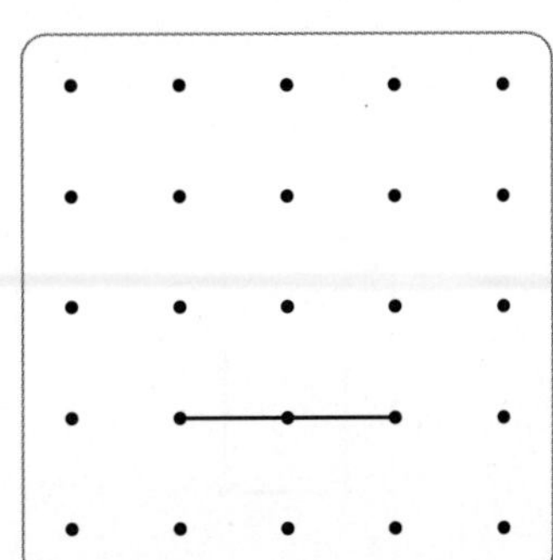
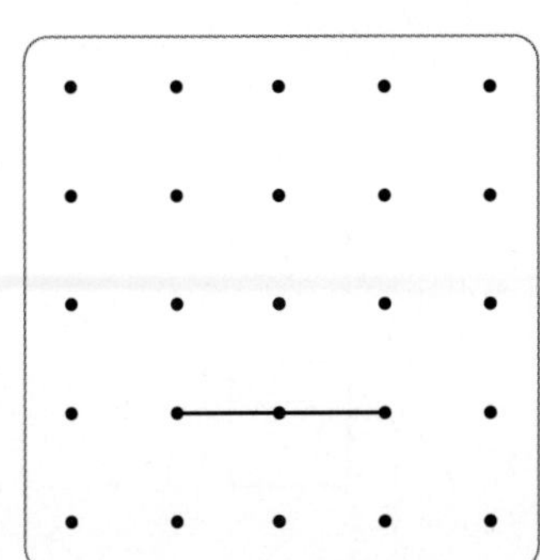

1-2 직사각형

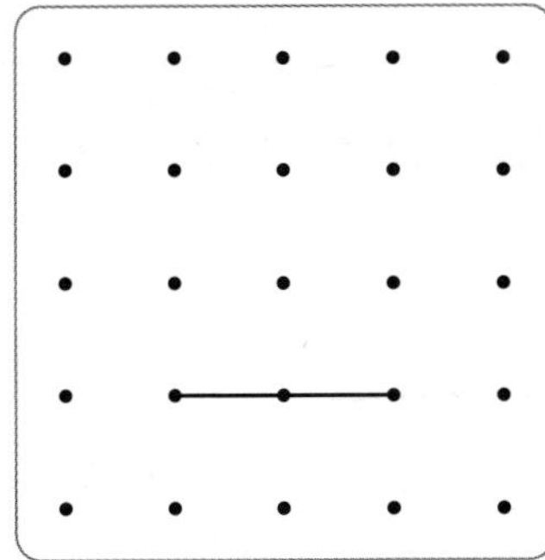
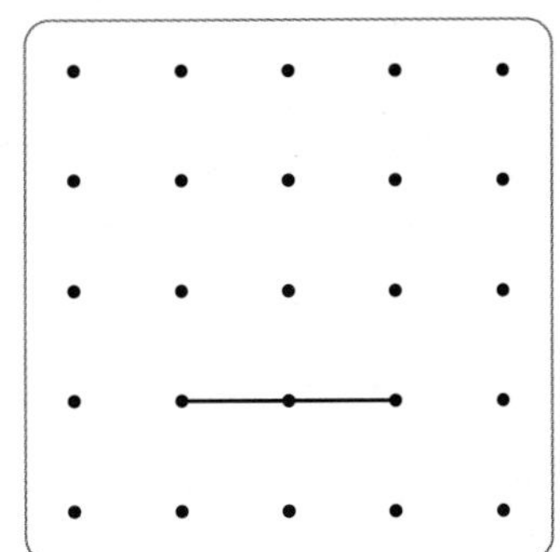
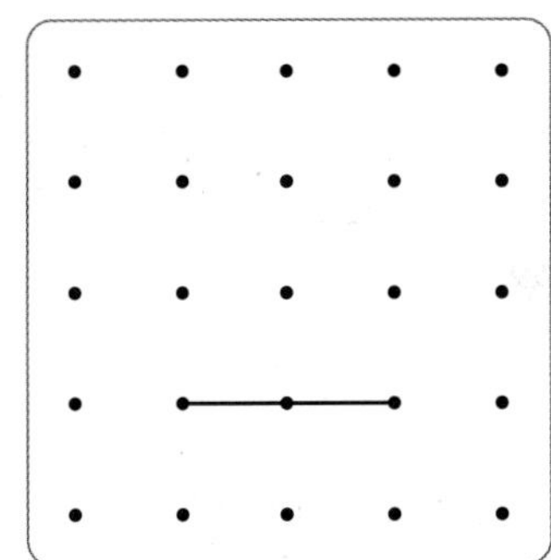

1-3 직사각형

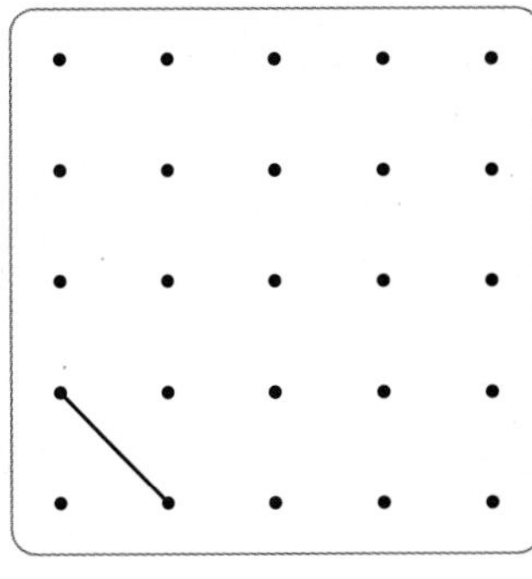
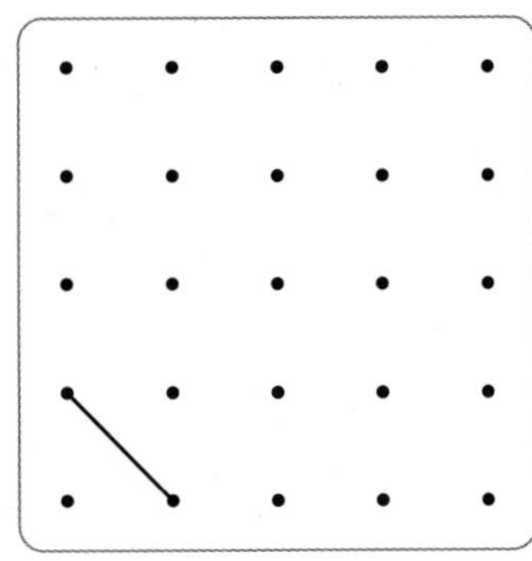
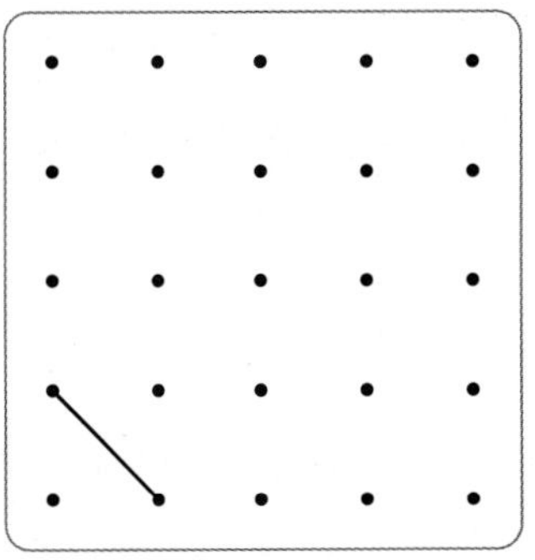

2주 3일

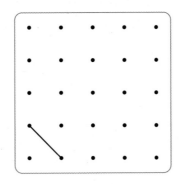

3일 서로 다른 도형 그리기

도형 집중 연습

점 종이에 주어진 도형과 서로 다른 도형을 그려 보세요.

1-1 직사각형

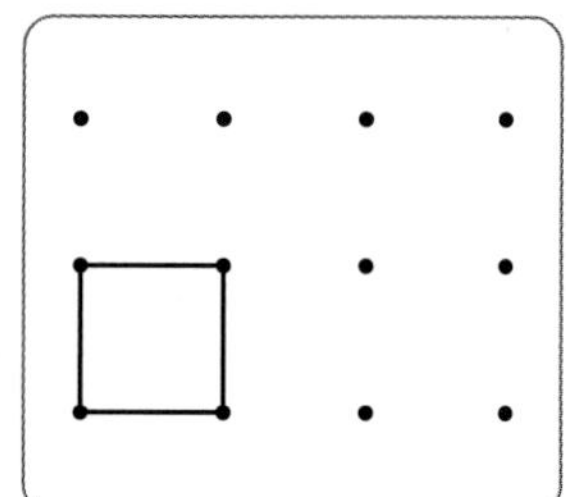
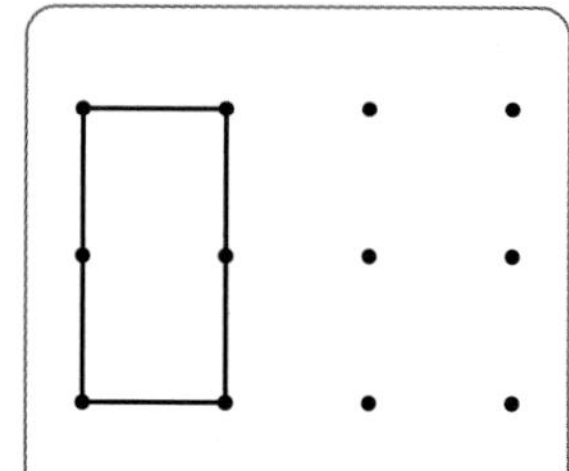
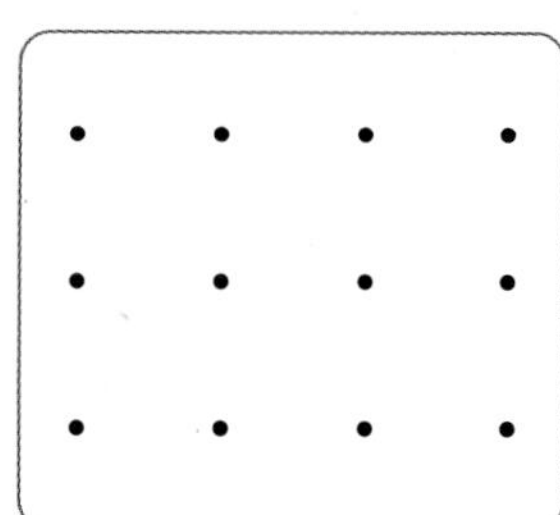
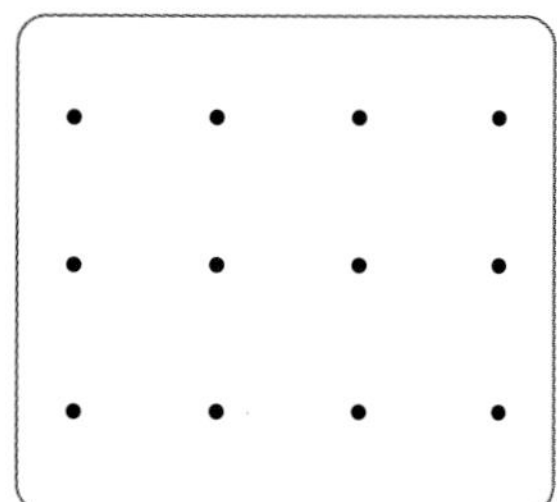
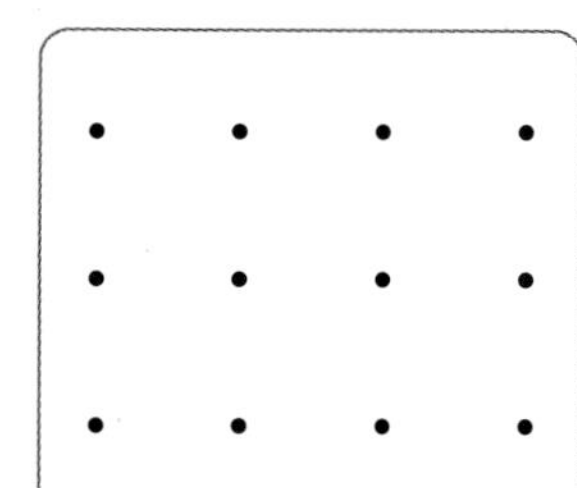
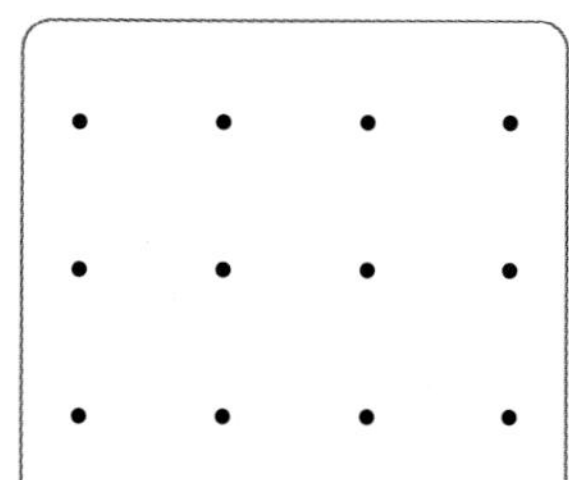

1-2 직각삼각형

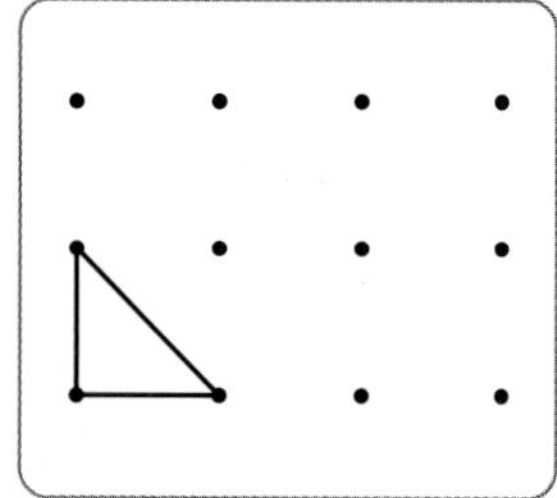
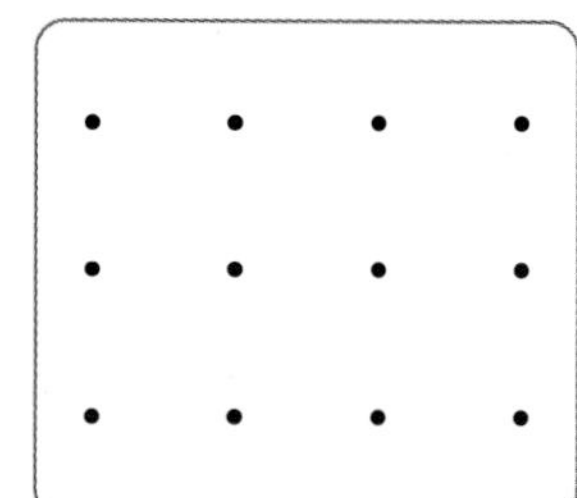
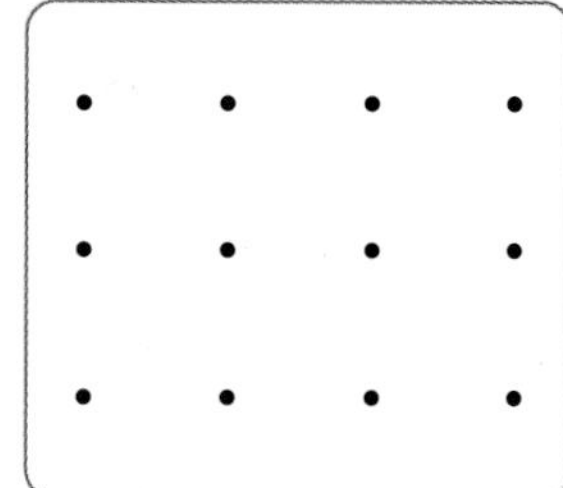
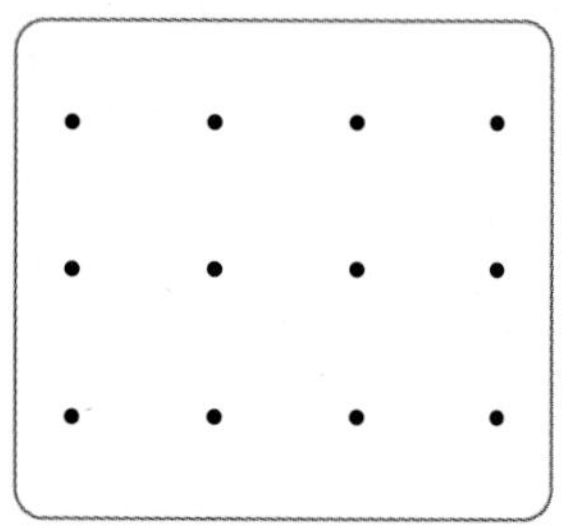
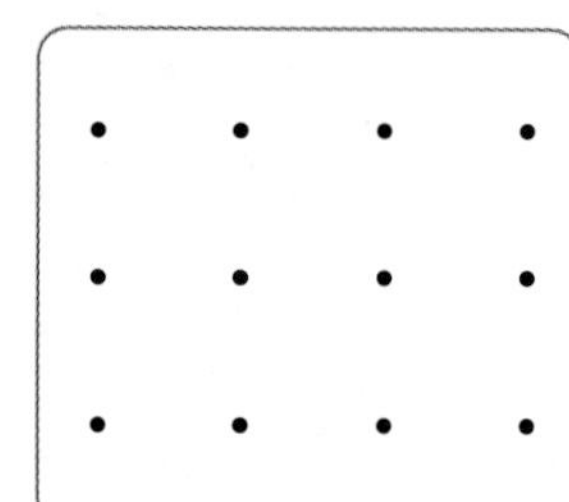
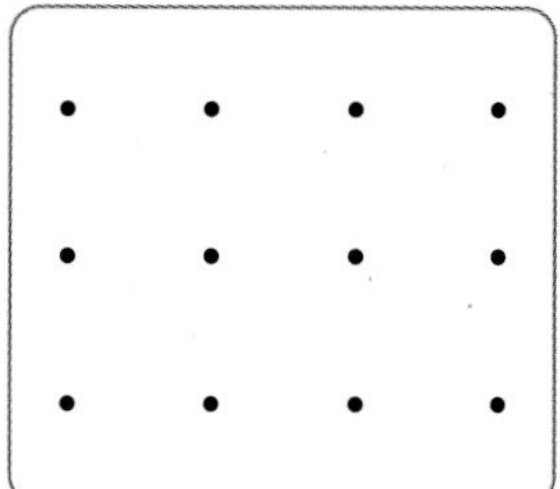

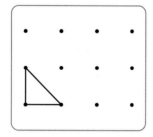

2 점 종이에 주어진 정사각형과 크기가 다른 여러 가지 정사각형을 그려 보세요.

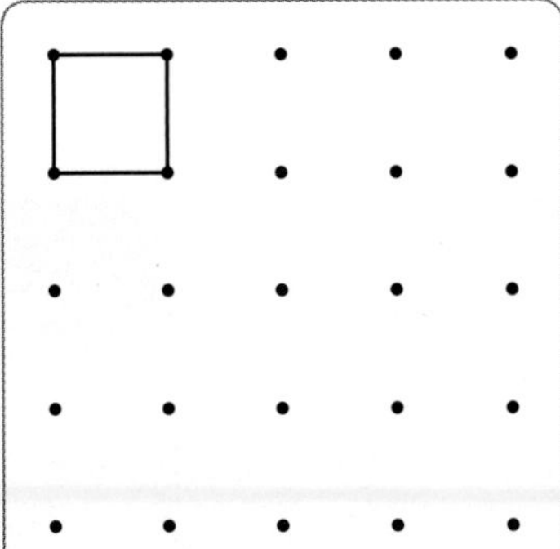

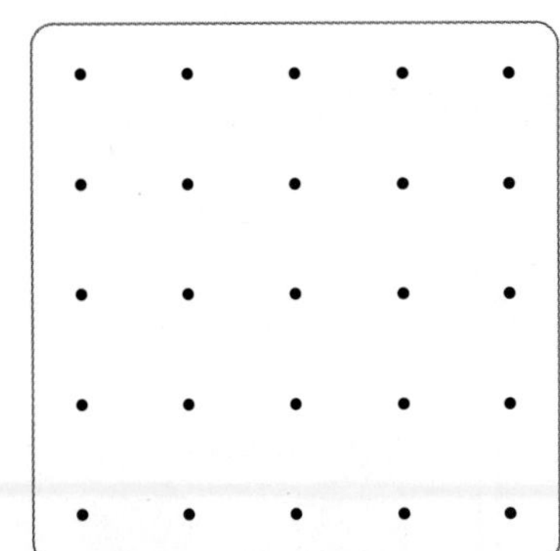

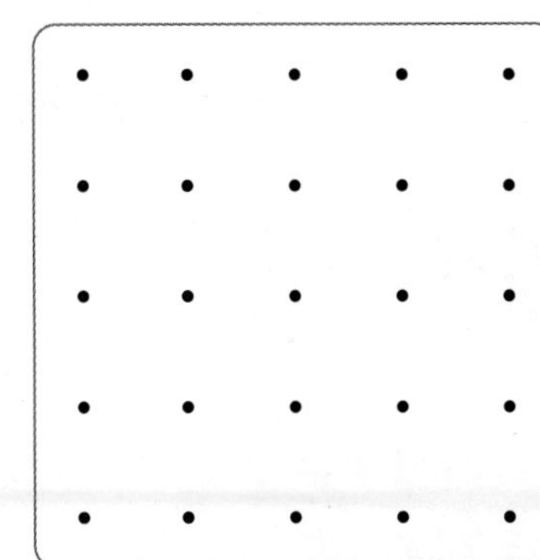

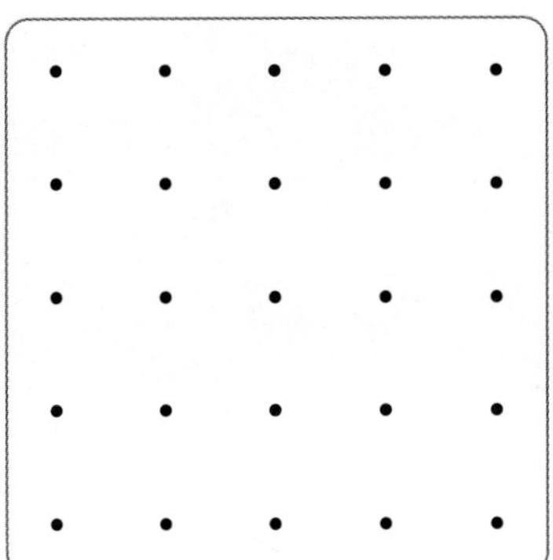

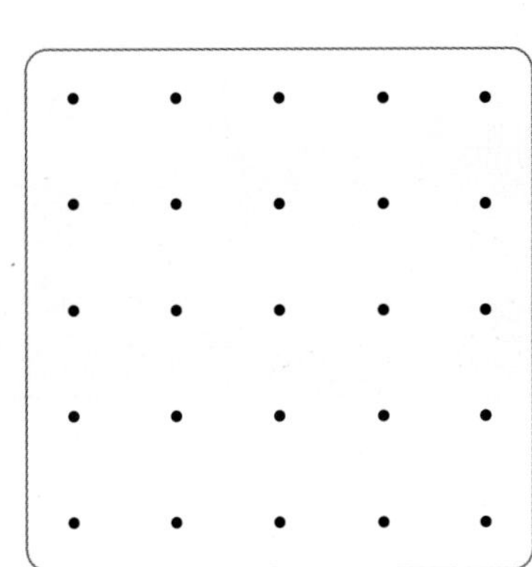

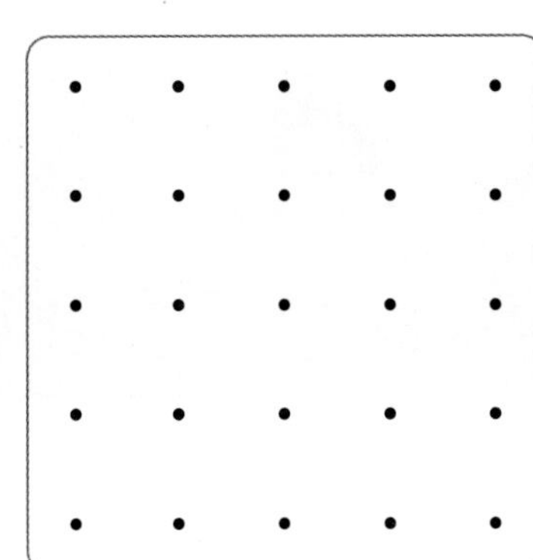

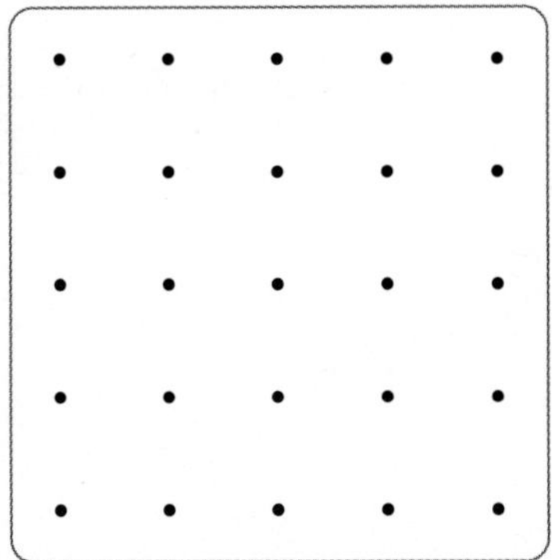

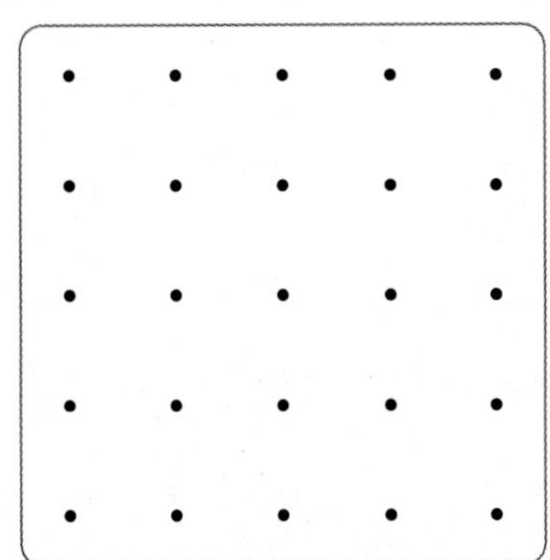

기울어져 있는
정사각형도 그려 봐요.

2주 3일

크고 작은 도형의 개수

오늘은 무엇을 공부할까요?

퀴즈! 훈련장에서 찾을 수 있는 크고 작은 직사각형의 개수는?
음……. 2개인가?
1개 같은데?
1
2
3
찾을 수 있는 크고 작은 직사각형은 모두 3개야!

2주
4일

도형 기본 개념

● **찾을 수 있는 크고 작은 직사각형의 개수**

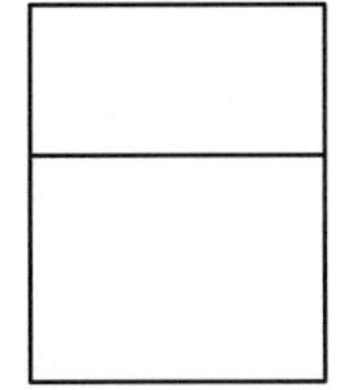

① 직사각형 1개로 이루어진 직사각형

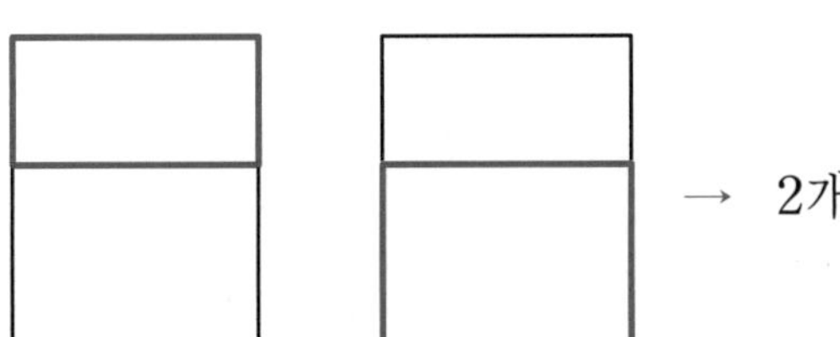

→ 2개

② 직사각형 2개로 이루어진 직사각형

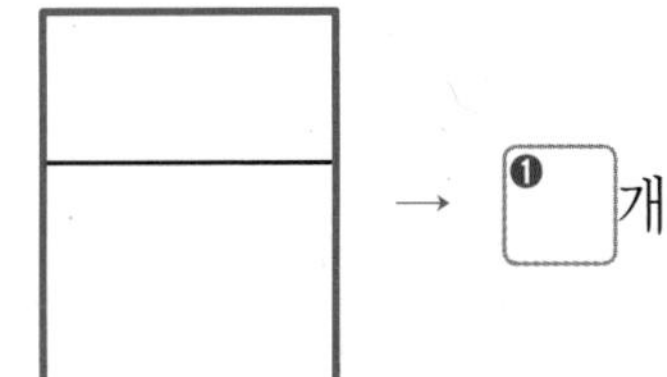

→ ❶ 개

⇨ 주어진 도형에서 찾을 수 있는 크고 작은 직사각형은 모두 2+1=❷ (개)입니다.

정답 ❶ 1 ❷ 3

크고 작은 도형의 개수

활동을 통하여 해결 방법을 알아보아요.

찾을 수 있는 크고 작은 직사각형의 개수 구하기

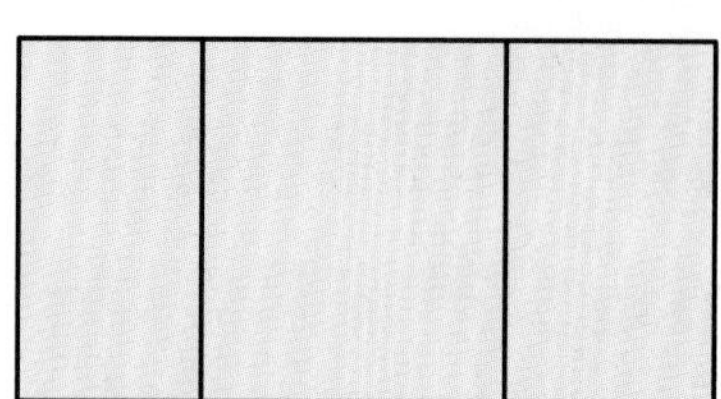

직사각형이 여러 개
모여서 만들어지는 직사각형
도 찾아야 해요.

① 직사각형 1개로 이루어진 직사각형

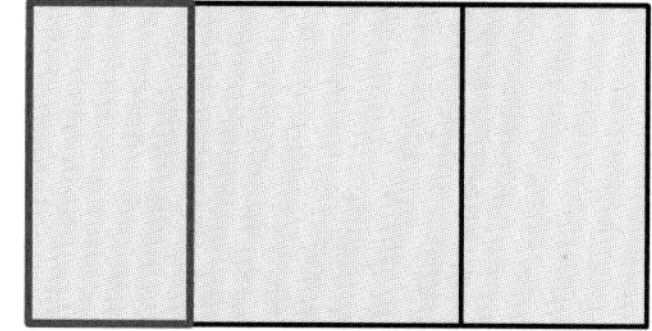 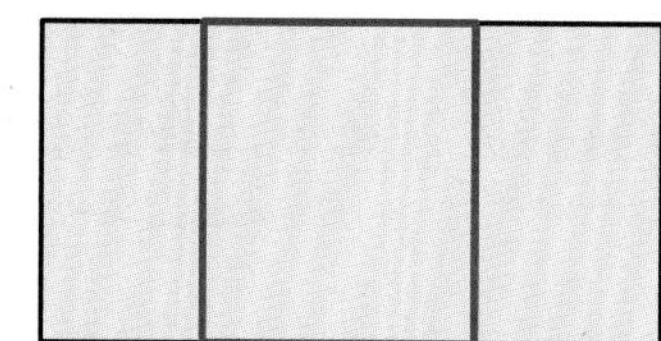 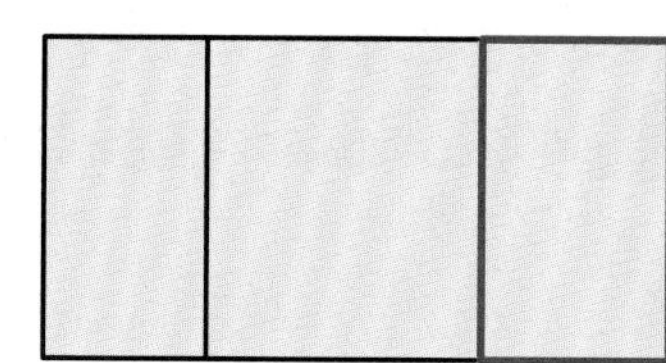 → 3개

② 직사각형 2개로 이루어진 직사각형

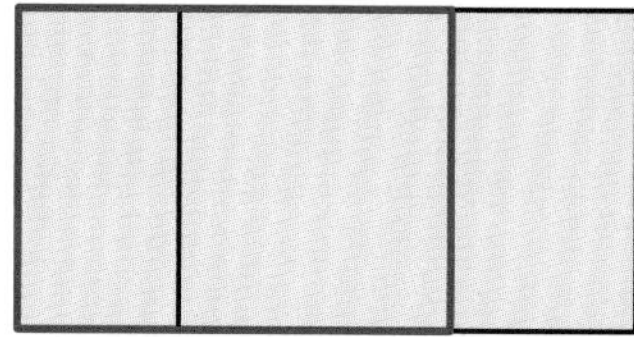  → 2개

③ 직사각형 3개로 이루어진 직사각형

 → 1개

⇨ 그림에서 찾을 수 있는 크고 작은 직사각형은 모두 $3+2+1=6$(개)입니다.

해결 방법 짚어 보기

- 크고 작은 도형을 찾을 때에는 도형 1개, 2개, 3개 ……로 이루어진 도형을 각각 세어 모두 더합니다.

해결 방법 확인

1-1 그림에서 찾을 수 있는 크고 작은 직사각형은 모두 몇 개인지 구하세요.

직사각형 1개짜리: [ ]개

직사각형 2개짜리: [ ]개

⇨ 찾을 수 있는 직사각형은 모두 [ ]개입니다.

1-2 그림에서 찾을 수 있는 크고 작은 직각삼각형은 모두 몇 개인지 구하세요.

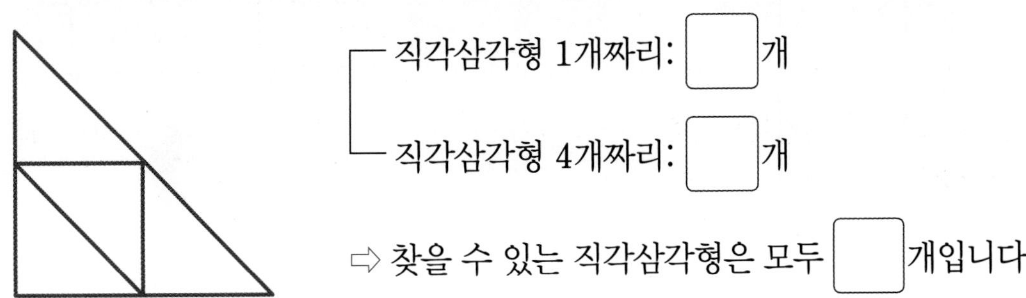

직각삼각형 1개짜리: [ ]개

직각삼각형 4개짜리: [ ]개

⇨ 찾을 수 있는 직각삼각형은 모두 [ ]개입니다.

2주 4일

1-3 그림에서 찾을 수 있는 크고 작은 정사각형은 모두 몇 개인지 구하세요.

정사각형 1개짜리: [ ]개

정사각형 4개짜리: [ ]개

⇨ 찾을 수 있는 정사각형은 모두 [ ]개입니다.

4일 크고 작은 도형의 개수

도형 집중 연습

그림에서 찾을 수 있는 크고 작은 직각삼각형은 모두 몇 개인지 구하세요.

1-1

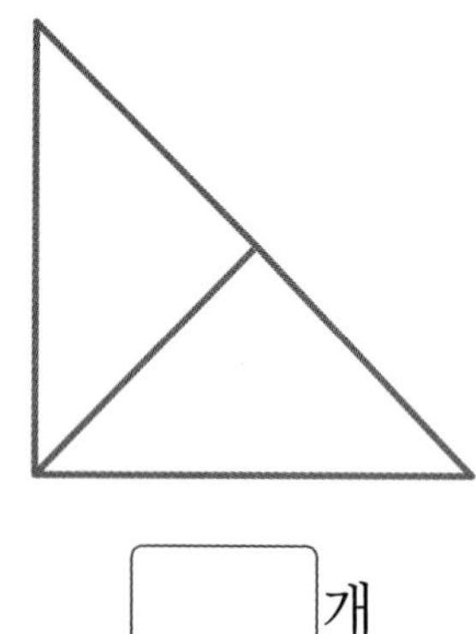

☐개

1-2

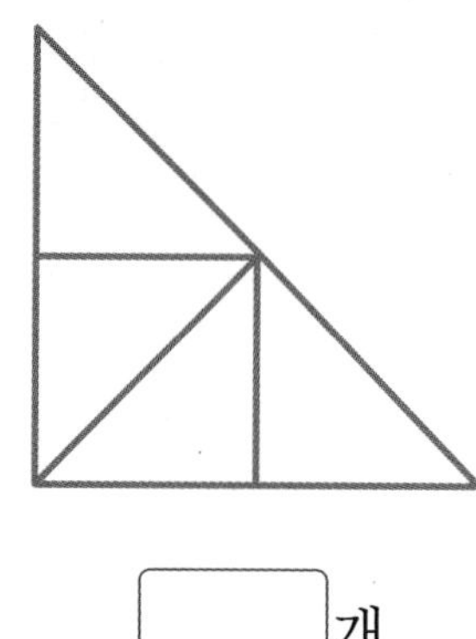

☐개

1-3

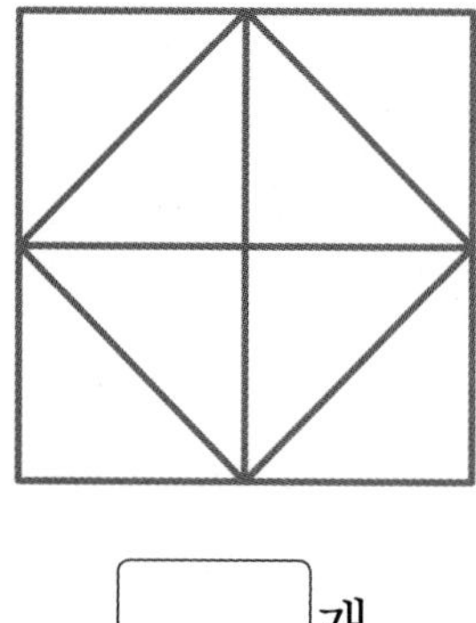

☐개

직각삼각형 1개로 이루어진 것뿐만 아니라 여러 개가 모여서 이루어진 직각삼각형도 모두 생각해야 해요.

그림에서 찾을 수 있는 크고 작은 정사각형은 모두 몇 개인지 구하세요.

2-1

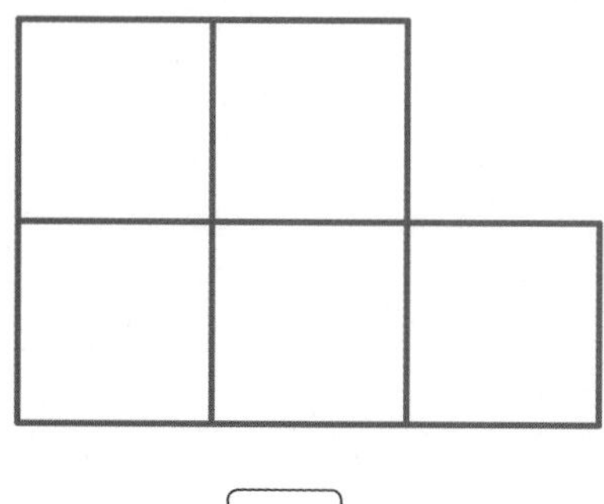

☐개

2-2

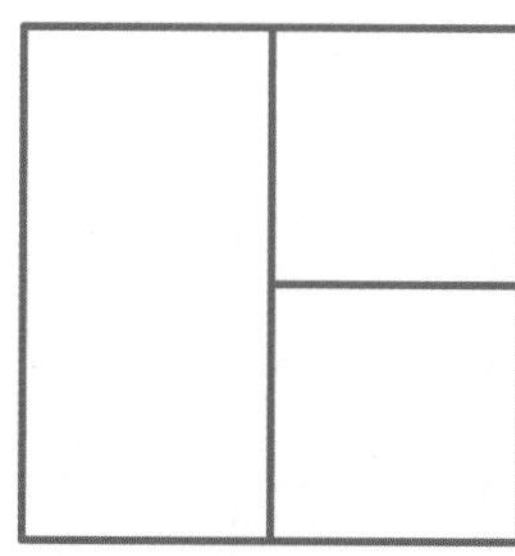

☐개

다음 국기에서 찾을 수 있는 크고 작은 직사각형은 모두 몇 개인지 구하세요.

3-1

▲ 프랑스 국기

☐개

3-2

▲ 아랍에미리트 국기

☐개

3-3

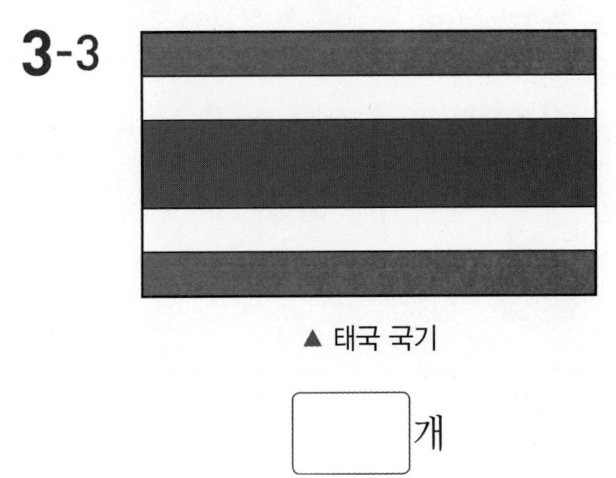

▲ 태국 국기

☐개

4 **축구 경기장을 위에서 내려다 보았습니다. 축구 경기장에서 찾을 수 있는 크고 작은 직사각형은 모두 몇 개인지 구하세요.**

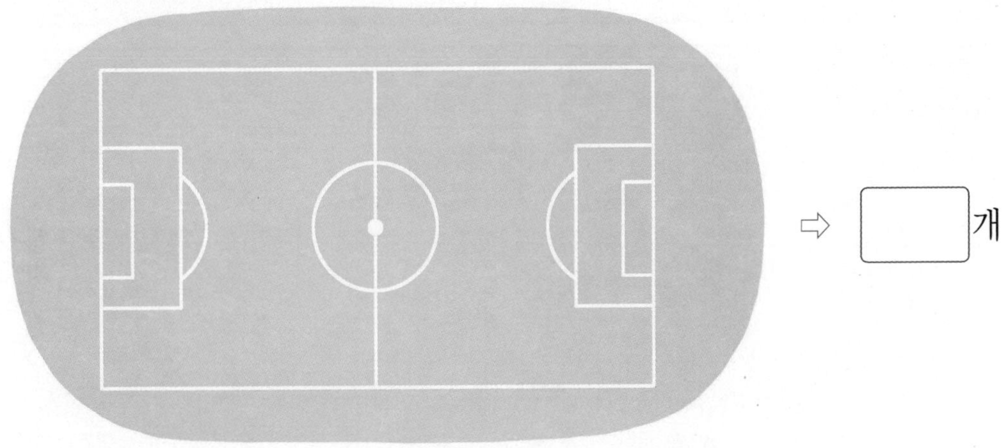

⇨ ☐개

5일 조각을 사용하여 모양 만들기

오늘은 무엇을 공부할까요?

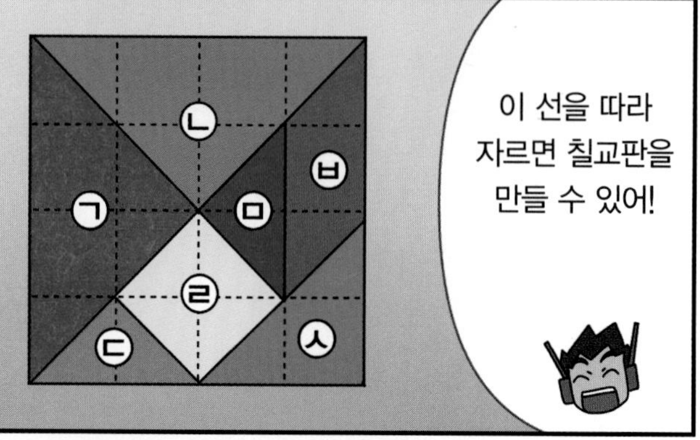

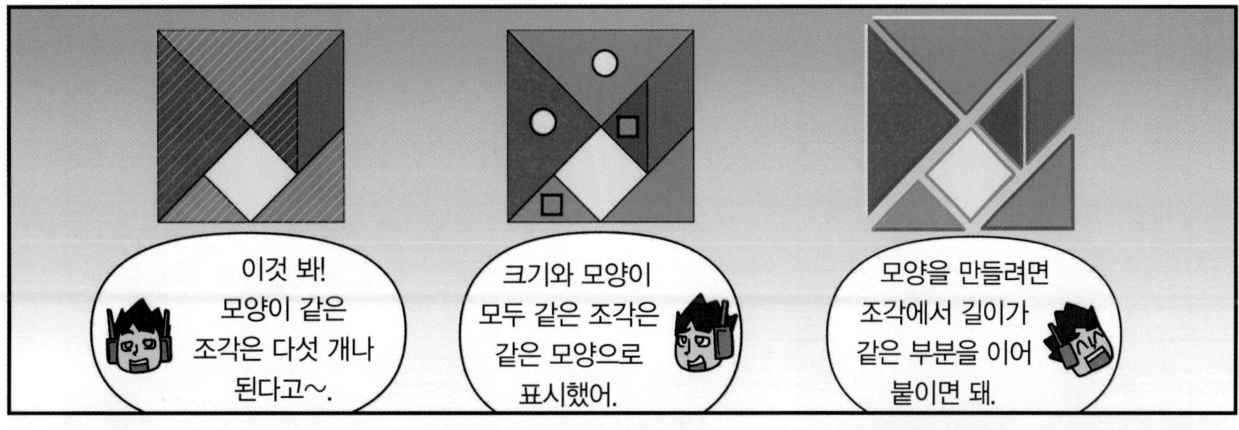

2주
5일

도형 기본 개념

● **칠교 조각을 사용하여 다른 칠교 조각 만들기**

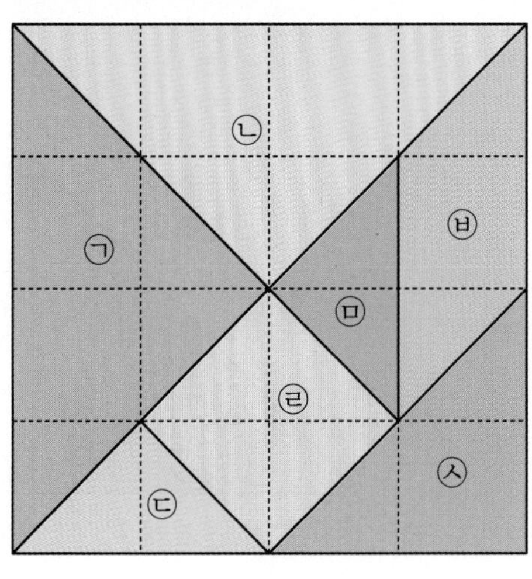

① ㉢, ㉤ 두 조각에서 길이가 같은 부분을 이어 붙여 봅니다.

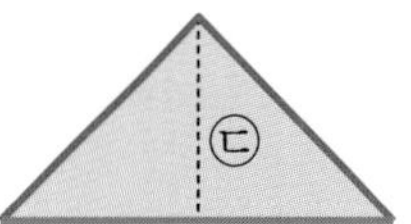

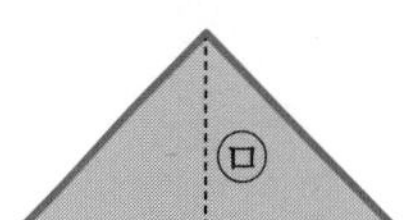

② 다음과 같이 붙인 조각과 같은 모양을 칠교 조각에서 찾아 보면 ❶ ☐ 과 같습니다.

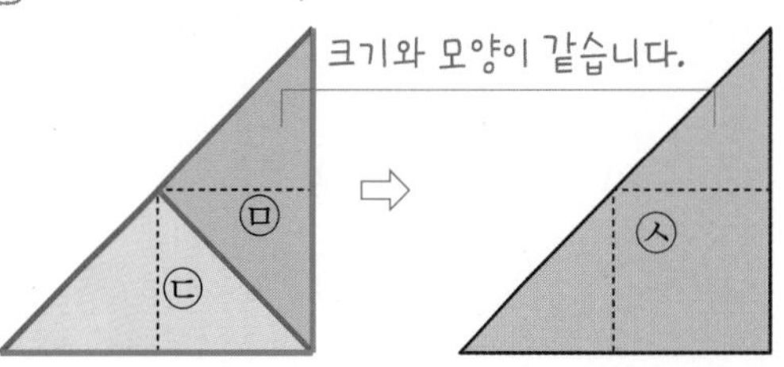

정답 ❶ ㉦

5일 조각을 사용하여 모양 만들기

활동을 통하여 개념을 알아보아요.

칠교 조각을 사용하여 도형 만들기

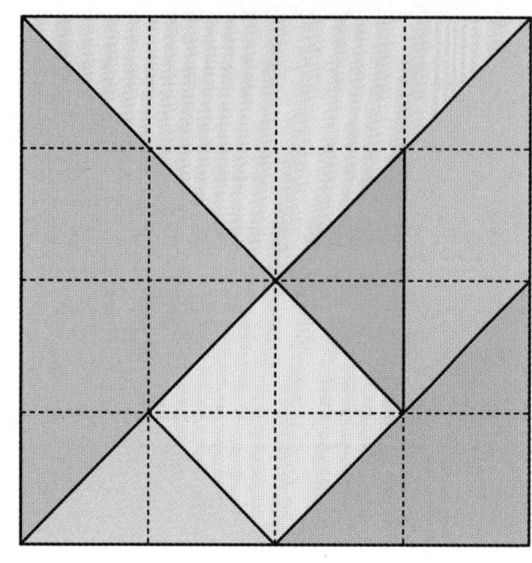

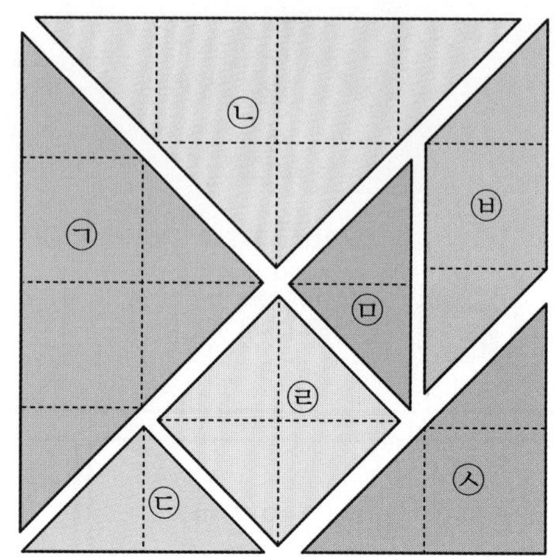

활동 1 ㉢, ㉤ 두 조각을 사용하여 정사각형 만들기

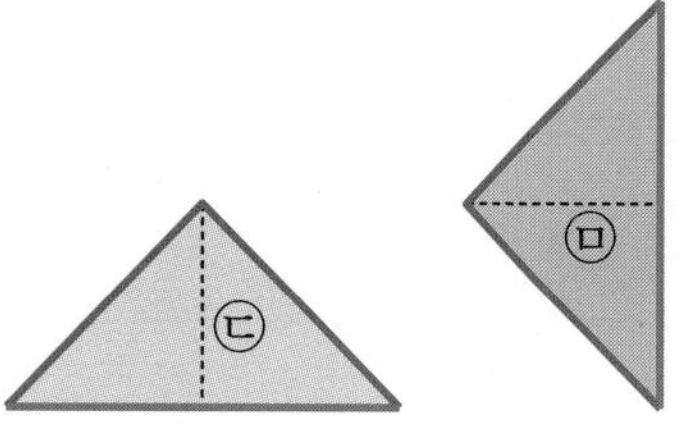

① 길이가 같은 변끼리 같은 색으로 나타냅니다.

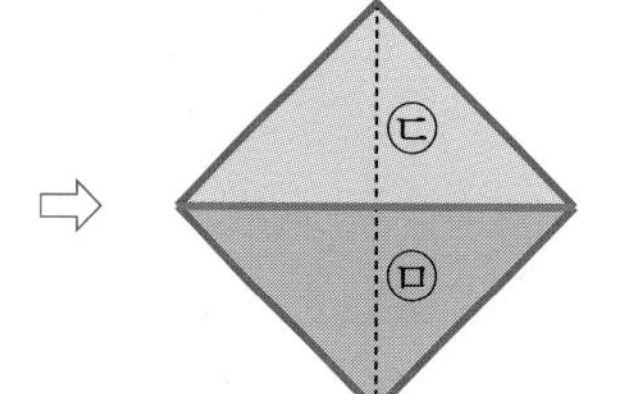

② 길이가 같은 두 변을 정사각형이 되도록 붙여 봅니다.

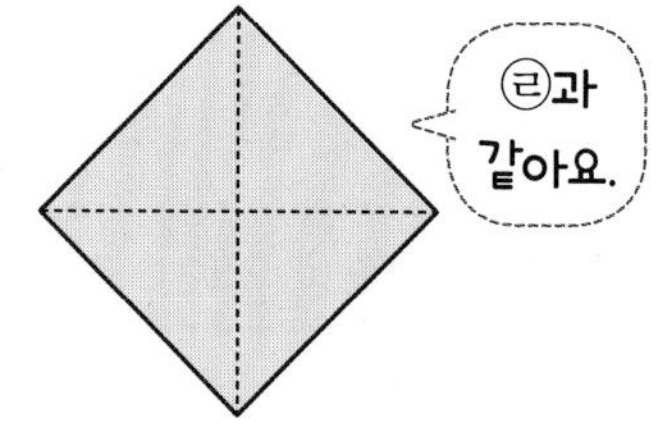

③ 칠교 조각에서 크기와 모양이 같은 조각을 찾아봅니다.

활동 2 ㉢, ㉣, ㉤ 세 조각을 사용하여 직각삼각형 만들기

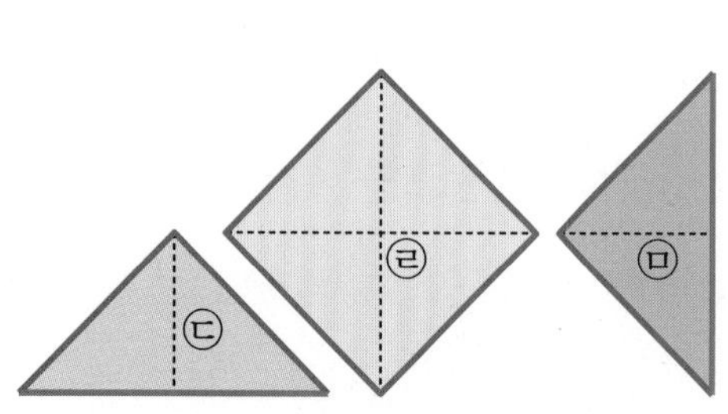

① 길이가 같은 변끼리 같은 색으로 나타냅니다.

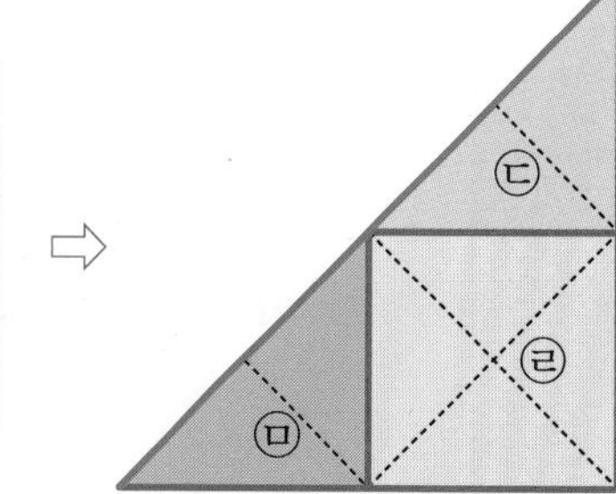

② 길이가 같은 변끼리 직각삼각형이 되도록 붙여 봅니다.

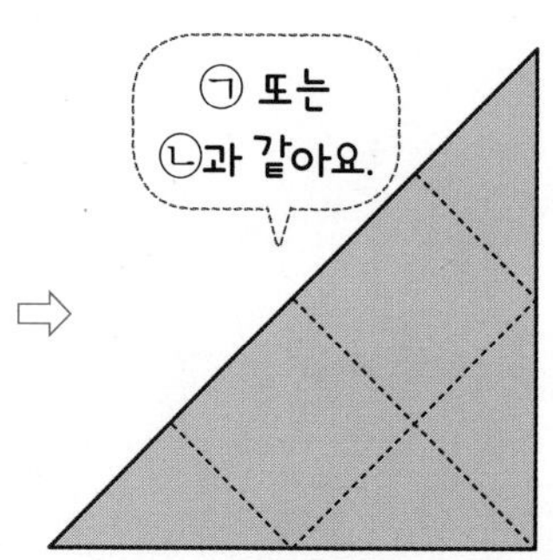

③ 칠교 조각에서 크기와 모양이 같은 조각을 찾아봅니다.

활동 개념 확인

보기 와 같이 왼쪽 칠교 조각을 사용하여 오른쪽 도형을 만들려고 합니다. 오른쪽 도형에 사용한 조각을 선으로 나타내어 보세요.

보기

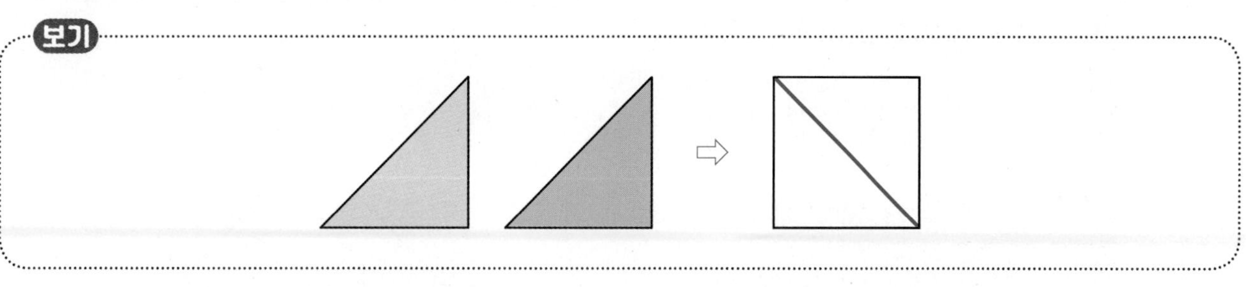

1-1

1-2

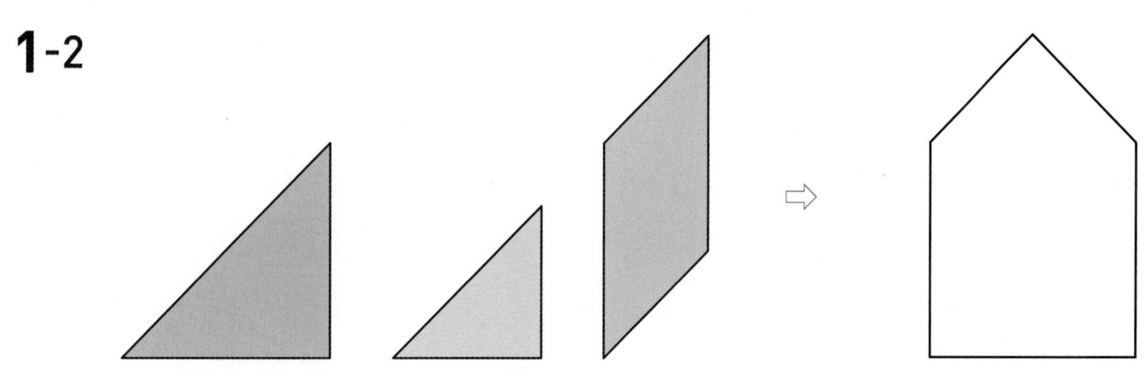

1-3

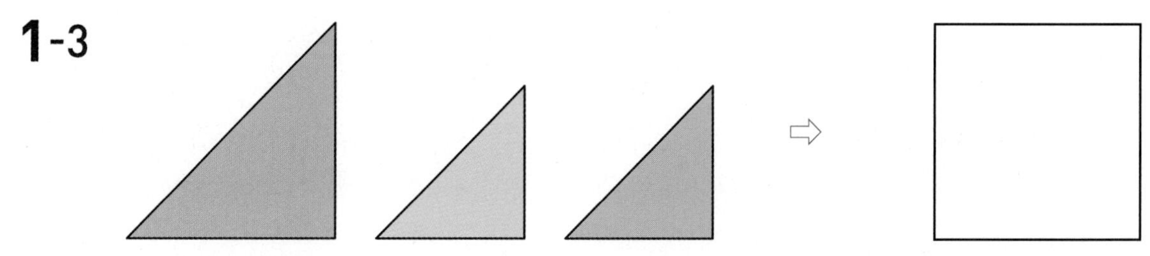

2주
5일

5일 조각을 사용하여 모양 만들기

도형 집중 연습

보기 와 같이 주어진 개수의 칠교 조각을 사용하여 도형을 만들어 보려고 합니다. 도형에 사용한 조각을 선으로 나타내어 보세요.

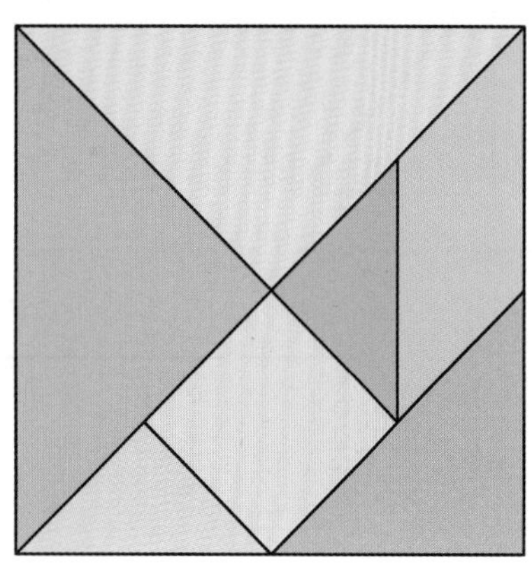

보기

3조각

1-1

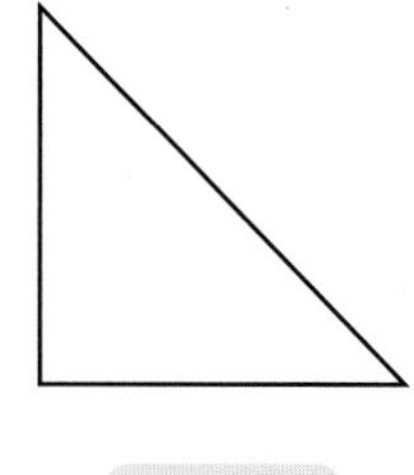

2조각

1-2

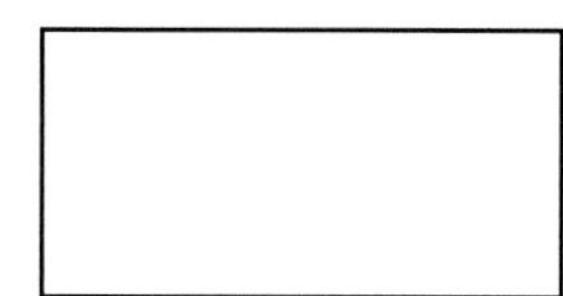

3조각

1-3

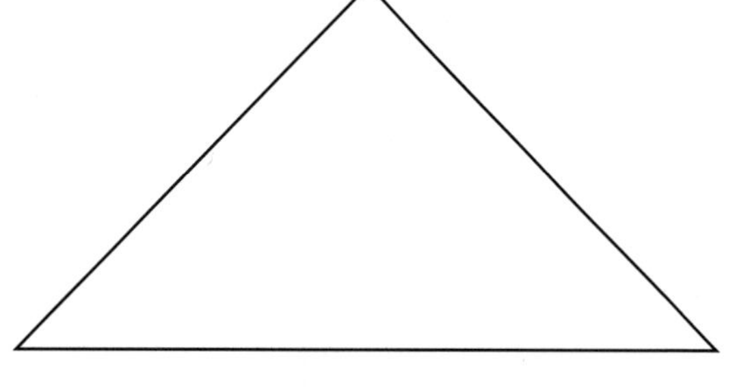

4조각

1-4

5조각

보기 의 모양 조각을 주어진 개수만큼 사용하여 오른쪽 모양을 만들었습니다. 만든 모양에 사용한 모양 조각을 선으로 나타내어 보세요.

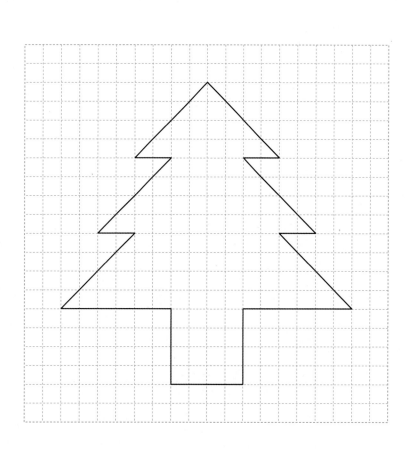

2-1

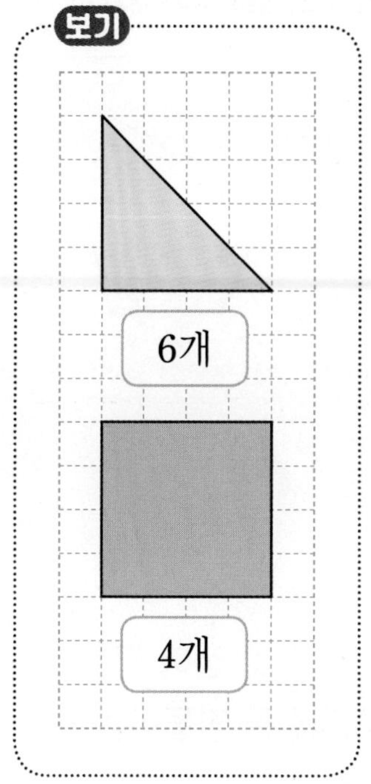

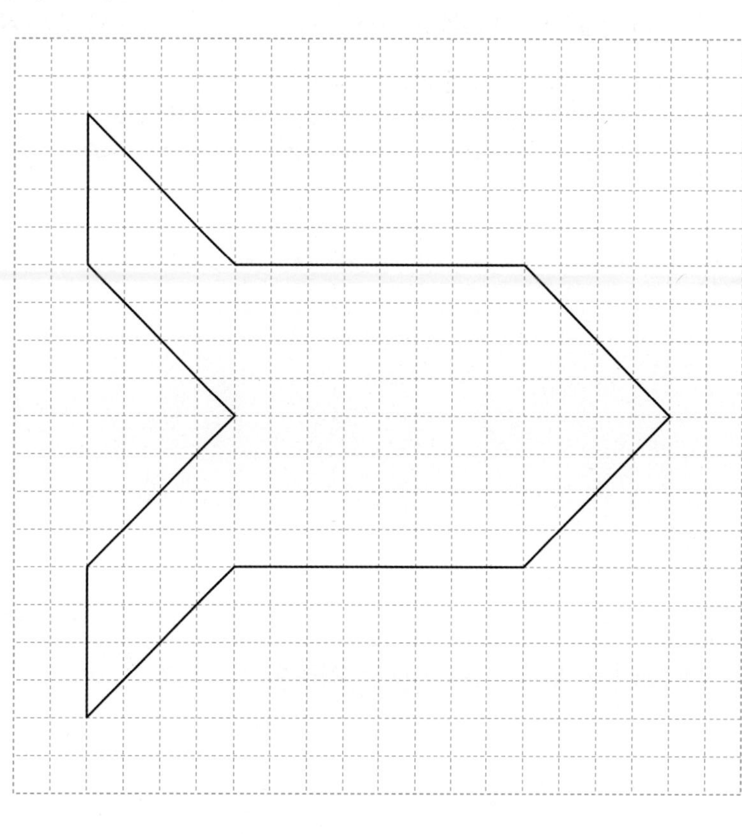

2-2

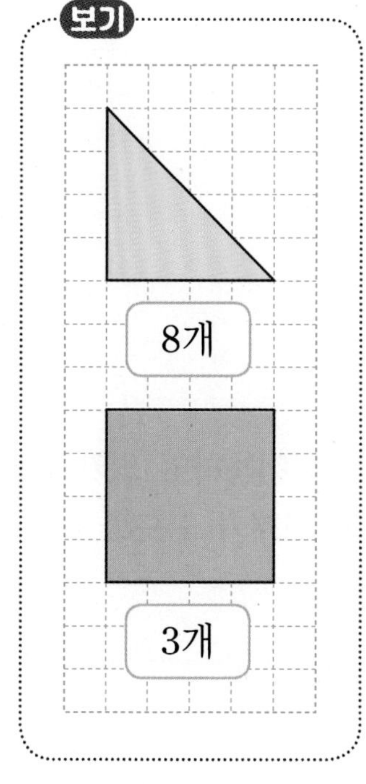

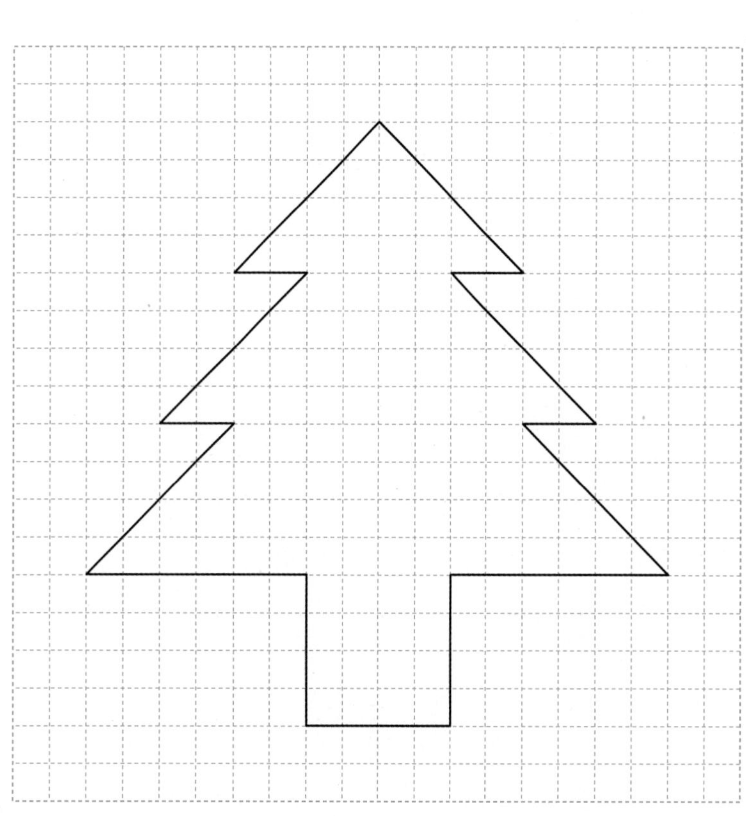

2주
5일

2주 평가 누구나 100점 맞는 TEST

01 점 종이에 주어진 선분을 한 변으로 하는 정사각형을 2개 그려 보세요.

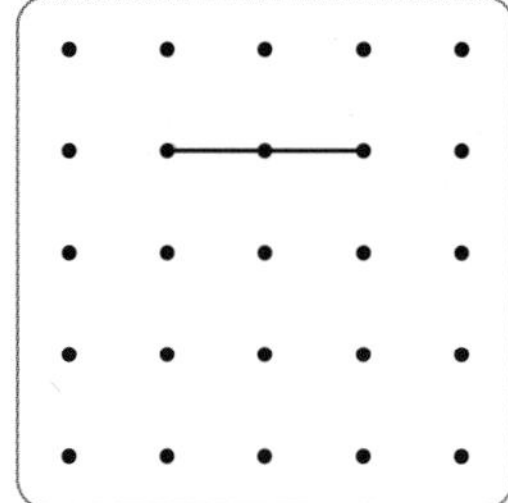
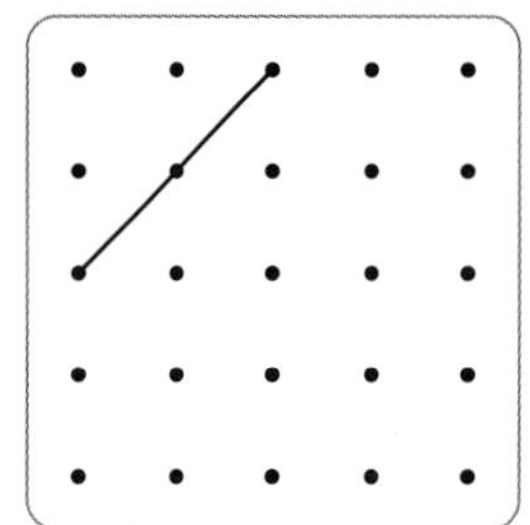

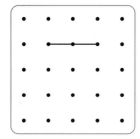

02 점 종이에 서로 다른 직각삼각형을 2개 그려 보세요.

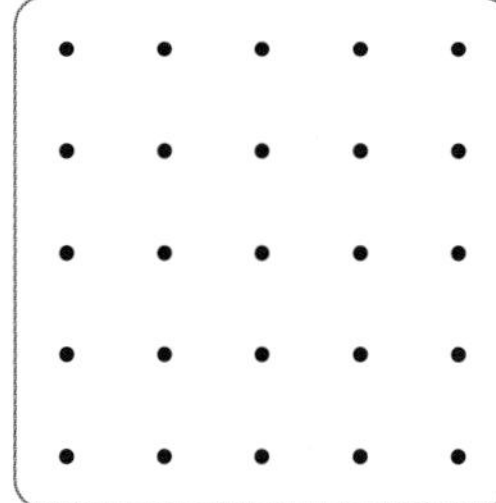
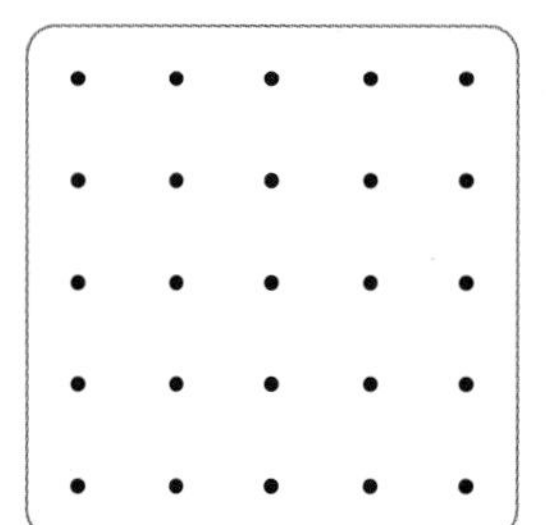

03 점선을 따라 크기와 모양이 같은 직사각형 3개가 되도록 나누는 선을 그어 보세요.

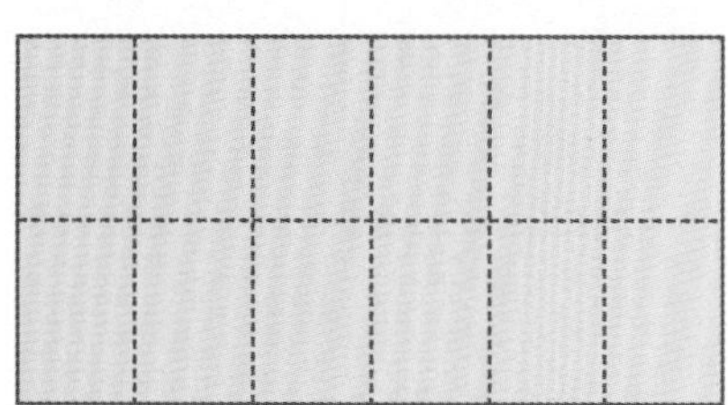

04 점 종이에서 사각형의 꼭짓점 1개를 옮겨 직사각형을 만들어 보세요.

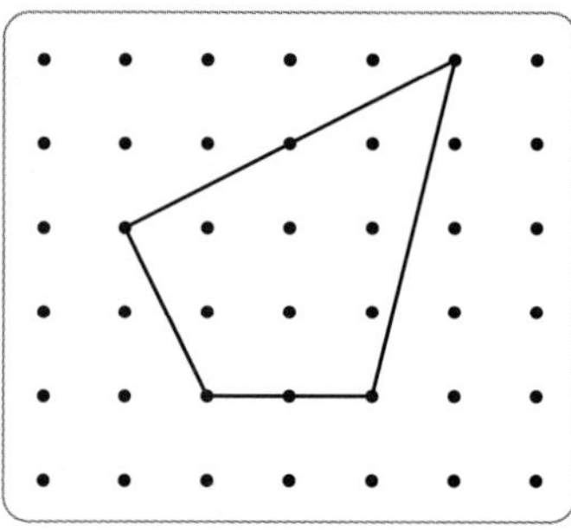

05 일정한 간격으로 점이 찍힌 원에서 한 점을 옮겨 정사각형을 만들어 보세요.

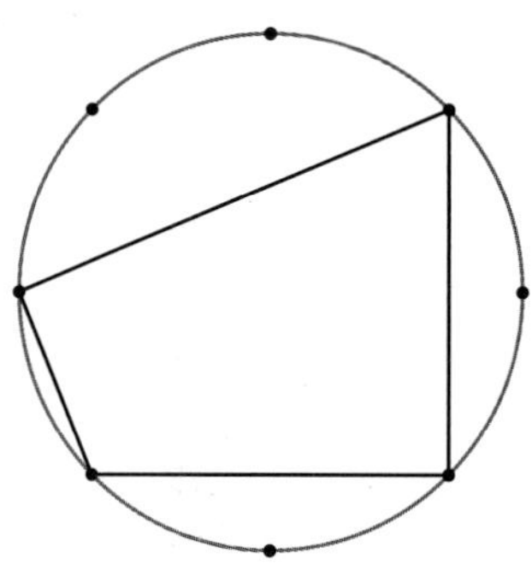

06 주어진 점을 이용하여 크기와 모양이 같은 직각삼각형 6개가 되도록 나누는 선을 그어 보세요.

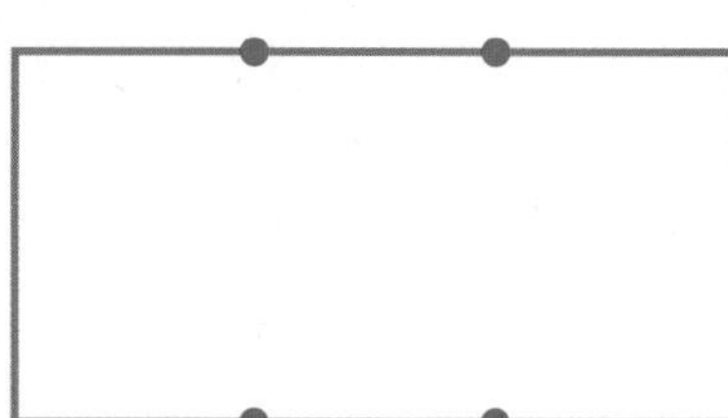

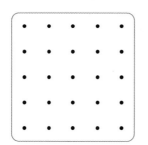

[07~08] 주어진 칠교 조각을 사용하여 도형을 만들려고 합니다. 도형에 사용한 조각을 선으로 나타내어 보세요.

07

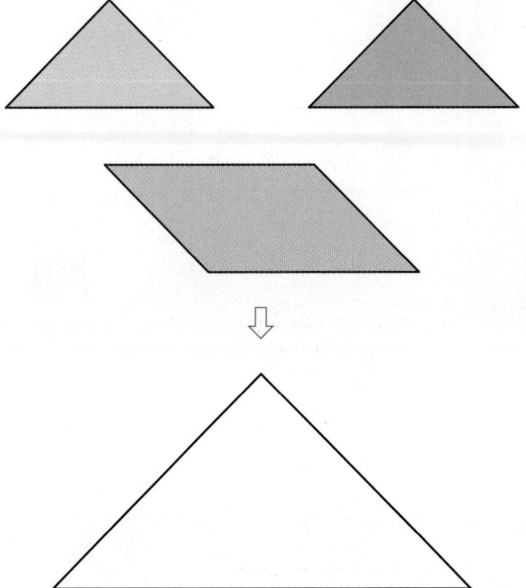

08

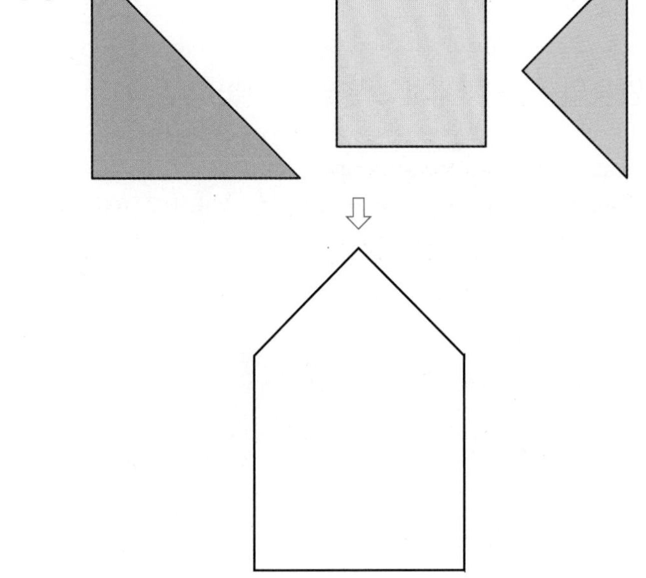

09 그림에서 찾을 수 있는 크고 작은 직각삼각형은 모두 몇 개인지 구하세요.

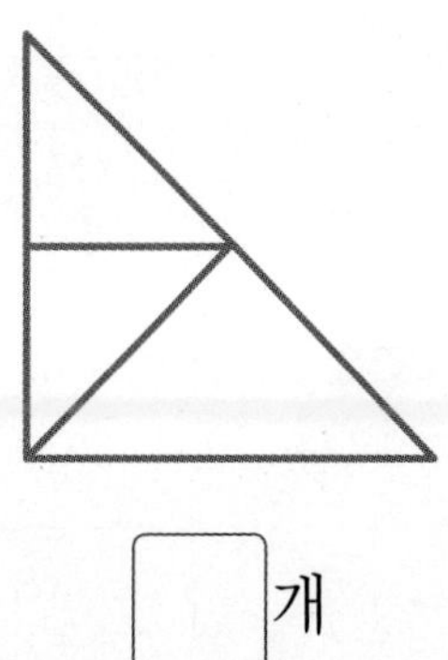

☐개

10 그림에서 찾을 수 있는 크고 작은 직사각형은 모두 몇 개인지 구하세요.

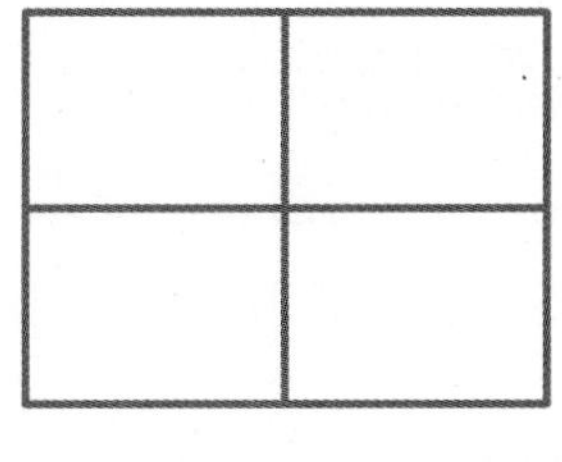

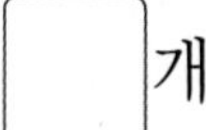

2주 평가

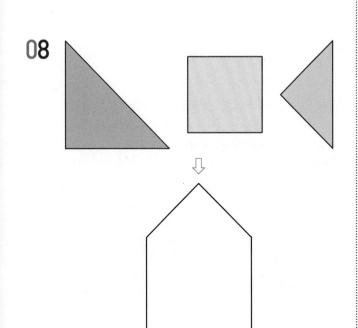

정사각형 모양의 땅 나누기

- **정사각형 모양의 땅을 규칙에 맞게 나누기**

규칙

① 직사각형 모양으로 땅을 나눕니다.

② 수가 쓰여 있는 칸을 포함하는 땅은 그 수만큼의 칸을 차지하도록 땅을 나눕니다.

2		
4		3

⇨

2		
4		3

쓰여진 수가 큰 4부터 땅을 나누어 보면 땅을 쉽게 나눌 수 있어요.

모양 조각으로 땅 덮어 보기

- 보기 의 모양 조각을 사용하여 겹치지 않게 땅 덮어 보기

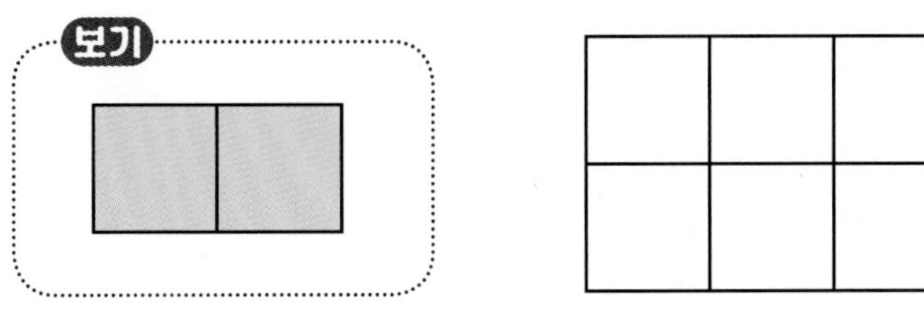

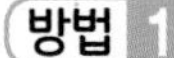

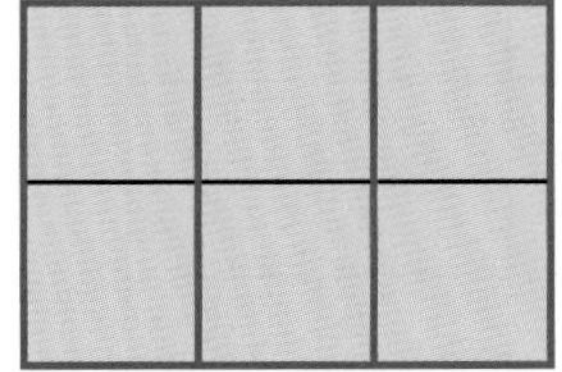

여러 가지 방법으로 땅을 덮어도 보기의 모양 조각을 3개 사용해요.

특강 창의·융합·코딩

창의

보기 와 같이 직사각형 모양으로 땅을 나누려고 합니다. 수가 쓰여 있는 칸을 포함하는 땅은 그 수만큼의 칸을 차지하도록 땅을 나누는 선을 그어 보세요.

보기

3		4	
	2		
		3	
			4

⇨

3		4	
	2		
		3	
			4

1

	2		
2		3	
	2		4
3			

2

		3	
3			
	2	6	
2			

3

		2	2
4		1	
	3		4

4

	6		3
1		2	
	4		

창의

직사각형 모양으로 땅을 나누려고 합니다. 수가 쓰여 있는 칸을 포함하는 땅은 그 수만큼의 칸을 차지하도록 땅을 나누는 선을 그어 보세요.

5

	2		
4			
4		2	3
		3	

6

	2		
3	2	4	
	4		1

7

6		3	2
			2
	2		
	3		

먼저 가장 큰 수가 쓰여 있는
칸을 포함하는 직사각형부터
만들어 보세요.

2주 특강

보기 와 같은 방법으로 주어진 직사각형 모양 조각을 사용하여 색칠한 부분을 겹치지 않게 덮어 보세요.

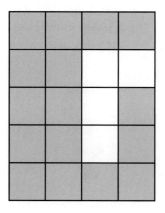

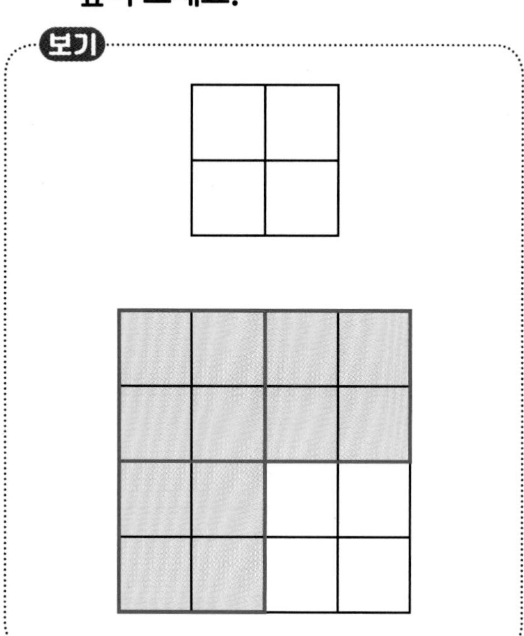

8

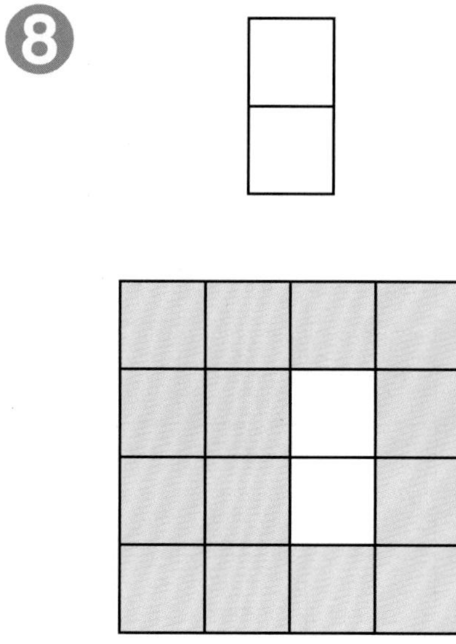

9

10

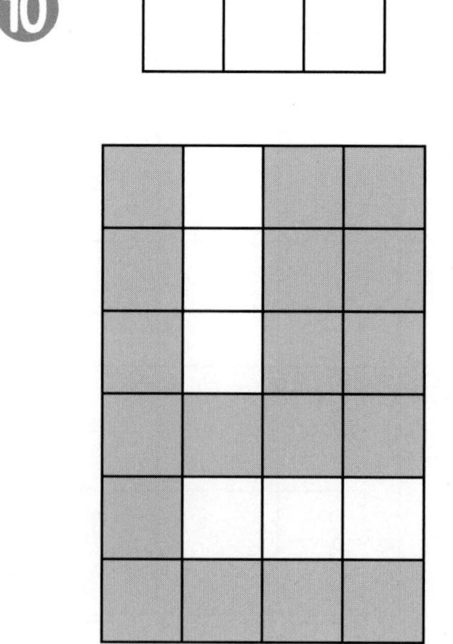

주어진 모양 조각으로 색칠한 부분을 겹치지 않게 덮으려고 합니다. 주어진 모양 조각을 몇 개 사용했는지 ▢ 안에 알맞은 수를 써넣으세요.

11

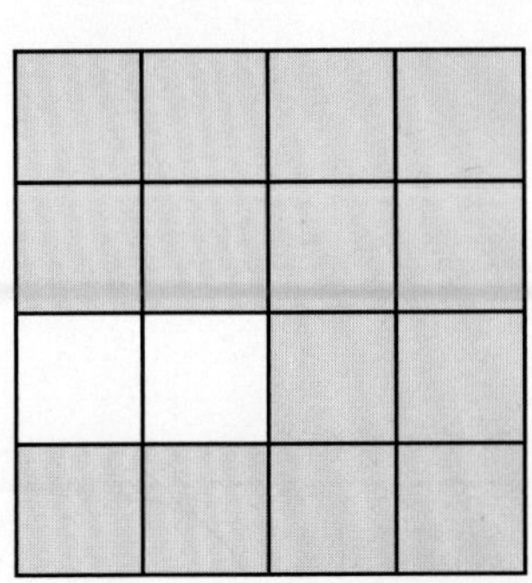

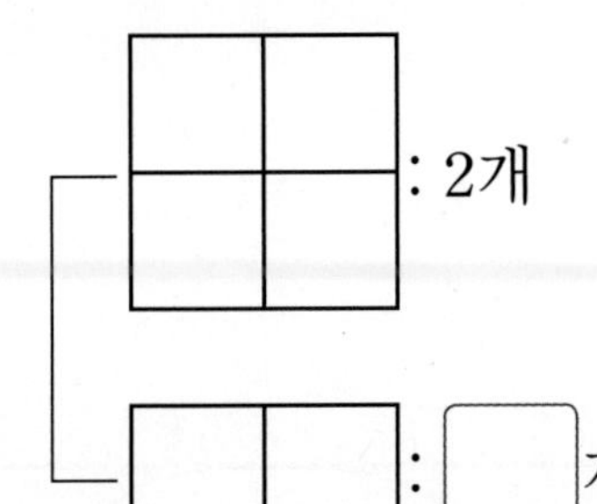

12

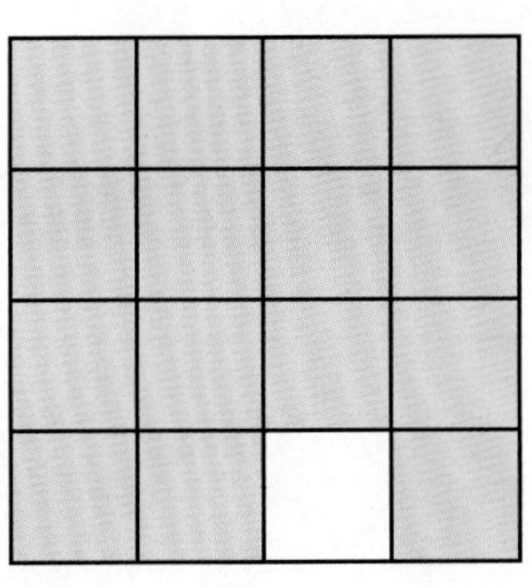

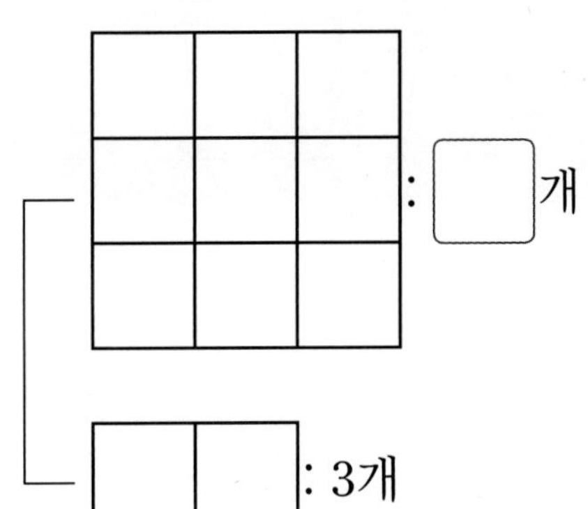

13

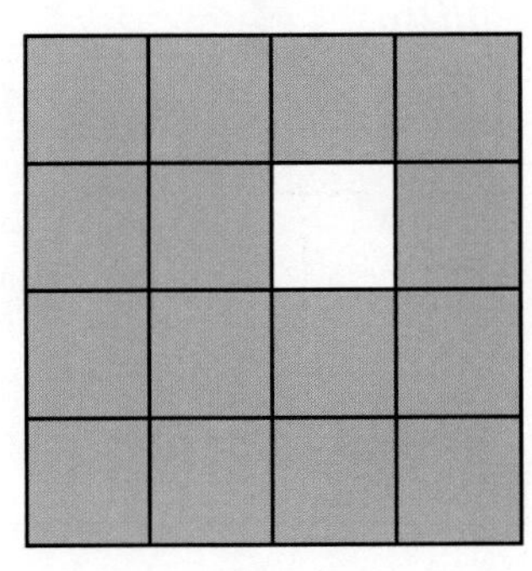

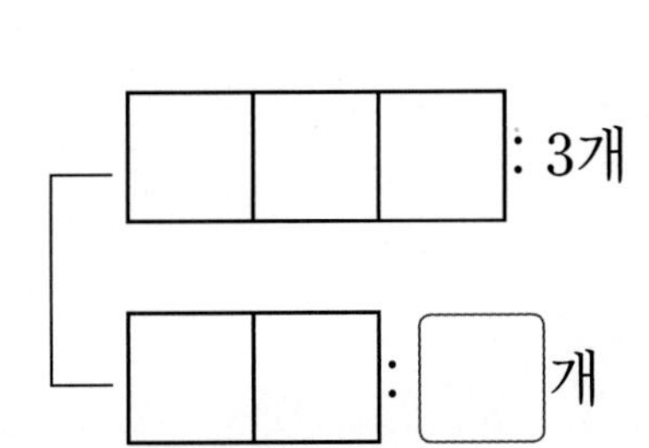

2주 특강

원의 이해와 그리기

 이번 주에는 무엇을 공부할까요? 1

학습내용

1일 원의 중심, 반지름, 지름

2일 원 그리기

3일 원의 반지름과 지름의 관계

4일 원의 크기 비교하기

5일 여러 가지 모양 그리기

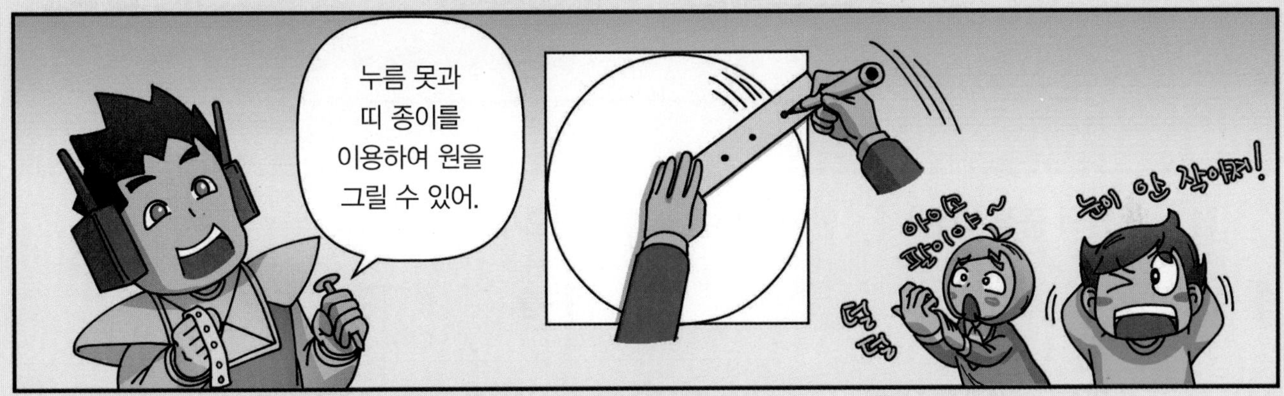

이번 주에는 무엇을 공부할까요? ②

원의 중심, 반지름, 지름 알아보기

점 ㅇ은 원의 중심입니다. □ 안에 알맞은 수를 써넣으세요.

1-1

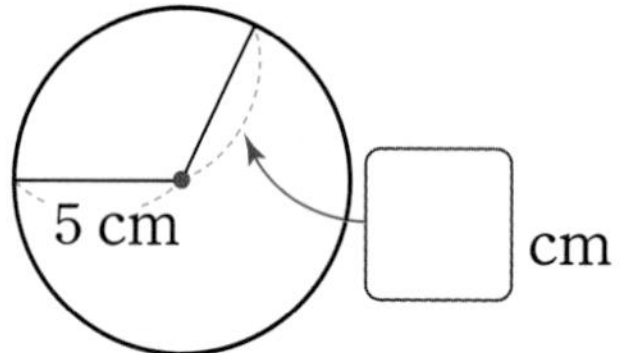

1-2

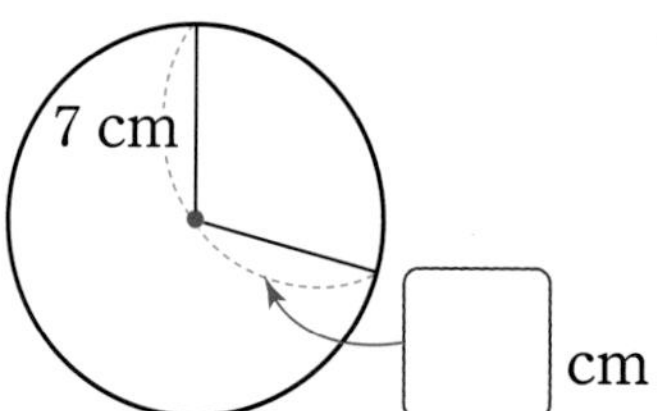

1-3

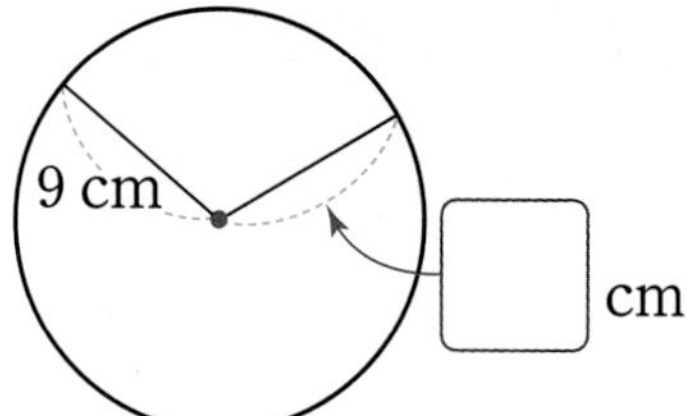

1-4

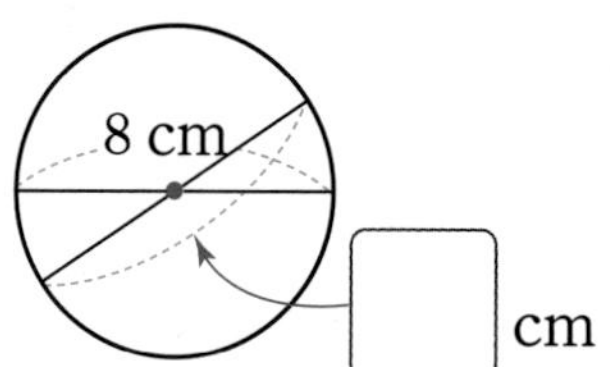

1-5

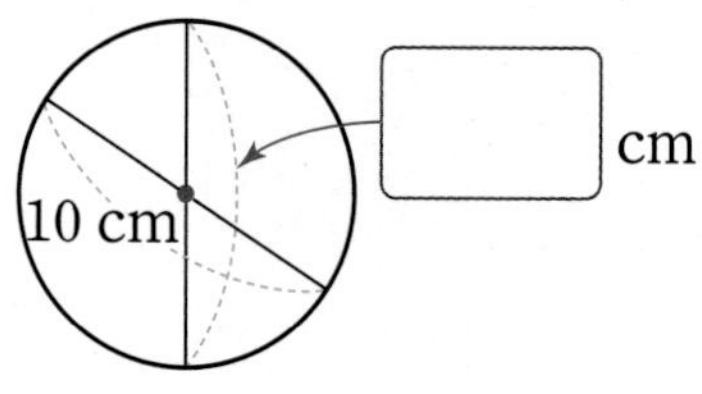

1-6

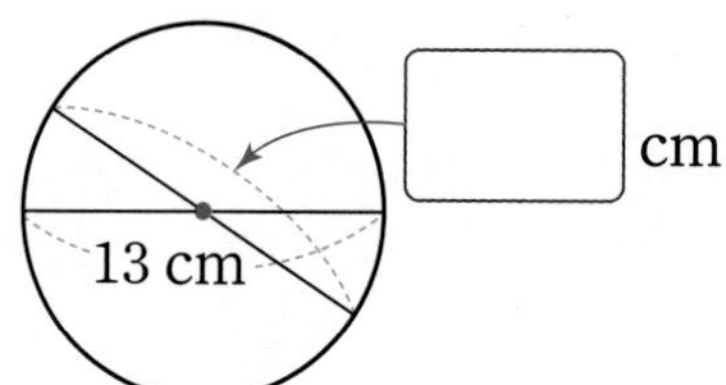

컴퍼스를 이용하여 반지름이 1 cm인 원 그리기

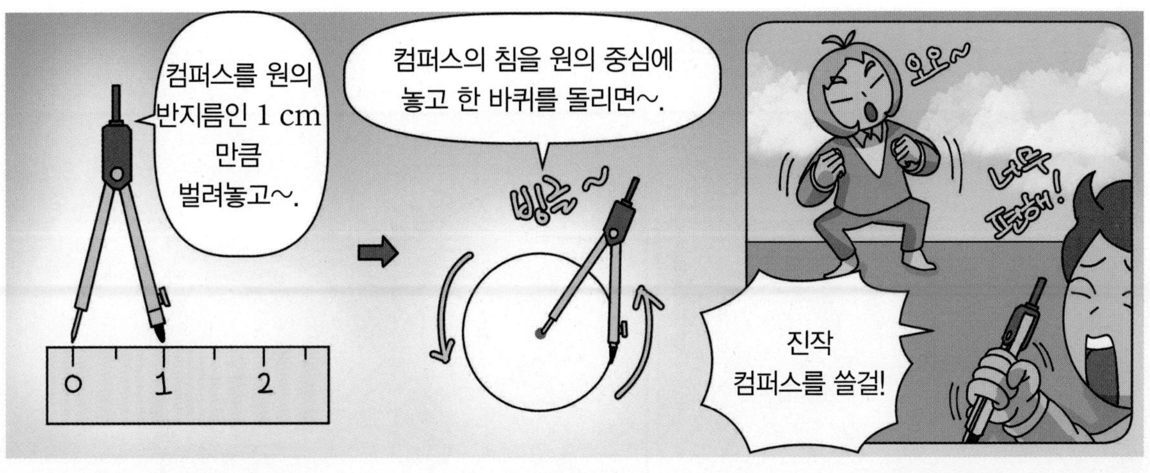

컴퍼스를 다음과 같이 벌려서 원을 그렸을 때 바르게 그려지는 원을 찾아 ○표 하세요.

2-1

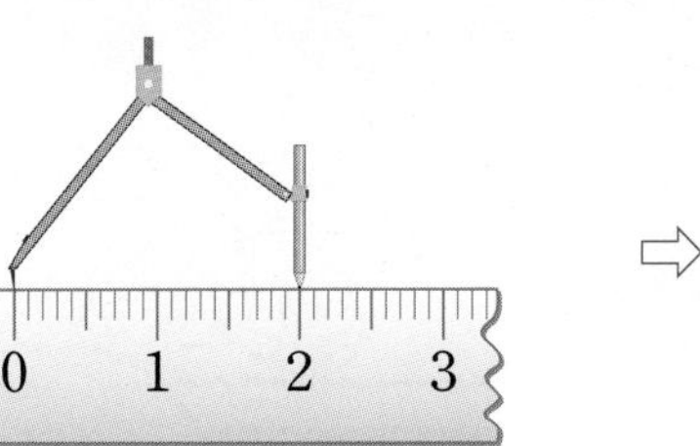

⇨

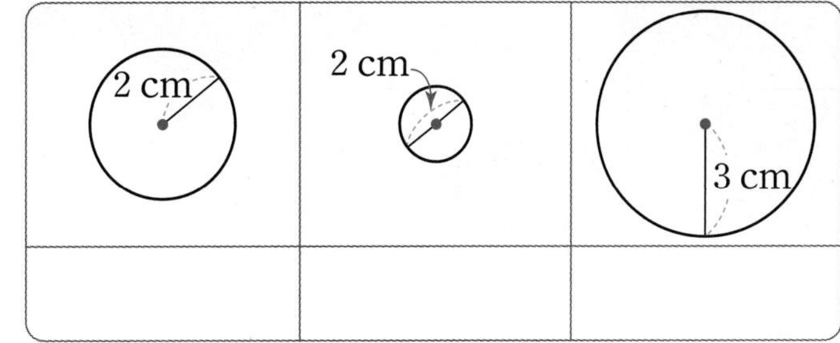

2-2

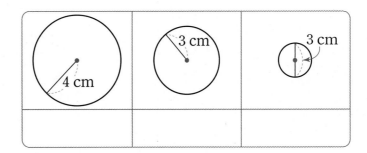

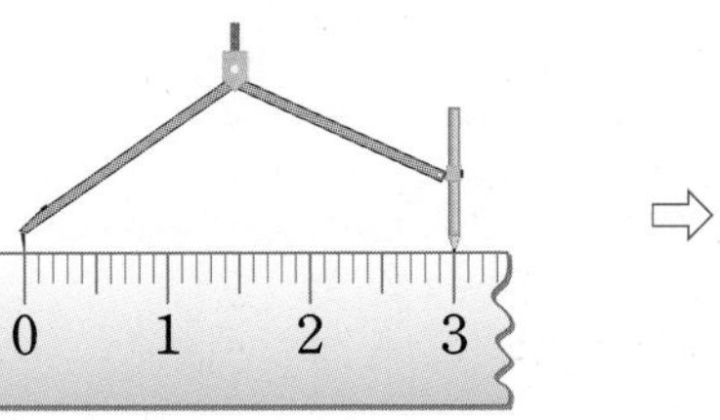

⇨

4 cm	3 cm	3 cm

2-3

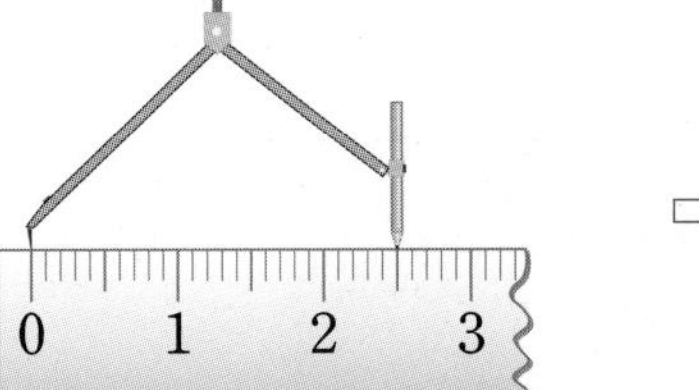

⇨

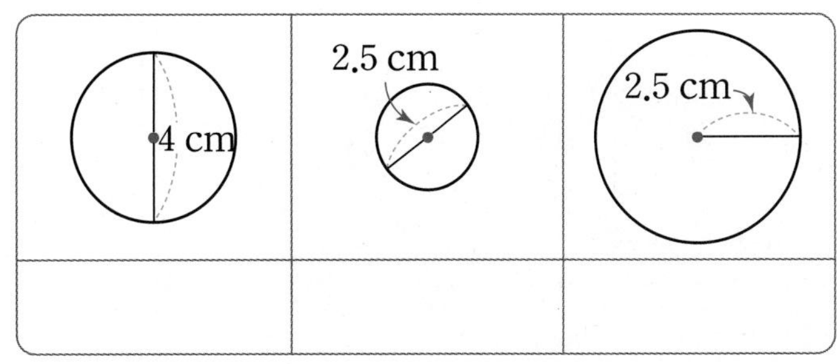

3주

1일 원의 중심, 반지름, 지름

오늘은 무엇을 공부할까요?

예지야,
같이 가자!

응?
왜 그래?

빤히

윤우야,
너 컵 받침의
중심이
가운데가
아니네.

(X)

(O)

중심이 왼쪽 위로
치우쳐져 있어.

응, 원의 중심을
잘못 찾았어.

하핫! 친구들!
원의 중심이
궁금한가?

슝—

우왓! 우핫맨!
여긴 뭐하러
나타났지?

윤우야,
진정해!
대마왕도
아니고.

좋아! 내가 원의
중심을 찾아줄게!

아냐!
지금은 알아!

척!

으쓱으쓱

우선, 원 모양의 종이를
반으로 접은 다음에~.

착

3주
1일

도형 기본 개념

- **원의 중심**: 원을 그릴 때에 누름 못이 꽂혔던 점 ㅇ
- **원의 반지름**: 원의 중심 ㅇ과 원 위의 한 점을 이은 선분
- **원의 지름**: 원 위의 두 점을 이은 선분 중 원의 중심 ㅇ을 지나는 선분

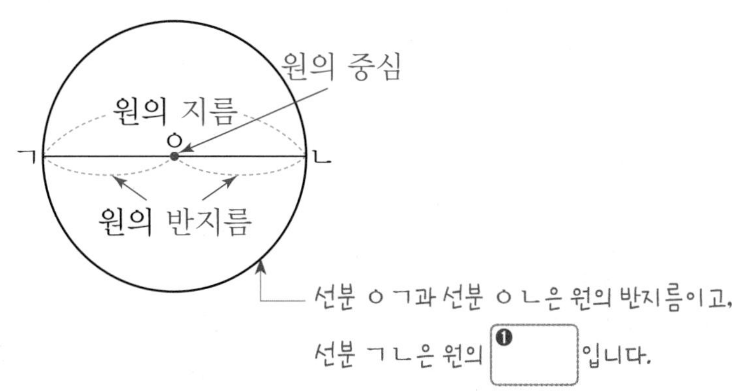

정답 ❶ 지름

원의 중심, 지름, 반지름

활동을 통하여 개념을 알아보아요.

원의 중심 알아보기

(활동) 원 모양의 종이를 접어 원의 중심 알아보기

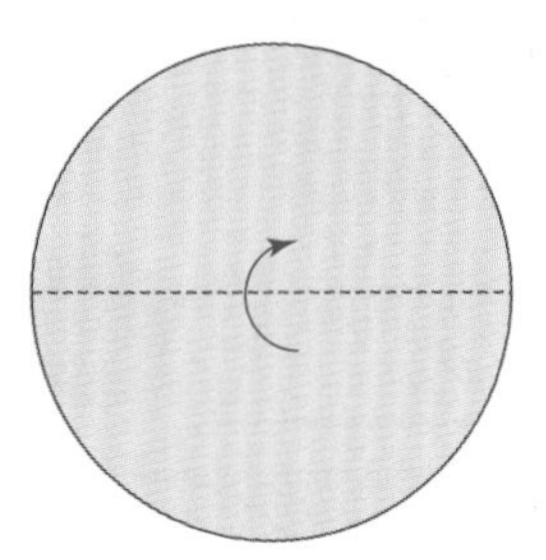

원 모양의 종이를 반으로 접습니다.

⇨

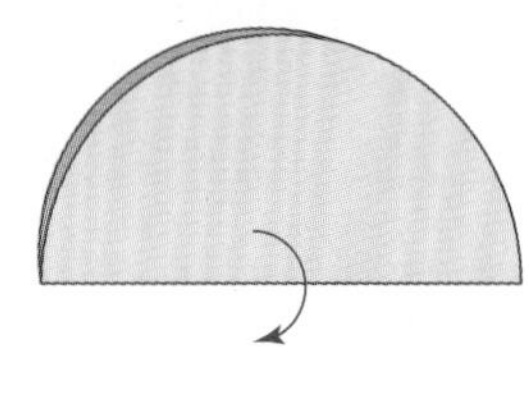

펼칩니다.

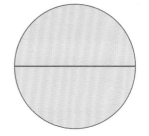

⇨

접었던 선을 따라 선분을 긋습니다.

⇨

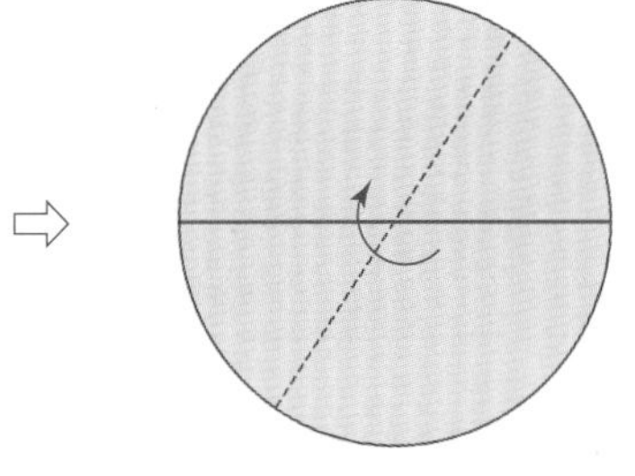

다른 방향으로 반으로 접습니다.

⇨

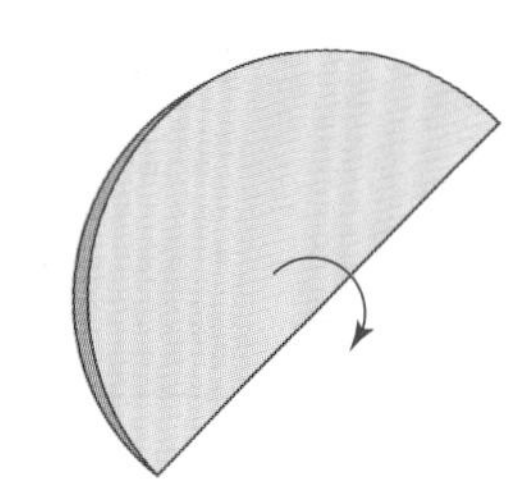

펼칩니다.

⇨

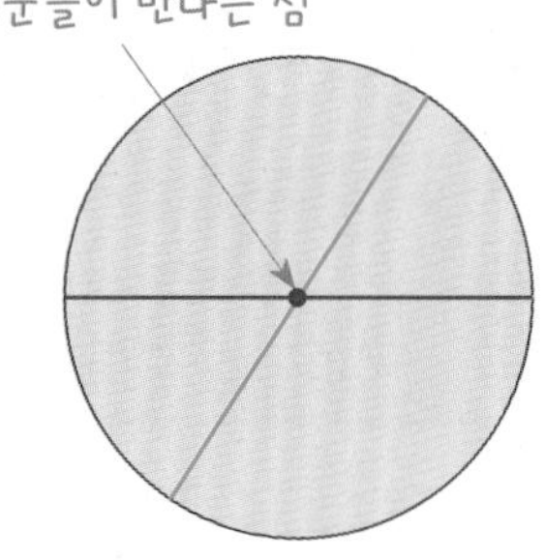

접었던 선을 따라 선분을 긋습니다.

두 선분이 만나는 점이 원의 중심이에요.

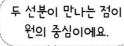

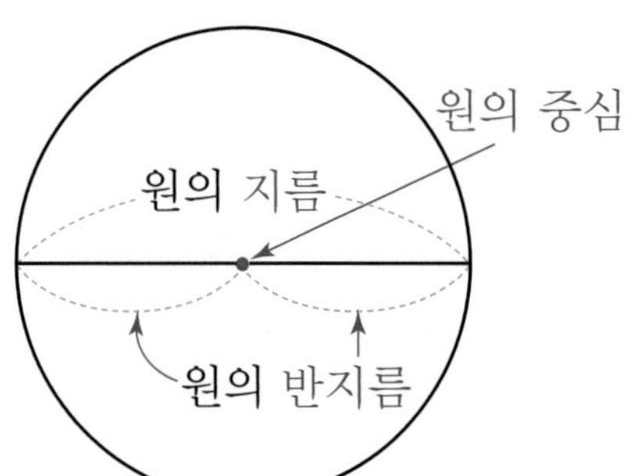

원을 반으로 접었을 때 생기는 선분이 원의 지름이에요.

활동 개념 확인

도형이 똑같이 둘로 나누어지도록 선을 1개 더 그어 보고 원의 중심을 찾아 점(●)으로 표시해 보세요.

1-1

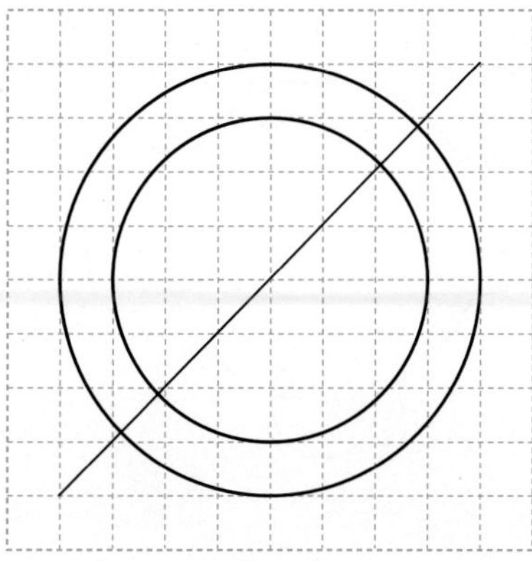

1-2

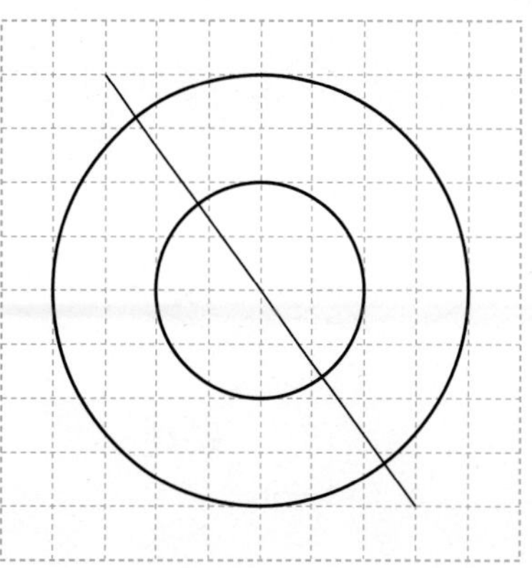

원을 찾아 원의 중심을 점(●)으로 표시해 보세요.

2-1

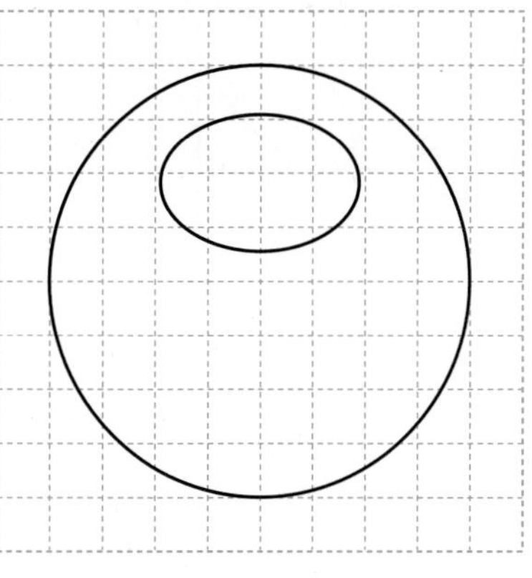

2-2

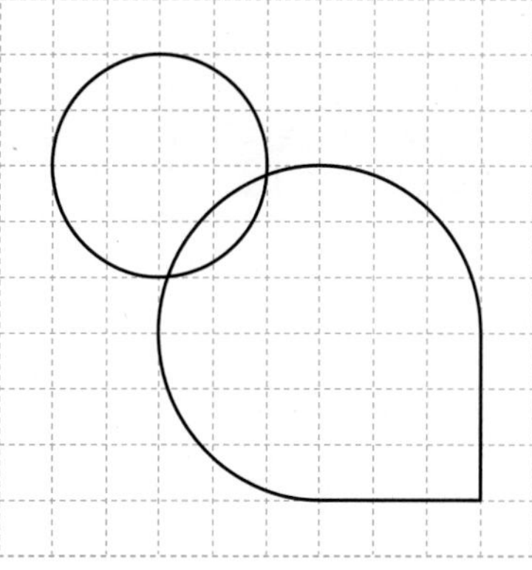

2-3

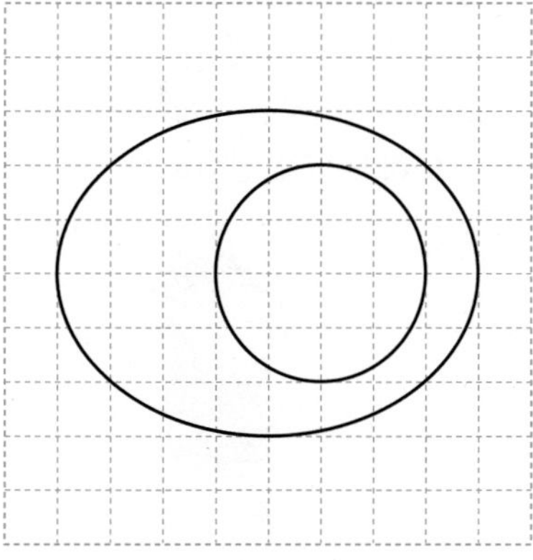

2-4

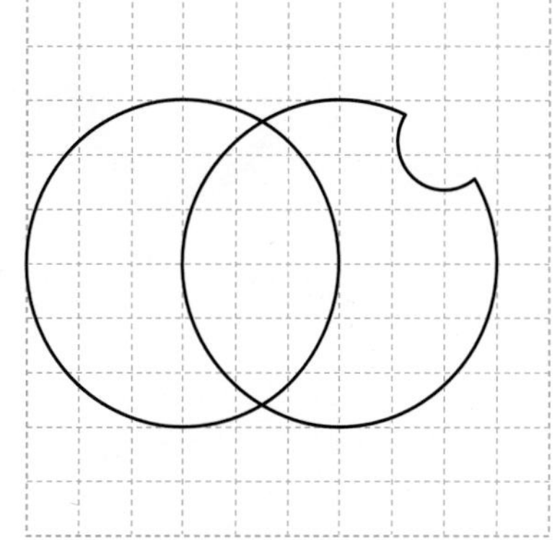

3주 1일

1일 원의 중심, 지름, 반지름

도형 집중 연습

주어진 모양을 그리기 위하여 컴퍼스의 침을 꽂아야 할 곳은 모두 몇 군데인지 구하세요.

1-1

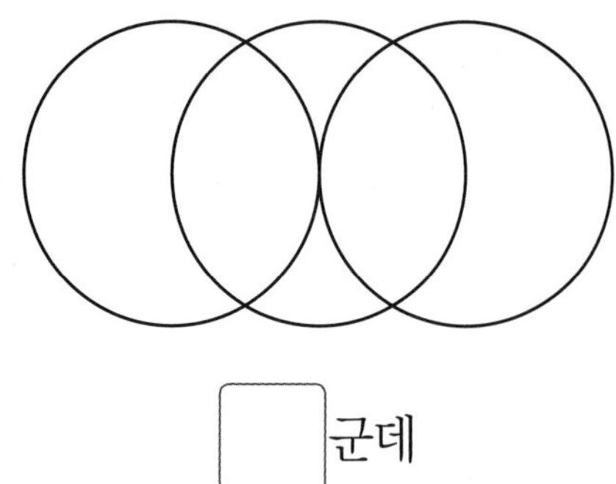

☐ 군데

1-2

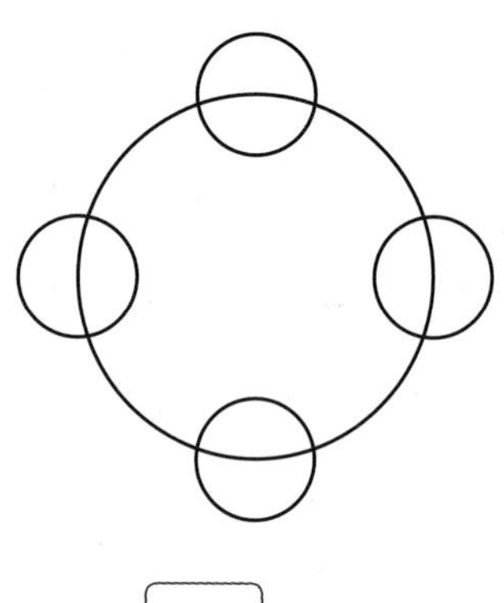

☐ 군데

1-3

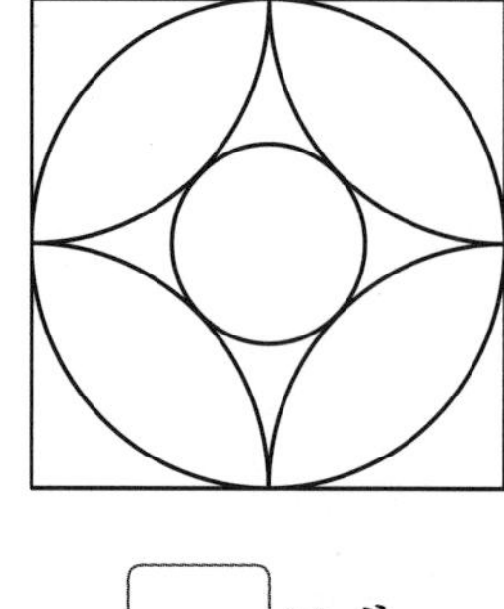

☐ 군데

1-4

☐ 군데

1-5

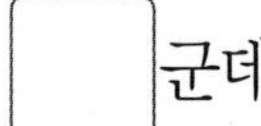

▲ 오륜기

☐ 군데

오륜기의 다섯 개의 원이 서로 얽혀 있는 것은 세계 모든 나라가 힘을 모으자는 의미를 담고 있어요.

다음은 종이에 여러 개의 원을 그린 다음 종이를 자른 것입니다. 컴퍼스의 침이 꽂혔던 자리는 모두 몇 군데일까요?

2-1

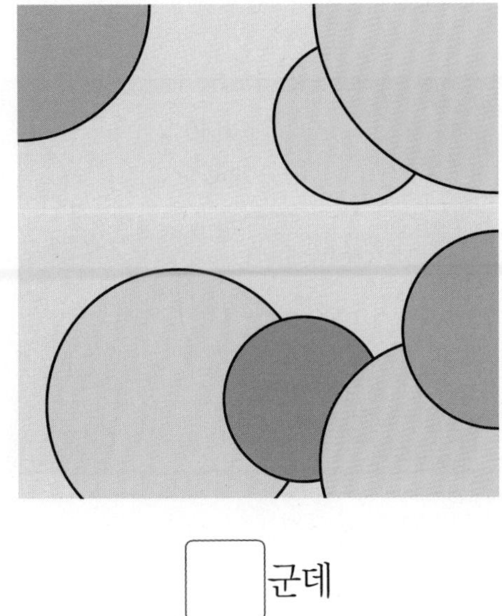

☐군데

2-2

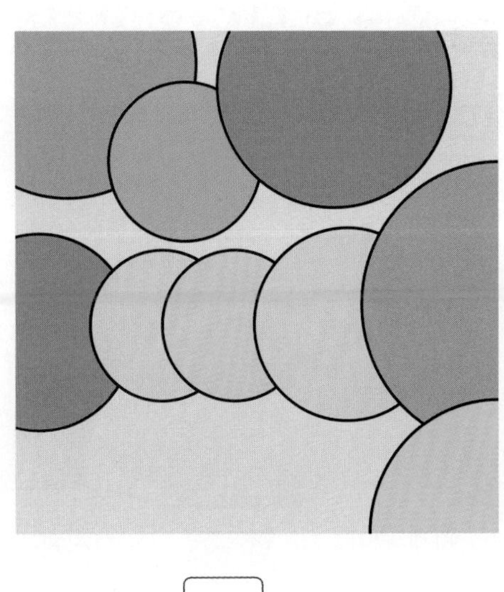

☐군데

3주
1일

3 다음은 비눗방울을 찍은 사진입니다. 찾을 수 있는 원의 중심은 모두 몇 개일까요?

☐개

2일 원 그리기

오늘은 무엇을 공부할까요?

내가 피자
줄게~!

짠!

웬일이야?
고마워~~.

이게 뭐야?
피자는
원 모양이
아닌가?

그러게…….
누가 먹은 거야?

번쩍!

휘

휘

내가 먹지 않았어~!

휙!

원래 있던
피자 모양을 그려 주면
의심하지 않을게.

좋아~!
원 그리기를
잘 할 수 있어.

우선 원의
중심을 찾고
컴퍼스를
반지름만큼 벌려
컴퍼스를 돌려
원 완성!
사라진 부분은 내가
먹었지롱~!
하
핫
헉!
역시, 우핫맨 네가
먹었을 줄 알았어!
쌩~
피자를 다같이
나눠 먹으면
좋잖아~!

3주
2일

도형 기본 개념

- **컴퍼스를 이용하여 반지름이 1 cm인 원 그리기**

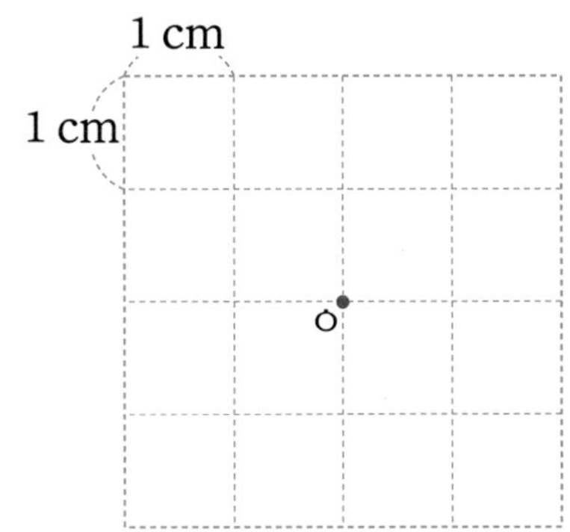

원의 중심이 되는 점 ㅇ을 정합니다.

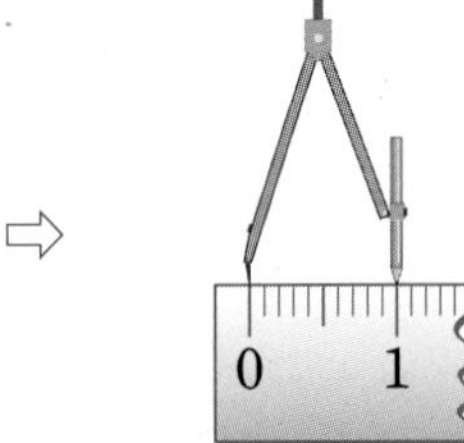

컴퍼스를 원의 반지름만큼 벌립니다.

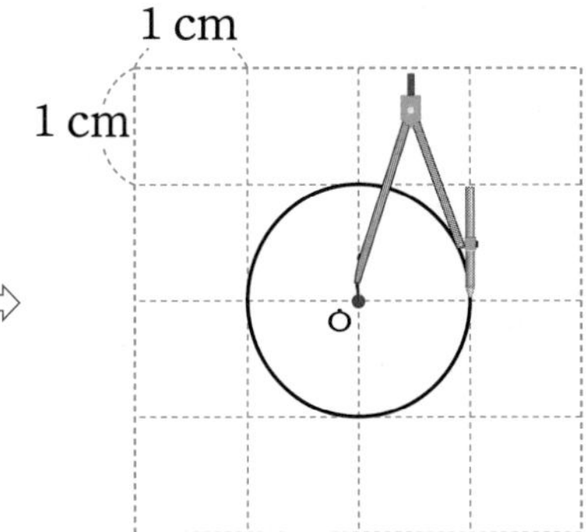

컴퍼스의 침을 점 ㅇ에 꽂고 원을 그립니다.

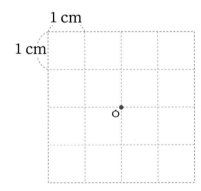

2일 원 그리기

활동을 통하여 개념을 알아보아요.

일부분을 보고 원 그리기

(활동) 처음 피자 모양을 완성하기

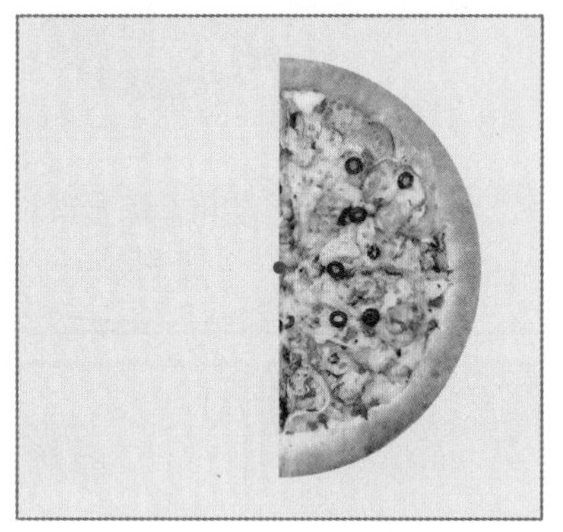

종이 위에 피자 조각을 놓습니다.

⇨

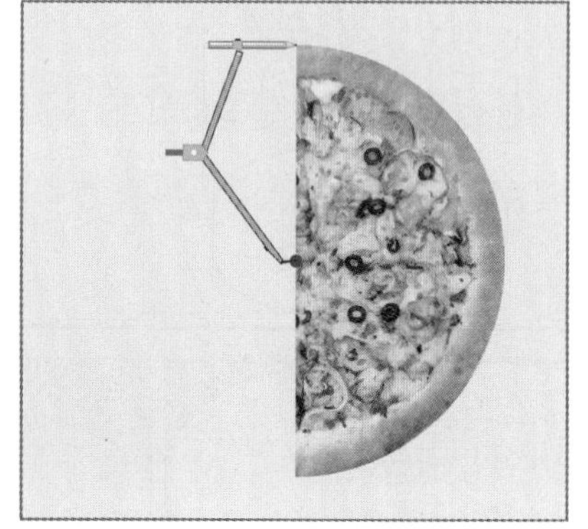

컴퍼스를 반지름만큼 벌립니다.

⇨

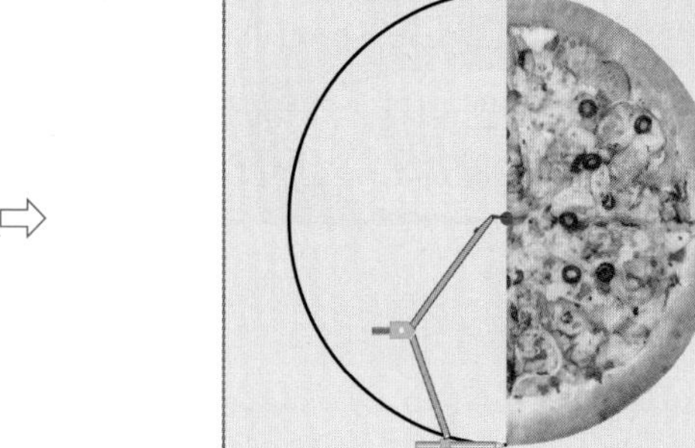

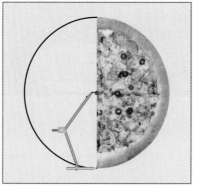

컴퍼스를 돌려 처음 피자 모양을 완성합니다.

컴퍼스의 침을 원의 중심에 꽂고 한 바퀴 돌리면 원이 완성돼요.

참고

• 크기가 같은 원 그리기

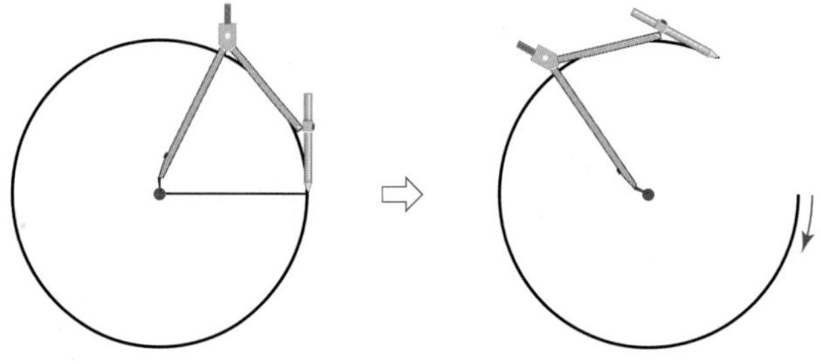

원의 중심과 원 위의 한 점 사이의 길이만큼 컴퍼스를 벌려서 원을 그리면 크기가 같은 원을 그릴 수 있습니다.

활동 개념 확인

보기 와 같은 방법으로 남아 있는 와플을 보고 처음 원 모양의 와플을 컴퍼스를 이용하여 그려 보세요.

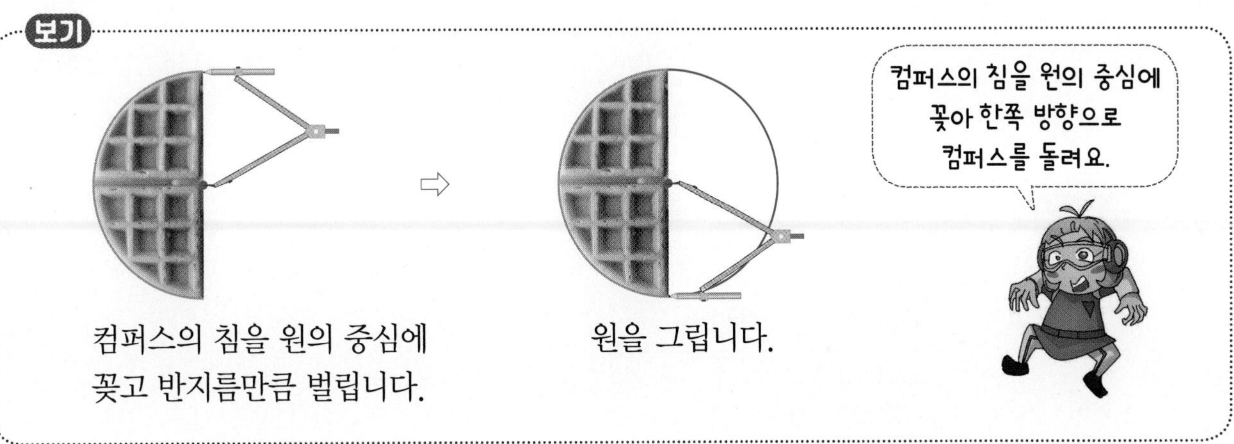

보기
컴퍼스의 침을 원의 중심에 꽂고 반지름만큼 벌립니다.
원을 그립니다.
컴퍼스의 침을 원의 중심에 꽂아 한쪽 방향으로 컴퍼스를 돌려요.

1-1

1-2

1-3

1-4

1-5

1-6

3주 2일

원 그리기

도형 집중 연습

자와 컴퍼스를 이용하여 조건에 맞는 원을 그려 보세요.

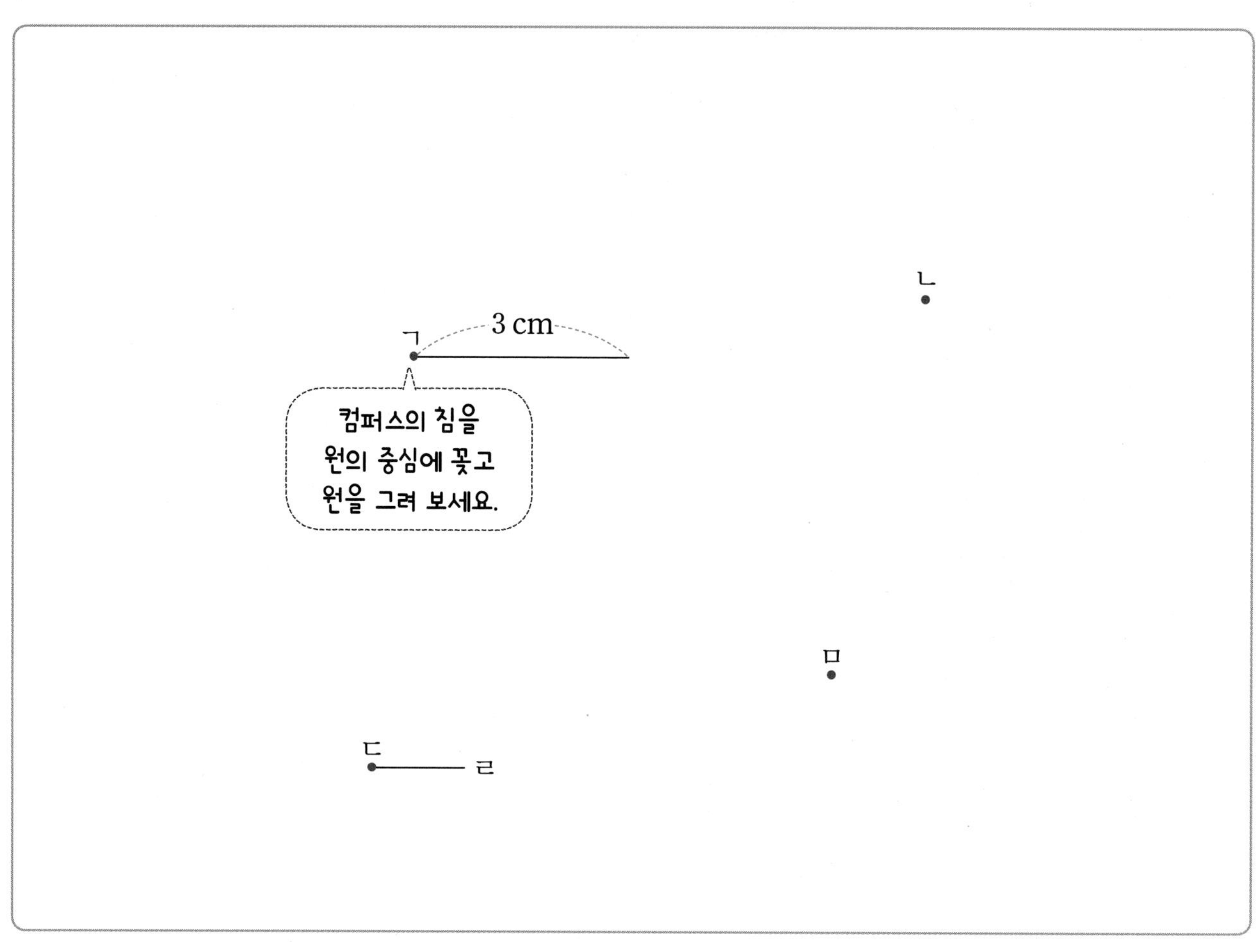

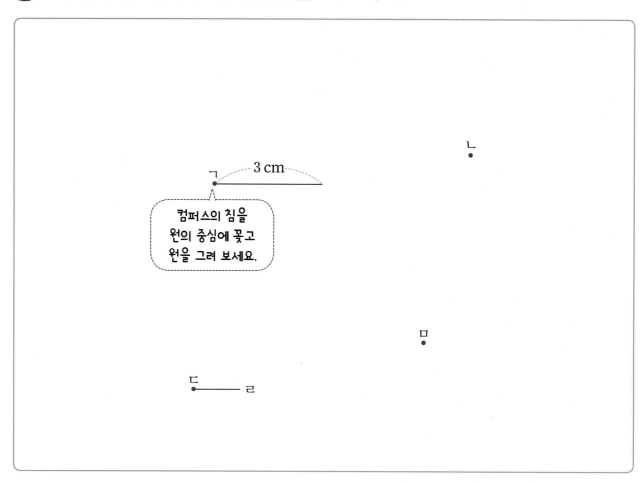

1-1 점 ㄱ을 중심으로 하고 반지름이 3 cm인 원

1-2 점 ㄴ을 중심으로 하고 지름이 4 cm인 원

1-3 점 ㄷ을 중심으로 하고 선분 ㄷㄹ을 반지름으로 하는 원

1-4 점 ㅁ을 중심으로 하고 원을 둘로 똑같이 나누는 선분의 길이가 3 cm인 원

자와 컴퍼스를 이용하여 주어진 도형과 똑같이 원을 맞닿게 그려 보세요.

2-1

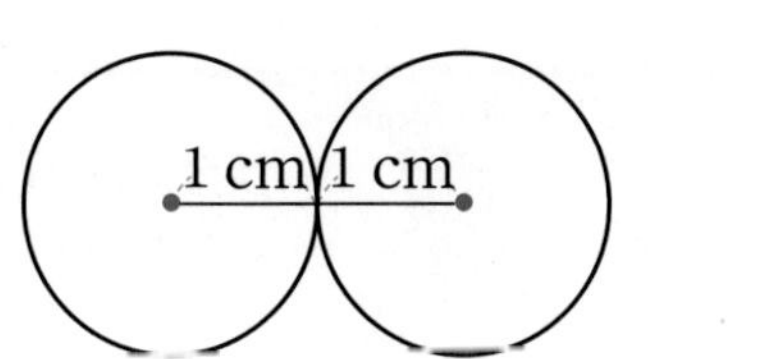

⇨

1 cm

2-2

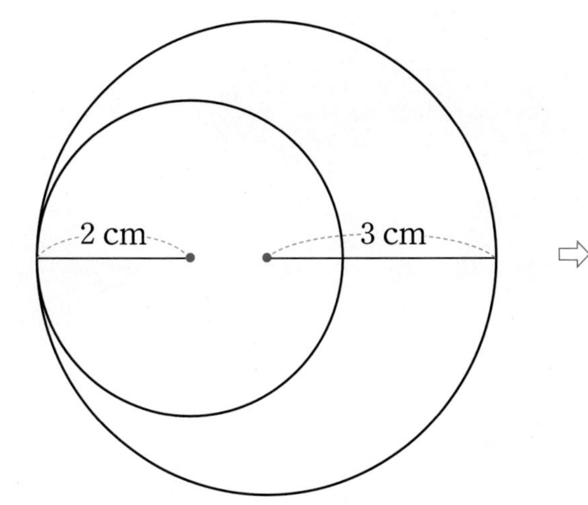

⇨

2-3

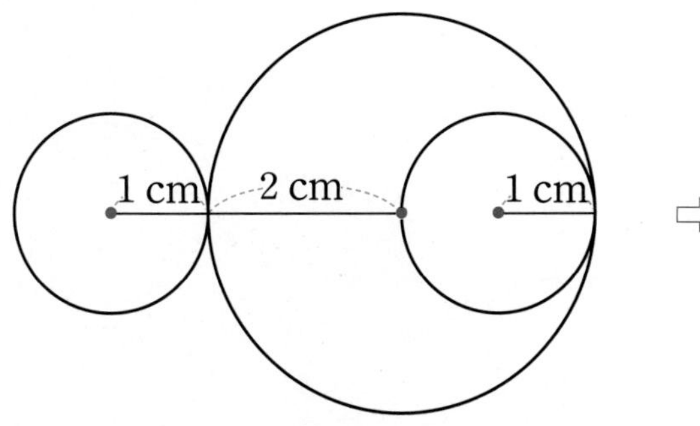

⇨

3일 원의 반지름과 지름의 관계

 **오늘은 무엇을 공부할까요?**

펑!

큰일이야. 맨홀에서 물이 쏟아져 나오고 있어!

내가 해결하고 올게!

좋아! 맨홀 뚜껑의 크기를 알려 줄게!

펑 펑

삑

슈웅~

좋아! 저기 철판을 발견했어!

삐빅

60cm

맨홀 뚜껑의 지름은 60 cm야.

(지름)=(반지름)×2, (반지름)=(지름)÷2니깐……. 뚜껑의 반지름은 60÷2=30 (cm)야!

좋아. 이 컴퍼스로 반지름이 30 cm인 원을 먼저 그려 보겠어!

스윽

30cm

3주
3일

도형 기본 개념

● 원의 성질

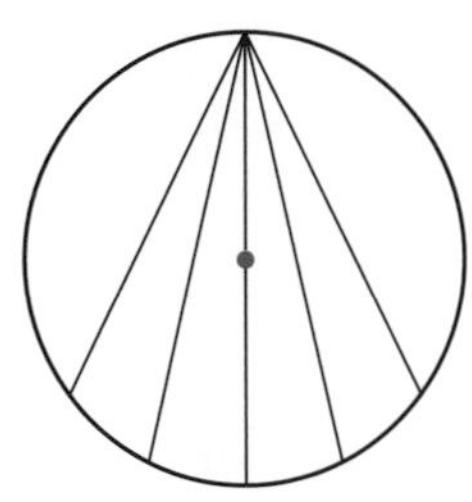

• 한 점에서 원 위의 여러 점을 잇는 선분을 그어 보면 원의 중심을 지나는 선분이 가장 깁니다.

• 원의 중심을 지나는 선분은 무수히 많습니다.

● 원의 반지름과 지름의 관계

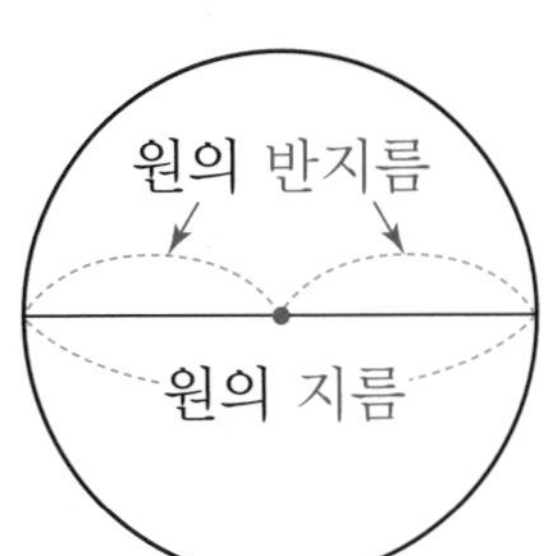

(원의 지름)=(원의 반지름)+(원의 반지름)
=(원의 반지름)×2

⇨ (원의 반지름)=(원의 지름)÷ ❶ ☐

정답 ❶ 2

3일 원의 반지름과 지름의 관계

활동을 통하여 개념을 알아보아요.

원의 반지름과 지름의 관계 알아보기

맨홀은 왜 모두 원 모양이야?
그래야 맨홀 뚜껑이 땅 아래로 빠지지 않거든.
원은 어느 쪽으로도 밑으로 빠지지 않지만 사각형은 옆으로 돌리면 밑으로 빠지게 되거든.
난, 어깨 갑옷이 있어서 안 빠지지롱~.
직접 해 볼 필요까지는 없는데…….

한 원에서 가장 긴 선분은 지름이고, 지름은 그 길이가 모두 같아요.

1 cm
1 cm
5 cm
10 cm
10 cm
5 cm
5 cm
5 cm

지름이 10 cm로 모두 같네. 반지름도 5 cm로 모두 같아요.

지름은 10 cm, 반지름은 5 cm로 지름이 반지름의 2배가 돼요.

개념 짚어 보기

- 지름은 원 안에 그을 수 있는 가장 긴 선분입니다.
- 한 원에서 원의 지름은 모두 같고, 원의 반지름도 모두 같습니다.
- 한 원에서 지름은 반지름의 2배입니다. ⇨ (원의 지름)=(원의 반지름)×2

활동 개념 확인

각 점은 원의 중심일 때 두 원의 지름의 합을 구하세요.

1-1

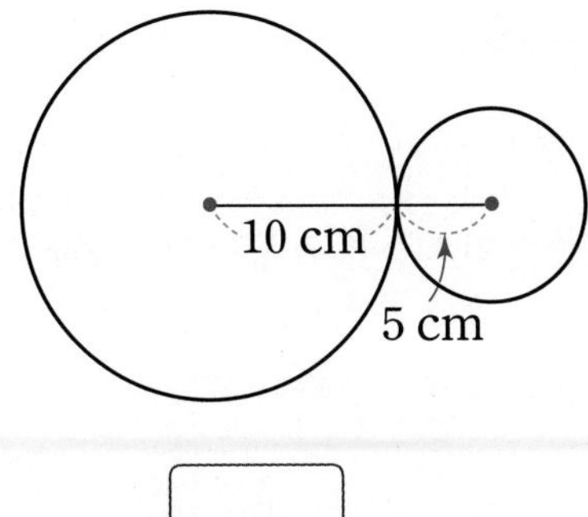

☐ cm

1-2

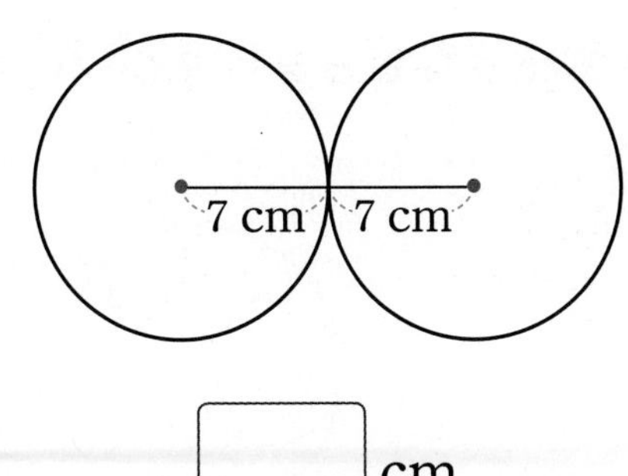

☐ cm

1-3

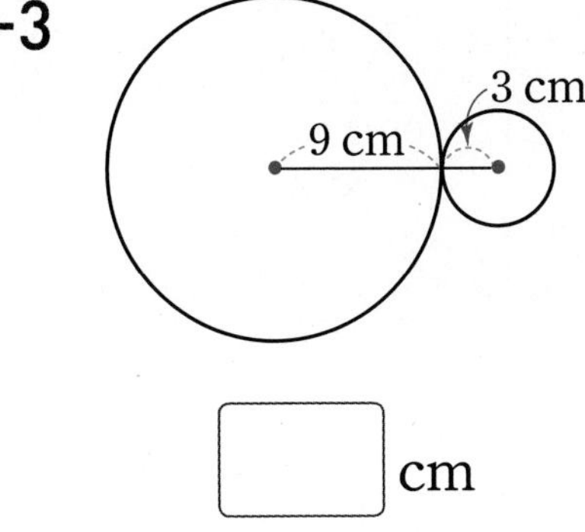

☐ cm

1-4

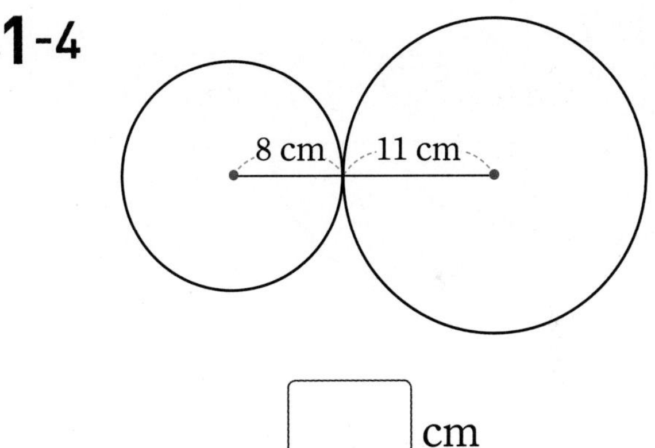

☐ cm

1-5

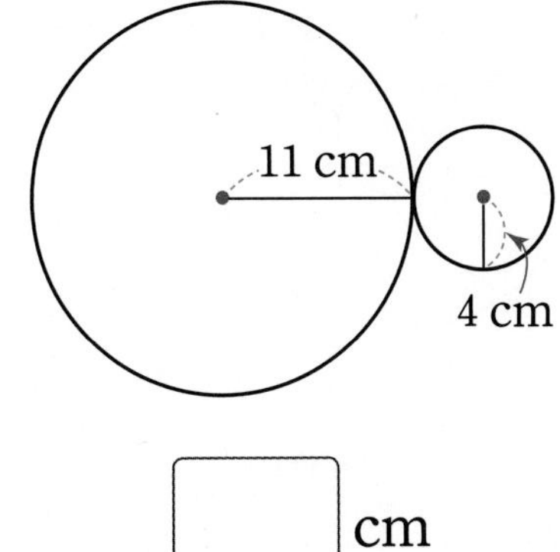

☐ cm

1-6

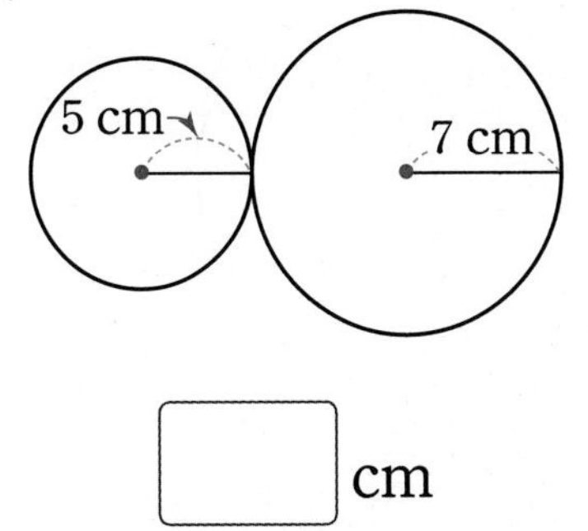

☐ cm

3주 3일

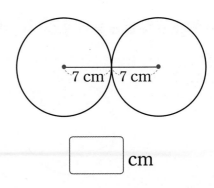

3일 원의 반지름과 지름의 관계

도형 집중 연습

각 점은 원의 중심일 때 보기와 같이 큰 원의 지름을 구하세요.

보기

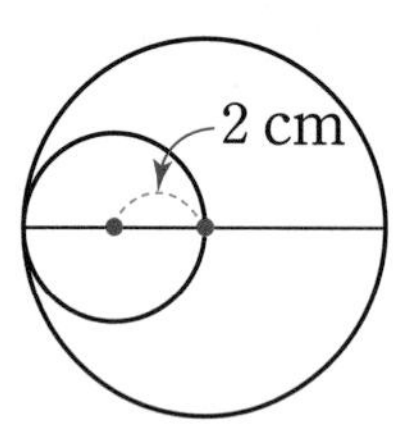

(작은 원의 지름)$=2\times2=4$ (cm)

⇨ (큰 원의 지름)$=$(작은 원의 지름)$\times2$

$=4\times2=8$ (cm)

작은 원의 지름은 큰 원의 반지름과 같고 큰 원의 지름은 큰 원의 반지름의 2배예요.

1-1

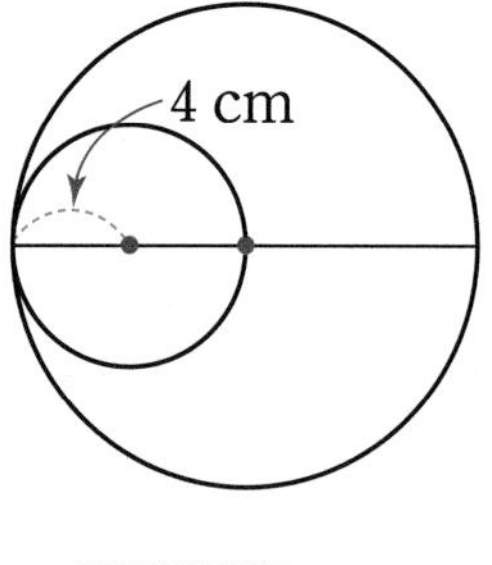

☐ cm

1-2

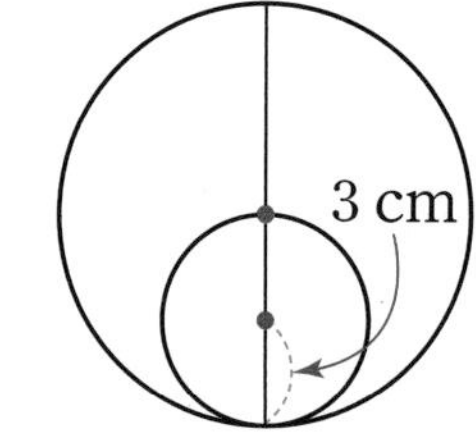

☐ cm

1-3

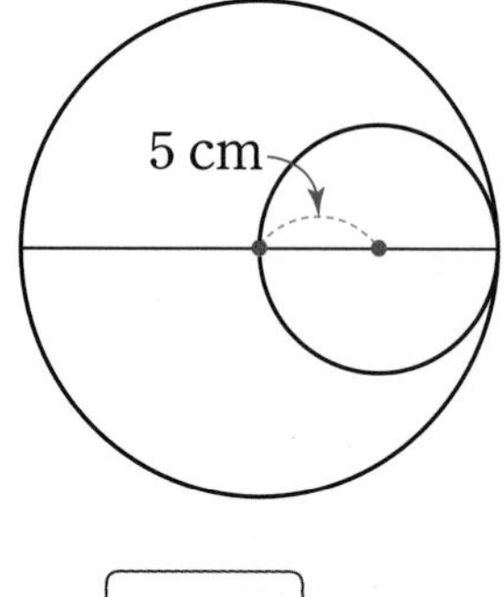

☐ cm

1-4

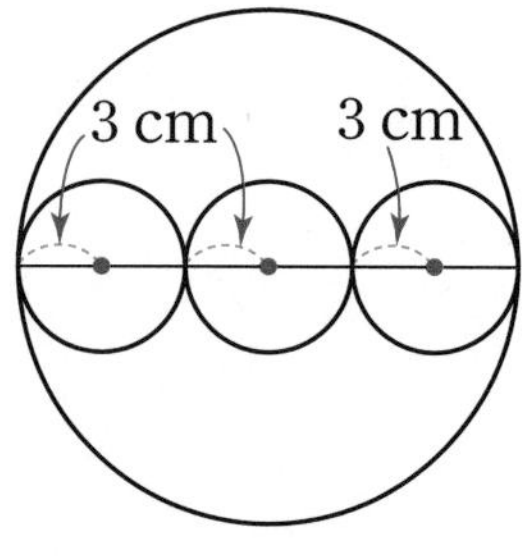

☐ cm

각 점은 원의 중심일 때 선분 ㄱㄴ의 길이를 구하세요.

2-1

3 cm, 5 cm

□ cm

2-2

3 cm, 4 cm

□ cm

2-3

5 cm, 2 cm

□ cm

2-4

10 cm, 3 cm, 2 cm

□ cm

3 오른쪽 그림은 태풍의 이동 경로를 보고 그린 것입니다. 원의 반지름이 아래에서부터 차례로 2 cm, 5 cm, 8 cm, 11 cm로 그렸을 때 빨간색 선의 길이는 몇 cm일까요?

거친 태풍 안에 매우 잠잠하고
맑은 부분이 있는데 이를
'태풍의 눈'이라 해요.

▲ 태풍

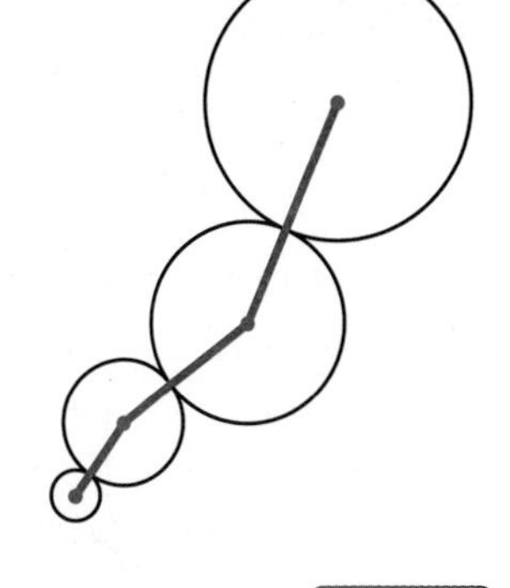

□ cm

4일 원의 크기 비교하기

 오늘은 무엇을 공부할까요?

대마왕의 기지

두 둥

사격 연습 중이였군요, 대마왕님!

큭큭

핑-

팡! 팡! 팡!

오오~ 정말 대단하십니다! 지름이 5 cm인 원 안을 정확하게!

훗

좋아! 이번엔 반지름 1 cm인 원 안을 맞히겠어.

너무 쉽군.

반지름이 2 cm인 원 안을 맞히는 것이 좋을 것 같은데요.

저 녀석에게 내 사격 솜씨를 뽐내야겠어.

반지름이 2 cm인 원은 지름이 5 cm인 원보다 크잖아!

크흠!

아… 아닙니다.

반지름 2 cm인 원은 반지름이 1 cm인 원보다 크고 지름이 5 cm인 원보다 작아요.

지름 5 cm

반지름 2 cm

반지름 1 cm

네가 알고 있는지 확인해 본 거야!

3주
4일

도형 기본 개념

원의 크기 비교하기

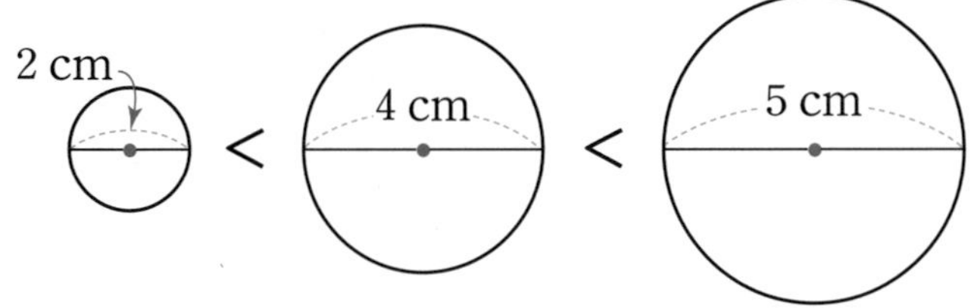

⇨ 원의 지름이 길수록 큰 원입니다.

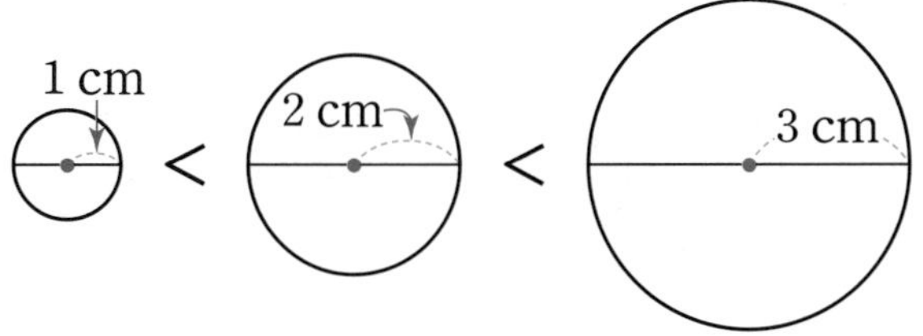

⇨ 원의 반지름이 길수록 ❶(큰, 작은) 원입니다.

원의 지름과 반지름이 섞여 있을 때에는 원의 지름 또는 반지름으로 통일하여 비교하세요.

정답 ❶ 큰에 ○표

4일 원의 크기 비교하기

활동을 통하여 개념을 알아보아요.

원을 그려 보고 원의 크기 비교하기

투명 종이

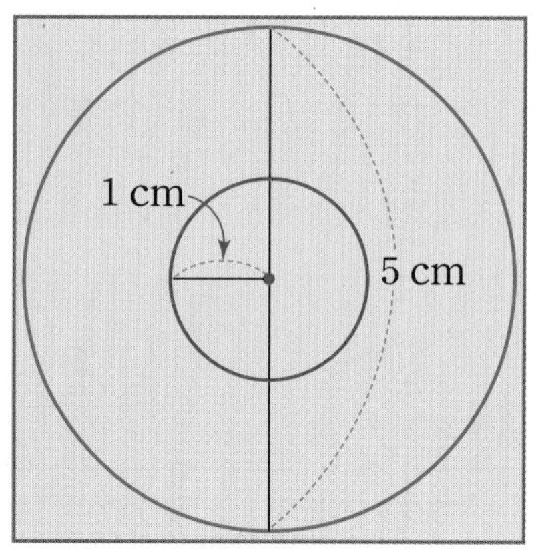

과녁판

(활동) 투명 종이에 반지름이 2 cm인 원을 그려 보고 과녁판에 그려진 원과 크기 비교하기

1

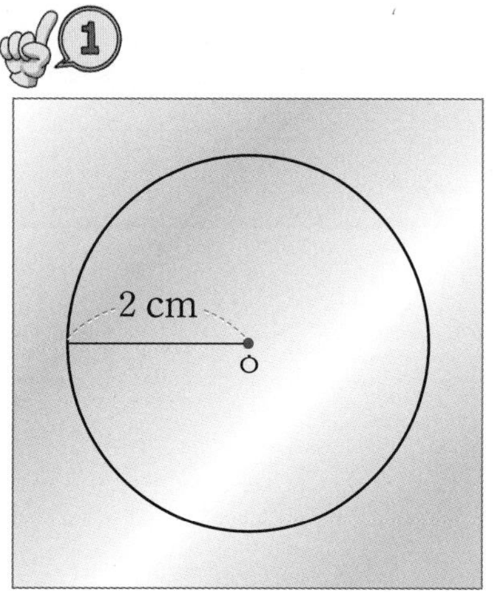

투명 종이에 점 ㅇ을 중심으로 하는 반지름 2 cm인 원을 그립니다.

⇨

2

빨간색 원 < 검은색 원 < 파란색 원

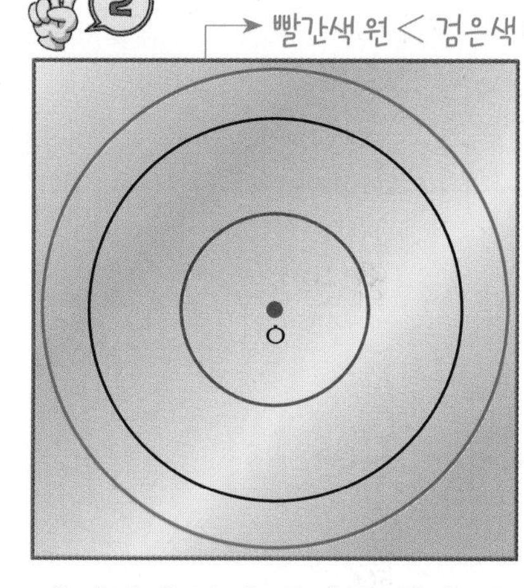

과녁판에 투명 종이를 원의 중심이 겹치도록 대어 보고 세 원의 크기를 비교합니다.

반지름 2 cm인 원은 반지름이 1 cm인 원보다 크고 지름이 5 cm인 원보다 작아요.

원의 지름이나 반지름이 길수록 큰 원이에요.

활동 개념 확인

가장 큰 원을 찾아 지름을 자로 재어 보세요.

1-1

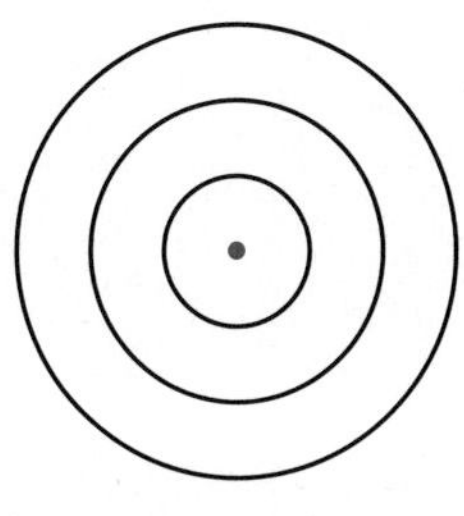

☐ cm

1-2

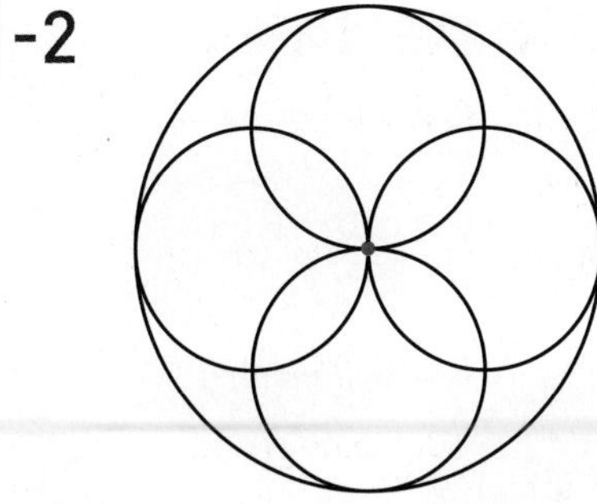

☐ cm

1-3

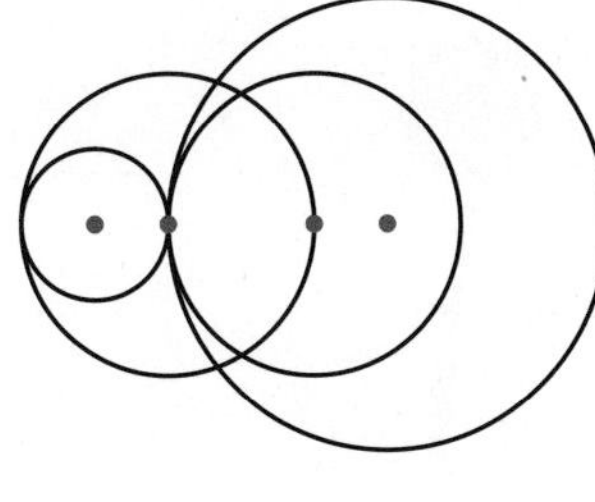

☐ cm

1-4

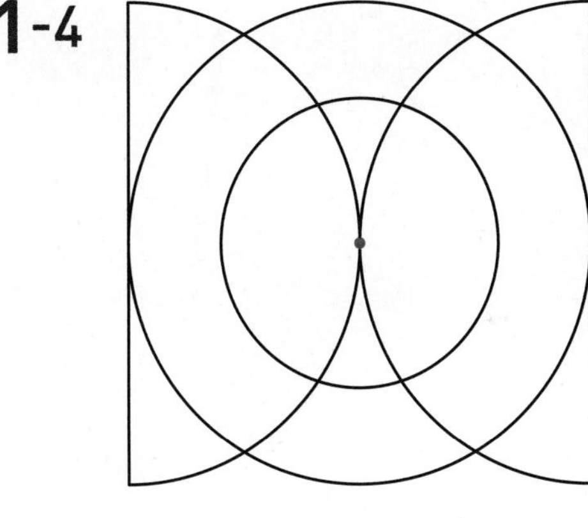

☐ cm

1-5

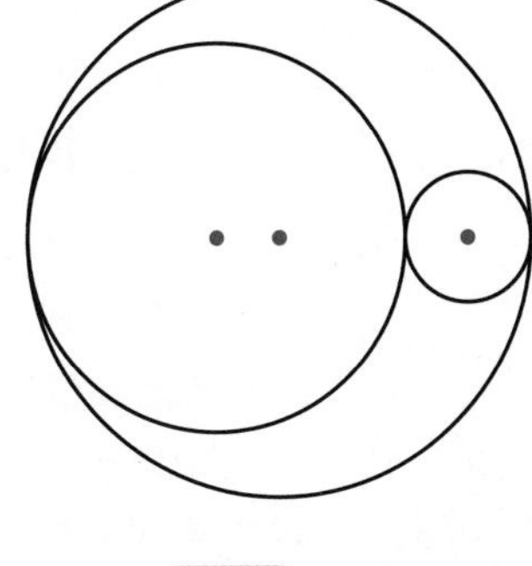

☐ cm

1-6

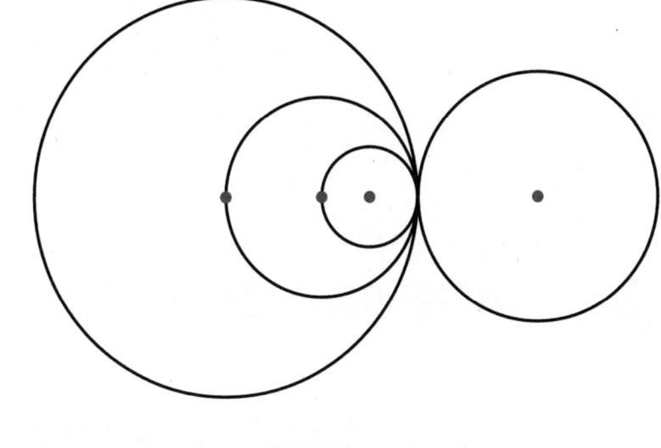

☐ cm

3주 4일

원의 크기 비교하기

도형 집중 연습

그림을 보고 물음에 답하세요.

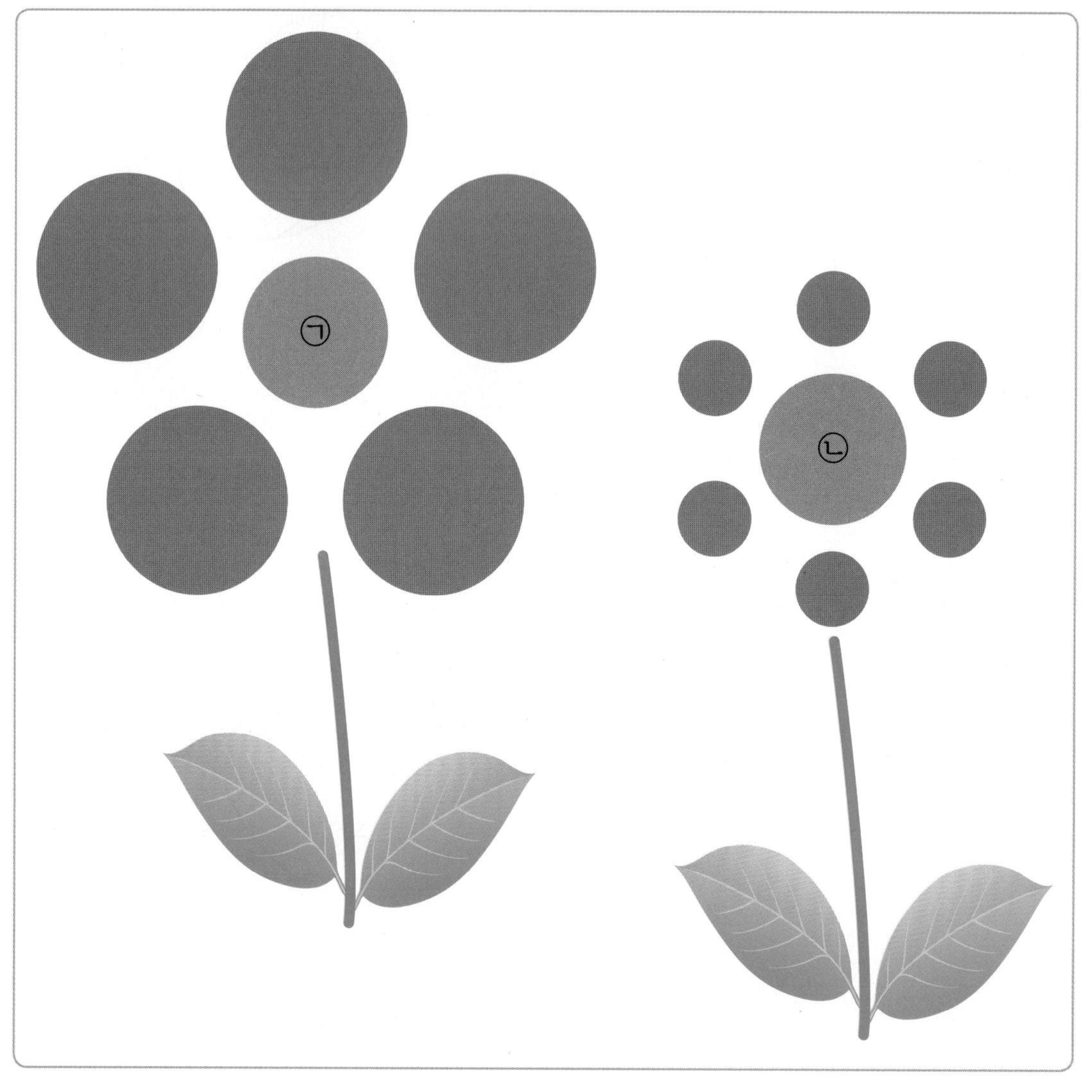

1-1 ● 부분은 ㉠과 ㉡ 중 ☐이 더 크게 보입니다.

1-2 ㉠과 ㉡의 ● 부분의 지름을 자로 재어 보면 ㉠ ☐ cm, ㉡ ☐ cm입니다.

1-3 알맞은 말에 ○표 하세요.

㉠과 ㉡의 ● 부분의 원의 지름은 (같습니다, 다릅니다).

눈으로 보았을 때 실제와는 다르게 보이도록 착각을 일으키는 현상을 착시라고 해요.

원을 완성해 보고 가장 큰 원을 찾아 ∨표 하세요.

2-1

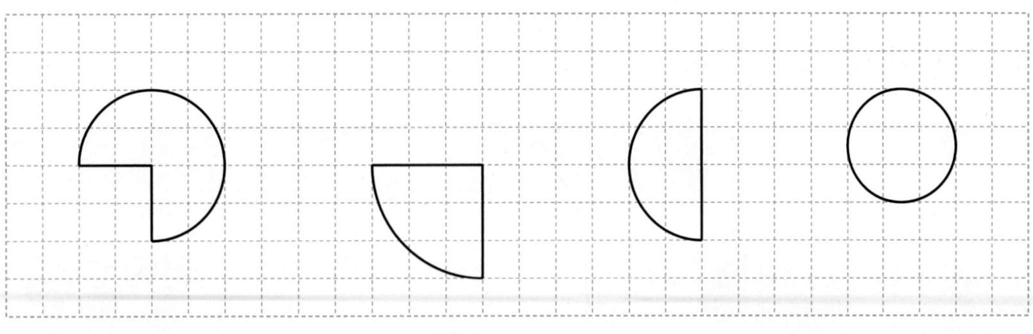

2-2

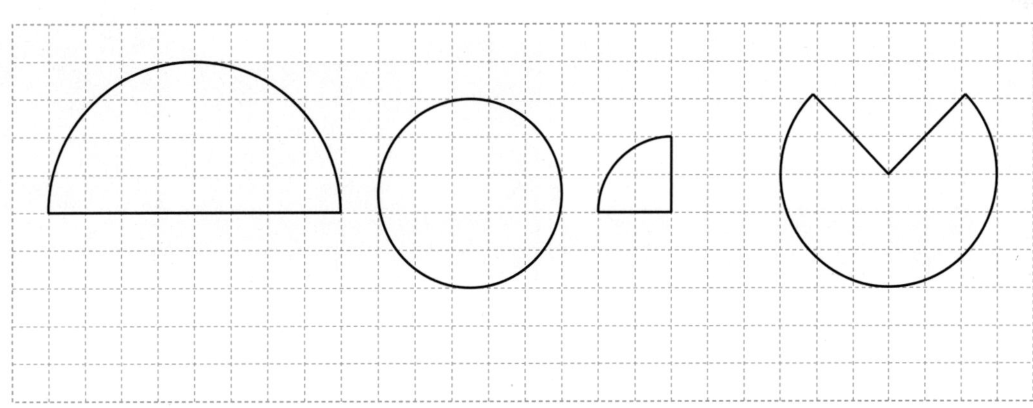

2-3

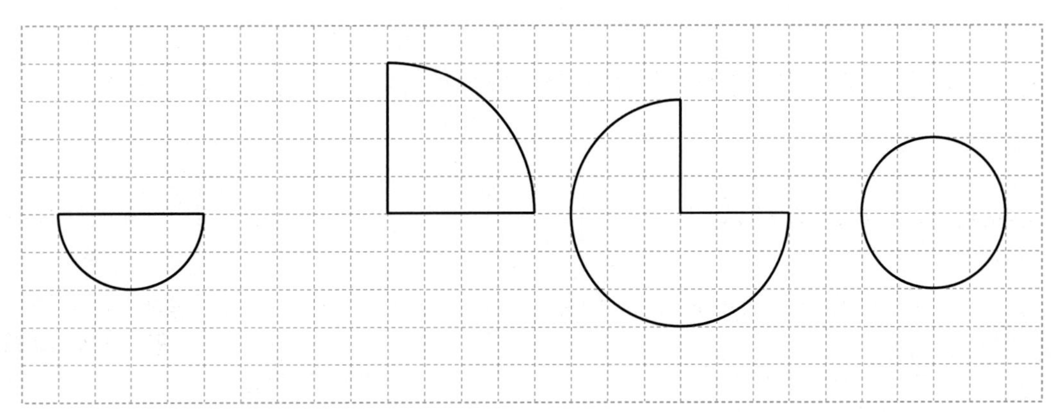

3주
4일

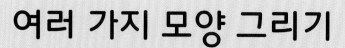

여러 가지 모양 그리기

오늘은 무엇을 공부할까요?

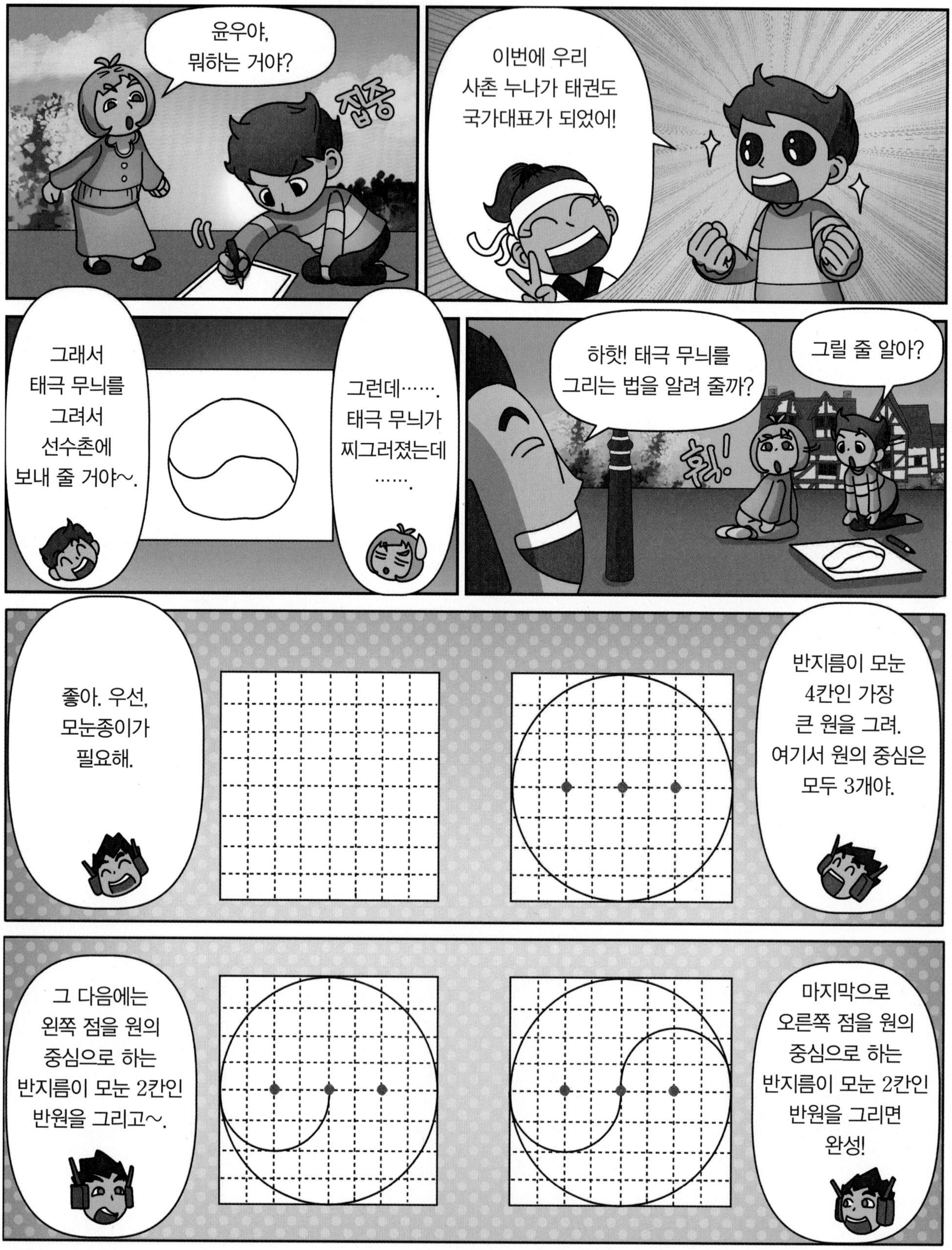

윤우야, 뭐하는 거야?

집중

이번에 우리 사촌 누나가 태권도 국가대표가 되었어!

그래서 태극 무늬를 그려서 선수촌에 보내 줄 거야~.

그런데……. 태극 무늬가 찌그러졌는데…….

하핫! 태극 무늬를 그리는 법을 알려 줄까?

그릴 줄 알아?

휙!

좋아. 우선, 모눈종이가 필요해.

반지름이 모눈 4칸인 가장 큰 원을 그려. 여기서 원의 중심은 모두 3개야.

그 다음에는 왼쪽 점을 원의 중심으로 하는 반지름이 모눈 2칸인 반원을 그리고~.

마지막으로 오른쪽 점을 원의 중심으로 하는 반지름이 모눈 2칸인 반원을 그리면 완성!

3주
5일

도형 기본 개념

● **똑같은 모양 그리기**

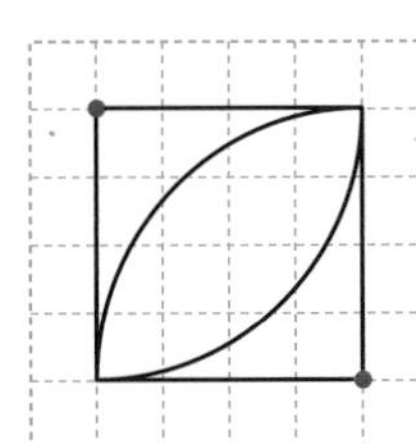

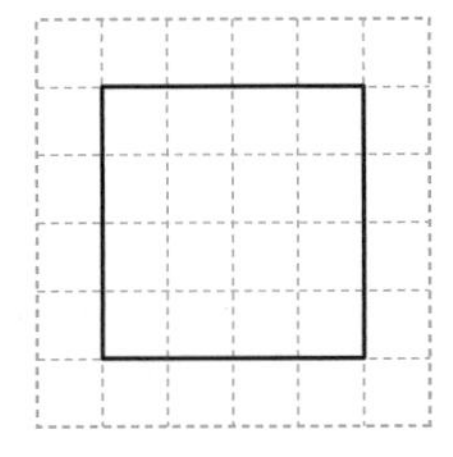

정사각형을 그립니다.

⇨

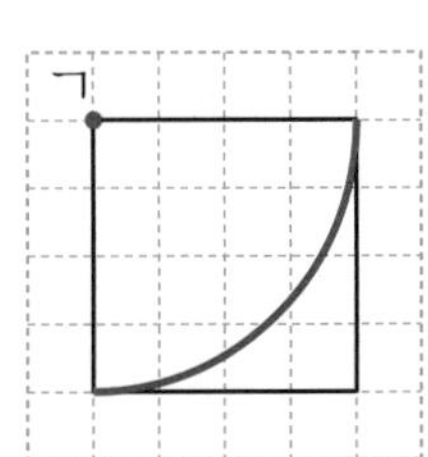

점 ㄱ을 원의 중심으로 하는 원의 일부분을 그립니다.

⇨

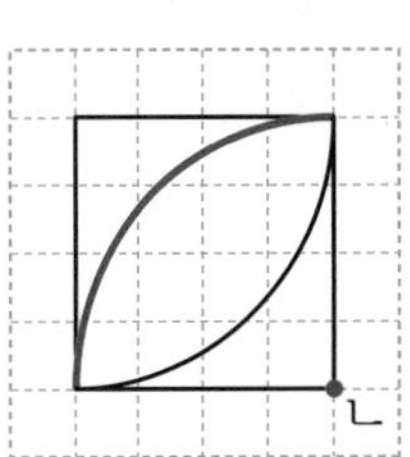

점 ㄴ을 원의 중심으로 하는 원의 일부분을 그립니다.

5일 여러 가지 모양 그리기

활동을 통하여 개념을 알아보아요.

태극 무늬를 똑같이 그리기

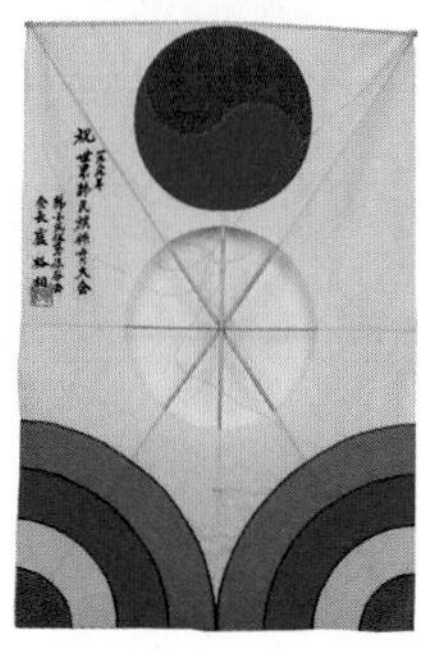

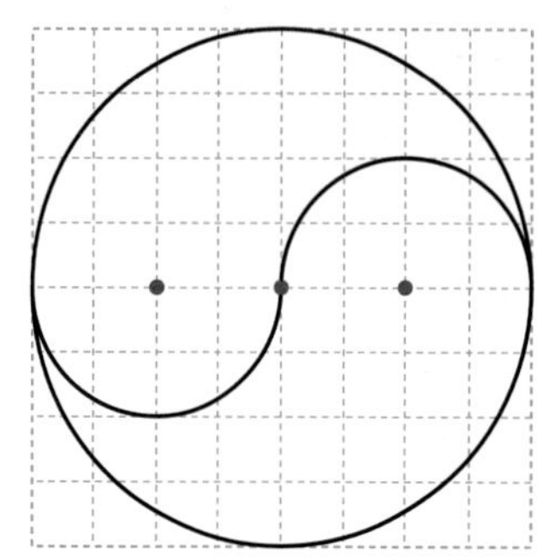

활동 태극 무늬를 똑같이 그려 보기

①

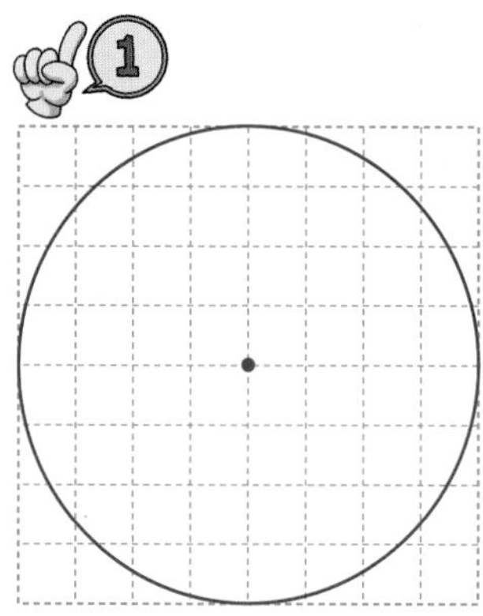

반지름이 모눈 4칸인 가장 큰 원을 그립니다.

②

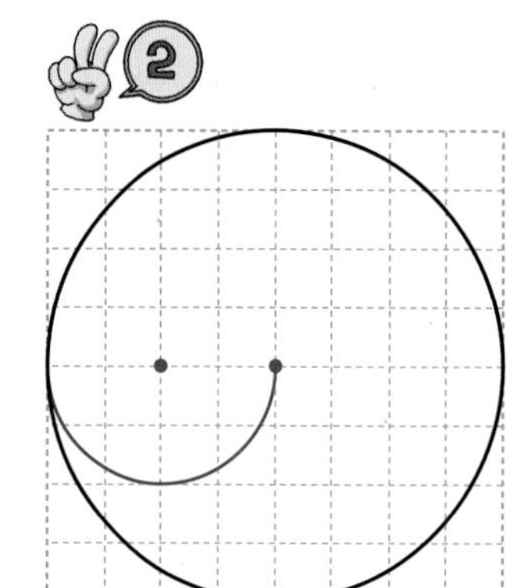

왼쪽에 반지름이 모눈 2칸인 원의 일부분을 그립니다.

③

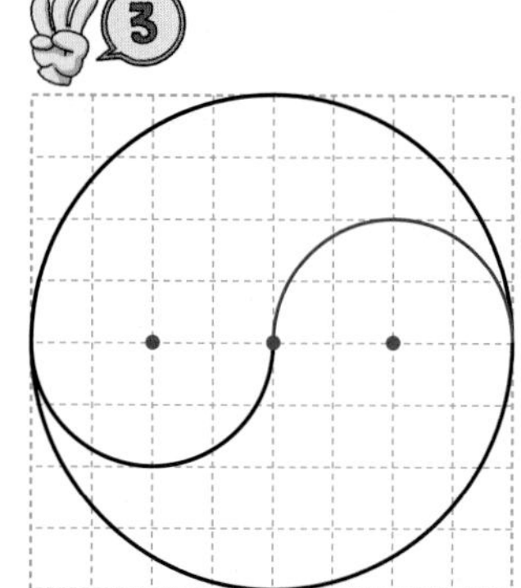

오른쪽에 반지름이 모눈 2칸인 원의 일부분을 그려 태극 무늬를 완성합니다.

개념 짚어 보기

• **똑같은 모양 그리기**

① 원을 이용하여 주어진 모양과 똑같은 모양을 그릴 때 먼저 컴퍼스의 침을 꽂아야 할 곳을 찾습니다.

② 컴퍼스와 자를 이용하여 주어진 모양과 똑같이 그립니다.

활동 개념 문제

주어진 모양과 똑같이 그리려고 합니다. 컴퍼스를 이용하여 똑같은 모양을 완성하세요.

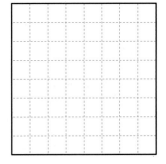

1-1

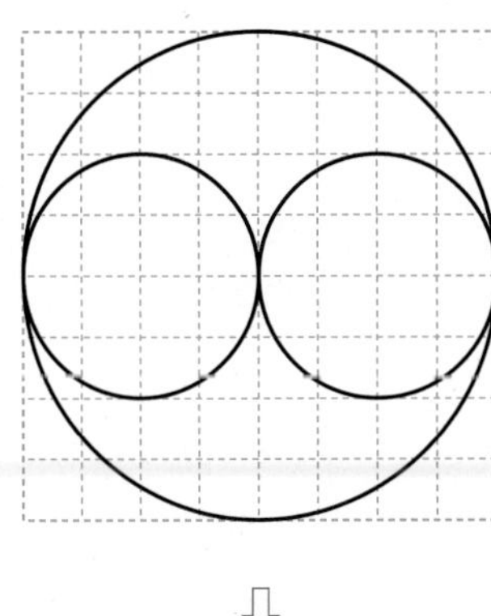

⇩

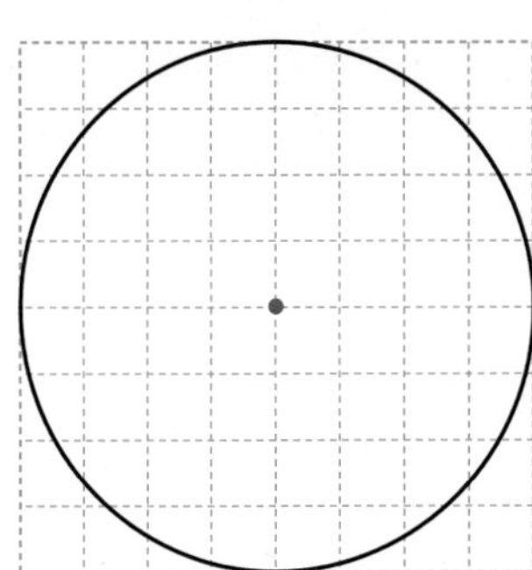

1-2

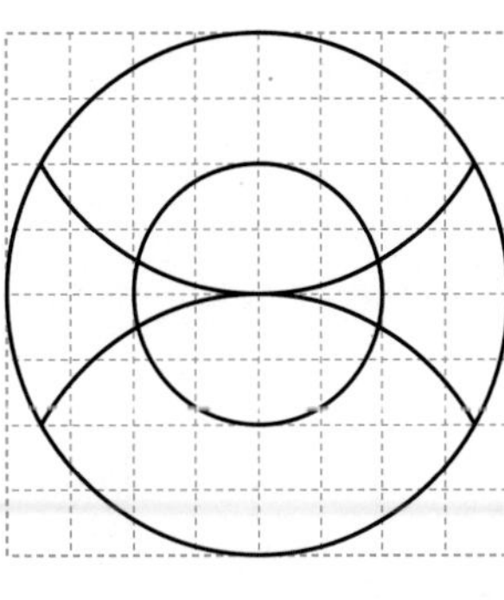

⇩

1-3

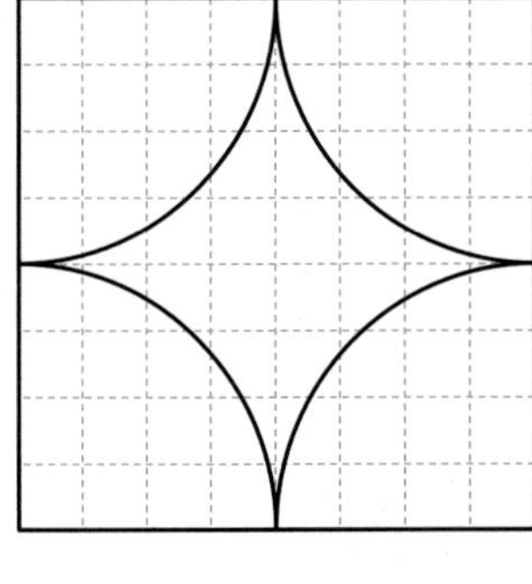

⇩

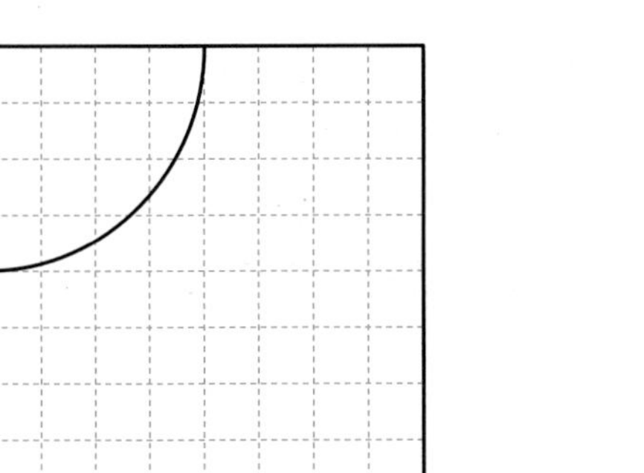

1-4

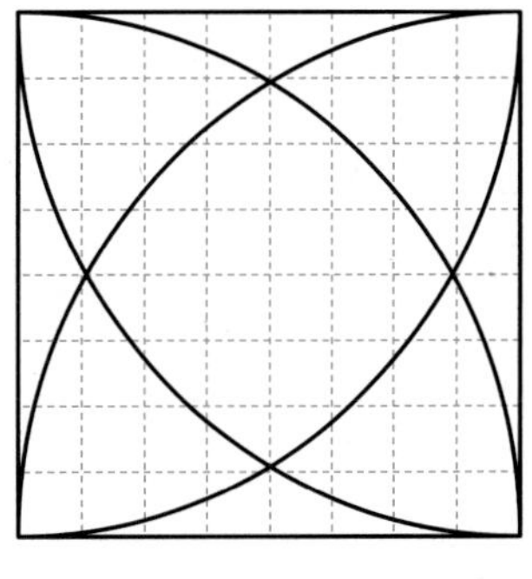

⇩

5일 여러 가지 모양 그리기

도형 집중 연습

컴퍼스를 이용하여 주어진 모양과 똑같이 그려 보세요.

1-1

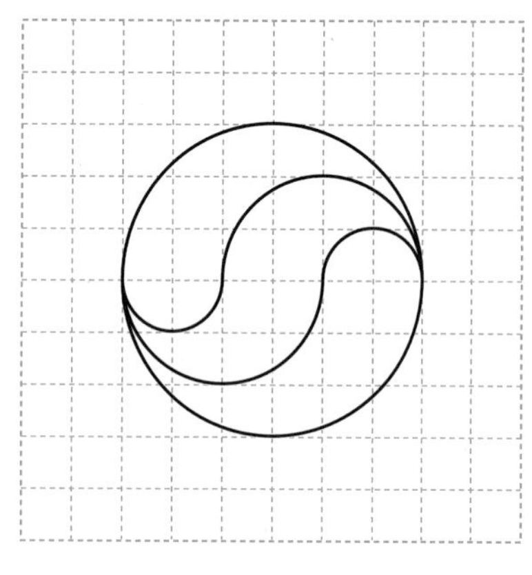

⇨

1-2

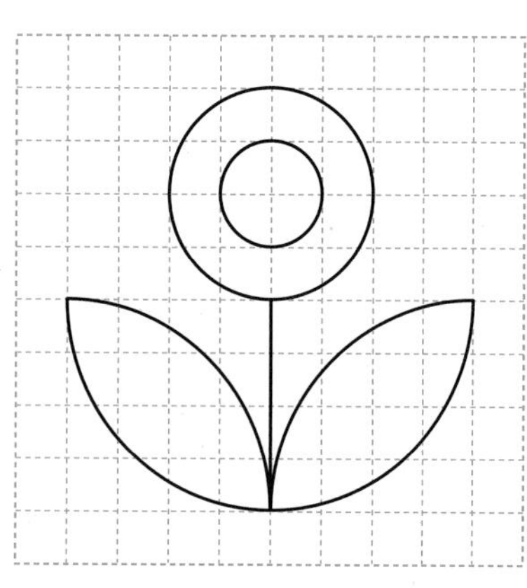

⇨

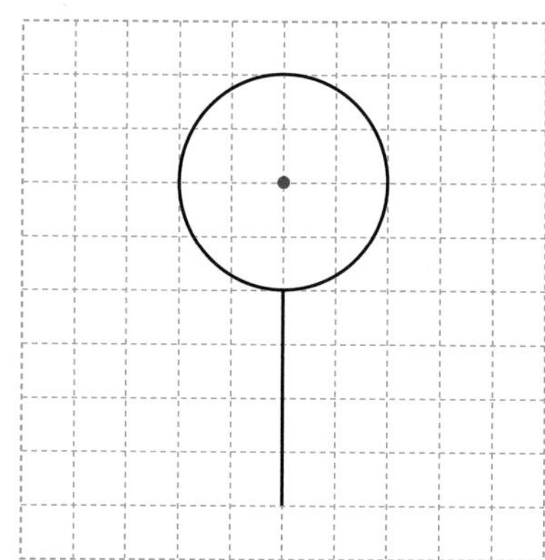

1-3

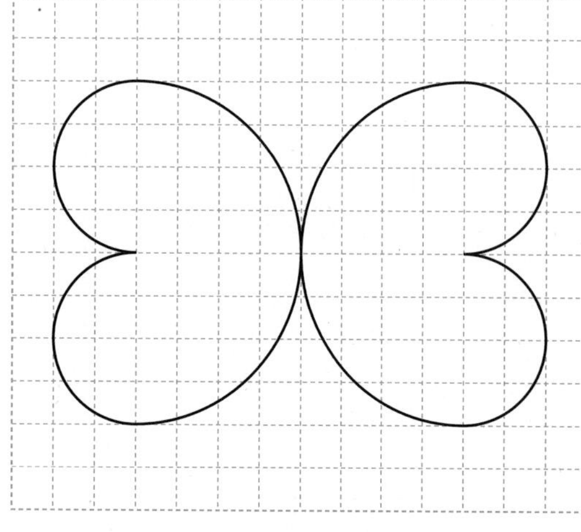

⇨

컴퍼스를 이용하여 규칙에 따라 원을 2개 더 그려 보세요.

2-1

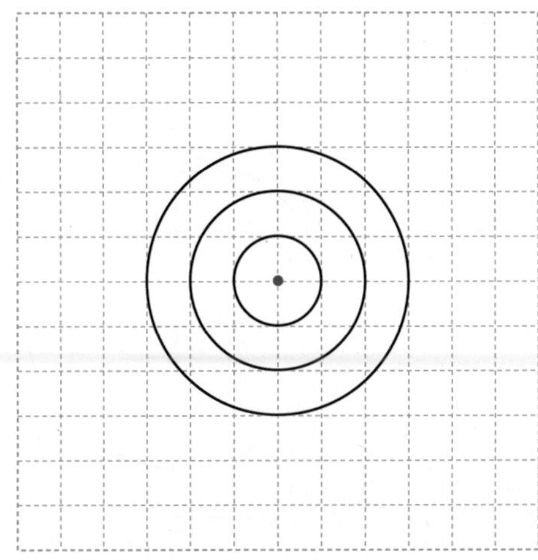

2-2

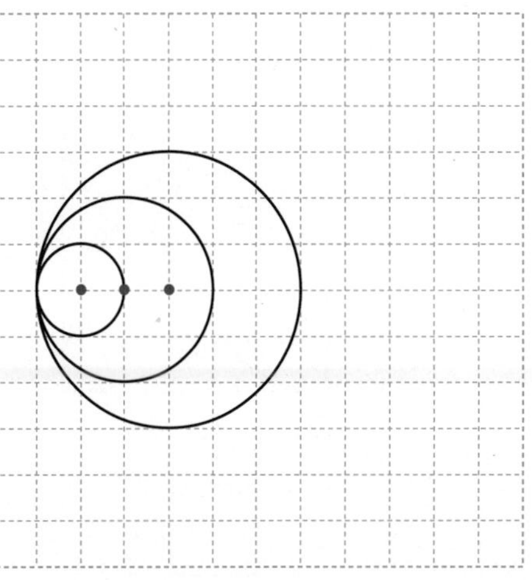

2-3

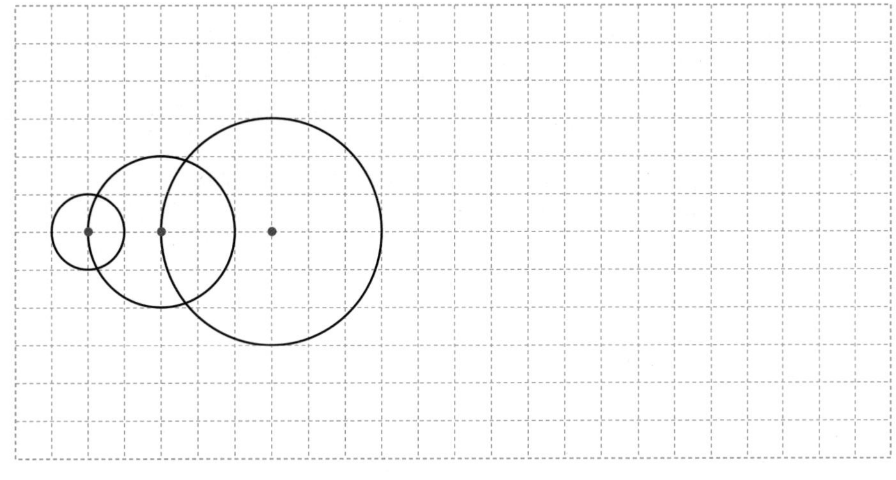

2-4

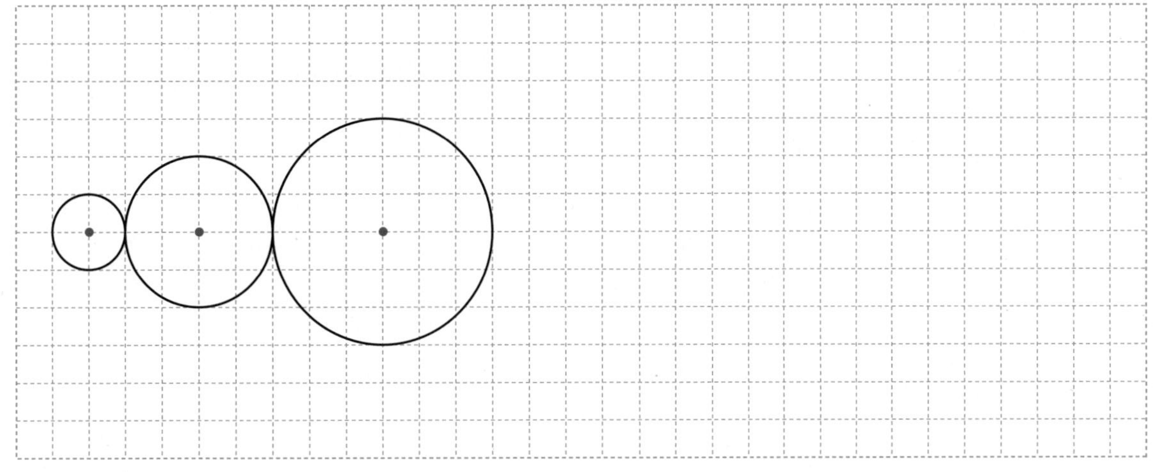

3주 5일

3주 평가 누구나 100점 맞는 TEST

01 원의 중심이 모두 몇 개인지 구하세요.

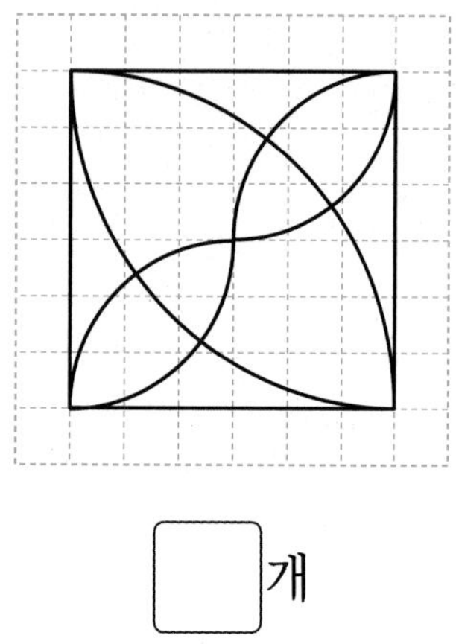

☐개

02 각 점은 원의 중심일 때 두 원의 지름의 합을 구하세요.

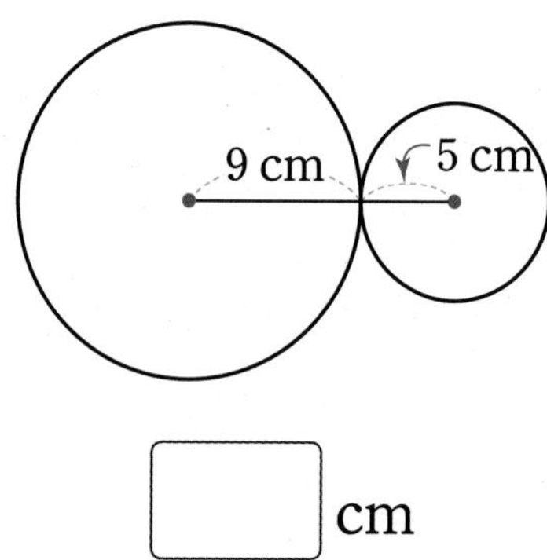

☐ cm

03 가장 큰 원을 찾아 지름을 자로 재어 보세요.

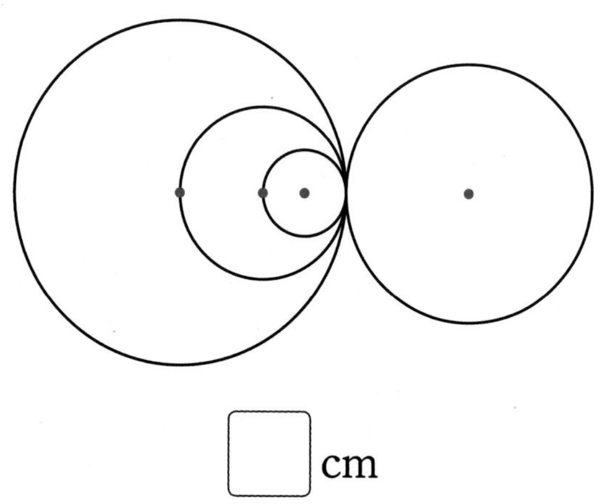

☐ cm

04 각 점은 원의 중심일 때 큰 원의 지름을 구하세요.

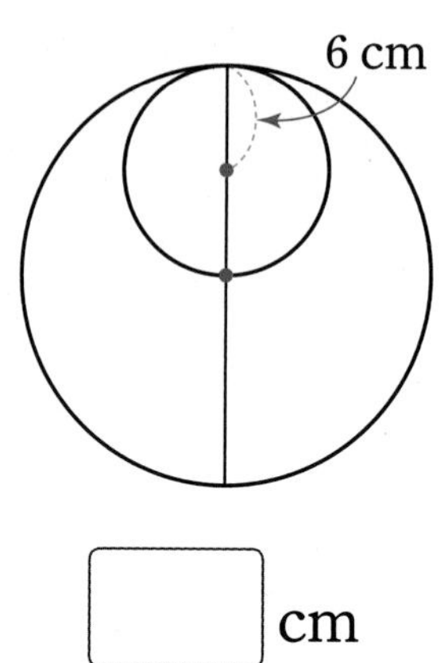

☐ cm

05 컴퍼스와 자를 이용하여 주어진 모양과 똑같이 그려 보세요.

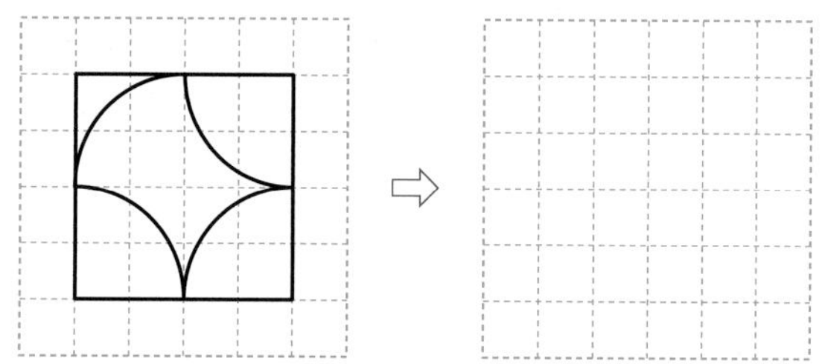

06 원을 완성해 보고 가장 큰 원을 찾아 ∨표 하세요.

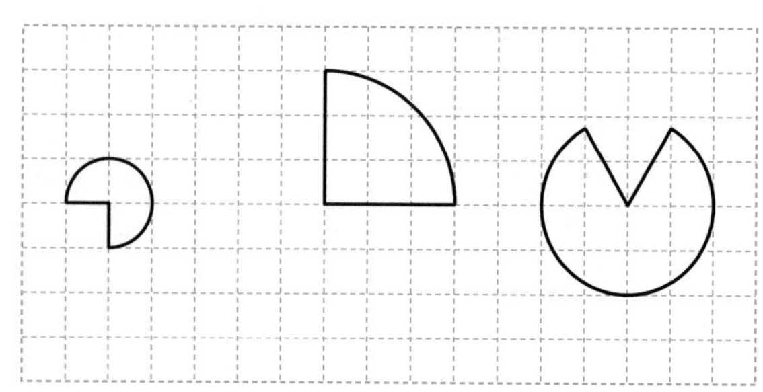

07 컴퍼스와 자를 이용하여 주어진 도형과 똑같이 원을 맞닿게 그려 보세요.

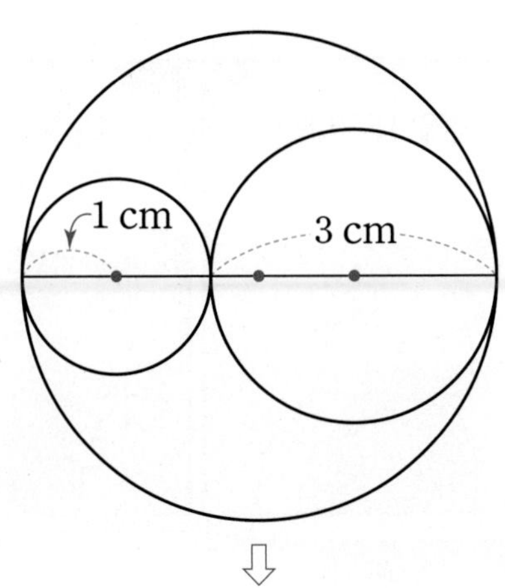

⇩

08 각 점은 원의 중심일 때 선분 ㄱㄴ의 길이를 구하세요.

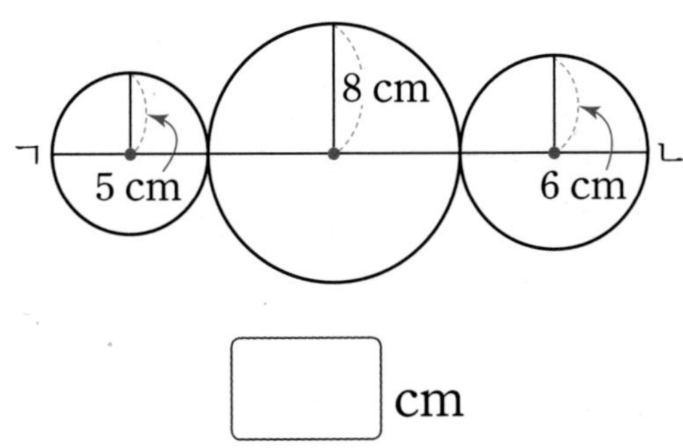

☐ cm

09 다음은 사진 위에 여러 개의 원을 그린 다음 사진을 자른 것입니다. 찾을 수 있는 원의 중심은 모두 몇 개일까요?

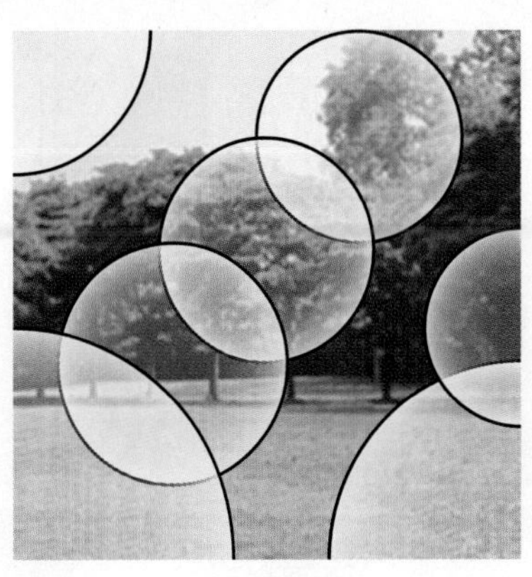

☐개

10 컴퍼스를 이용하여 그림과 같이 모눈 위에 반지름을 한 칸씩 늘려가며 차례로 원을 2개 더 그려 보세요.

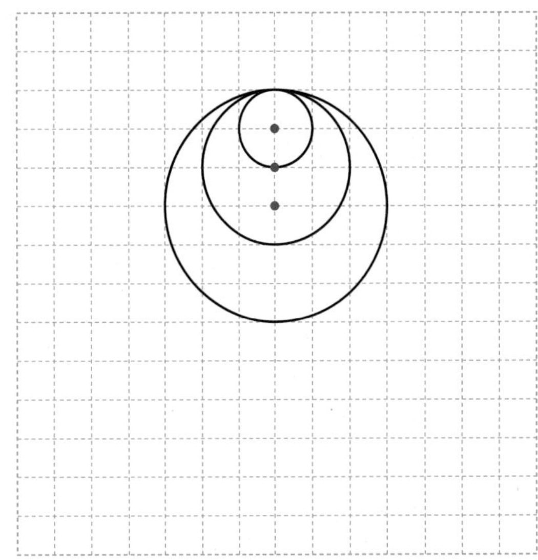

3주 평가

반지름이 주어진 원 그리는 방법 알아보기

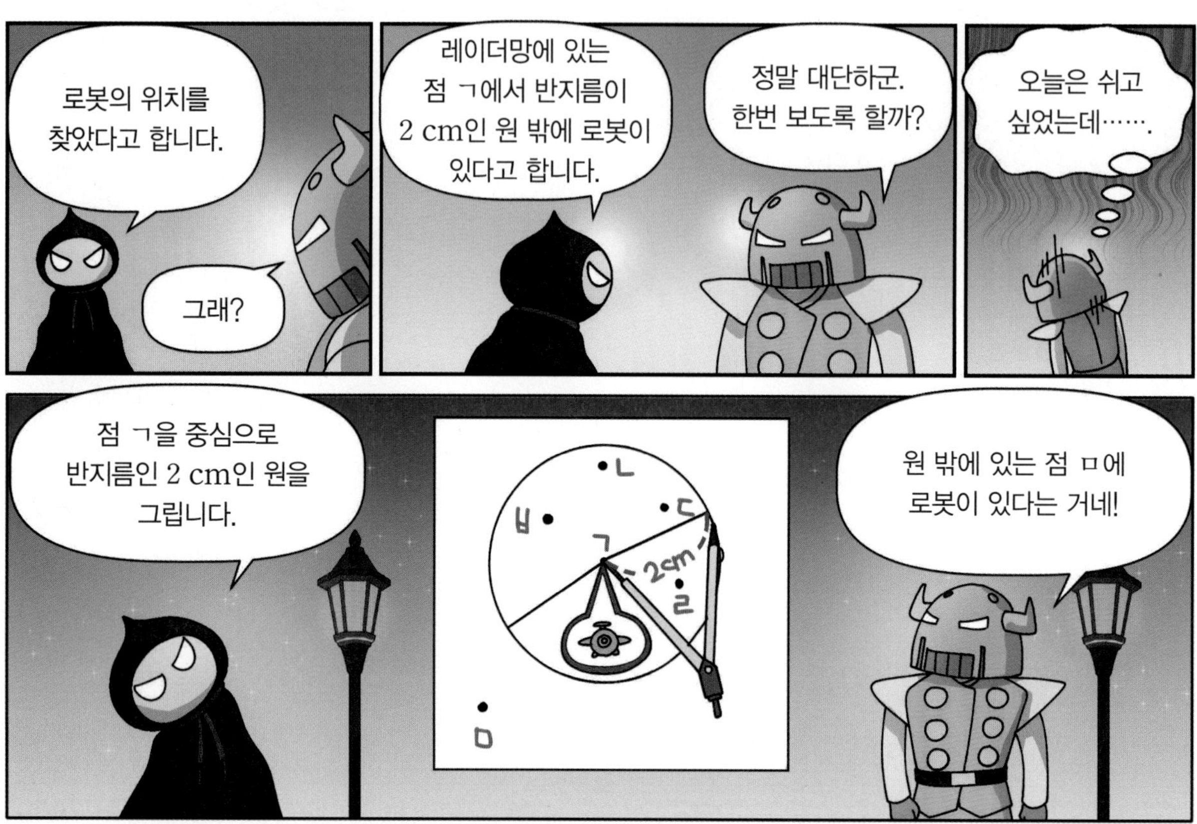

점 ㄱ을 중심으로 반지름이 2 cm인 원 밖에 있는 점 찾기

①

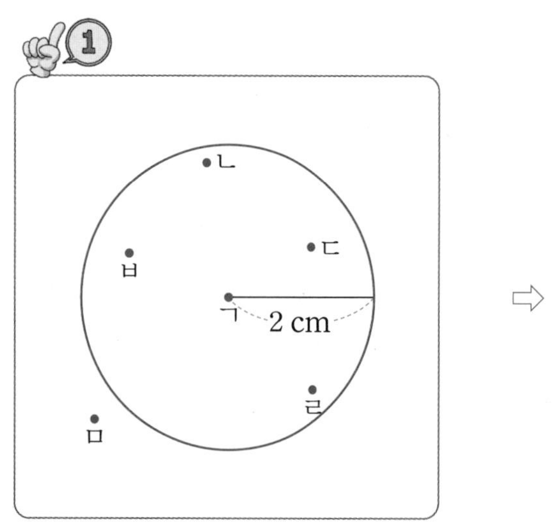

점 ㄱ을 중심으로 반지름이 2 cm인 원을 그립니다.

②

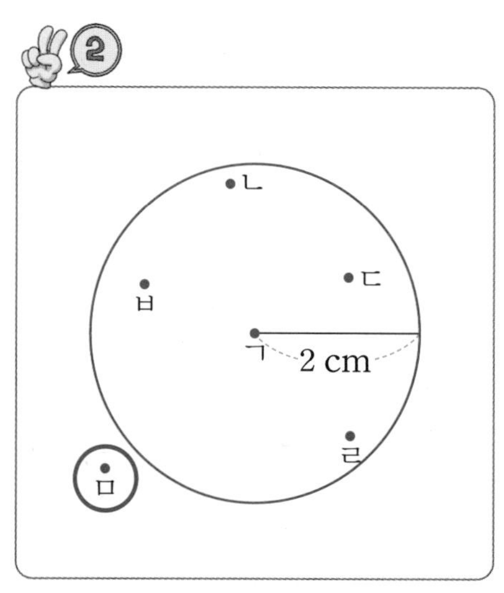

원 밖에 있는 점을 찾으면 점 ㅁ입니다.

두 원이 겹쳐지는 곳 찾기

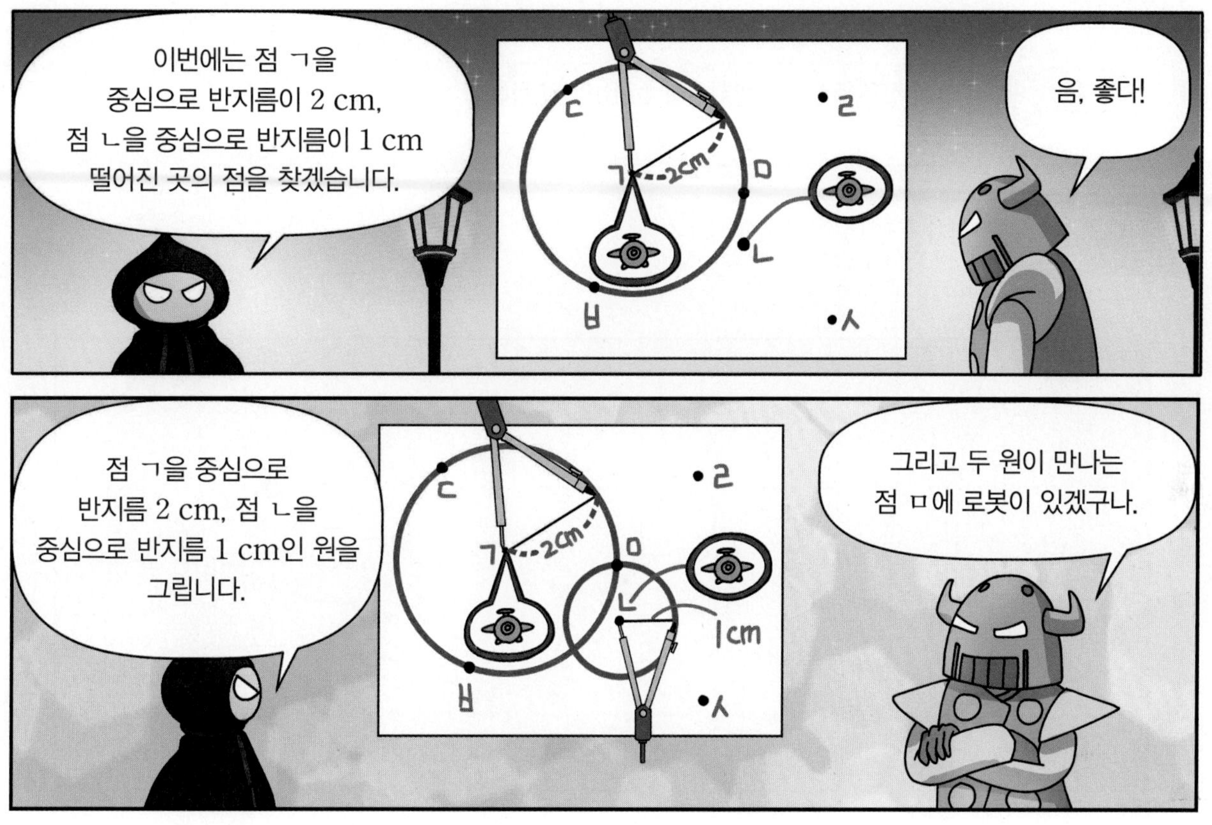

3주 특강

● **점 ㄱ을 중심으로 반지름이 2 cm, 점 ㄴ을 중심으로 반지름이 1 cm 떨어진 곳에 있는 점 찾기**

①

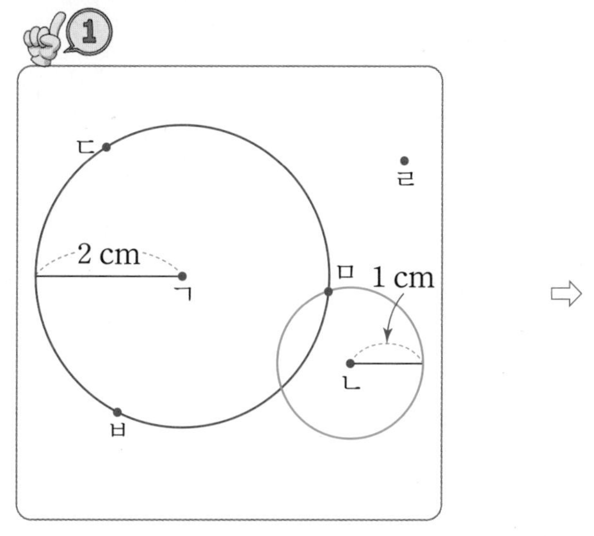

점 ㄱ을 중심으로 반지름이 2 cm인 원과 점 ㄴ을 중심으로 반지름이 1 cm인 원을 그립니다.

⇨

②

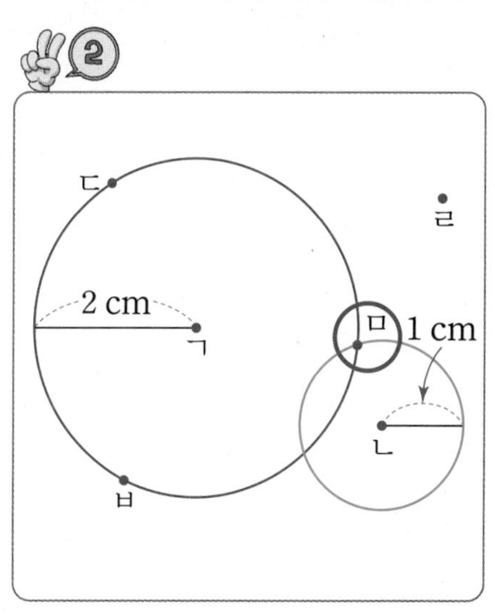

두 원이 만나는 곳에 있는 점을 찾으면 점 ㅁ입니다.

특강 창의 · 융합 · 코딩

창의

1 예지와 윤우가 만나기로 약속한 장소는 어디인지 대화를 읽고 ☐ 안에 알맞은 말을 써넣으세요.

예지: 우리 집을 중심으로 반지름이 4 cm인 원 밖에 약속 장소가 있어요.

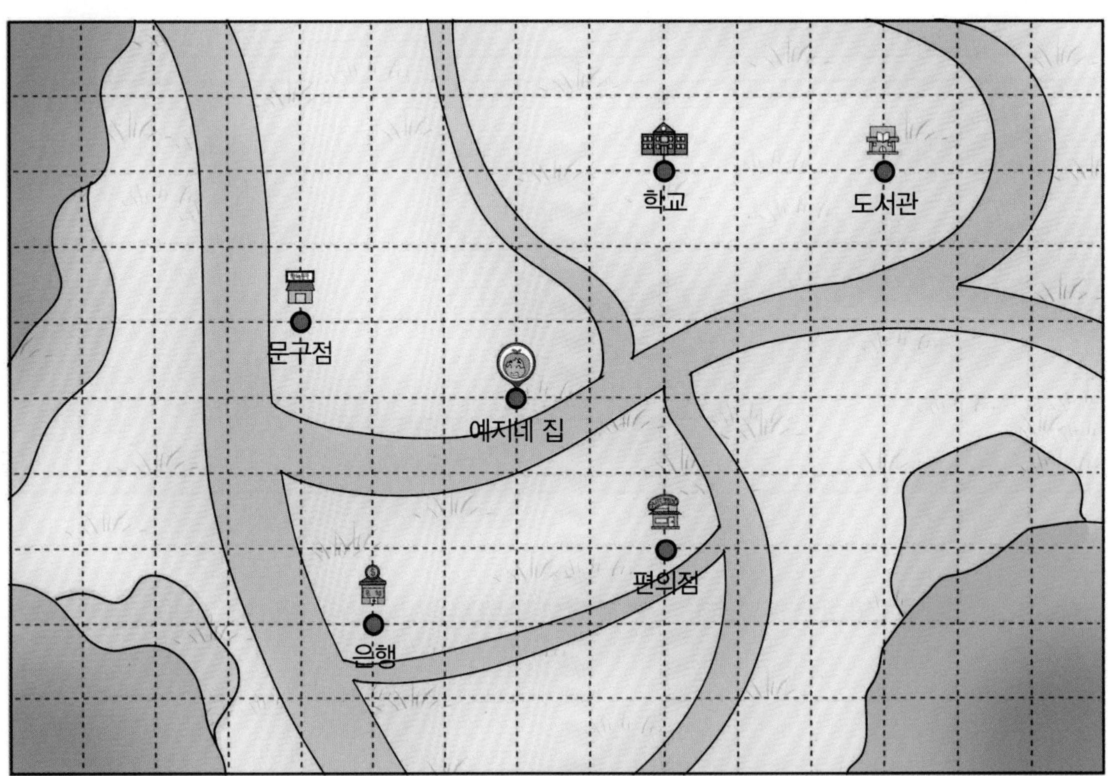

우핫맨: 예지네 집을 원의 중심으로 하고 컴퍼스를 4 cm 만큼 벌려서 원을 그려 보세요.

윤우: 예지랑 만나기로 약속한 장소는 원 밖에 있으니까 ☐ 이에요.

창의

2 **학교를 중심으로 반지름이 $2\ \mathrm{cm}$인 원을 그려 보고 원 밖에 위치한 장소에 ∨표 하세요.**

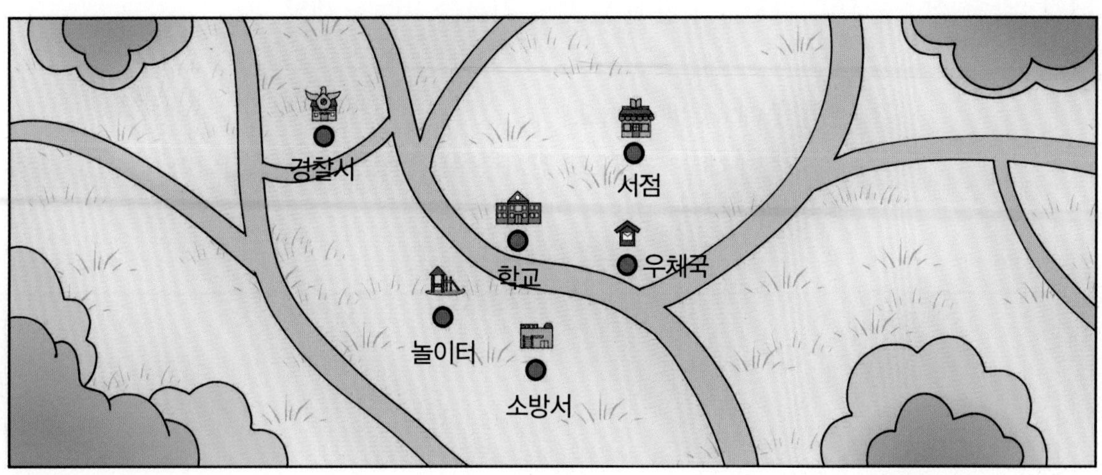

3 **병원을 중심으로 반지름이 $3\ \mathrm{cm}$인 원을 그려 보고 원 밖에 위치한 장소를 모두 찾아 ∨표 하세요.**

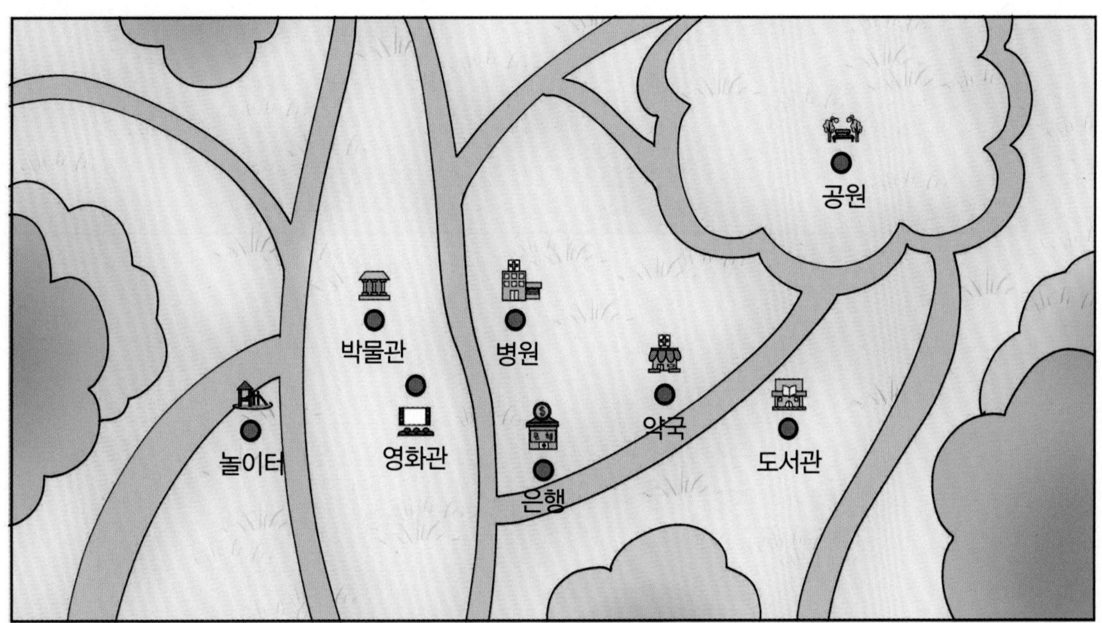

융합

4 예지와 윤우가 탐정놀이를 하고 있습니다. 윤우가 약속 장소를 알려주는 카드를 보내왔습니다. 약속 장소는 어디인지 ☐ 안에 알맞은 기호를 써넣으세요.

- 전봇대가 3개 있어요.
- 각 전봇대를 중심으로 반지름이 4 cm인 원을 그립니다.
- 원 밖에 약속 장소가 있어요.

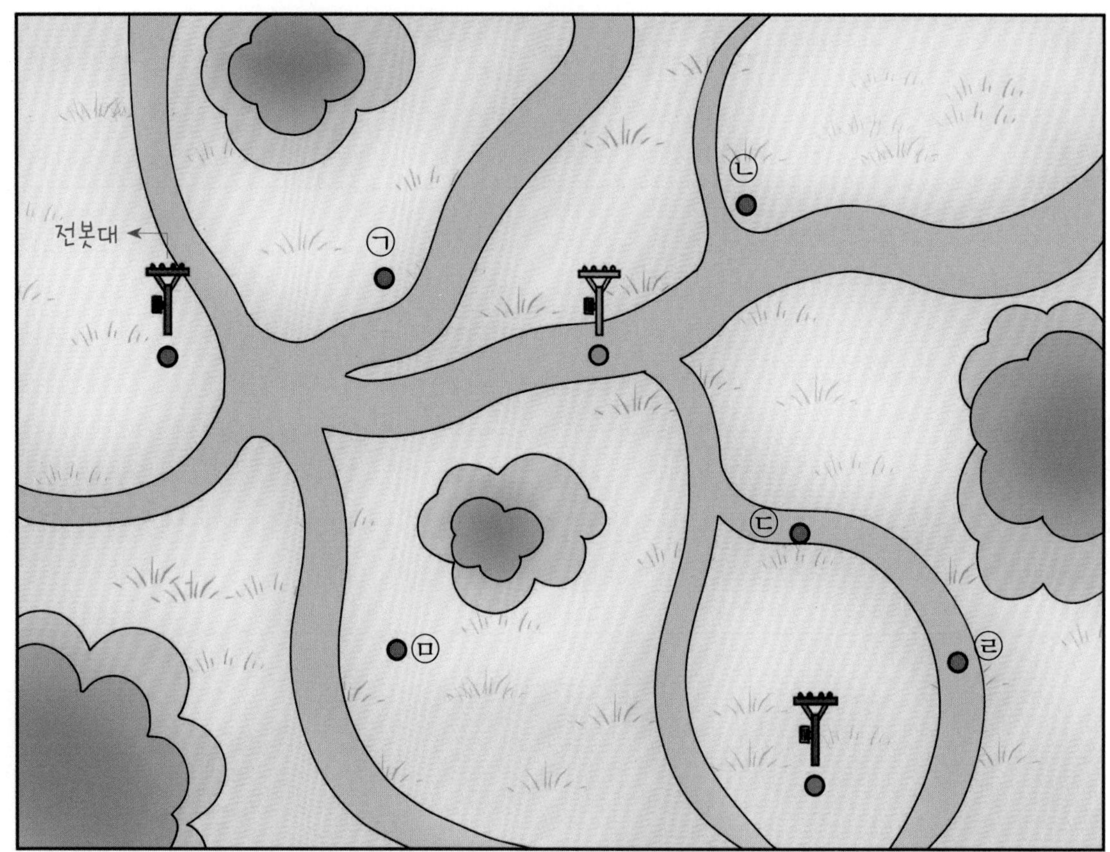
전봇대
㉠
㉡
㉢
㉣
㉤

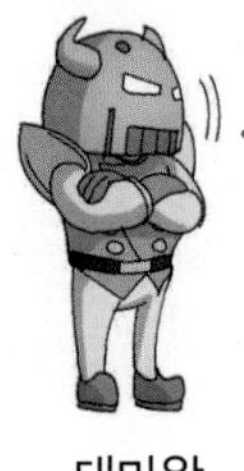
각 전봇대를 중심으로 반지름이 4 cm인 원을 그려 보세요.

대마왕

예지와 윤우가 만나기로 한 약속 장소는 ☐이에요.

우핫맨

융합

지도를 보고 물음에 답하세요.

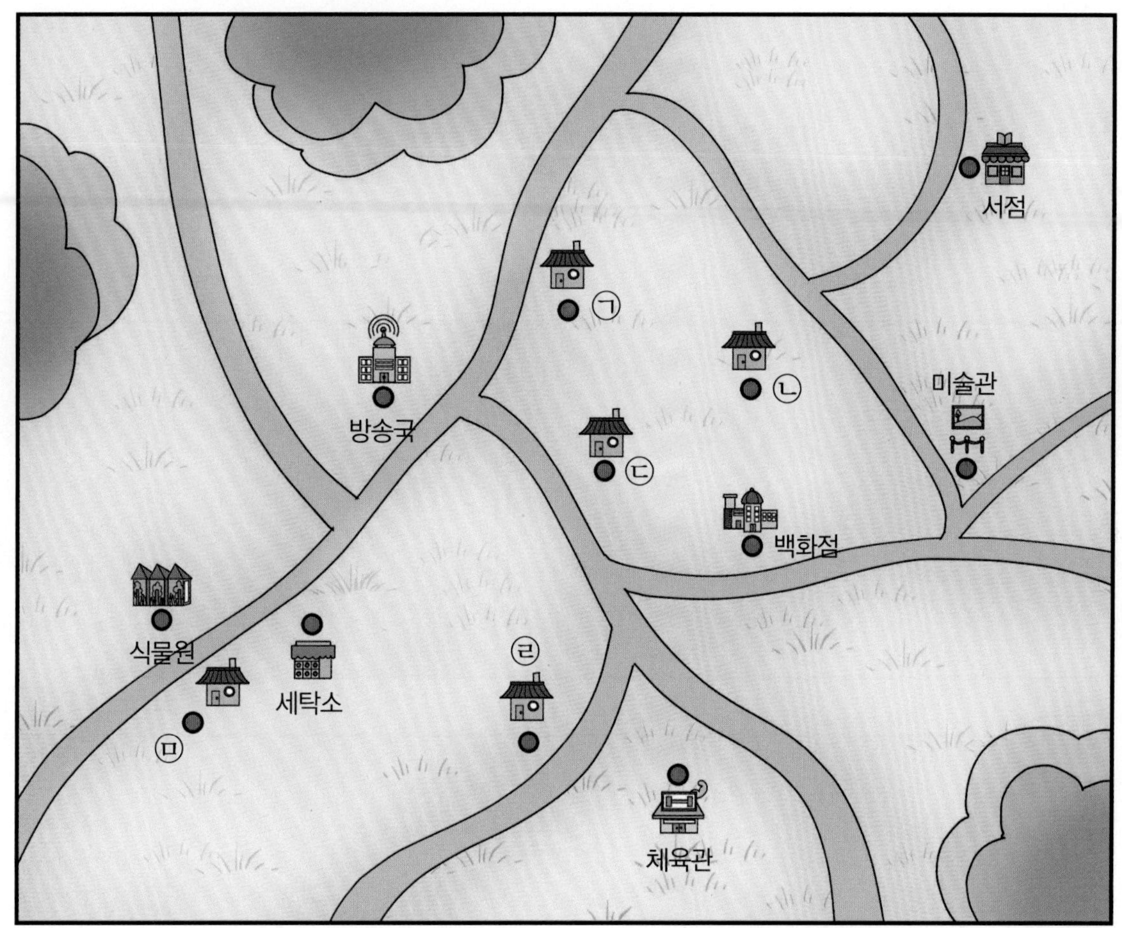

5 지도에서 윤우네 집은 방송국으로부터 $5\ \mathrm{cm}$, 백화점으로부터 $4\ \mathrm{cm}$ 떨어져 있습니다. 점 ㉠, ㉡, ㉢, ㉣, ㉤ 중 윤우네 집은 점 [ ]입니다.

6 윤우네 집을 중심으로 반지름이 $6\ \mathrm{cm}$인 원 밖에 위치한 장소는 [ ], [ ]입니다.

3주 특강

원의 성질 이용하기

이번 주에는 무엇을 공부할까요? 1

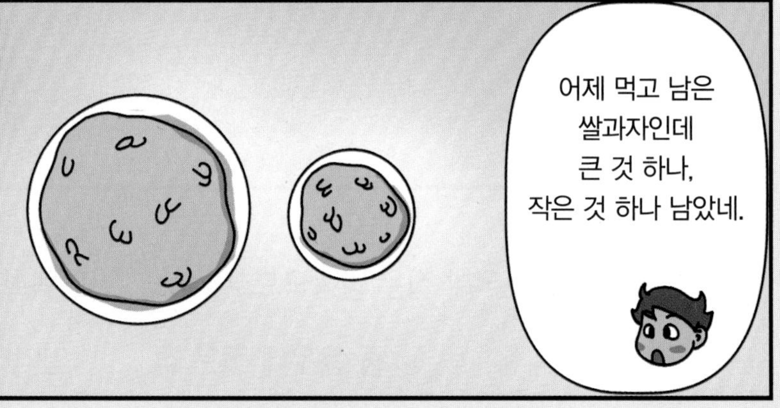

학습내용

1일 원 안에 원이 있을 때 지름(반지름) 구하기

2일 원과 사각형의 관계

3일 크기가 같은 원에서 선분의 길이 구하기

4일 중심을 이어 만든 도형의 변의 길이의 합 구하기

5일 원의 지름을 이용하여 주어진 길이 구하기

그게 문제가 아니야. 이 접시를 봐.
두근
두근

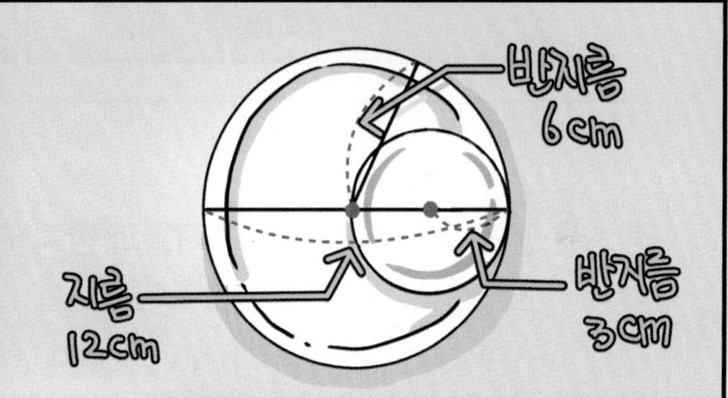

나를 원 전문가라고 불러다오~.
샤랄라~

이걸 어떡해……. 아휴, 아까워라~.
주섬
주섬

땅에 떨어져도 금방 주운 건 먹어도 된댔어!
앙~

이번 주에는 무엇을 공부할까요? ②

원의 성질 알아보기

점 ㅇ은 원의 중심입니다. 원의 지름과 반지름은 몇 cm인지 각각 구하세요.

1-1

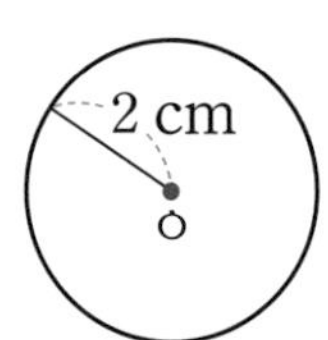

(지름)=☐ cm

(반지름)=☐ cm

1-2

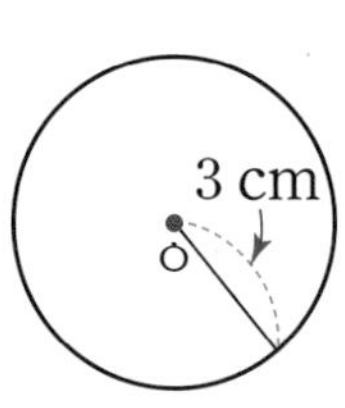

(지름)=☐ cm

(반지름)=☐ cm

1-3

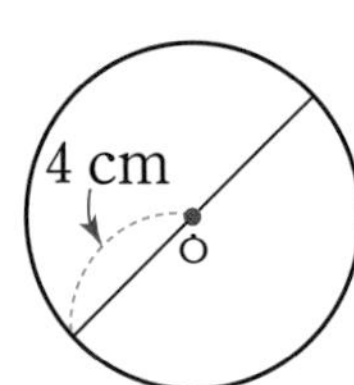

(지름)=☐ cm

(반지름)=☐ cm

1-4

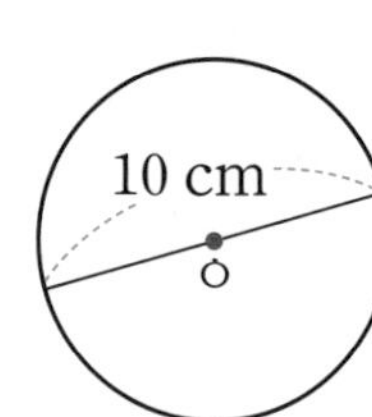

(지름)=☐ cm

(반지름)=☐ cm

1-5

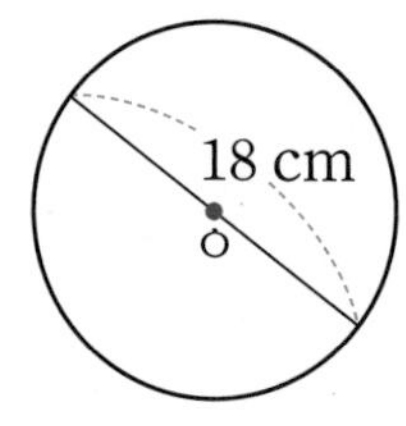

(지름)=☐ cm

(반지름)=☐ cm

1-6

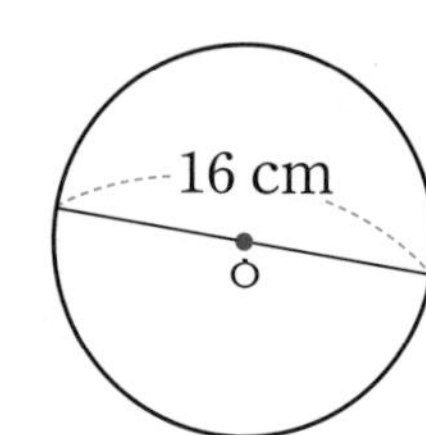

(지름)=☐ cm

(반지름)=☐ cm

정사각형 안에 그릴 수 있는 가장 큰 원의 지름 구하기

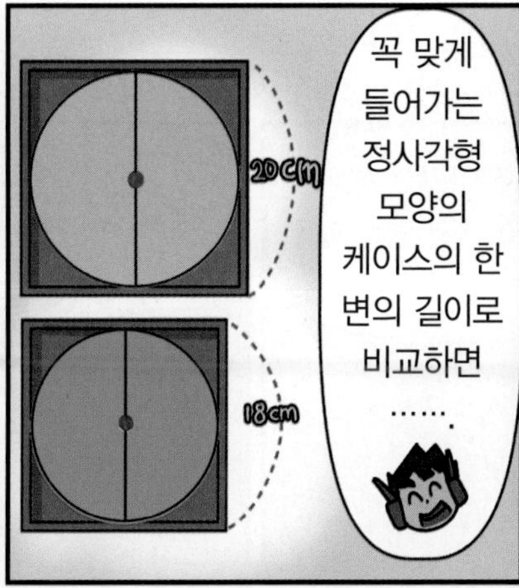

정사각형 안에 그릴 수 있는 가장 큰 원을 그렸습니다. 원의 지름은 몇 cm인지 구하세요.

2-1

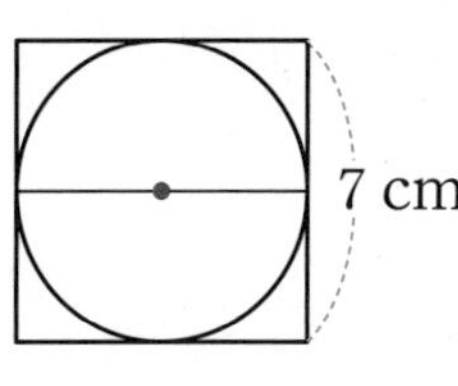

cm

2-2

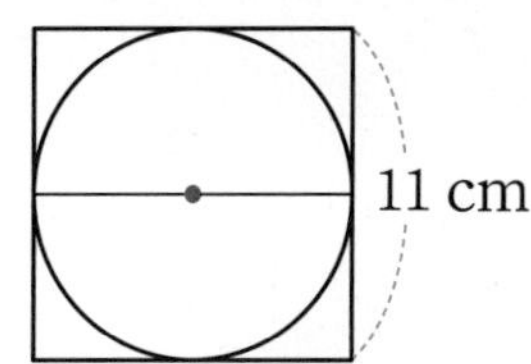

cm

2-3

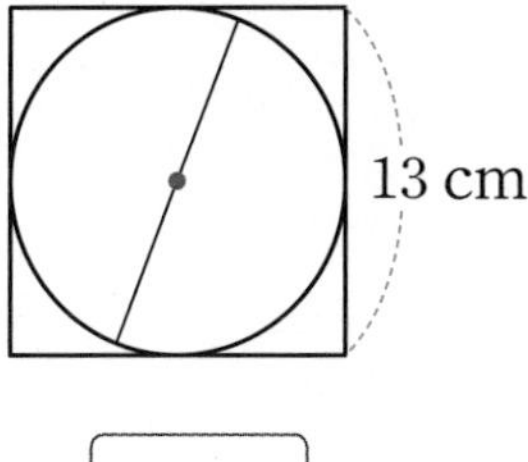

cm

2-4

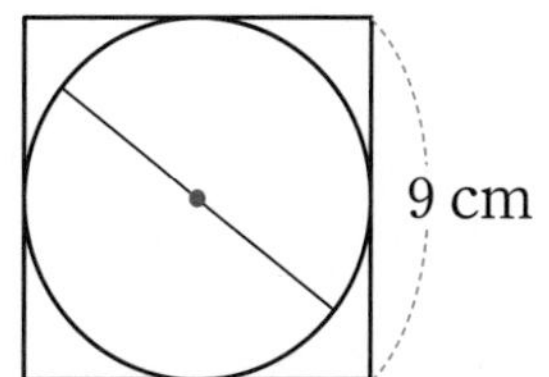

cm

2-5

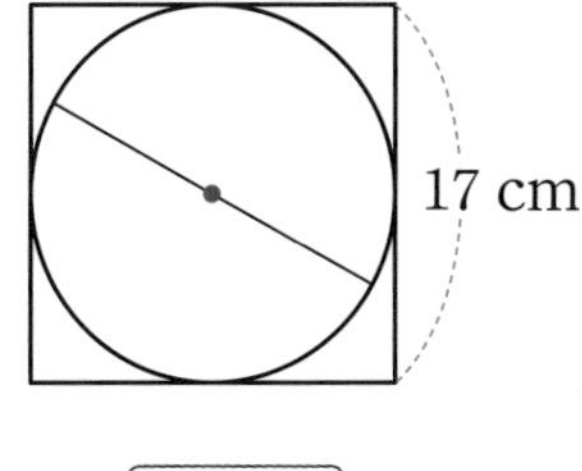

cm

2-6

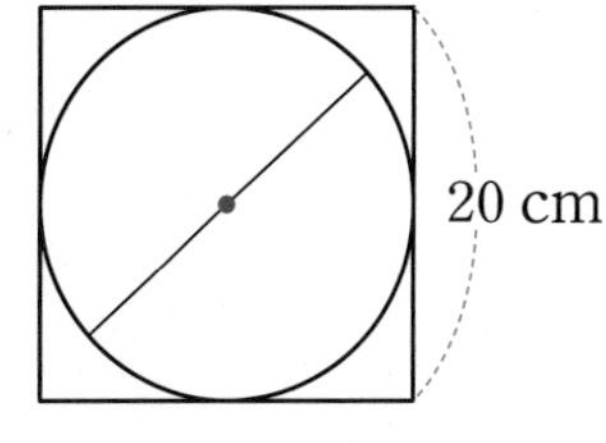

cm

1일 원 안에 원이 있을 때 지름(반지름) 구하기

오늘은 무엇을 공부할까요?

맛있는 냄새~.
그게 뭐야?

이건 전이라고 해.
우리나라에서 명절 때
먹는 음식이지.

이해할 수
없군…….

절레
절레

뭐가?

반지름이
3 cm라니,
너무 작잖아!

3cm

크게 만들
자신이
없어서
작게 한 거야!

자신감을 갖고
크게 만들어 봐.

할 수 있을까?

덥석!

잠시 후

2배나 크게
만들었어.

내가
해냈어!

대단한걸.
전의 반지름이
3 cm에서
6 cm가 되었어.

6cm

6cm

3cm

12cm

전의 지름이
6 cm에서
12 cm가 되었지.

4주
1일

도형 기본 개념

- **원 안에 원이 있을 때 작은 원의 지름(반지름)을 이용하여 큰 원의 지름 구하기**

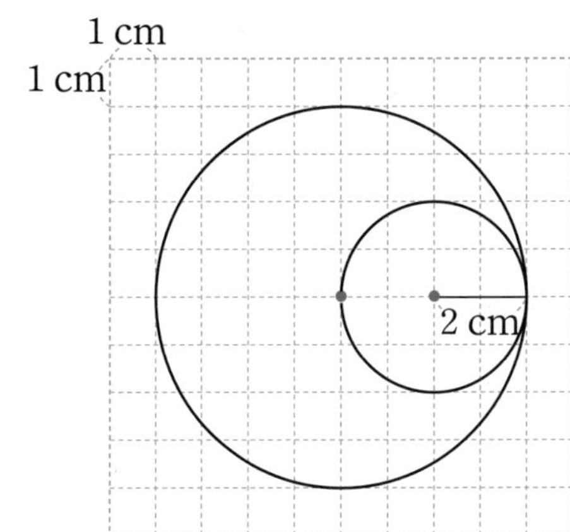

큰 원의 반지름은 작은 원의 지름과 같습니다.

(큰 원의 지름)＝(작은 원의 지름)×2 ← (작은 원의 반지름)×2

＝(작은 원의 반지름)×❶□

＝2×4＝❷□ (cm)

큰 원의 지름(반지름)이 작은 원의 지름(반지름)의 ■배라는 관계를 이해하면 쉽게 해결할 수 있어요.

정답 ❶ 4 ❷ 8

원 안에 원이 있을 때 지름(반지름) 구하기

활동을 통하여 해결 방법을 알아보아요.

- 원 안에 크기가 같은 원 2개가 있을 때 원의 지름 구하기

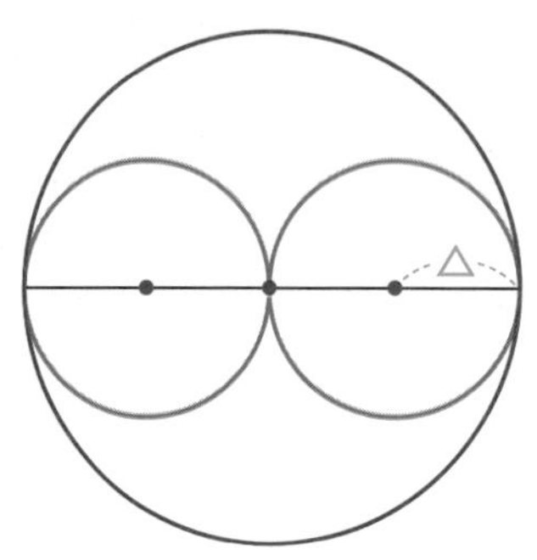

△

(활동) 작은 원의 반지름이 △일 때 큰 원의 지름 구하기

1

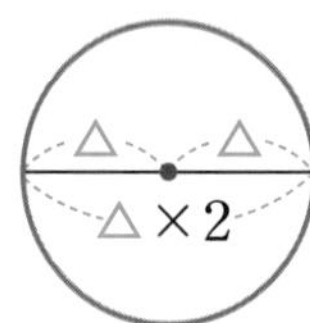

△ △
△×2

(작은 원의 지름)=(작은 원의 반지름)×2
=△×2

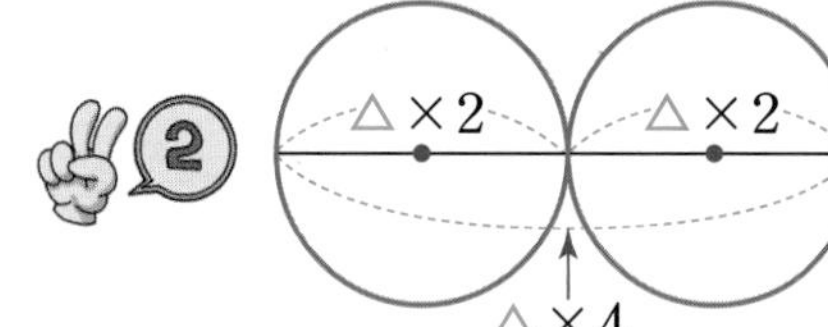

2
△×2 △×2
△×4

(작은 원 2개의 지름의 합)=(작은 원의 지름)×2
=△×2×2
=△×4

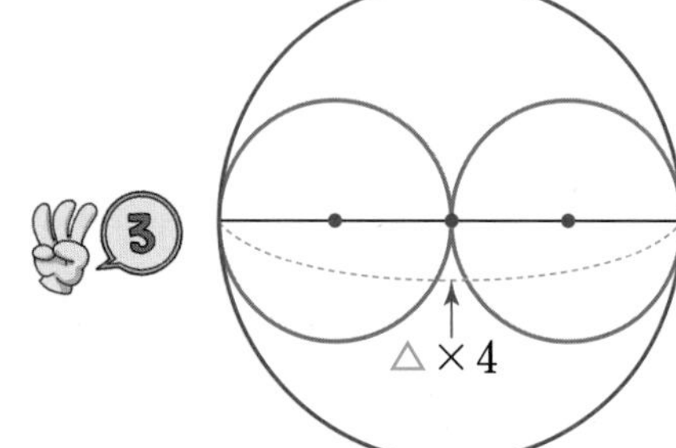

3
△×4

(큰 원의 지름)=(작은 원 2개의 지름의 합)
=△×4

큰 원의 지름은
작은 원의 반지름의
4배예요.

해결 방법 짚어 보기

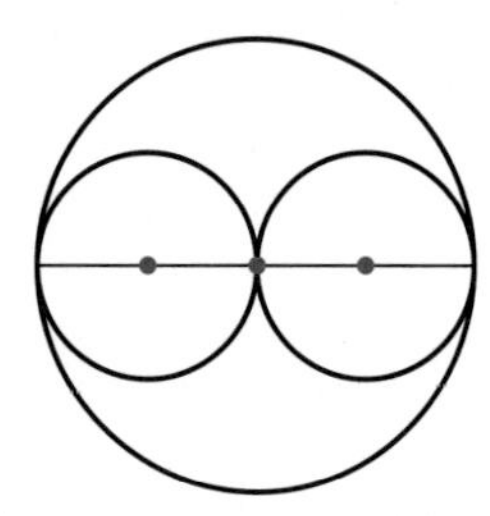

(큰 원의 지름)=(작은 원의 지름)×2
=(작은 원의 반지름)×4

큰 원의 지름은
작은 원의 지름(반지름)의
몇 배인지 알아보세요.

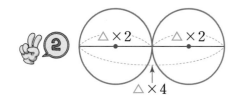

해결 방법 확인

보기 와 같이 큰 원 안에 크기가 같은 원을 겹치지 않게 이어 붙여 그린 것을 보고 큰 원의 지름은 몇 cm인지 구하세요.

보기

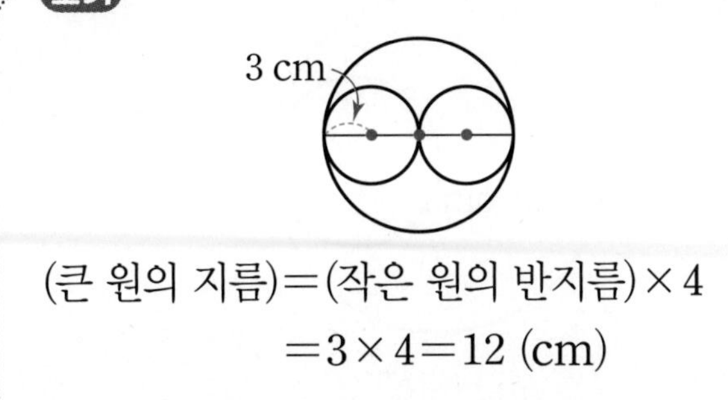

(큰 원의 지름)=(작은 원의 반지름)×4
=3×4=12 (cm)

1-1

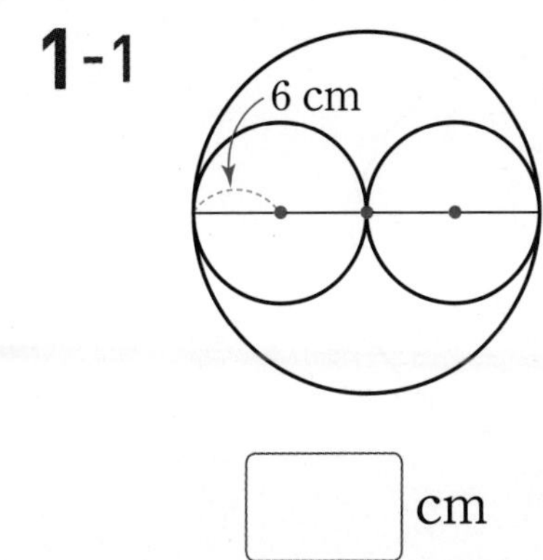

☐ cm

1-2

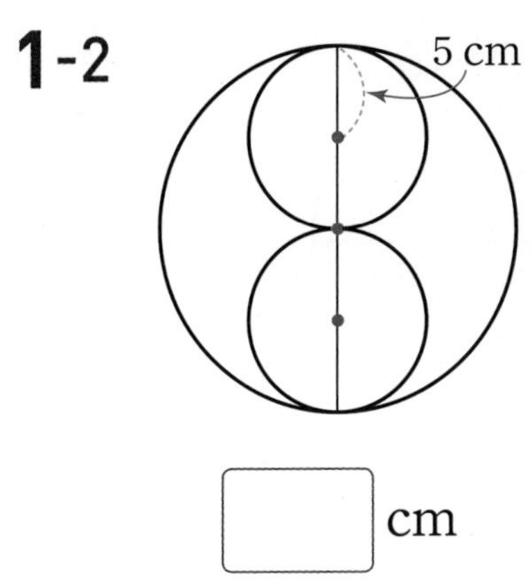

☐ cm

1-3

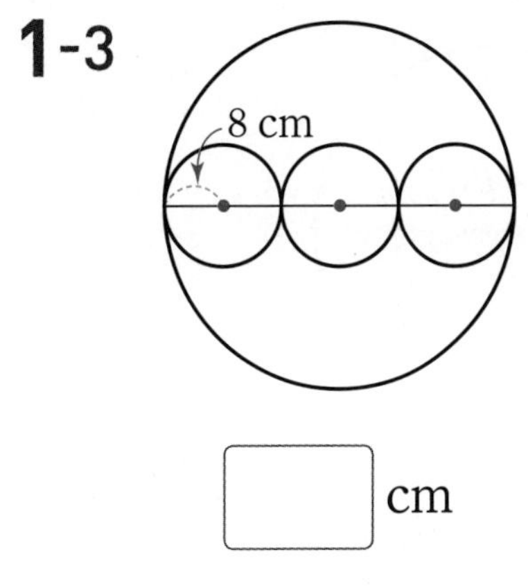

☐ cm

1-4

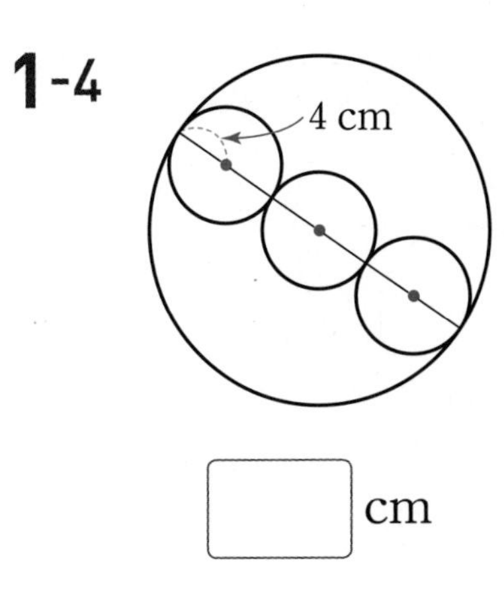

☐ cm

1-5

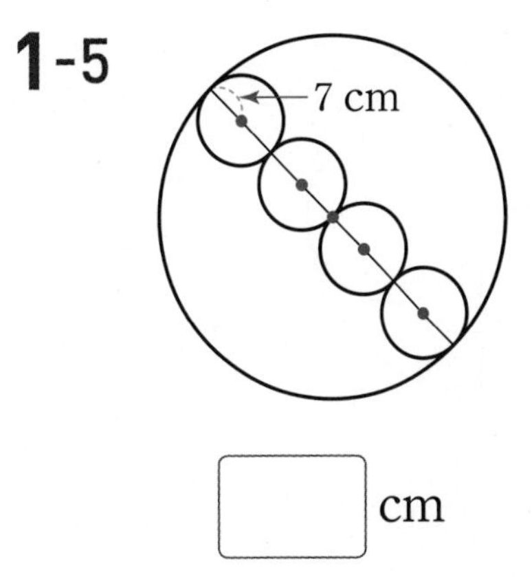

☐ cm

4주 1일

1일 원 안에 원이 있을 때 지름(반지름) 구하기

도형 집중 연습

그림에서 각 점은 원의 중심일 때 작은 원의 반지름은 몇 cm인지 구하세요.

1-1

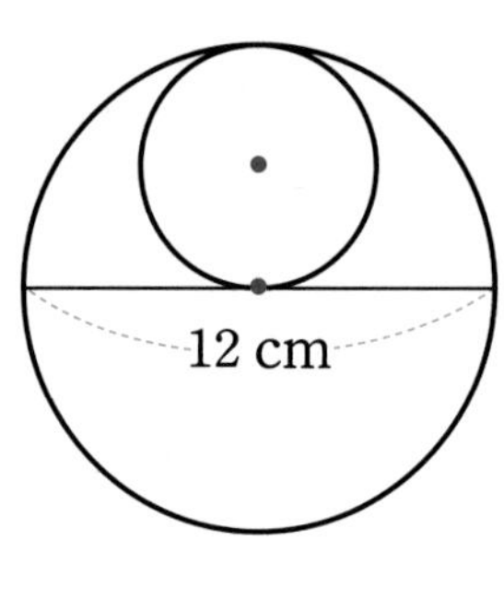

☐ cm

1-2

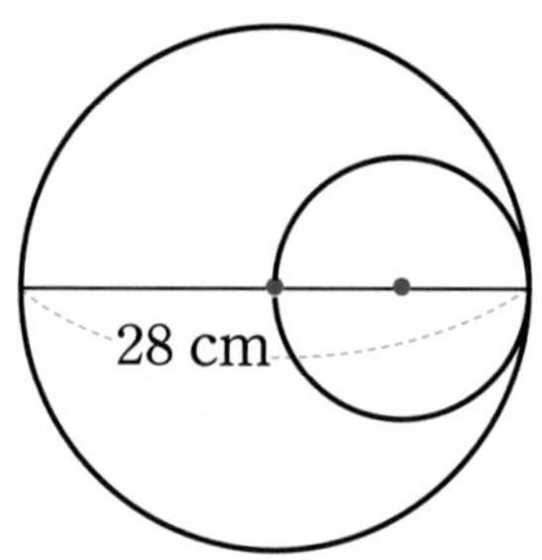

☐ cm

1-3

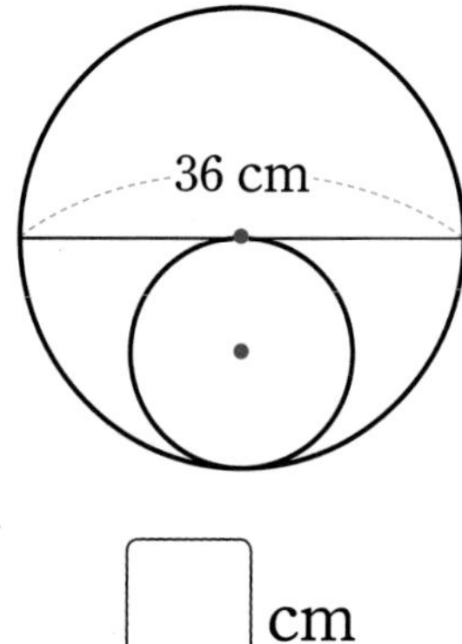

☐ cm

1-4

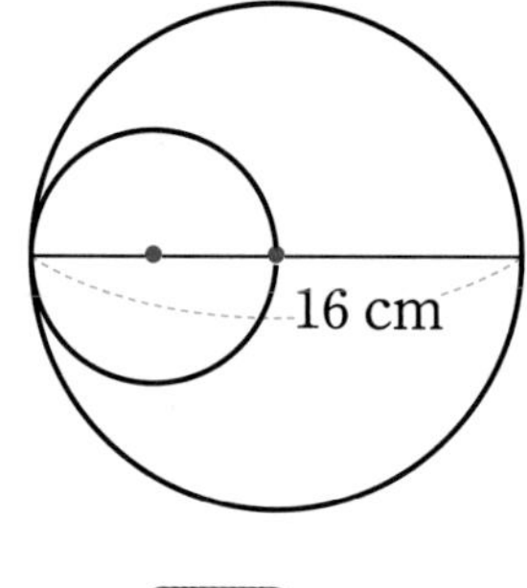

☐ cm

1-5

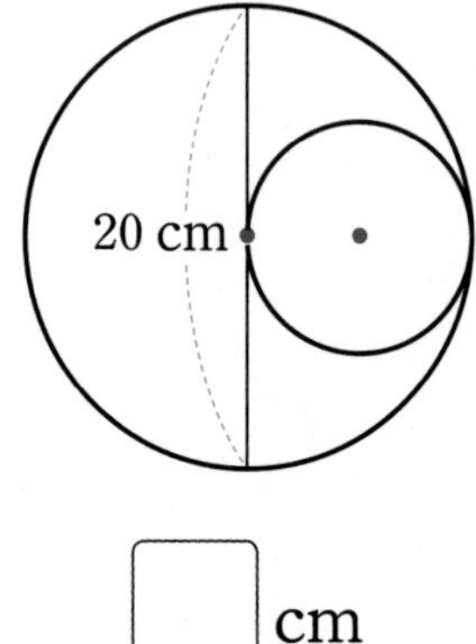

☐ cm

1-6

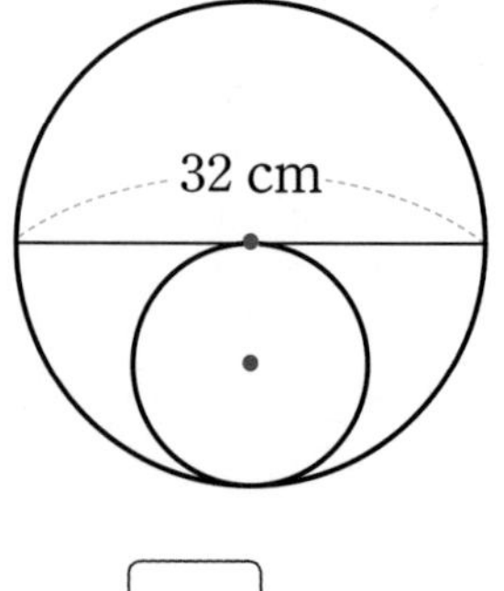

☐ cm

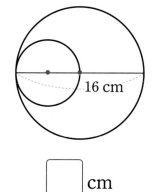

보기와 같이 각 점은 원의 중심이고 가장 큰 원에 크기가 다른 원 2개를 겹치지 않게 이어 붙여서 그렸을 때 가장 큰 원의 지름은 몇 cm인지 구하세요.

보기

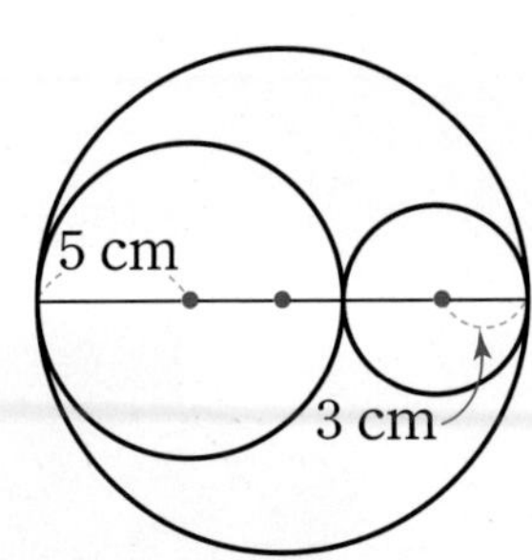

(중간 원의 지름)$=5\times 2=10$ (cm)
(가장 작은 원의 지름)$=3\times 2=6$ (cm)
⇨ (가장 큰 원의 지름)
$=$(중간 원의 지름)$+$(가장 작은 원의 지름)
$=10+6=16$ (cm)

2-1

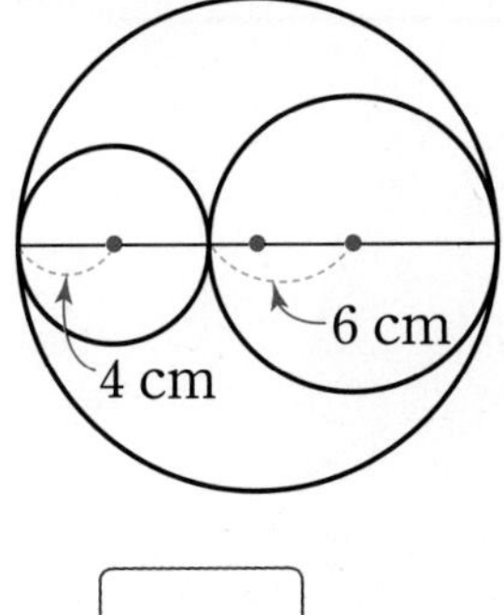

☐ cm

2-2

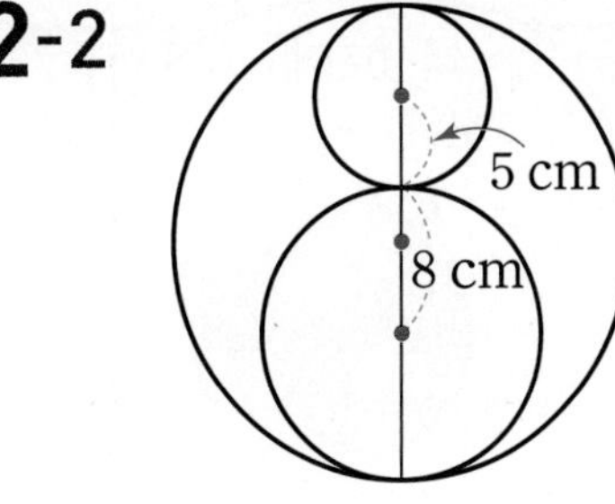

☐ cm

2-3

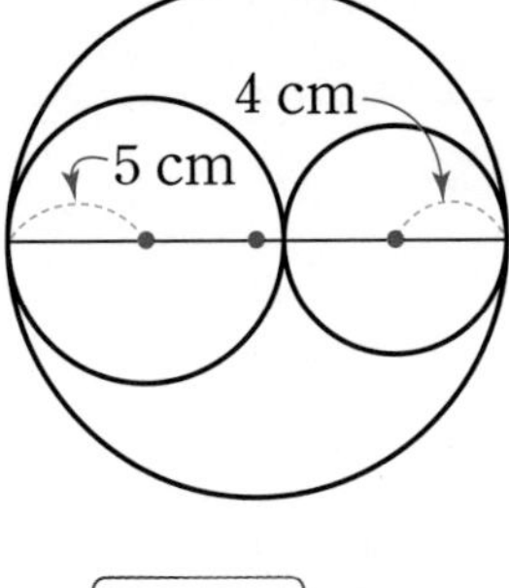

☐ cm

2-4

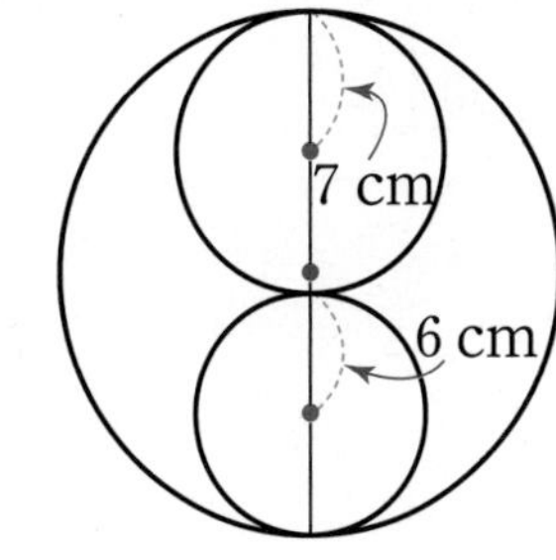

☐ cm

4주 1일

원과 사각형의 관계

오늘은 무엇을 공부할까요?

우리 가면을 쓰는 건 어때?

갑자기 무슨 말이야?

가면을 만들어 보려고 해.

더 멋지게 보이고 싶어!

꾸욱

우선 최대한 큰 원 모양이 필요한데…….

이 정사각형 모양의 종이에 그릴 수 있는 가장 큰 원을 그려 보자.

정사각형 안에 그릴 수 있는 가장 큰 원은 어떻게 그리지?

정사각형의 한 변의 길이를 원의 지름으로 하여 그릴 수 있어.

히힛

좋아! 본격적으로 만들어 볼까!

짠!

벌써부터 설레는 걸…….

음음!

도형 기본 개념

● **정사각형과 정사각형 안에 그릴 수 있는 가장 큰 원의 관계 알아보기**

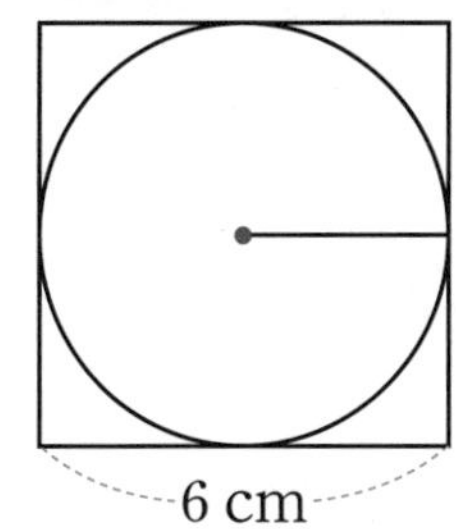

(원의 반지름)＝(원의 지름)÷2
＝(정사각형의 한 변의 길이)÷2
＝6÷2＝❶ □ (cm)

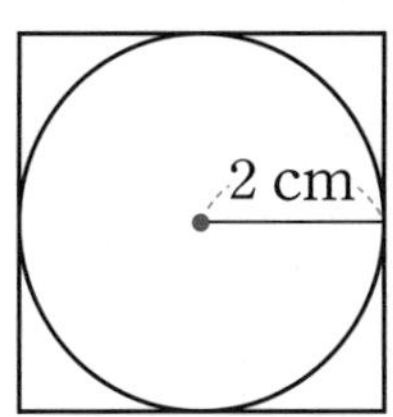

(정사각형의 한 변의 길이)＝(원의 지름)
＝(원의 반지름)×2
＝2×2＝❷ □ (cm)

정답 ❶ 3 ❷ 4

원과 사각형의 관계

활동을 통하여 개념을 알아보아요.

색종이와 컴퍼스를 사용하여 원과 정사각형의 관계 알아보기

(활동) 정사각형 안에 그릴 수 있는 가장 큰 원을 그려 보고 원의 지름(반지름) 구하기

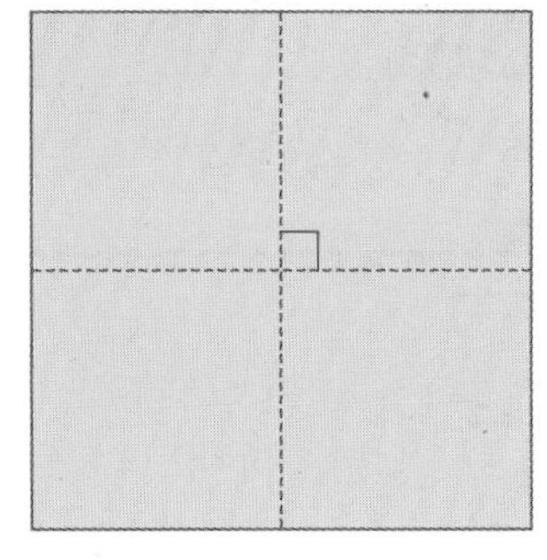

색종이를 점선을 따라 똑같이 넷으로 나누어지도록 접습니다.

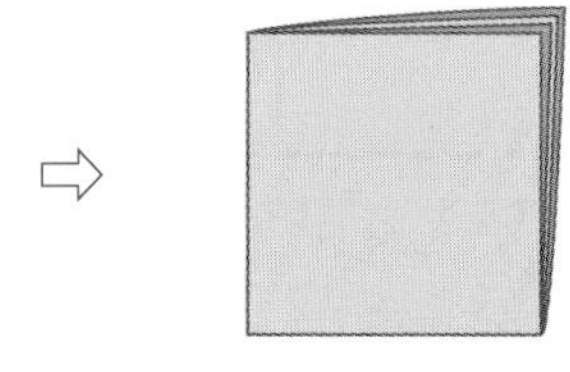

접은 종이를 펼칩니다.

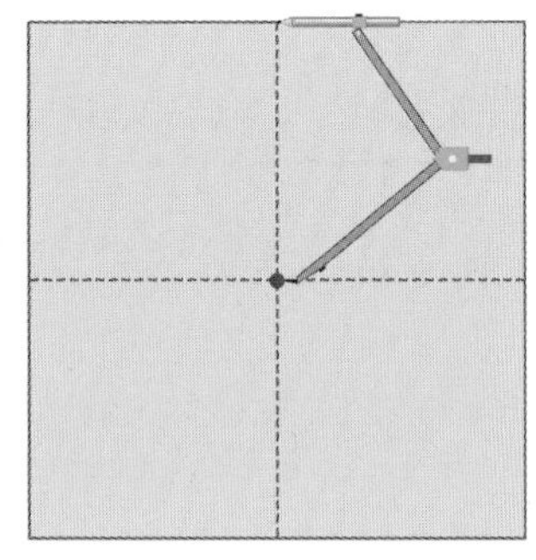

종이를 접은 선이 만나는 곳에 컴퍼스의 침을 꽂아 그릴 수 있는 가장 큰 원을 그립니다.

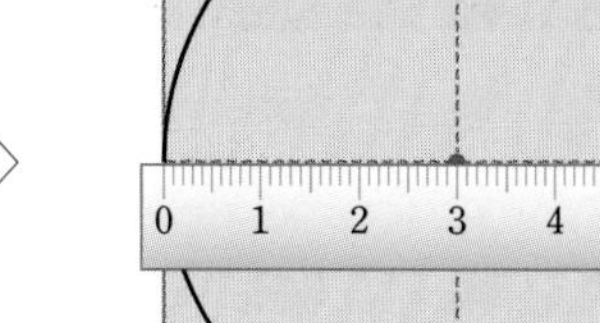

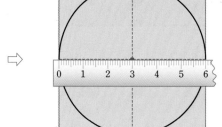

원의 지름을 자로 재어 보면 6 cm입니다.

정사각형 안에 그릴 수 있는 가장 큰 원의 지름은 정사각형의 한 변의 길이와 같은 6 cm예요.

정사각형 안에 그릴 수 있는 가장 큰 원의 반지름은 정사각형의 한 변의 길이의 절반과 같아요.

개념 짚어 보기

- 원과 정사각형의 관계

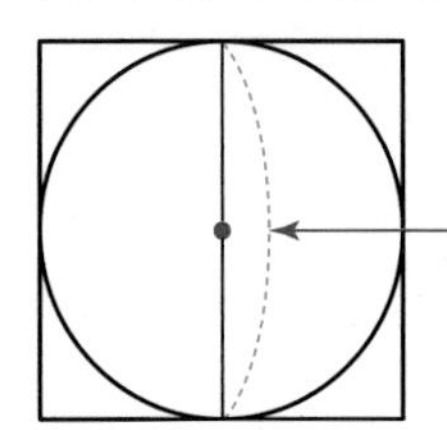

정사각형 안에 그릴 수 있는 가장 큰 원을 그렸을 때 원의 지름은 정사각형의 한 변의 길이와 같습니다.

(원의 반지름)$=$(원의 지름)$\div 2$

$=$(정사각형의 한 변의 길이)$\div 2$

활동 개념 확인

주어진 직사각형 안에 그릴 수 있는 가장 큰 원의 반지름은 몇 cm인지 구하세요.

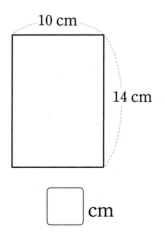

1-1

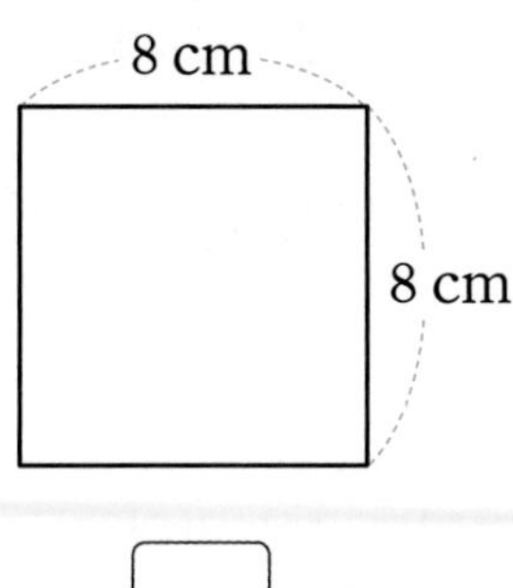

☐ cm

1-2

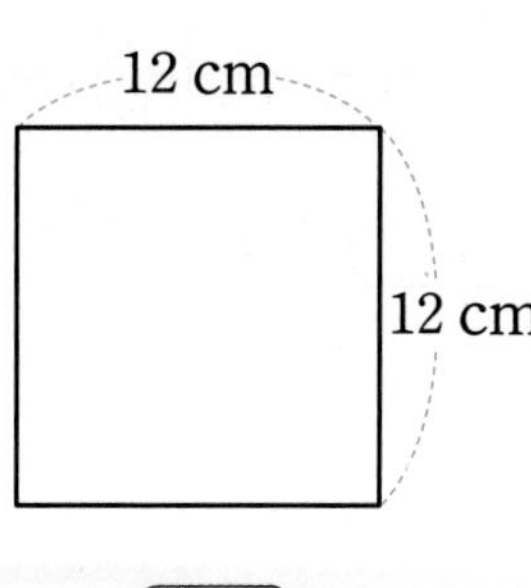

☐ cm

1-3

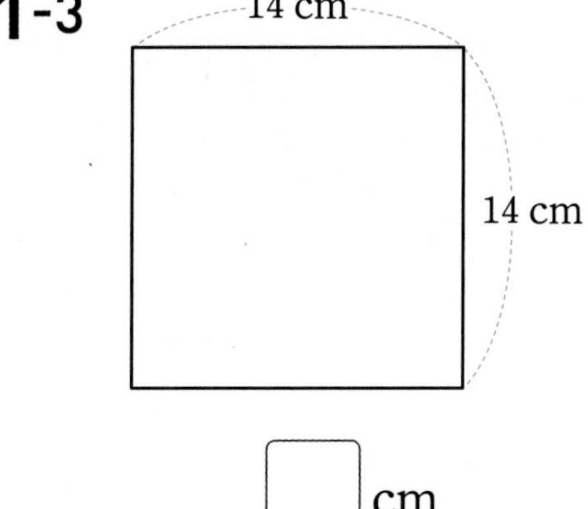

☐ cm

1-4

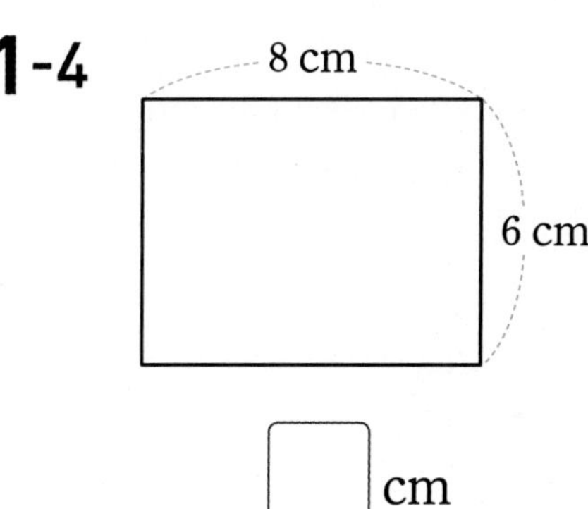

☐ cm

1-5

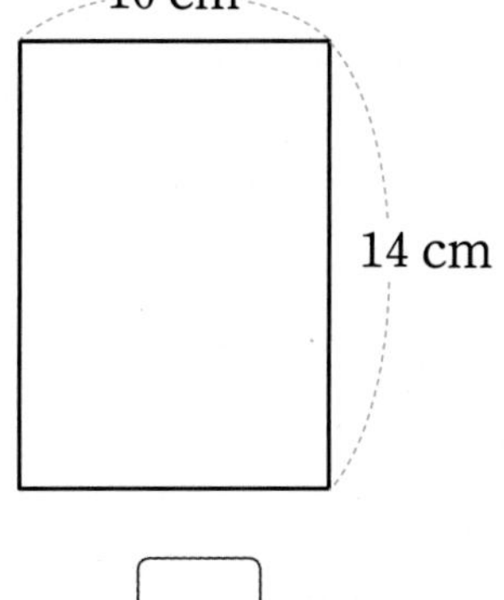

☐ cm

1-6

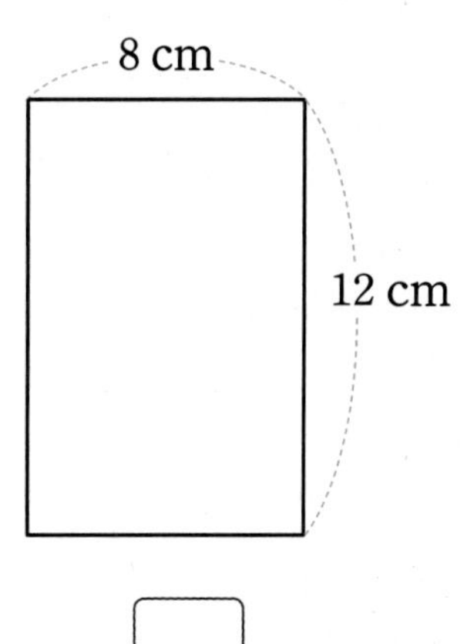

☐ cm

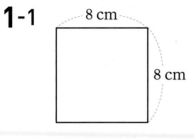

2일 원과 사각형의 관계

도형 집중 연습

보기 와 같이 주어진 직사각형을 이용하여 작은 원의 지름은 몇 cm인지 구하세요.

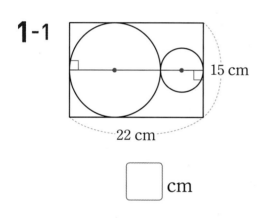

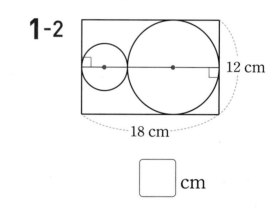

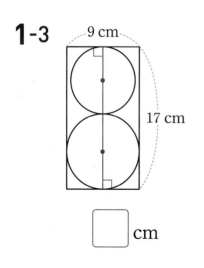

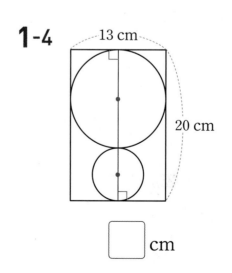

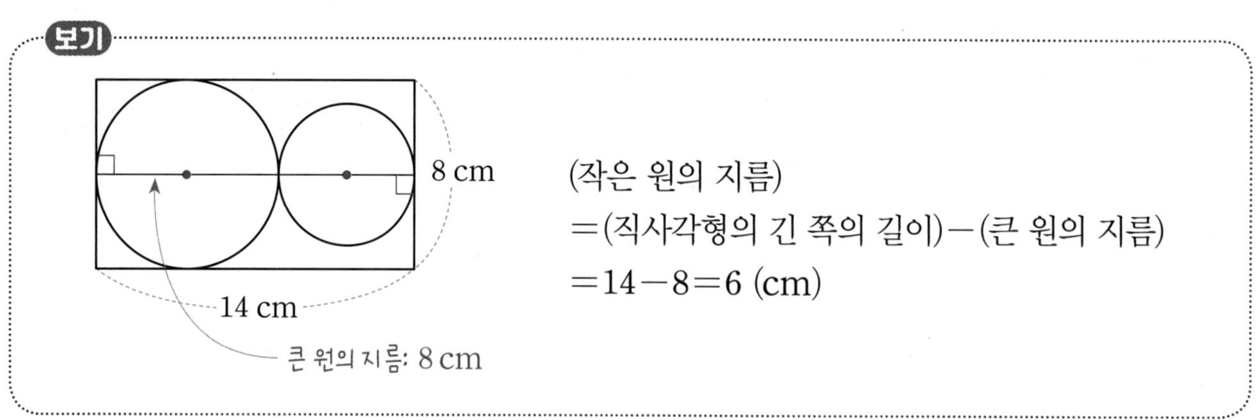

보기
8 cm
14 cm
큰 원의 지름: 8 cm
(작은 원의 지름)
=(직사각형의 긴 쪽의 길이)−(큰 원의 지름)
=14−8=6 (cm)

1-1

15 cm

22 cm

☐ cm

1-2

12 cm

18 cm

☐ cm

1-3

9 cm

17 cm

☐ cm

1-4

13 cm

20 cm

☐ cm

보기 와 같이 주어진 직사각형을 이용하여 □ 안에 알맞은 수를 써넣으세요.

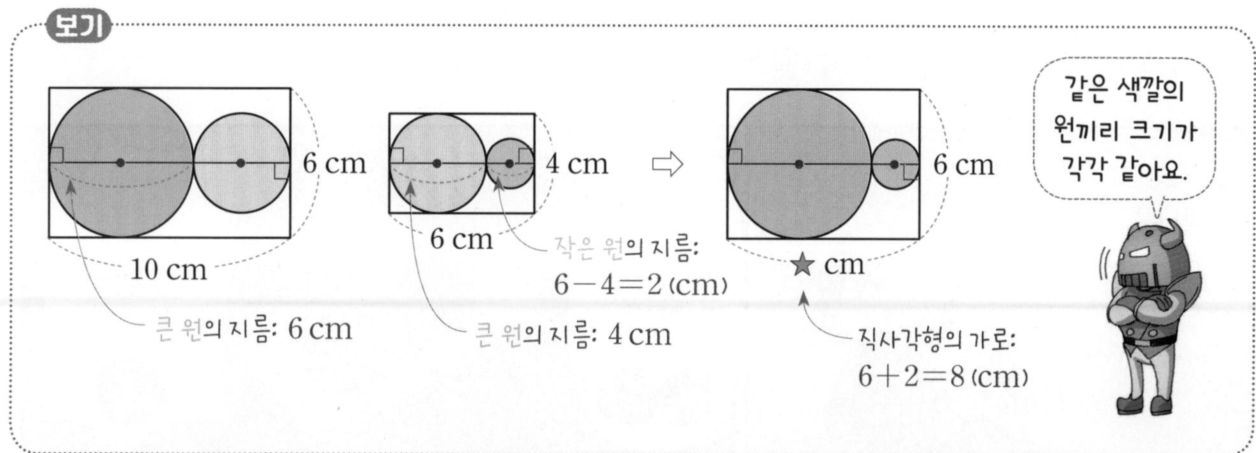

2-1

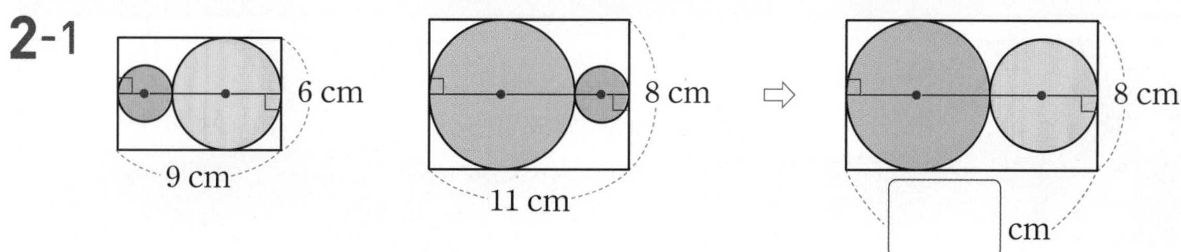

2-2

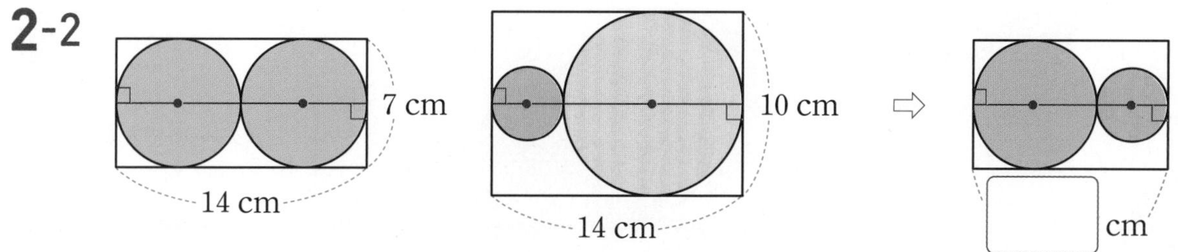

2-3

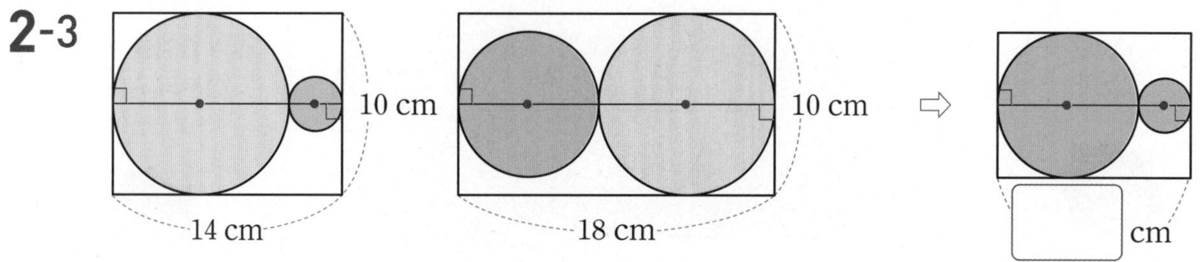

4주
2일

크기가 같은 원에서 선분의 길이 구하기

오늘은 무엇을 공부할까요?

내가 맛있는 달고나를 만들었어.

짜잔!

맛있겠다! 잘 먹을게~.

잠깐만!

지금 달고나를 먹을 때가 아니야.

두둥

뭐지? 오늘은 꽤 심각해 보이는데?

글쎄. 왜 저러지…….

수군

수군

자! 잘 봐.

2cm

달고나가 반지름이 2 cm인 원 모양이야.

게다가 달고나 4개는 2 cm씩 겹쳐져 있잖아.

2cm 2cm 2cm 2cm 2cm

2×5=10(cm)

그렇다면 겹쳐져 있는 원의 중심을 지나는 선분의 길이는 10 cm야!

도형 기본 개념

● **크기가 같은 원을 다음과 같이 겹치게 그린 모양에서 원의 중심을 지나는 선분의 길이 구하기**

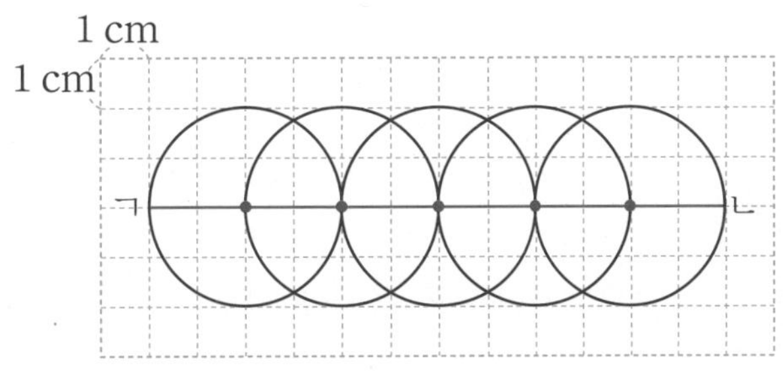

원의 반지름은 2 cm이고 선분 ㄱㄴ은 원의 반지름의 6배와 같습니다.

(선분 ㄱㄴ)=(원의 반지름)×6

=2×6=❶ ☐ (cm)

참고

(선분 ㄱㄴ)=(원의 지름)×3=4×3=12 (cm)

(원의 반지름)×2=2×2
=4 (cm)

정답 ❶ 12

크기가 같은 원에서 선분의 길이 구하기

활동을 통하여 해결 방법을 알아보아요.

◎ 반지름이 2 cm인 원을 서로 원의 중심을 지나도록 그렸을 때 주어진 선분의 길이 구하기

 반지름이 2 cm인 원 2개를 겹쳤을 때

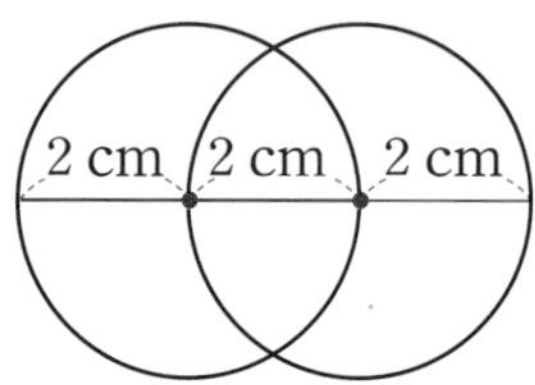

(빨간색 선분의 길이)=(원의 반지름)×3
=2×3=6 (cm)

 반지름이 2 cm인 원 3개를 겹쳤을 때

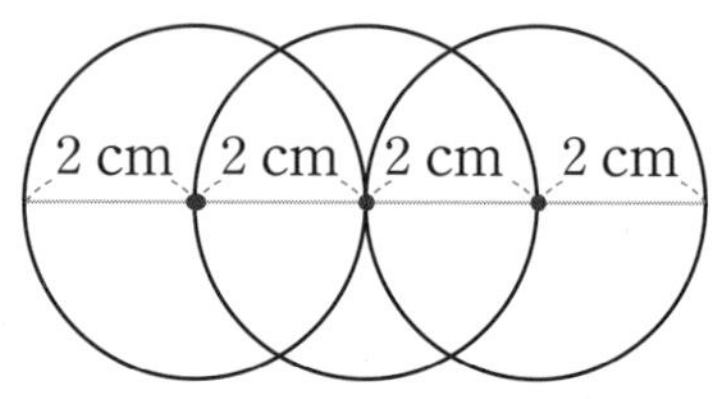

(노란색 선분의 길이)=(원의 반지름)×4
=2×4=8 (cm)

 반지름이 2 cm인 원 4개를 겹쳤을 때

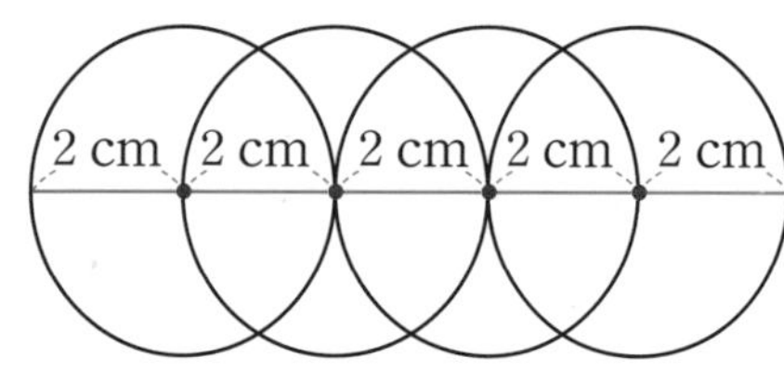

(초록색 선분의 길이)=(원의 반지름)×5
=2×5=10 (cm)

해결 방법 짚어 보기

• 크기가 같은 원을 서로 원의 중심을 지나도록 겹치게 그렸을 때 원의 중심을 지나는 선분의 길이는 반지름의 몇 배인지 찾아 구합니다.

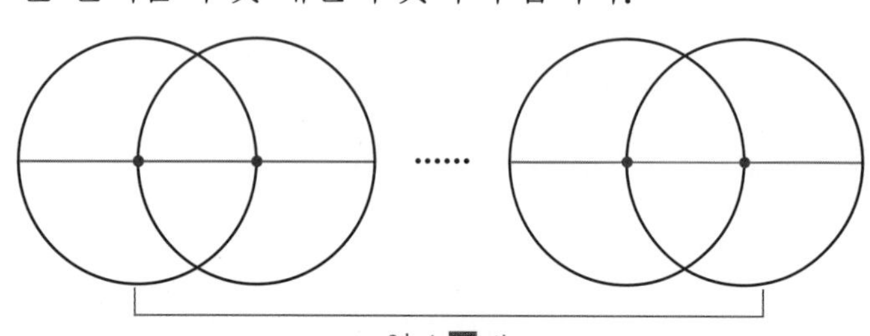

파란색 선분의 길이는 원의 반지름의 (■+1)배와 같습니다.

해결 방법 확인

크기가 같은 원을 서로 원의 중심을 지나도록 겹쳐서 그렸습니다. □ 안에 알맞은 수를 써넣으세요.

1-1

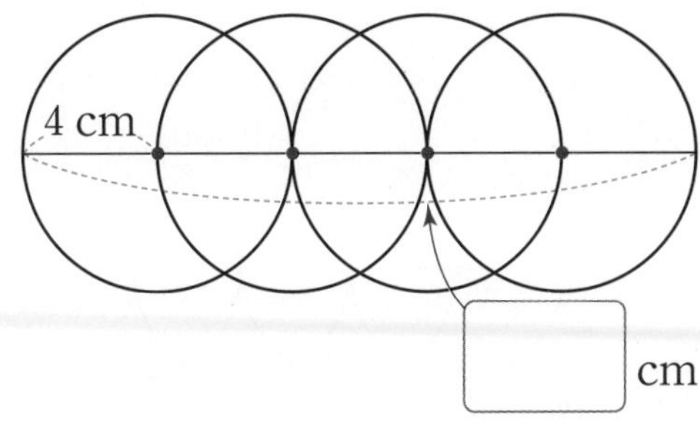

1-2

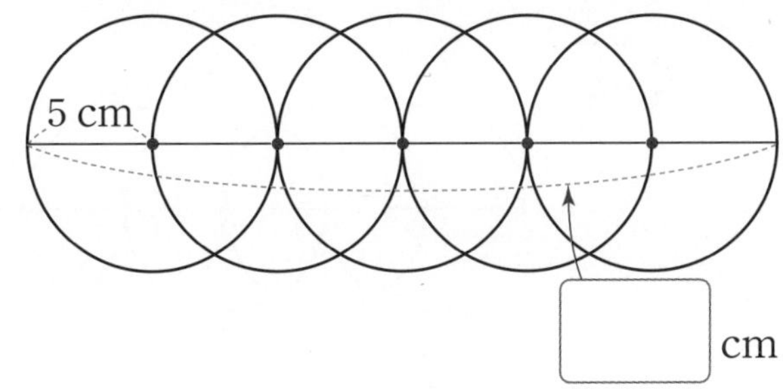

1-3

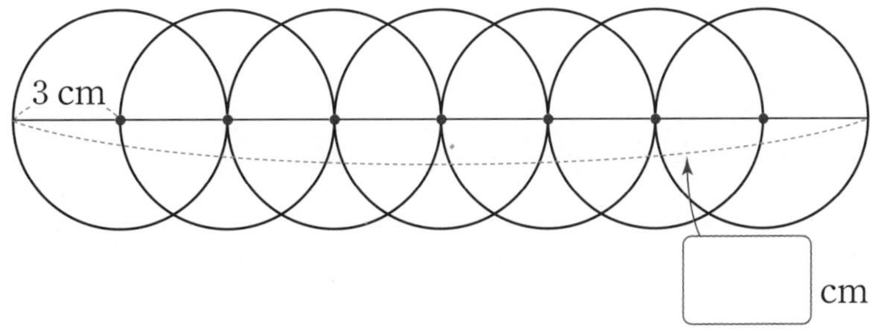

1-4

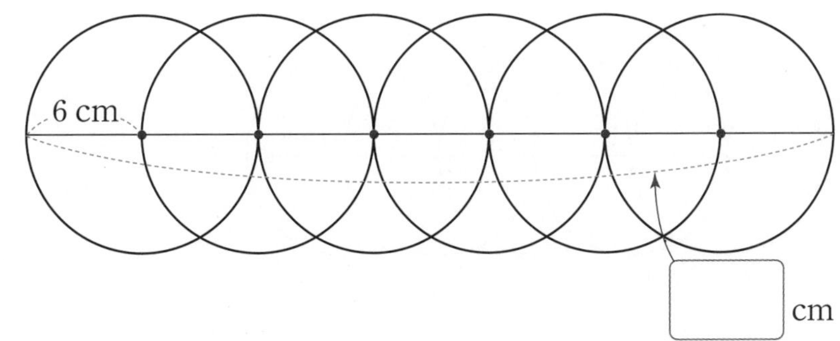

4주 3일

3일 크기가 같은 원에서 선분의 길이 구하기

도형 집중 연습

크기가 같은 원을 서로 원의 중심을 지나도록 겹쳐서 그렸습니다. □ 안에 알맞은 수를 써넣으세요.

1-1

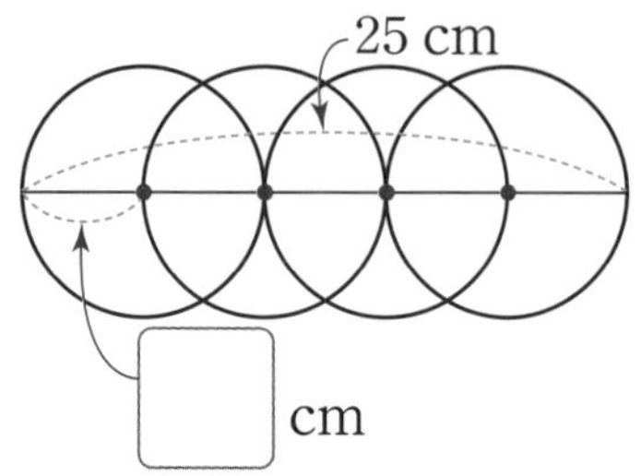

1-2

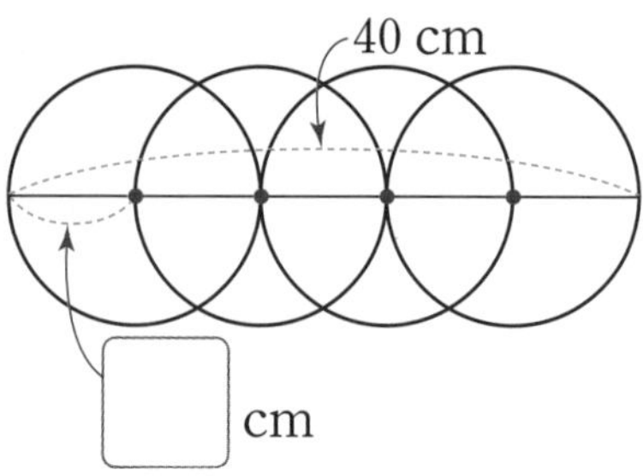

1-3

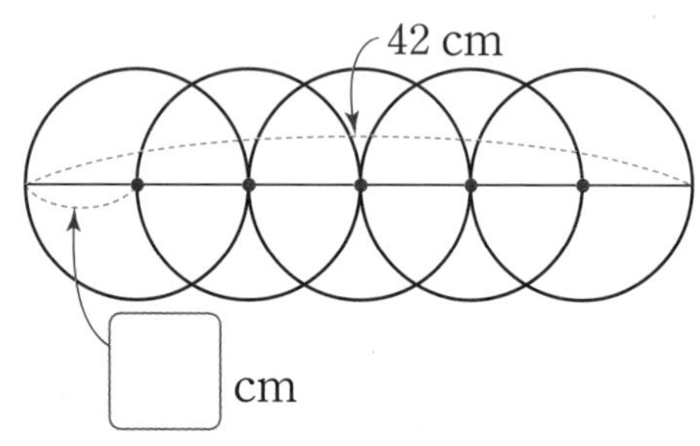

1-4

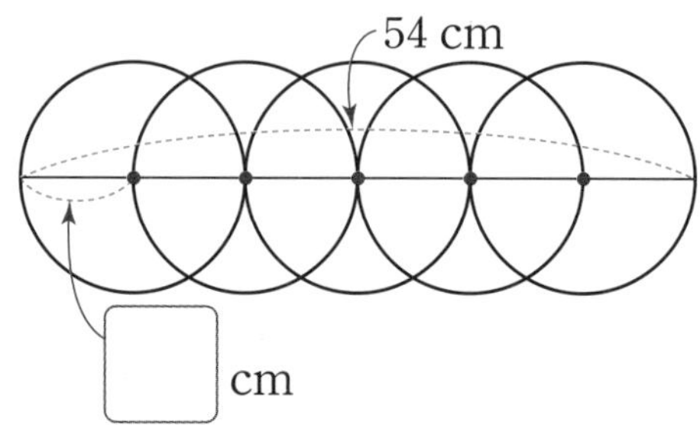

1-5

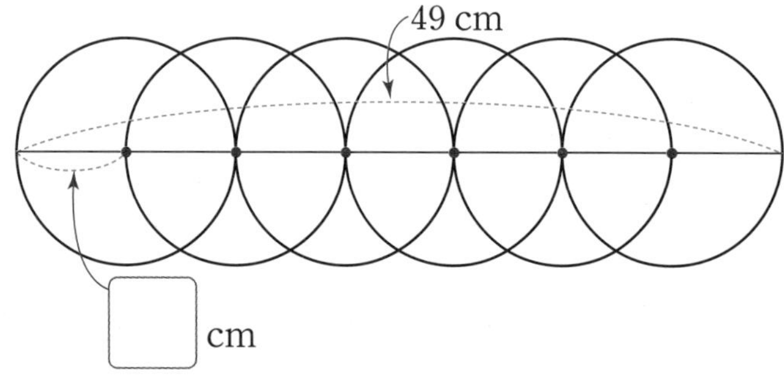

1-6

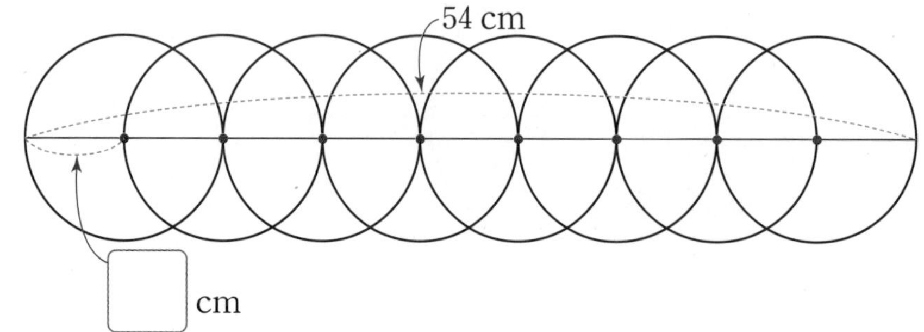

크기가 같은 원을 서로 원의 중심을 지나도록 겹쳐서 그렸습니다. 원을 몇 개 그린 것인지 구하세요.

2-1

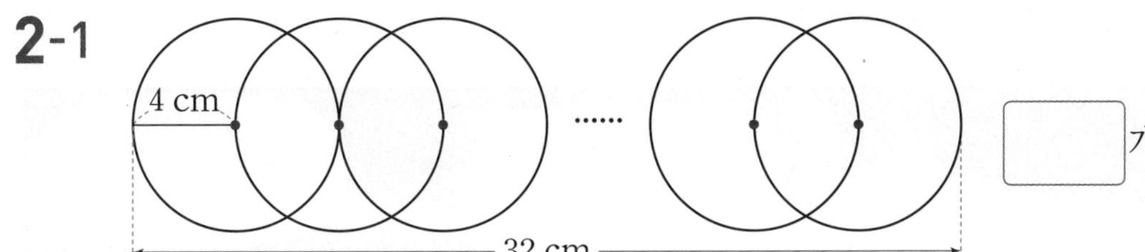

☐개

2-2

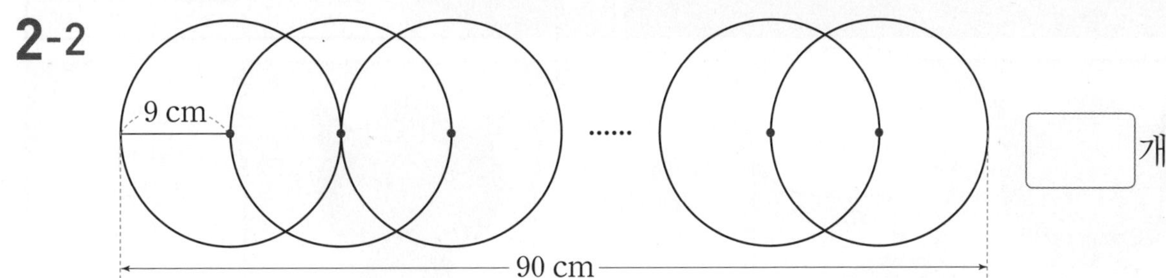

☐개

2-3

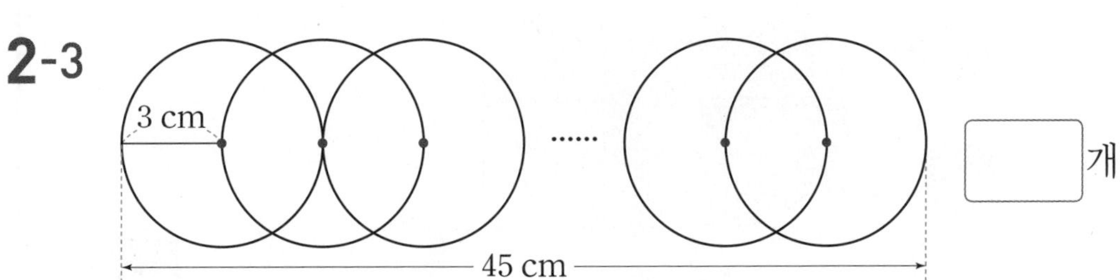

☐개

2-4

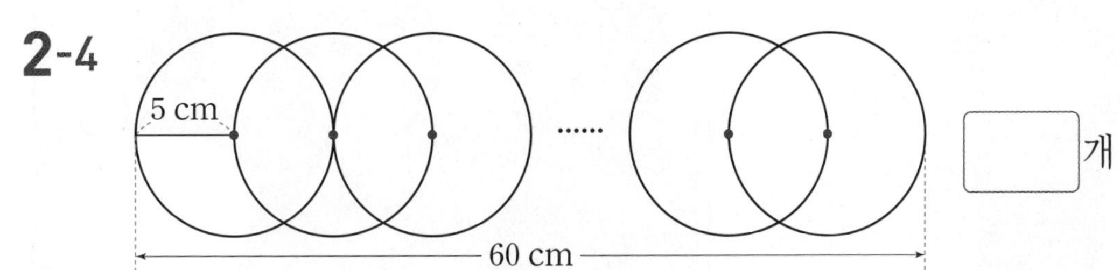

☐개

4주 3일

중심을 이어 만든 도형의 변의 길이의 합 구하기

오늘은 무엇을 공부할까요?

여기가 우핫맨의 비밀 기지란 말이지…….

우핫맨! 숨지말고 나와라!

근데 우리 대마왕을 찾아야 하지 않아?

뭔가 잘못됐어~

응? 이건 뭐지?

부엉이 로봇인가 봐. 근데 부리가 없네?

그래서 작동을 안 하는 것 같은데? 부리를 그려 넣어 볼까?

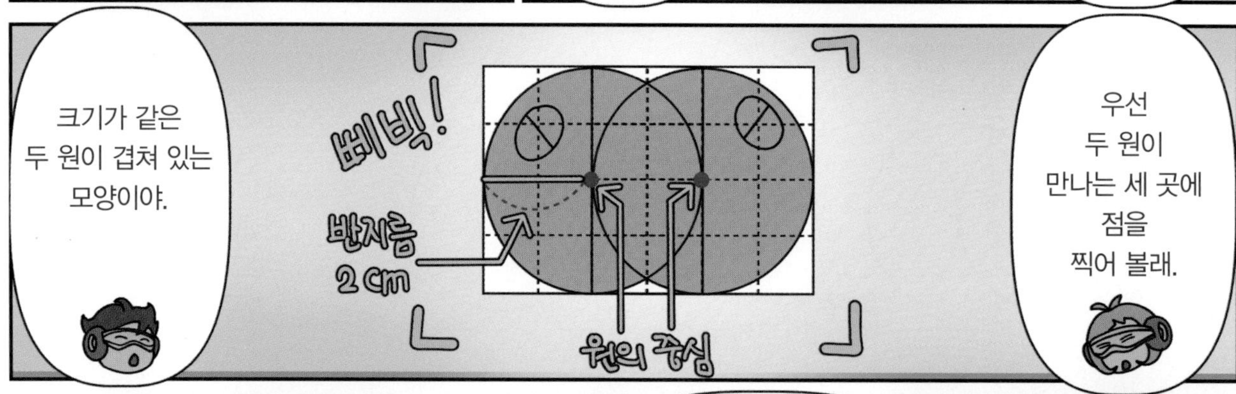

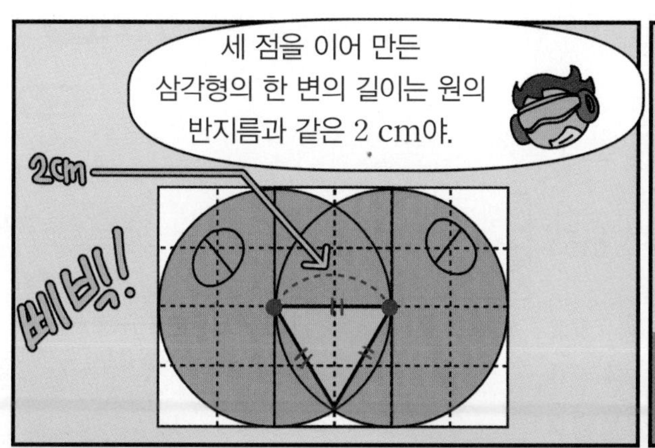

도형 기본 개념

- **크기가 같은 두 원을 이용하여 만든 도형의 모든 변의 길이의 합 구하기**

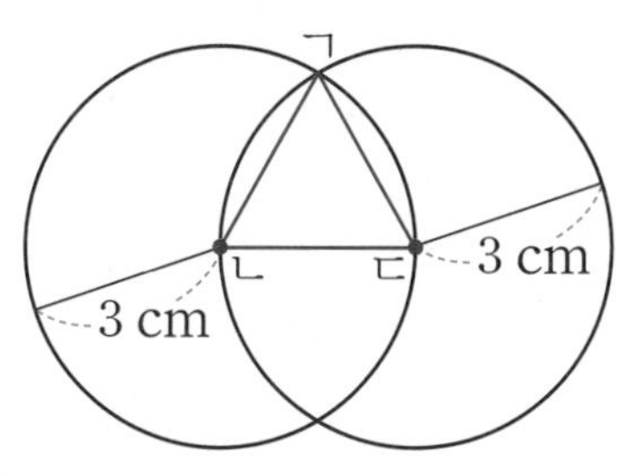

(삼각형 ㄱㄴㄷ의 세 변의 길이의 합)
=(선분 ㄱㄴ)+(선분 ㄴㄷ)+(선분 ㄷㄱ)
=3+3+3=❶☐(cm)

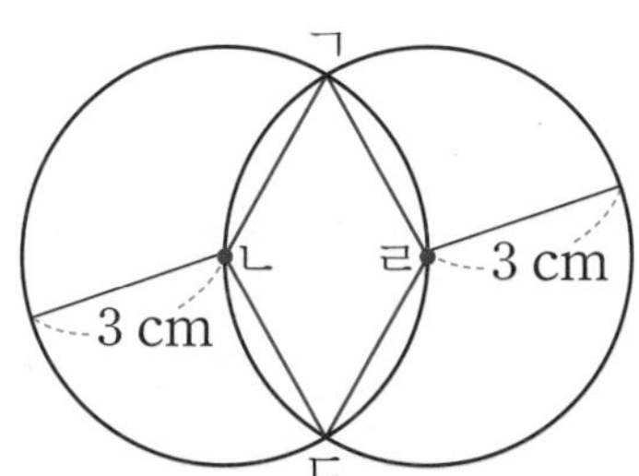

(사각형 ㄱㄴㄷㄹ의 네 변의 길이의 합)
=(선분 ㄱㄴ)+(선분 ㄴㄷ)+(선분 ㄷㄹ)+(선분 ㄹㄱ)
=3+3+3+3=❷☐(cm)

정답 ❶ 9 ❷ 12

4일 중심을 이어 만든 도형의 변의 길이의 합 구하기

활동을 통하여 해결 방법을 알아보아요.

원의 중심을 이어 만든 삼각형의 세 변의 길이의 합 구하기

(활동) 반지름이 2 cm인 두 원의 중심과 두 원이 만나는 한 점을 이어 만들어 보고 삼각형의 세 변의 길이의 합 구하기

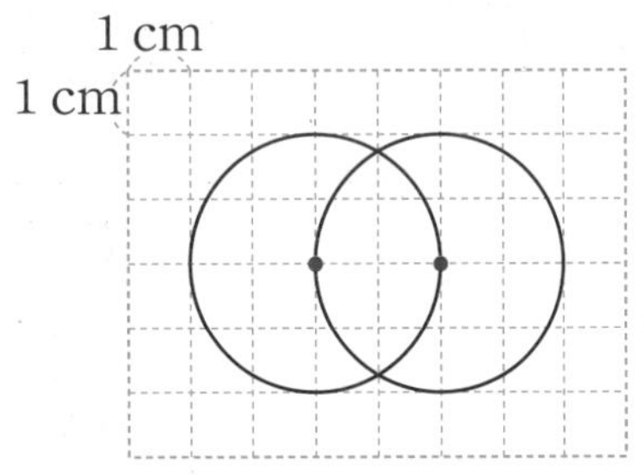

모눈종이 위에 반지름이 2 cm인 두 원을 서로 원의 중심이 지나도록 그립니다.

⇨

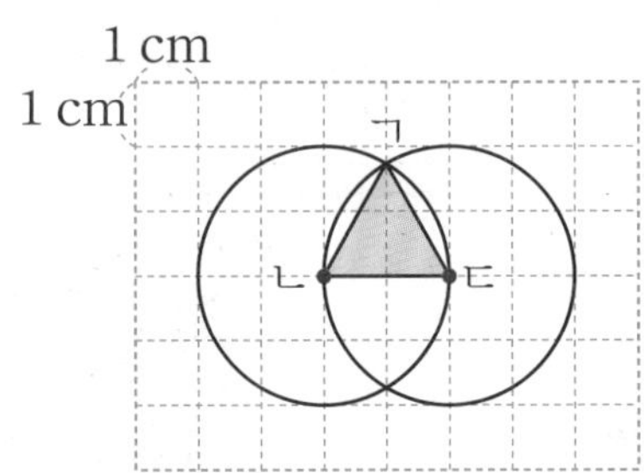

두 원의 중심인 점 ㄴ, 점 ㄷ과 두 원이 만나는 점 ㄱ을 이어 삼각형을 만듭니다.

⇨

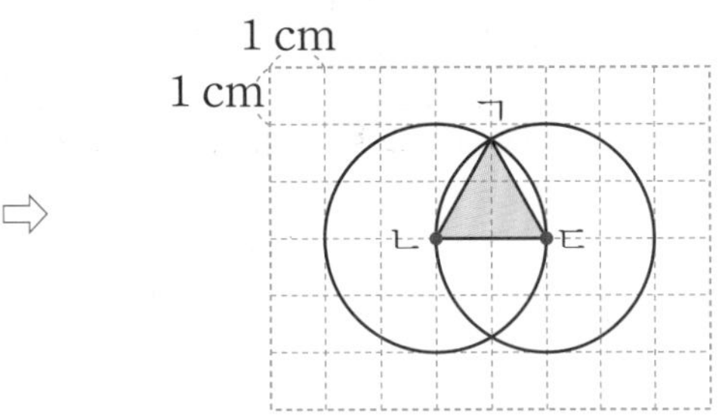

변 ㄱㄴ, 변 ㄴㄷ, 변 ㄷㄱ은 원의 반지름과 같으므로 2 cm입니다.

⇨

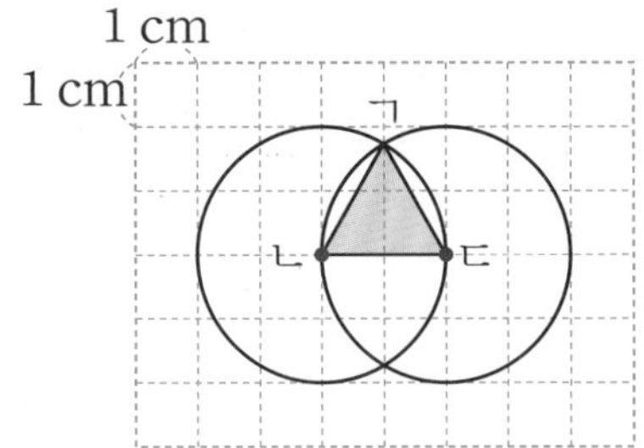

(삼각형의 세 변의 길이의 합)
=(변 ㄱㄴ)+(변 ㄴㄷ)+(변 ㄷㄱ)
=2+2+2=6 (cm)

해결 방법 짚어 보기

- 크기가 같은 두 원을 서로 원의 중심이 지나도록 그려 만든 삼각형의 각 변의 길이는 원의 반지름과 같습니다.
  ⇨ (삼각형의 세 변의 길이의 합)
  =(원의 반지름)×3

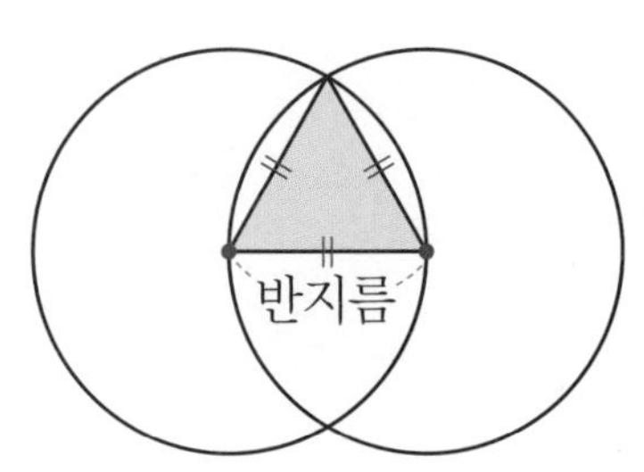

해결 방법 확인

크기가 같은 두 원의 중심과 두 원이 만나는 점을 이어 도형을 그렸습니다. 색칠한 도형의 모든 변의 길이의 합은 몇 cm인지 구하세요.

1-1

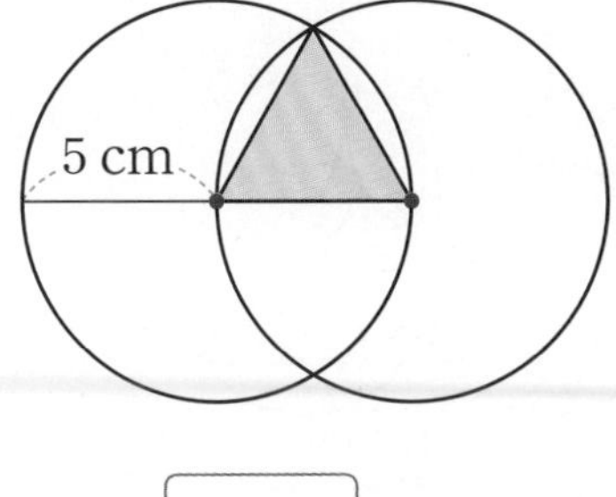

☐ cm

1-2

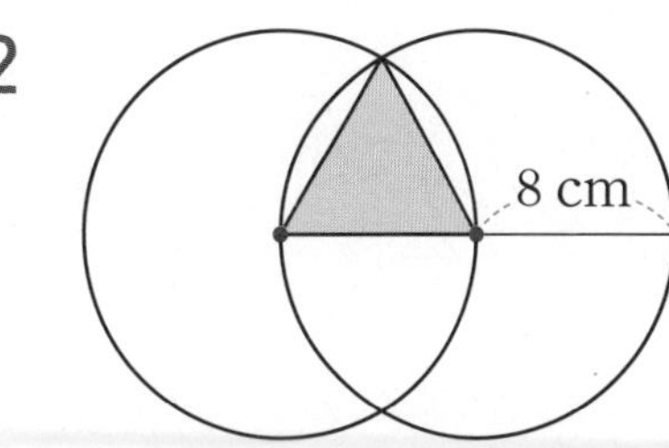

☐ cm

1-3

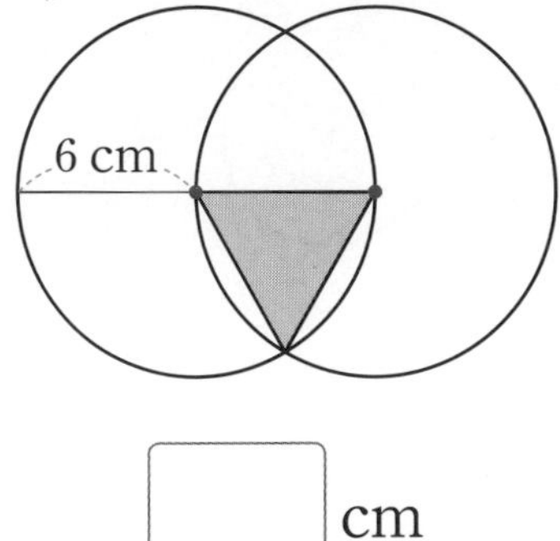

☐ cm

1-4

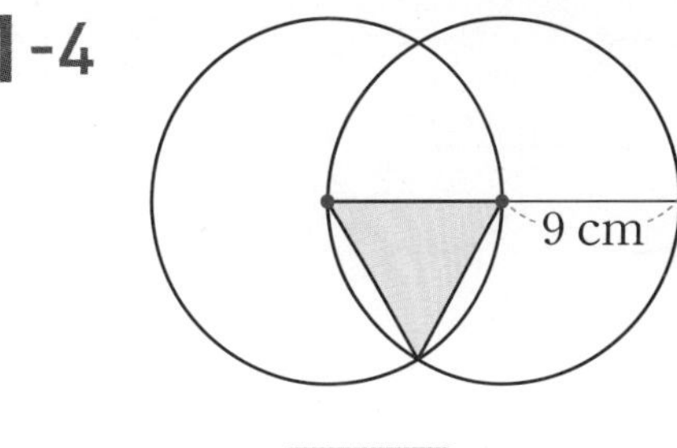

☐ cm

1-5

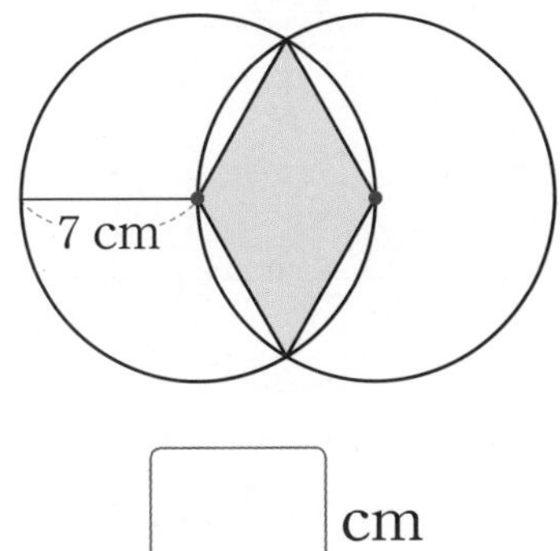

☐ cm

1-6

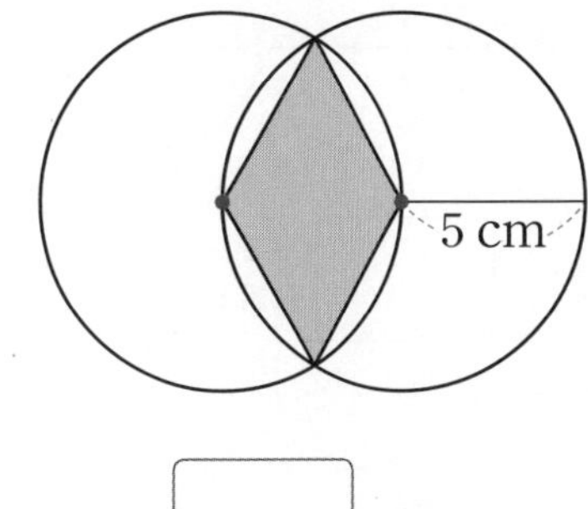

☐ cm

4주 4일

4일 중심을 이어 만든 도형의 변의 길이의 합 구하기

보기 와 같이 크기가 같은 원을 맞닿게 그린 후 원의 중심을 이어 도형을 만들었을 때 만든 도형의 모든 변의 길이의 합은 몇 cm인지 구하세요.

보기

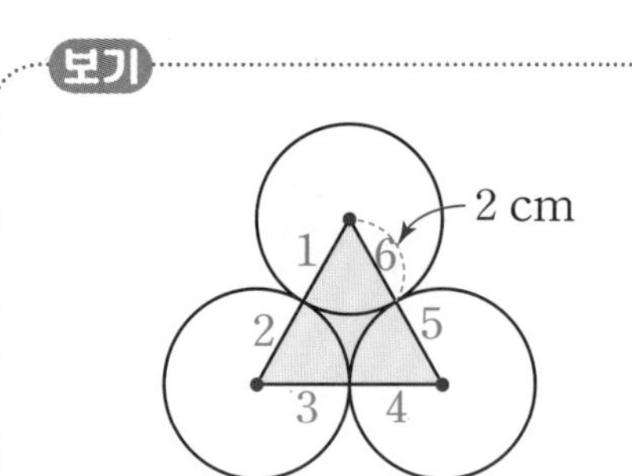

만든 도형의 모든 변의 길이의 합은 원의 반지름의 6배와 같으므로 $2 \times 6 = 12$ (cm)입니다.

1-1

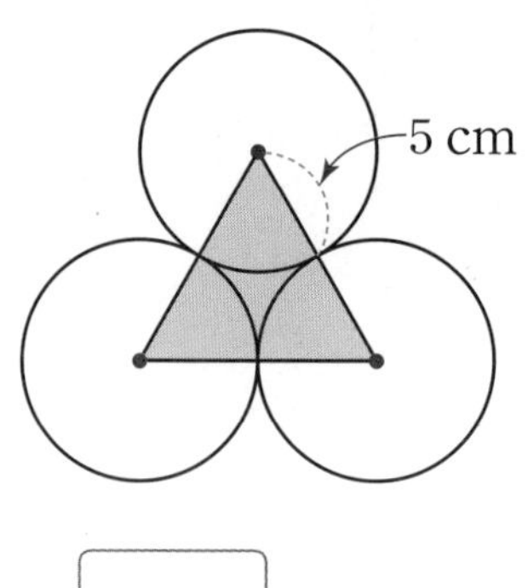

☐ cm

1-2

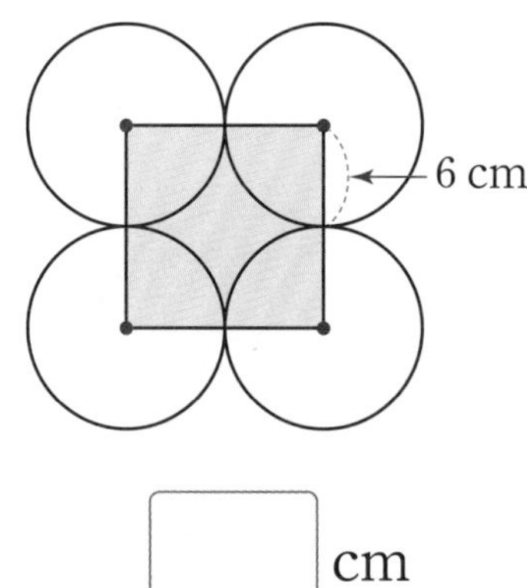

☐ cm

1-3

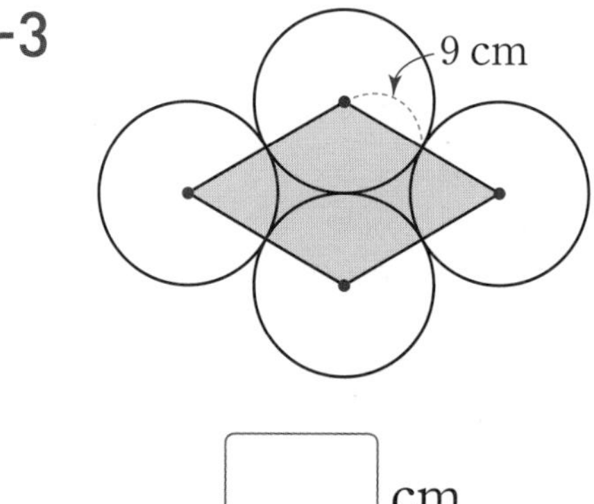

☐ cm

1-4

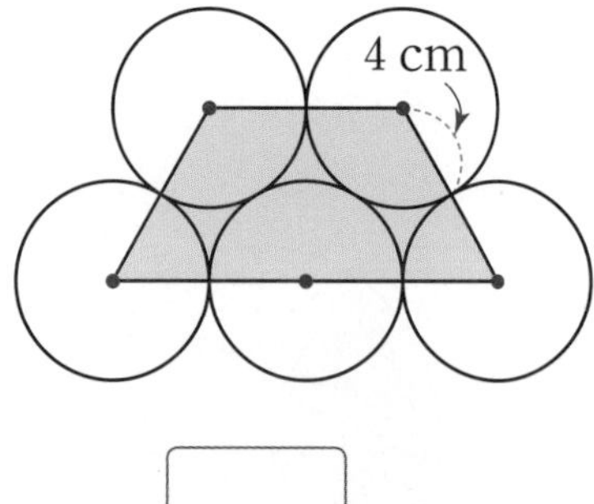

☐ cm

1-5

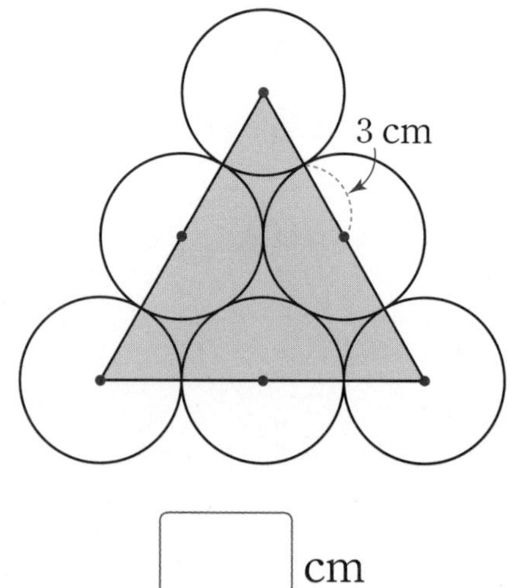

☐ cm

원을 맞닿게 그린 후 각 원의 중심을 이어 도형을 만들었습니다. 만든 도형의 모든 변의 길이의 합은 몇 cm인지 구하세요.

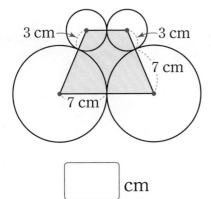

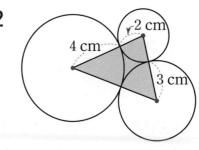

2-1

4 cm, 7 cm, 7 cm

☐ cm

2-2

2 cm, 4 cm, 3 cm

☐ cm

2-3

3 cm, 3 cm, 7 cm, 7 cm

☐ cm

2-4

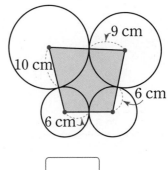

9 cm, 10 cm, 6 cm, 6 cm

☐ cm

4주 4일

3 운동장에서 예지와 윤우가 원을 그린 다음 우핫맨이 각 원의 중심을 이어 도형을 만들었습니다. 우핫맨이 만든 도형의 모든 변의 길이의 합은 몇 m인지 구하세요.

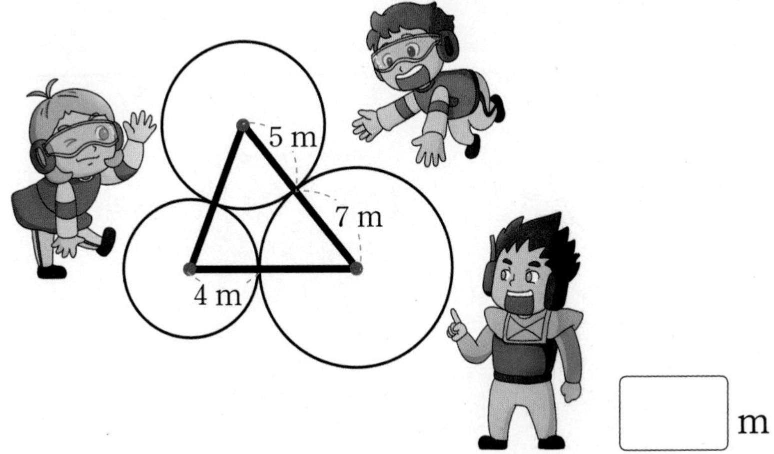

☐ m

원의 지름을 이용하여 주어진 길이 구하기

오늘은 무엇을 공부할까요?

나는 공부가 체질에 맞는 것 같아.
갑자기 왜 안 하던 공부를 다 해?
소풍날
오늘 점심에 뭐 먹을지 열심히 공부했지!
역시 소풍엔 김밥이야.
내가 좋아하는 김밥~.
친구들! 오늘이 소풍날이었구나.
슝-
번쩍!
자, 이 김밥의 지름을 이용하여…….
직사각형 모양의 도시락 통의 길이를 알아보자.
휙
김밥의 지름은 4…….
김밥의 지름은 4 cm이고!
쓱
도시락 통의 세로에는 김밥이 3…….
세로에는 김밥이 3개 있군.

도형 기본 개념

● **크기가 같은 여러 개의 원의 지름(반지름)을 이용하여 원과 직사각형의 관계 알아보기**

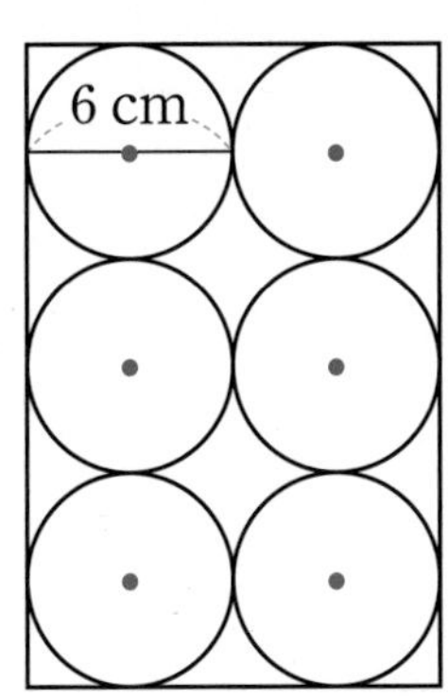

• (직사각형의 가로)=(원의 지름)×2

=6×2=❶☐ (cm)

• (직사각형의 세로)=(원의 지름)×3

=6×3=❷☐ (cm)

참고

직사각형의 네 변의 길이의 합을 구할 때에는 원의 지름의 몇 배인지 알아봅니다.

(직사각형의 네 변의 길이의 합)=(원의 지름)×10

=6×10=60 (cm)

정답 ❶ 12 ❷ 18

5일 원의 지름을 이용하여 주어진 길이 구하기

활동을 통하여 해결 방법을 알아보아요.

원 모양의 김밥의 지름을 이용하여 도시락 통의 가로와 세로 구하기

지름이 4 cm인 김밥을 도시락 통에 오른쪽과 같이 담았어요. 도시락 통의 가로와 세로는 각각 몇 cm일까요?

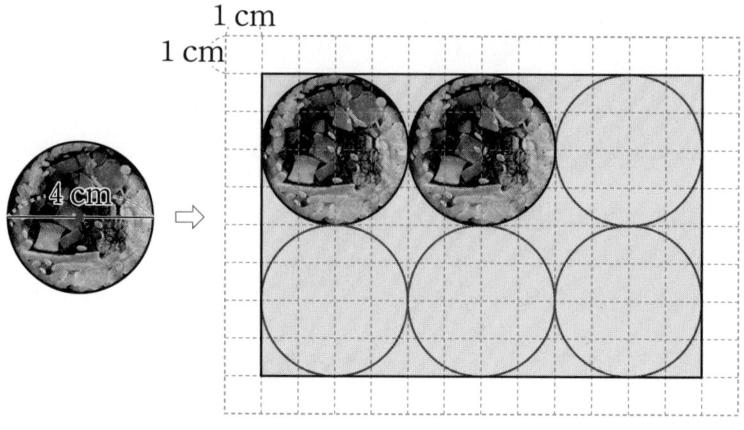

활동 1 도시락 통의 가로 구하기

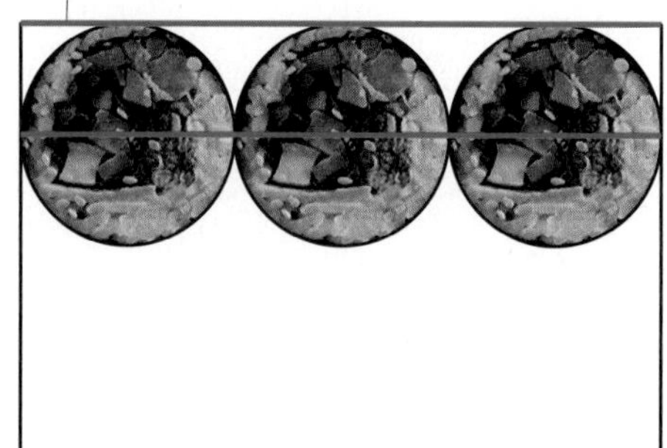

도시락 통의 가로에는
김밥이 3개 들어 갔어요.

(도시락 통의 가로)
=(김밥의 지름)×3
=4×3=12 (cm)

활동 2 도시락 통의 세로 구하기

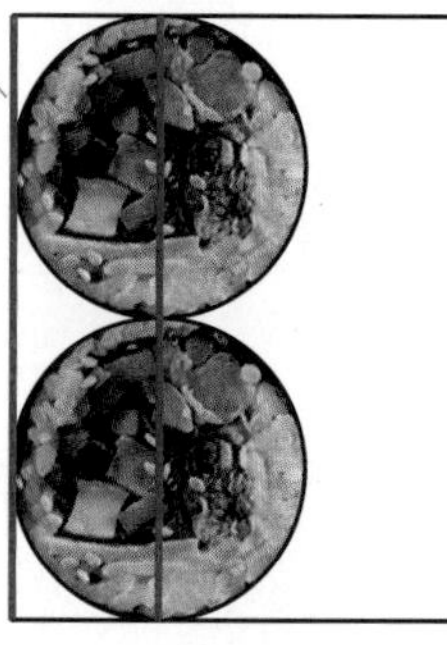

(도시락 통의 세로)
=(김밥의 지름)×2
=4×2=8 (cm)

해결 방법 짚어 보기

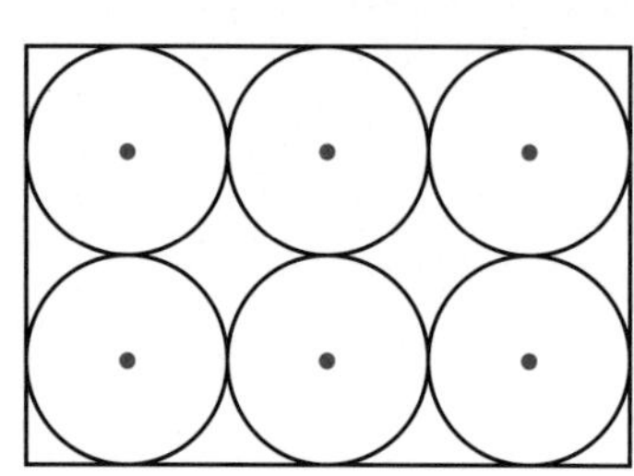

- (직사각형의 가로)=(원의 지름)×3
  =(원의 반지름)×6
- (직사각형의 세로)=(원의 지름)×2
  =(원의 반지름)×4

해결 방법 확인

직사각형 모양의 상자에 크기가 같은 원 모양의 마카롱이 들어 있습니다. □ 안에 알맞은 수를 써넣으세요.

1-1

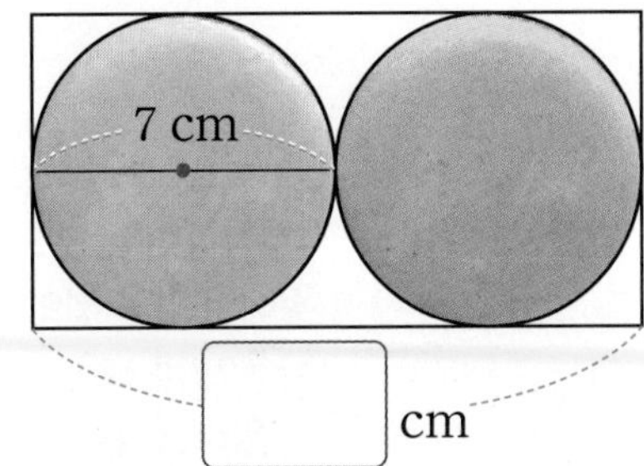

1-2

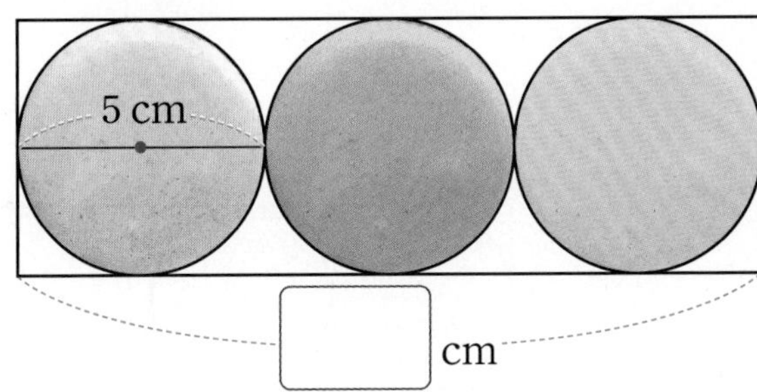

1-3

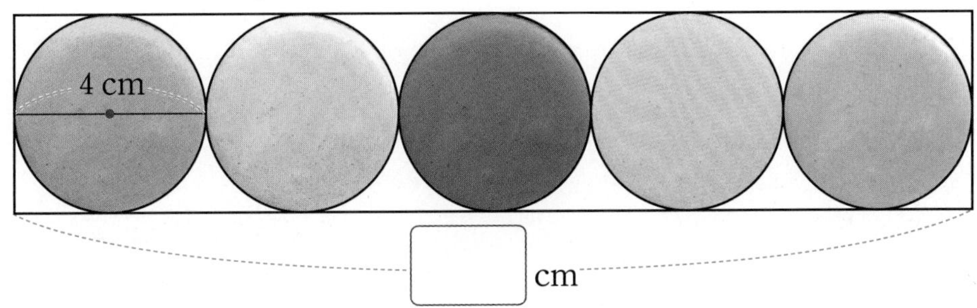

1-4

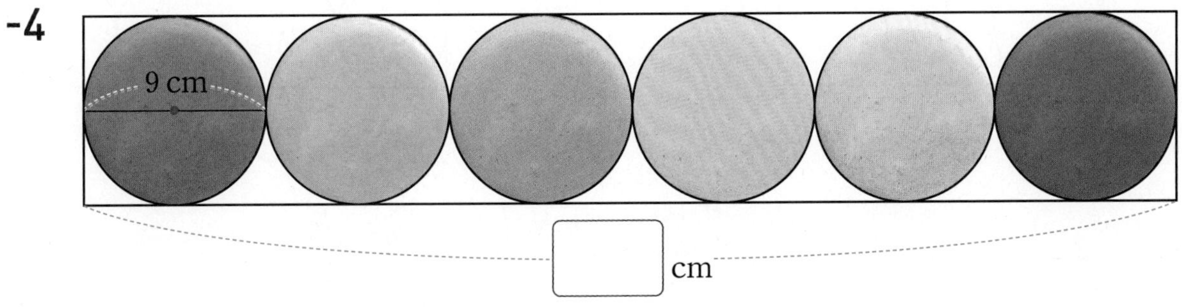

5일 원의 지름을 이용하여 주어진 길이 구하기

도형 집중 연습

보기와 같이 직사각형 안에 크기가 같은 원을 맞닿게 그렸을 때 직사각형의 네 변의 길이의 합은 몇 cm인지 구하세요.

보기

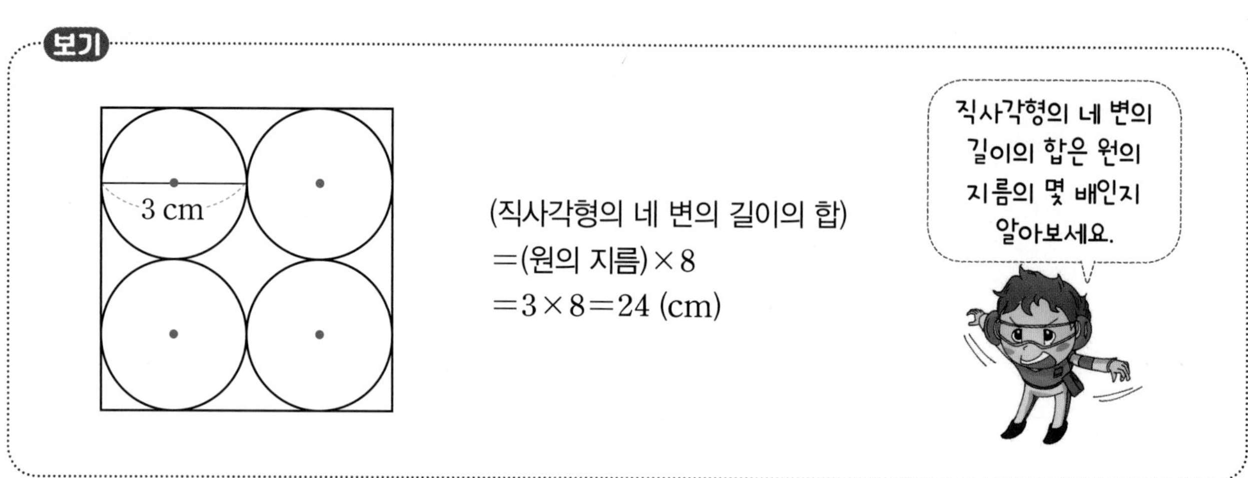

3 cm
(직사각형의 네 변의 길이의 합)
=(원의 지름)×8
=3×8=24 (cm)
직사각형의 네 변의 길이의 합은 원의 지름의 몇 배인지 알아보세요.

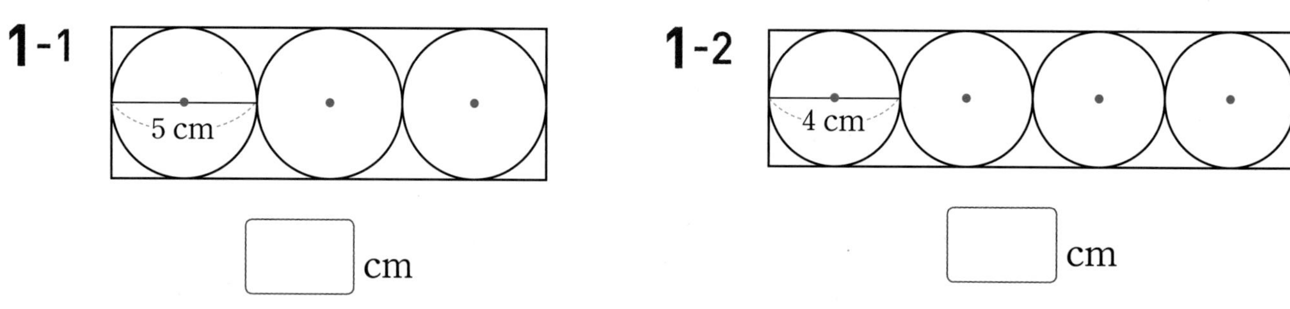

5 cm
4 cm

1-1 ☐ cm

1-2 ☐ cm

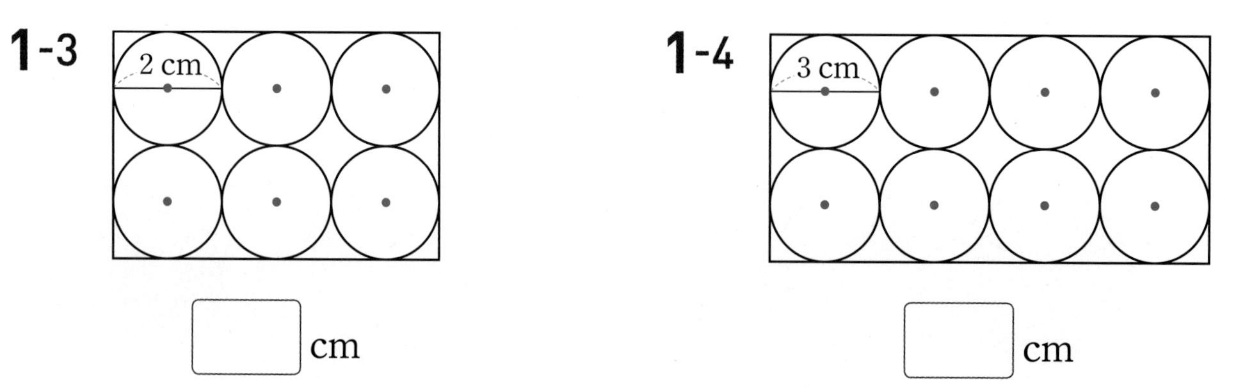

2 cm
3 cm

1-3 ☐ cm

1-4 ☐ cm

지름이 같은 원을 겹치지 않게 이어 붙였습니다. 원을 둘러싼 초록색 선의 길이는 몇 cm인지 구하세요. (단, 초록색 선의 두께는 생각하지 않습니다.)

2-1

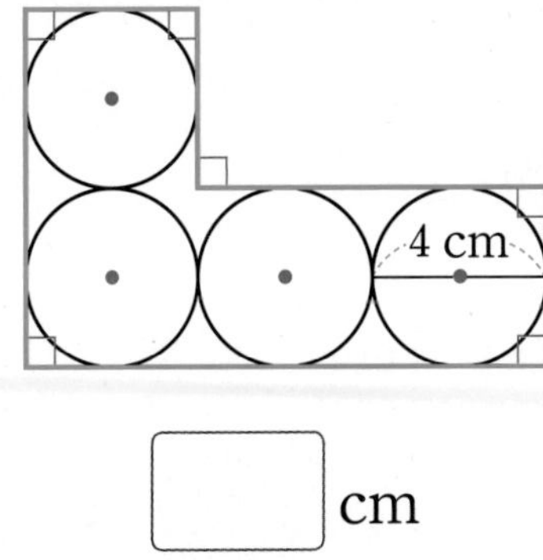

☐ cm

2-2

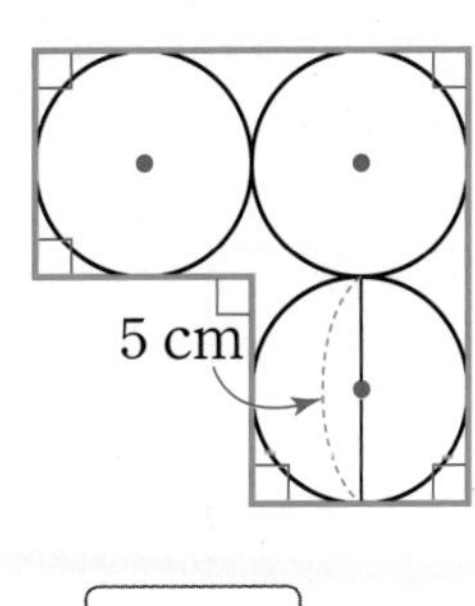

☐ cm

2-3

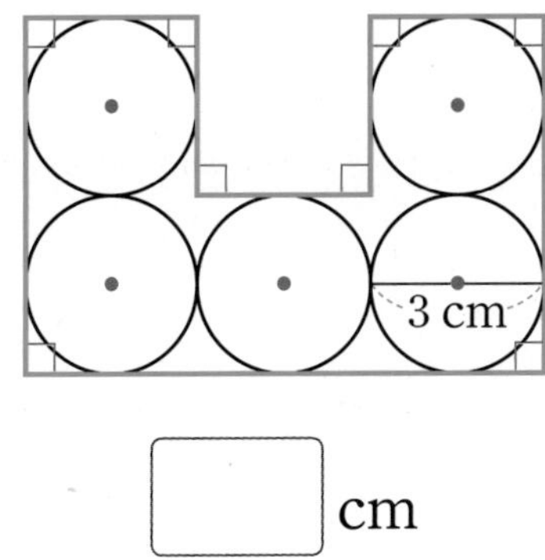

☐ cm

2-4

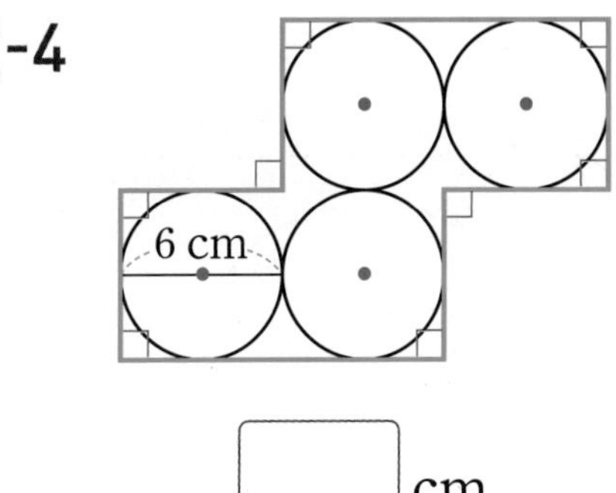

☐ cm

그림은 지름이 4 cm인 원을 겹치지 않게 이어 붙여 알파벳 모양을 만든 것입니다. 원을 둘러싼 빨간색 선의 길이는 몇 cm인지 구하세요. (단, 빨간색 선의 두께는 생각하지 않습니다.)

3-1

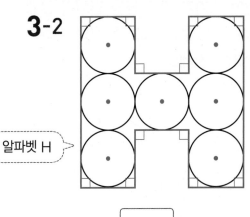

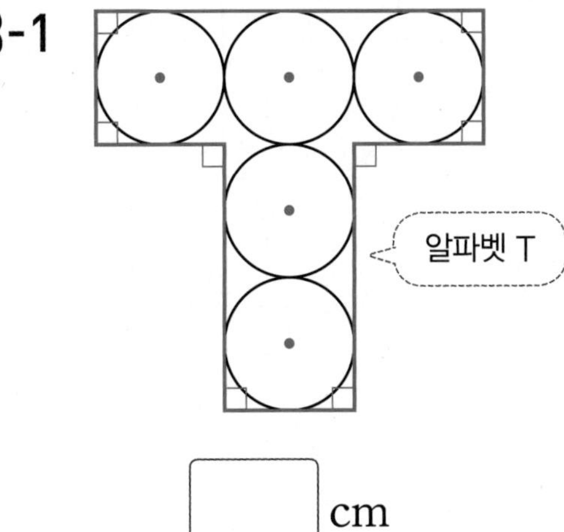

☐ cm

3-2

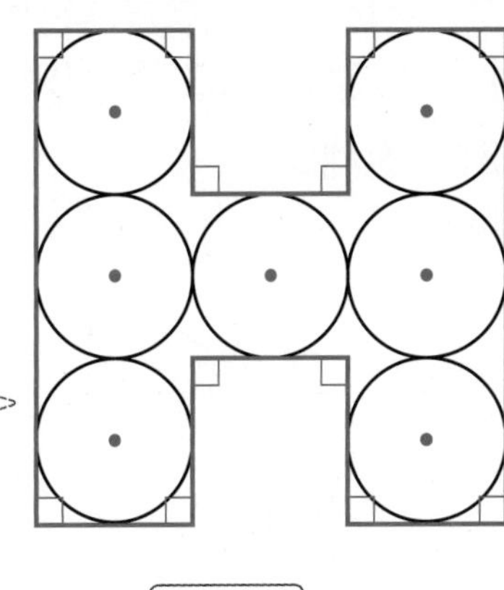

☐ cm

4주 5일

누구나 100점 맞는 TEST

01 주어진 직사각형 안에 그릴 수 있는 가장 큰 원의 반지름은 몇 cm인지 구하세요.

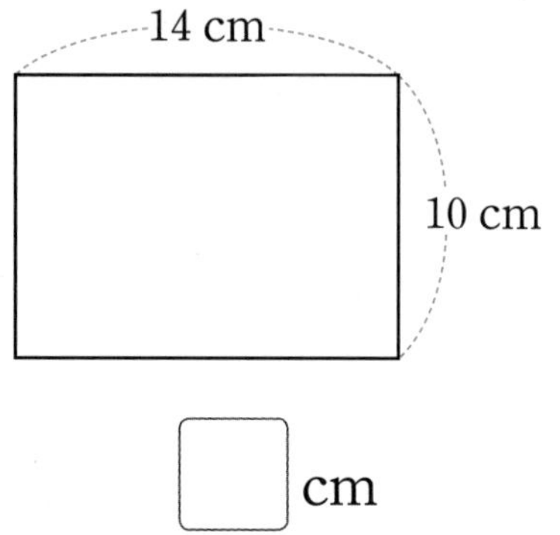

☐ cm

02 그림에서 각 점은 원의 중심일 때 작은 원의 반지름은 몇 cm인지 구하세요.

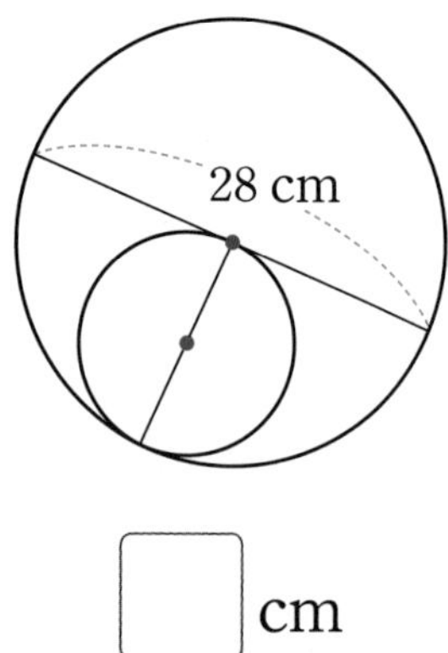

☐ cm

03 큰 원 안에 크기가 같은 원을 겹치지 않게 이어 붙여 그린 것을 보고 큰 원의 지름은 몇 cm인지 구하세요.

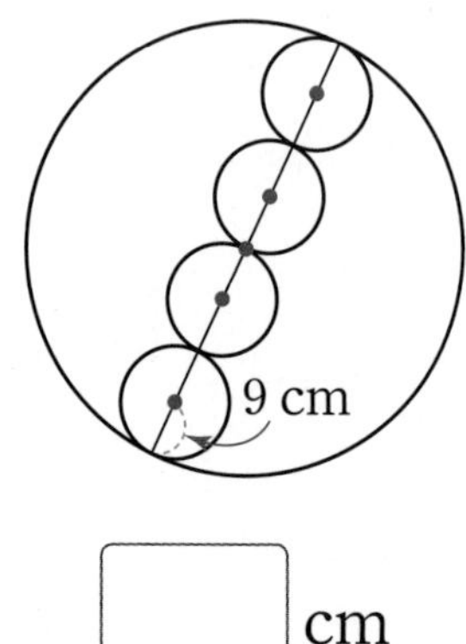

☐ cm

04 크기가 같은 두 원의 중심과 두 원이 만나는 점을 이어 도형을 그렸습니다. 색칠한 삼각형의 세 변의 길이의 합은 몇 cm인지 구하세요.

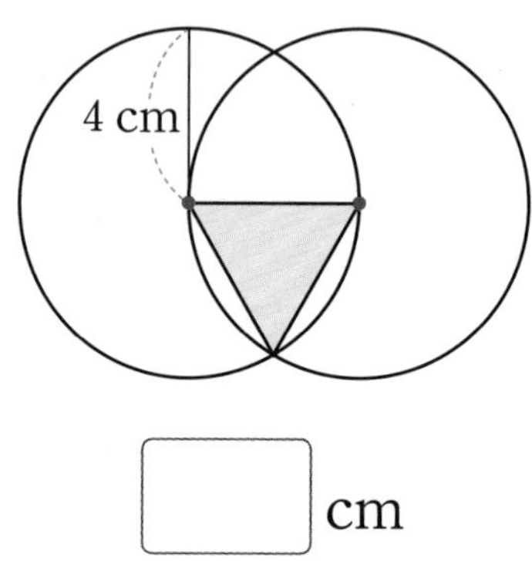

☐ cm

05 주어진 직사각형을 이용하여 작은 원의 지름은 몇 cm인지 구하세요.

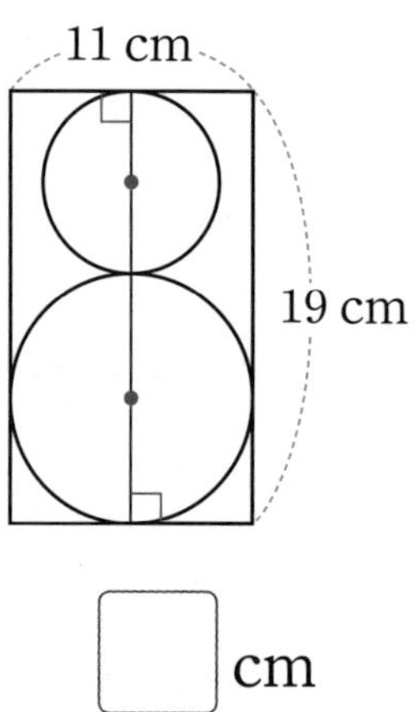

☐ cm

06 크기가 같은 원을 서로 원의 중심을 지나도록 겹쳐서 그렸습니다. □ 안에 알맞은 수를 써넣으세요.

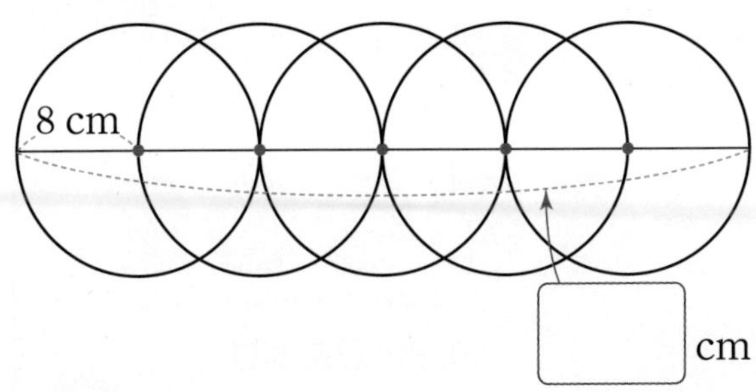

07 직사각형 안에 크기가 같은 원을 맞닿게 그렸습니다. 직사각형의 네 변의 길이의 합은 몇 cm인지 구하세요.

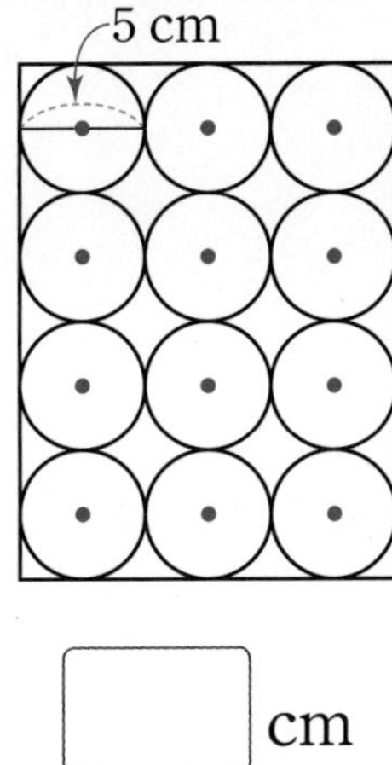

□ cm

08 크기가 같은 원을 서로 원의 중심을 지나도록 겹쳐서 그렸습니다. 원을 몇 개 그린 것인지 구하세요.

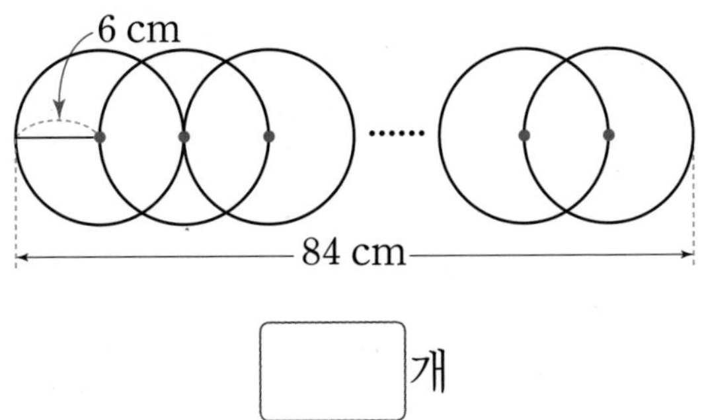

□ 개

09 지름이 같은 원을 겹치지 않게 이어 붙였습니다. 원을 둘러싼 주황색 선의 길이는 몇 cm인지 구하세요. (단, 주황색 선의 두께는 생각하지 않습니다.)

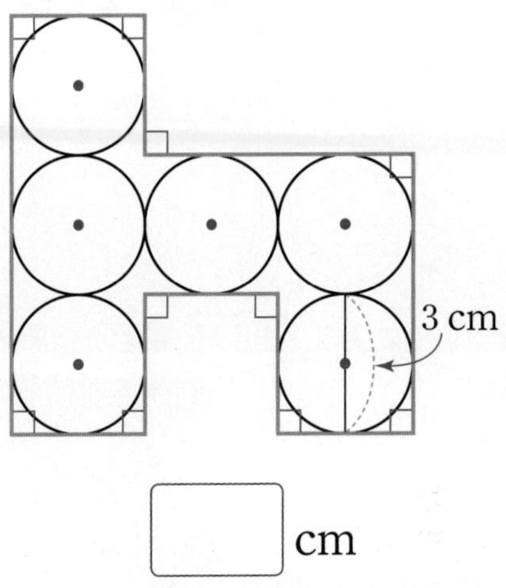

□ cm

10 원을 맞닿게 그린 후 각 원의 중심을 이어 사각형을 만들었습니다. 만든 사각형의 네 변의 길이의 합은 몇 cm인지 구하세요.

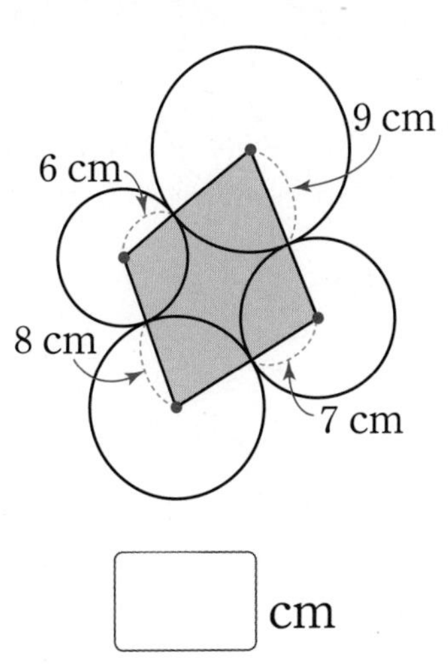

□ cm

4주 평가

블록 명령어 알아보기

- 규칙에 따라 원 그리기

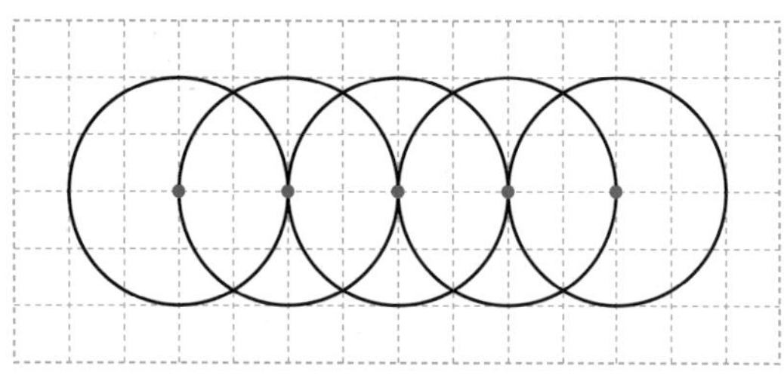

규칙

원의 중심은 오른쪽으로 모눈 2칸씩 이동하였고,
원의 반지름은 모눈 2칸으로 모두 같습니다.

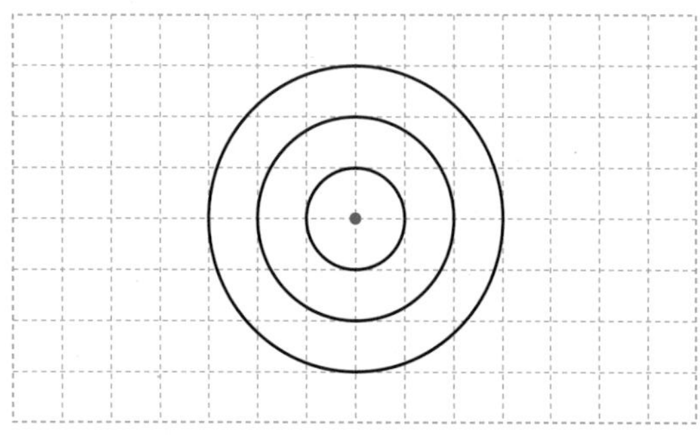

규칙

원의 중심은 모두 같고 원의 반지름이
모눈 1칸씩 늘어납니다.

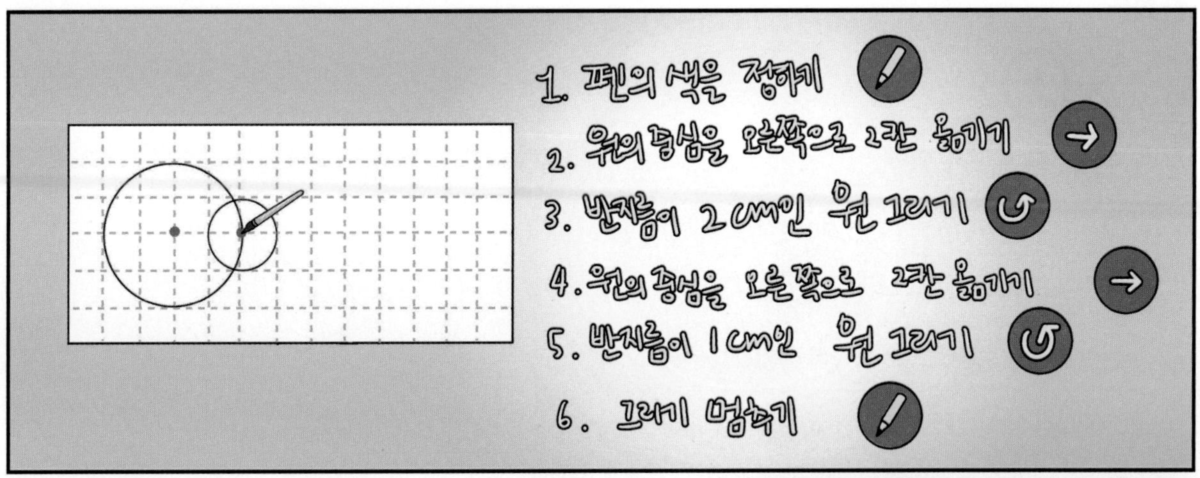

규칙에 따라 그린 모양에서 선분의 길이 구하기

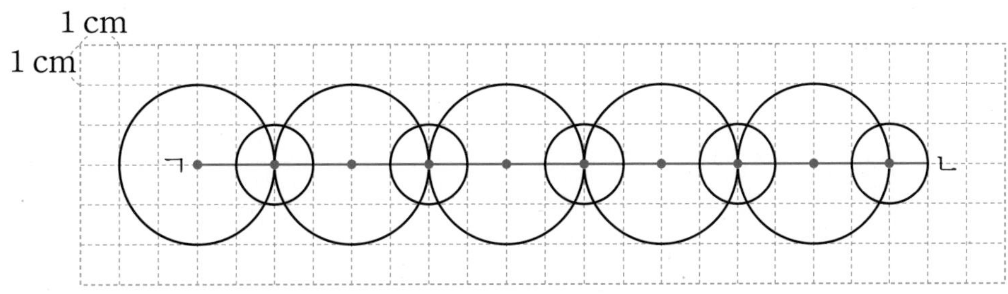

원의 중심은 오른쪽으로 2 cm씩 이동하였고 원의 반지름은 2 cm, 1 cm가 번갈아 가며 나옵니다.

방법 1 (선분 ㄱㄴ)=2+2+2+2+2+2+2+2+2+1=19 (cm)

방법 2 선분 ㄱㄴ은 큰 원의 반지름이 9개인 선분과 작은 원의 반지름이 1개인 선분의 합과 같습니다.

⇨ (선분 ㄱㄴ)=18+1=19 (cm) ← 2×9=18 (cm) ← 1 cm

4주 특강

특강 창의 · 융합 · 코딩

코딩

보기 와 같이 블록 명령에 따라 모눈종이에 원을 더 그려 보세요.

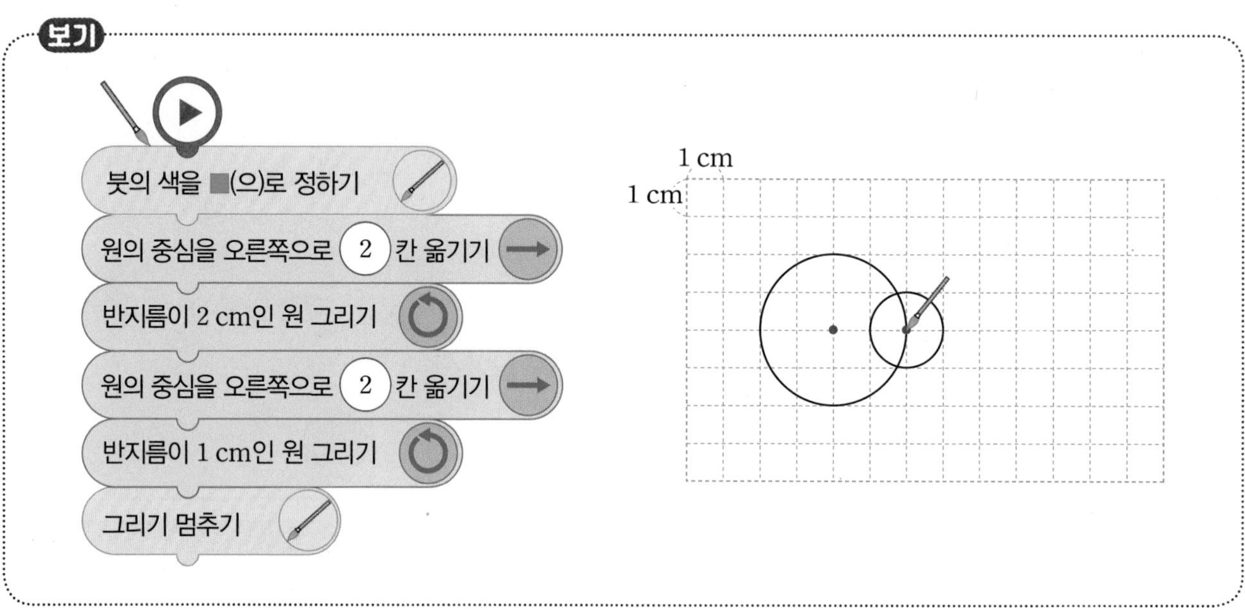

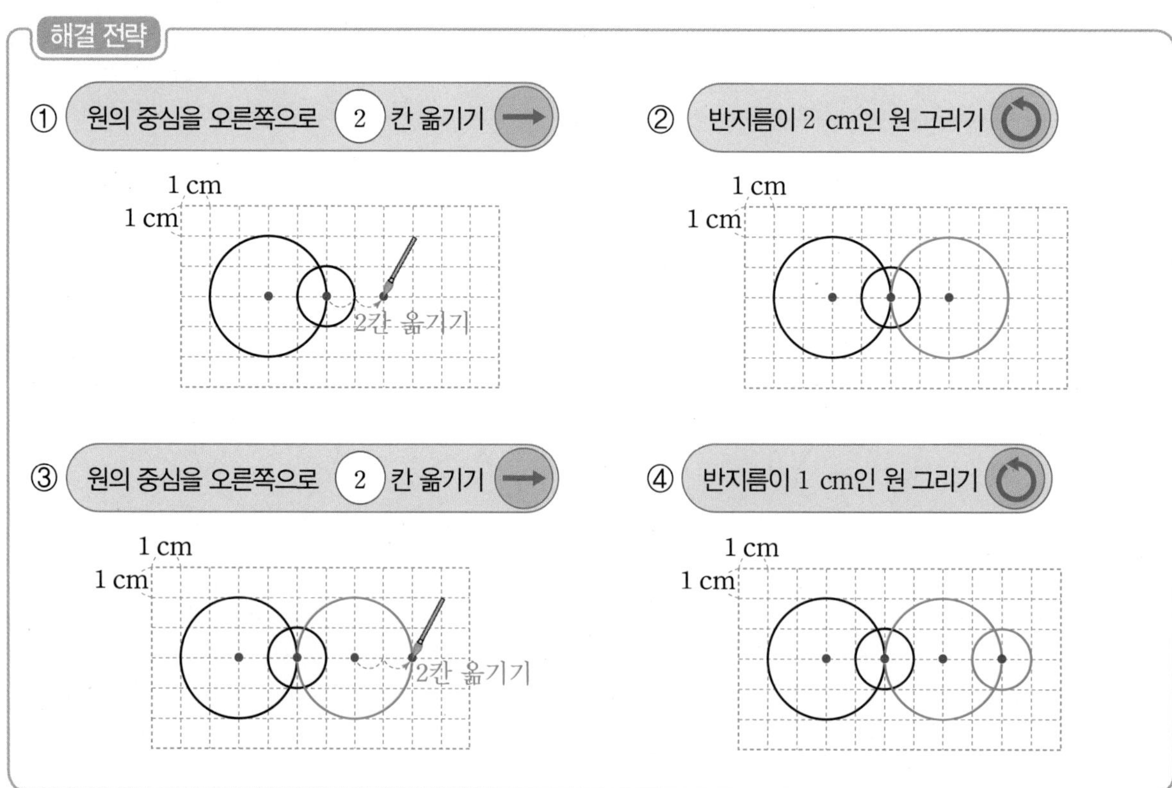

1

붓의 색을 ■(으)로 정하기

원의 중심을 오른쪽으로 (2) 칸 옮기기

반지름이 2 cm인 원 그리기

원의 중심을 오른쪽으로 (2) 칸 옮기기

반지름이 2 cm인 원 그리기

그리기 멈추기

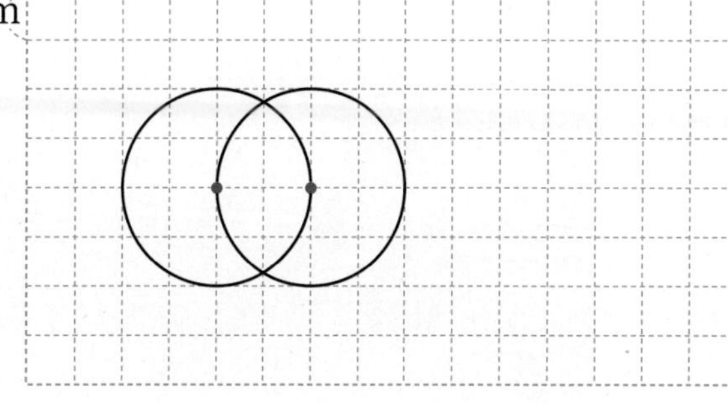

2

붓의 색을 ■(으)로 정하기

원의 중심을 오른쪽으로 (3) 칸 옮기기

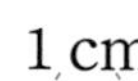

반지름이 1 cm인 원 그리기

원의 중심을 오른쪽으로 (3) 칸 옮기기

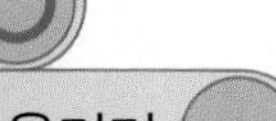

반지름이 3 cm인 원 그리기

그리기 멈추기

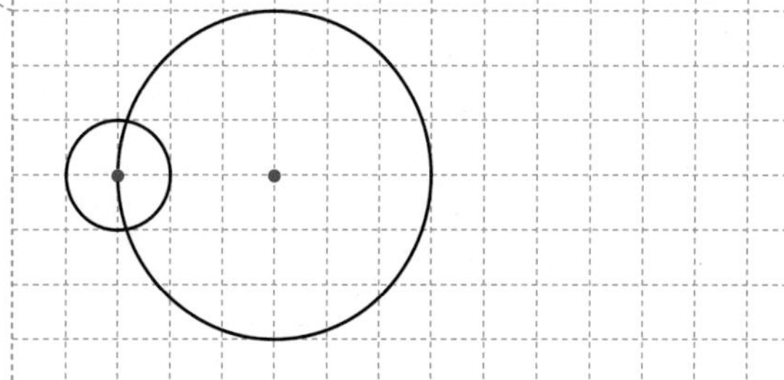

4주 특강

특강 창의 · 융합 · 코딩

3 지름이 60 cm인 굴렁쇠를 다음과 같이 굴렸습니다. 굴렁쇠의 중심이 이동한 거리는 몇 cm인지 구하세요.

( ) cm

4 지름이 각각 70 cm, 90 cm인 원 모양의 훌라후프를 그림과 같이 겹쳐 놓았습니다. 선분 ㄱㄴ은 몇 cm인지 구하세요. (단, 점 ㄱ과 점 ㄴ은 각 원의 중심입니다.)

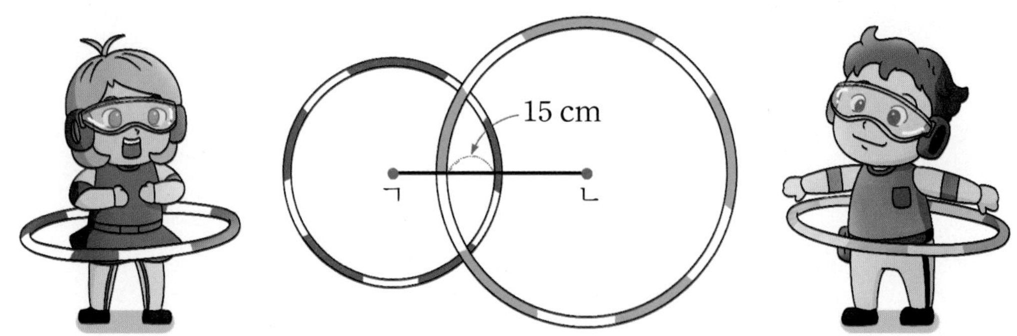

( ) cm

융합

10원짜리 동전의 지름은 18 mm이고, 100원짜리 동전의 지름은 24 mm입니다. 보기와 같이 맞닿은 동전들의 중심을 이어서 그린 도형의 모든 변의 길이의 합은 몇 mm인지 구하세요.

보기

(삼각형 ㄱㄴㄷ의 세 변의 길이의 합)
=(원의 반지름)×6
=12×6=72 (mm)

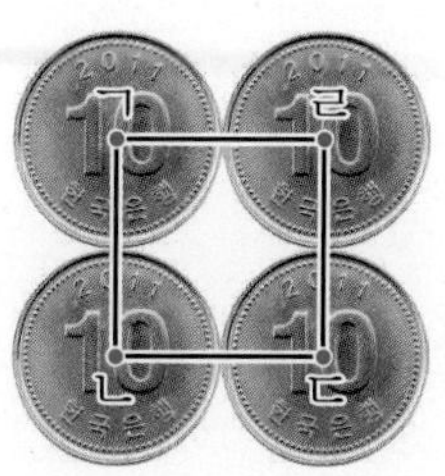

(사각형 ㄱㄴㄷㄹ의 네 변의 길이의 합)
=(원의 반지름)×8
=9×8=72 (mm)

5

☐ mm

6

☐ mm

7

☐ mm

8

☐ mm

4주 특강

천재교육 초등 수학 마스터

하

기초 연산서

계산박사

빅터연산
창의융합 빅터연산

개념서

똑똑한 하루 시리즈 수학/계산/도형/사고력

개념클릭

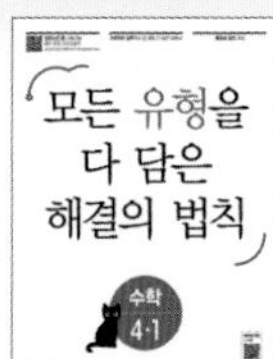
개념 해결의 법칙

우등생 해법수학

유형서

유형 해결의 법칙

최상위

수학도 독해가 힘이다

응용 해결의 법칙

최고수준

최강 TOT

상

난이도

평가대비 특화교재

수학 단원평가

수학전략

해법수학 경시대회 기출문제

예비 중학 신입생 수학

뭘 좋아할지 몰라 다 준비했어♥
전과목 교재

전과목 시리즈 교재

●우등생 해법시리즈

– 국어/수학	1~6학년, 학기용
– 사회/과학	3~6학년, 학기용
– 봄·여름/가을·겨울	1~2학년, 학기용
– SET(전과목/국수, 국사과)	1~6학년, 학기용

●똑똑한 하루 시리즈

– 똑똑한 하루 독해	예비초~6학년, 총 14권
– 똑똑한 하루 글쓰기	예비초~6학년, 총 14권
– 똑똑한 하루 어휘	예비초~6학년, 총 14권
– 똑똑한 하루 수학	1~6학년, 학기용
– 똑똑한 하루 계산	1~6학년, 학기용
– 똑똑한 하루 사고력	1~6학년, 학기용
– 똑똑한 하루 도형	1~6단계, 총 6권
– 똑똑한 하루 사회/과학	3~6학년, 학기용
– 똑똑한 하루 봄/여름/가을/겨울	1~2학년, 총 8권
– 똑똑한 하루 안전	1~2학년, 총 2권
– 똑똑한 하루 Voca	3~6학년, 학기용
– 똑똑한 하루 Reading	초3~초6, 학기용
– 똑똑한 하루 Grammar	초3~초6, 학기용
– 똑똑한 하루 Phonics	예비초~초등, 총 8권

영어 교재

●초등영어 교과서 시리즈

파닉스(1~4단계)	3~6학년, 학년용
회화(입문1~2, 1~6단계)	3~6학년, 학기용
영단어(1~4단계)	3~6학년, 학년용
●셀파 English(어휘/회화/문법)	3~6학년
●Reading Farm(Level 1~4)	3~6학년
●Grammar Town(Level 1~4)	3~6학년
●LOOK BOOK 영단어	3~6학년, 단행본
●원서 읽는 LOOK BOOK 영단어	3~6학년, 단행본
●멘토 Story Words	2~6학년, 총 6권

정답과 풀이

똑똑한
하루 도형

초등 수학 3단계
3학년 수준

천재교육

정답과 풀이
포인트 3가지

- ▶ 한눈에 알아볼 수 있는 정답 제시
- ▶ 혼자서도 이해할 수 있는 문제 풀이
- ▶ 꼭 필요한 풀이 제시

1 주 | 평면도형의 이해

정답과 풀이

6~7쪽

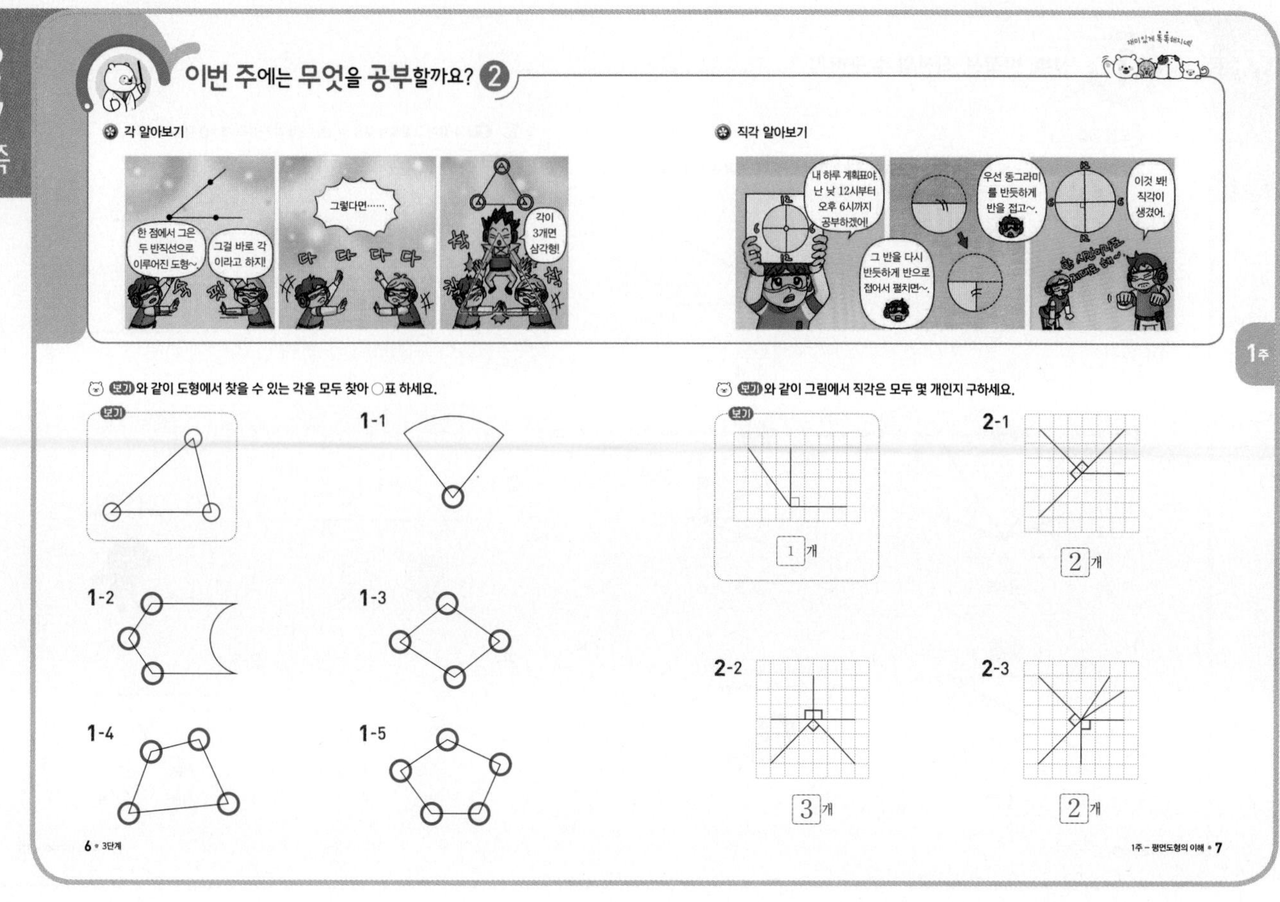

10~11쪽

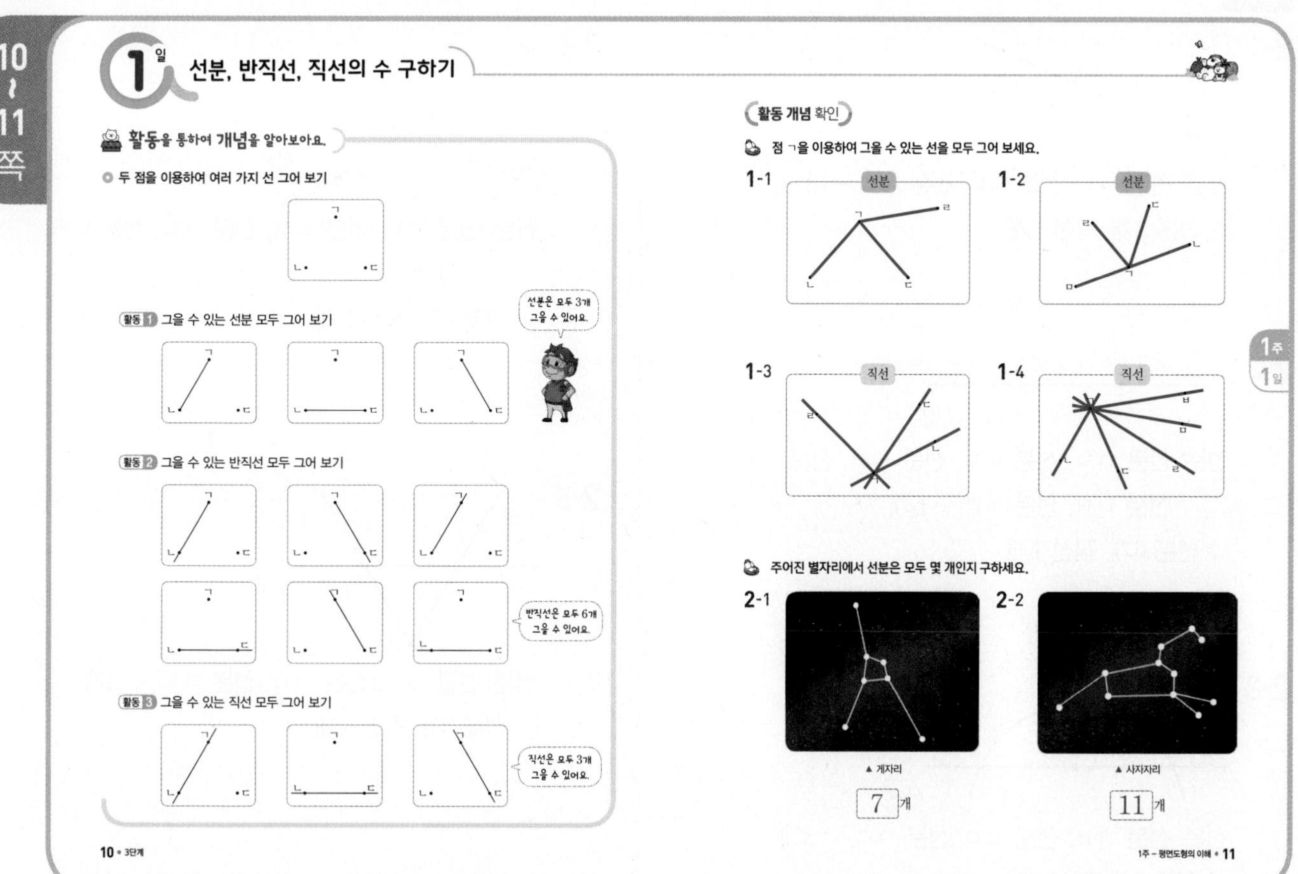

12~13쪽

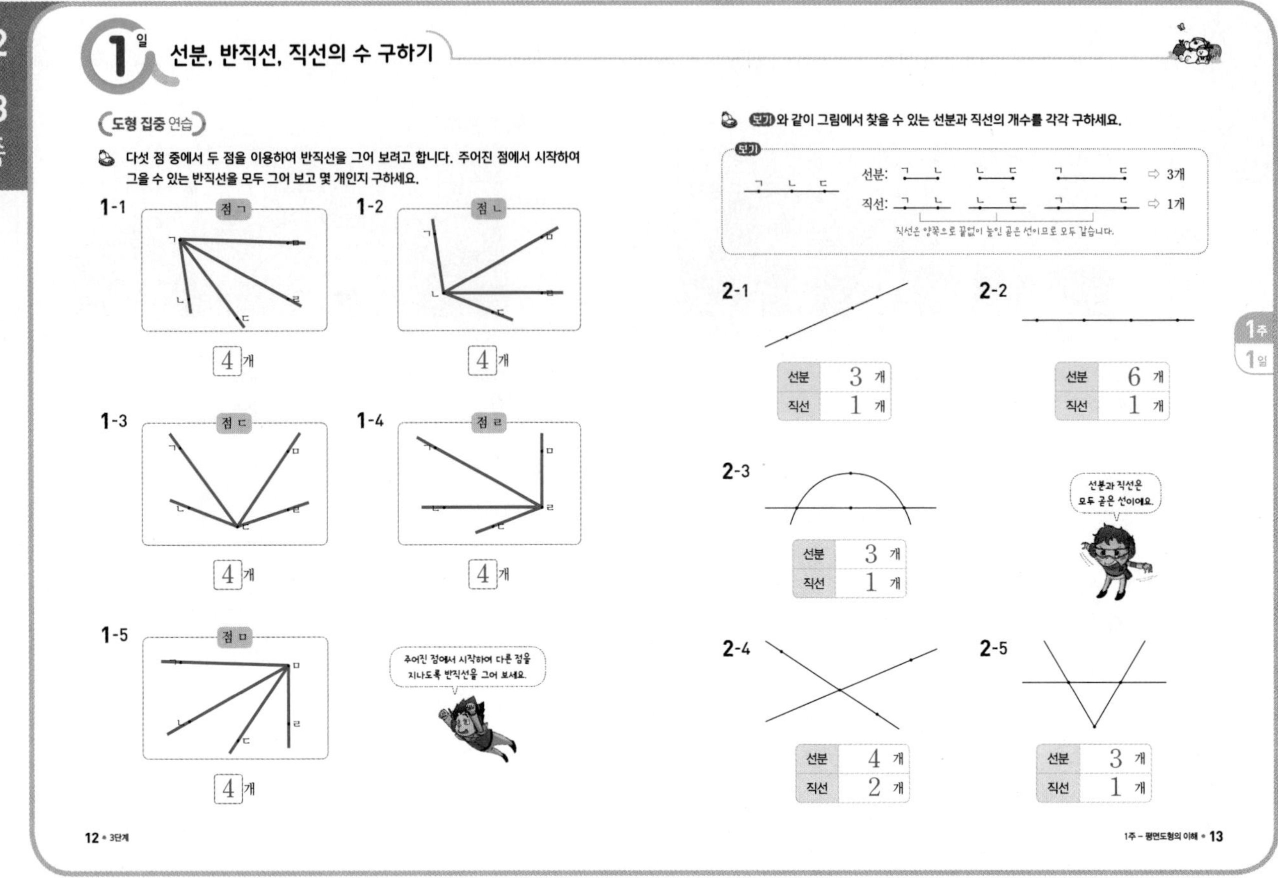

1일 선분, 반직선, 직선의 수 구하기

도형 집중 연습

다섯 점 중에서 두 점을 이용하여 반직선을 그어 보려고 합니다. 주어진 점에서 시작하여 그을 수 있는 반직선을 모두 그어 보고 몇 개인지 구하세요.

1-1 점 ㄱ → 4개

1-2 점 ㄴ → 4개

1-3 점 ㄷ → 4개

1-4 점 ㄹ → 4개

1-5 점 ㅁ → 4개

주어진 점에서 시작하여 다른 점을 지나도록 반직선을 그어 보세요.

보기와 같이 그림에서 찾을 수 있는 선분과 직선의 개수를 각각 구하세요.

보기
선분: ㄱ ㄴ, ㄴ ㄷ, ㄱ ㄷ ⇨ 3개
직선: ㄱ ㄴ, ㄴ ㄷ, ㄱ ㄷ ⇨ 1개
직선은 양쪽으로 끝없이 늘인 곧은 선이므로 모두 같습니다.

문제	선분	직선
2-1	3 개	1 개
2-2	6 개	1 개
2-3	3 개	1 개
2-4	4 개	2 개
2-5	3 개	1 개

선분과 직선은 모두 곧은 선이에요.

12 • 3단계

1주 – 평면도형의 이해 • 13

풀이

2-1

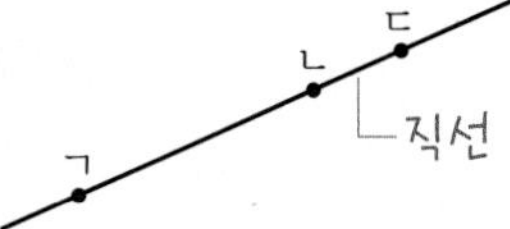

선분: 선분 ㄱㄴ, 선분 ㄴㄷ, 선분 ㄱㄷ → 3개

⇨ 선분 3개, 직선 1개

2-2

ㄱ ㄴ ㄷ ㄹ

직선

선분: 선분 ㄱㄴ, 선분 ㄴㄷ, 선분 ㄷㄹ, 선분 ㄱㄷ, 선분 ㄴㄹ, 선분 ㄱㄹ → 6개

⇨ 선분 6개, 직선 1개

2-3

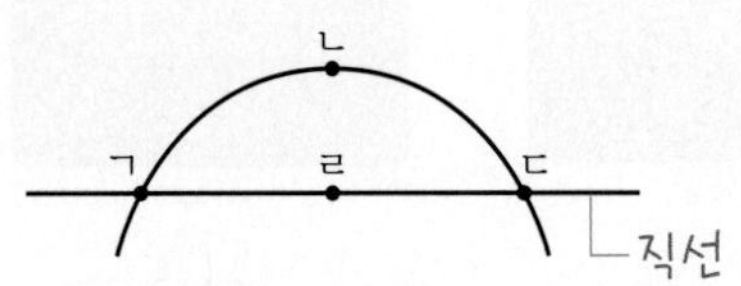

선분: 선분 ㄱㄹ, 선분 ㄹㄷ, 선분 ㄱㄷ → 3개

⇨ 선분 3개, 직선 1개

2-4

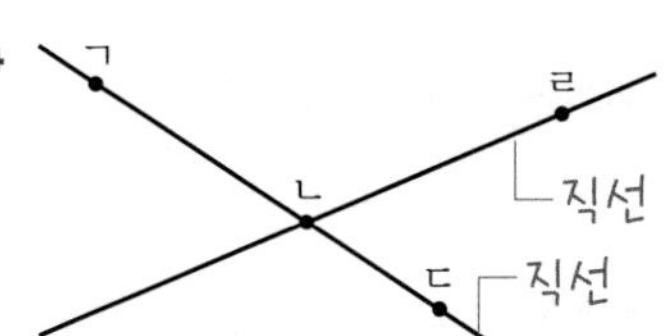

선분: 선분 ㄱㄴ, 선분 ㄴㄷ, 선분 ㄱㄷ, 선분 ㄴㄹ → 4개

⇨ 선분 4개, 직선 2개

2-5

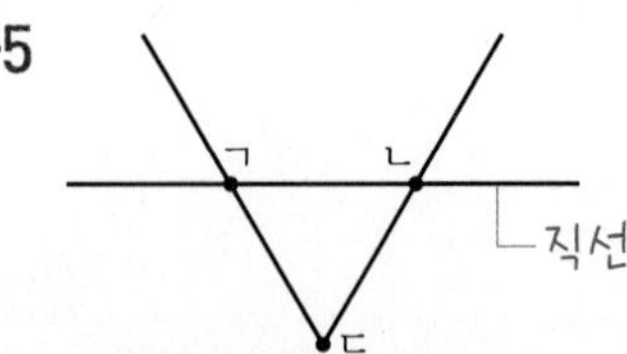

선분: 선분 ㄱㄴ, 선분 ㄱㄷ, 선분 ㄷㄴ → 3개

⇨ 선분 3개, 직선 1개

16~17쪽

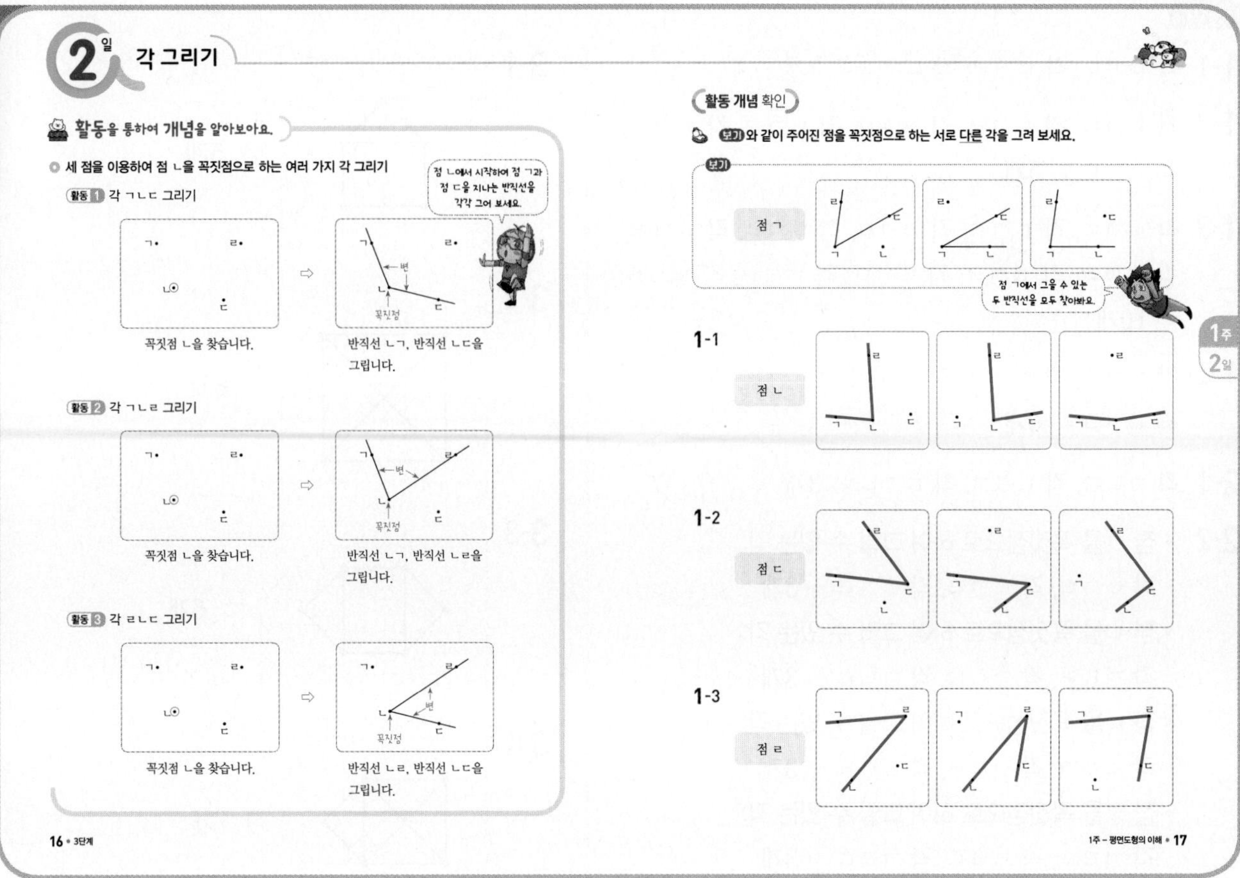
2일 각 그리기

활동을 통하여 개념을 알아보아요.

◎ 세 점을 이용하여 점 ㄴ을 꼭짓점으로 하는 여러 가지 각 그리기

활동 1 각 ㄱㄴㄷ 그리기

꼭짓점 ㄴ을 찾습니다. ⇨ 반직선 ㄴㄱ, 반직선 ㄴㄷ을 그립니다.

활동 2 각 ㄱㄴㄹ 그리기

꼭짓점 ㄴ을 찾습니다. ⇨ 반직선 ㄴㄱ, 반직선 ㄴㄹ을 그립니다.

활동 3 각 ㄹㄴㄷ 그리기

꼭짓점 ㄴ을 찾습니다. ⇨ 반직선 ㄴㄹ, 반직선 ㄴㄷ을 그립니다.

활동 개념 확인

보기 와 같이 주어진 점을 꼭짓점으로 하는 서로 다른 각을 그려 보세요.

보기 점 ㄱ

1-1 점 ㄴ

1-2 점 ㄷ

1-3 점 ㄹ

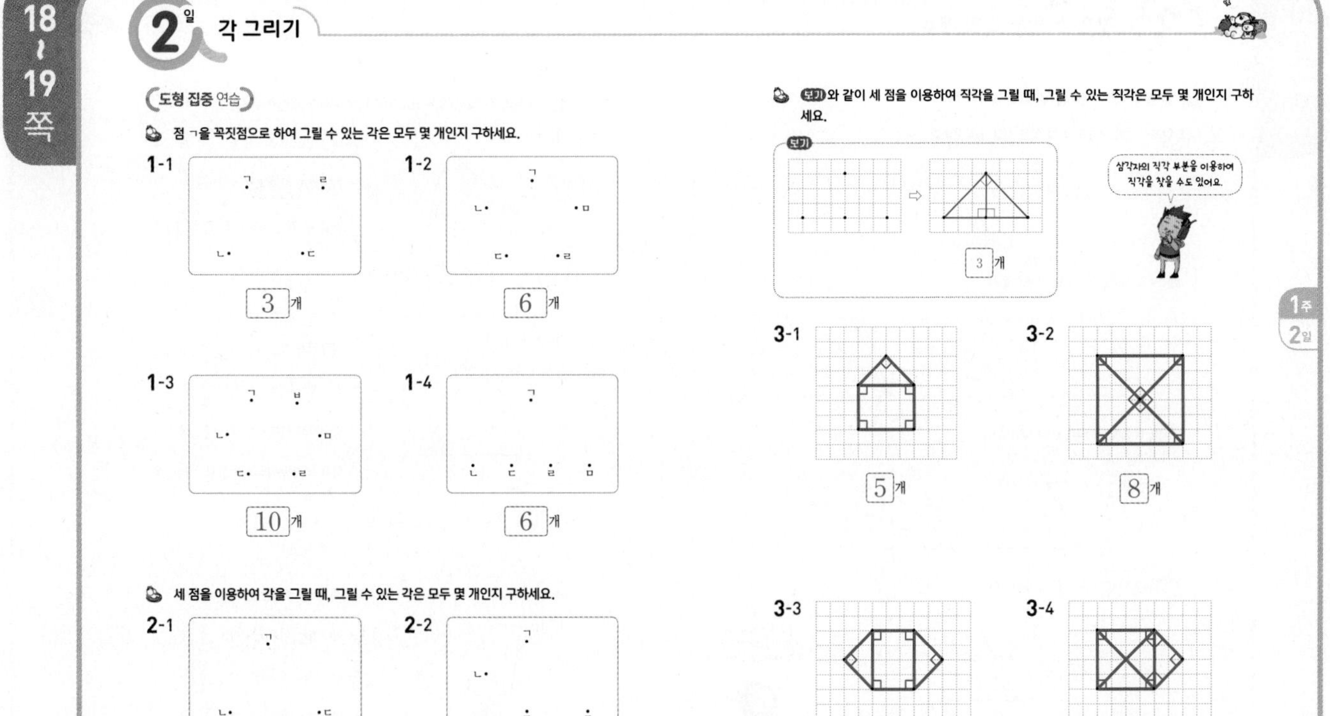
18~19쪽

2일 각 그리기

도형 집중 연습

점 ㄱ을 꼭짓점으로 하여 그릴 수 있는 각은 모두 몇 개인지 구하세요.

1-1 3개

1-2 6개

1-3 10개

1-4 6개

세 점을 이용하여 각을 그릴 때, 그릴 수 있는 각은 모두 몇 개인지 구하세요.

2-1 3개

2-2 12개

보기 와 같이 세 점을 이용하여 직각을 그릴 때, 그릴 수 있는 직각은 모두 몇 개인지 구하세요.

보기 3개

3-1 5개

3-2 8개

3-3 6개

3-4 7개

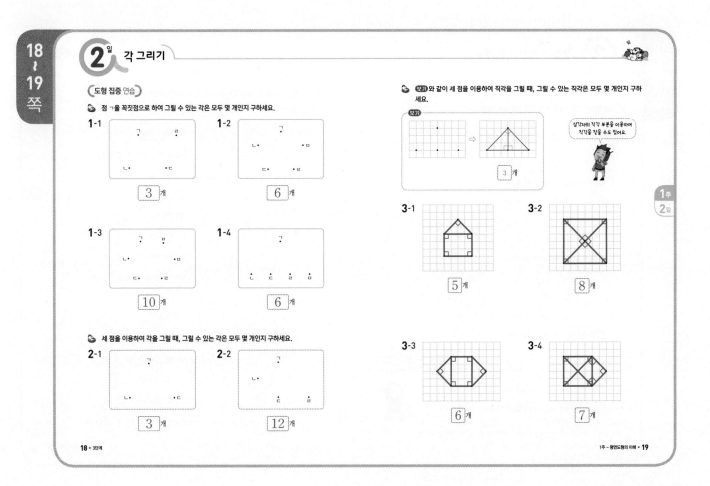

풀이

1-1 각 ㄴㄱㄷ, 각 ㄷㄱㄹ, 각 ㄴㄱㄹ ⇨ 3개

1-2 각 ㄴㄱㄷ, 각 ㄷㄱㄹ, 각 ㄹㄱㅁ, 각 ㄴㄱㄹ, 각 ㄷㄱㅁ, 각 ㄴㄱㅁ ⇨ 6개

1-3 각 ㄴㄱㄷ, 각 ㄷㄱㄹ, 각 ㄹㄱㅁ, 각 ㅁㄱㅂ, 각 ㄴㄱㄹ, 각 ㄷㄱㅁ, 각 ㄹㄱㅂ, 각 ㄴㄱㅁ, 각 ㄷㄱㅂ, 각 ㄴㄱㅂ ⇨ 10개

1-4 각 ㄴㄱㄷ, 각 ㄷㄱㄹ, 각 ㄹㄱㅁ, 각 ㄴㄱㄹ, 각 ㄷㄱㅁ, 각 ㄴㄱㅁ ⇨ 6개

2-1 각 ㄱㄴㄷ, 각 ㄴㄷㄱ, 각 ㄷㄱㄴ ⇨ 3개

2-2
- 점 ㄱ을 꼭짓점으로 하여 그릴 수 있는 각: 각 ㄴㄱㄷ, 각 ㄷㄱㄹ, 각 ㄴㄱㄹ → 3개
- 점 ㄴ을 꼭짓점으로 하여 그릴 수 있는 각: 각 ㄱㄴㄹ, 각 ㄹㄴㄷ, 각 ㄱㄴㄷ → 3개
- 점 ㄷ을 꼭짓점으로 하여 그릴 수 있는 각: 각 ㄴㄷㄱ, 각 ㄱㄷㄹ, 각 ㄴㄷㄹ → 3개
- 점 ㄹ을 꼭짓점으로 하여 그릴 수 있는 각: 각 ㄱㄹㄴ, 각 ㄴㄹㄷ, 각 ㄱㄹㄷ → 3개

⇨ $3 \times 4 = 12$(개)

3-1 ⇨ 5개

3-2

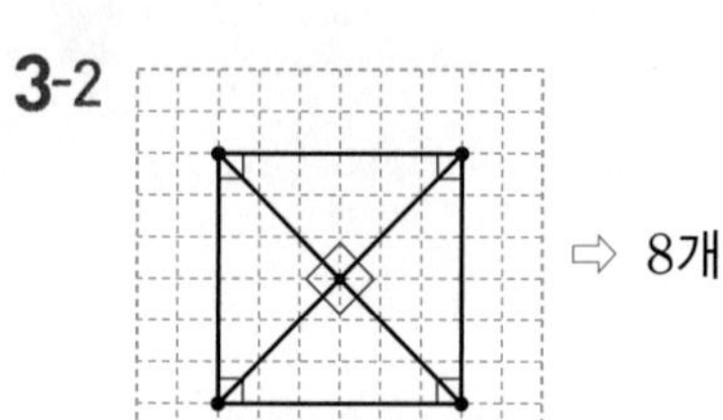

⇨ 8개

3-3

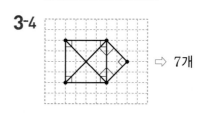

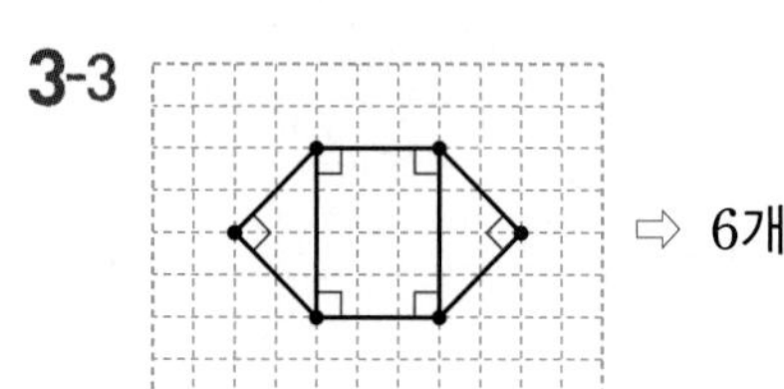

⇨ 6개

3-4 ⇨ 7개

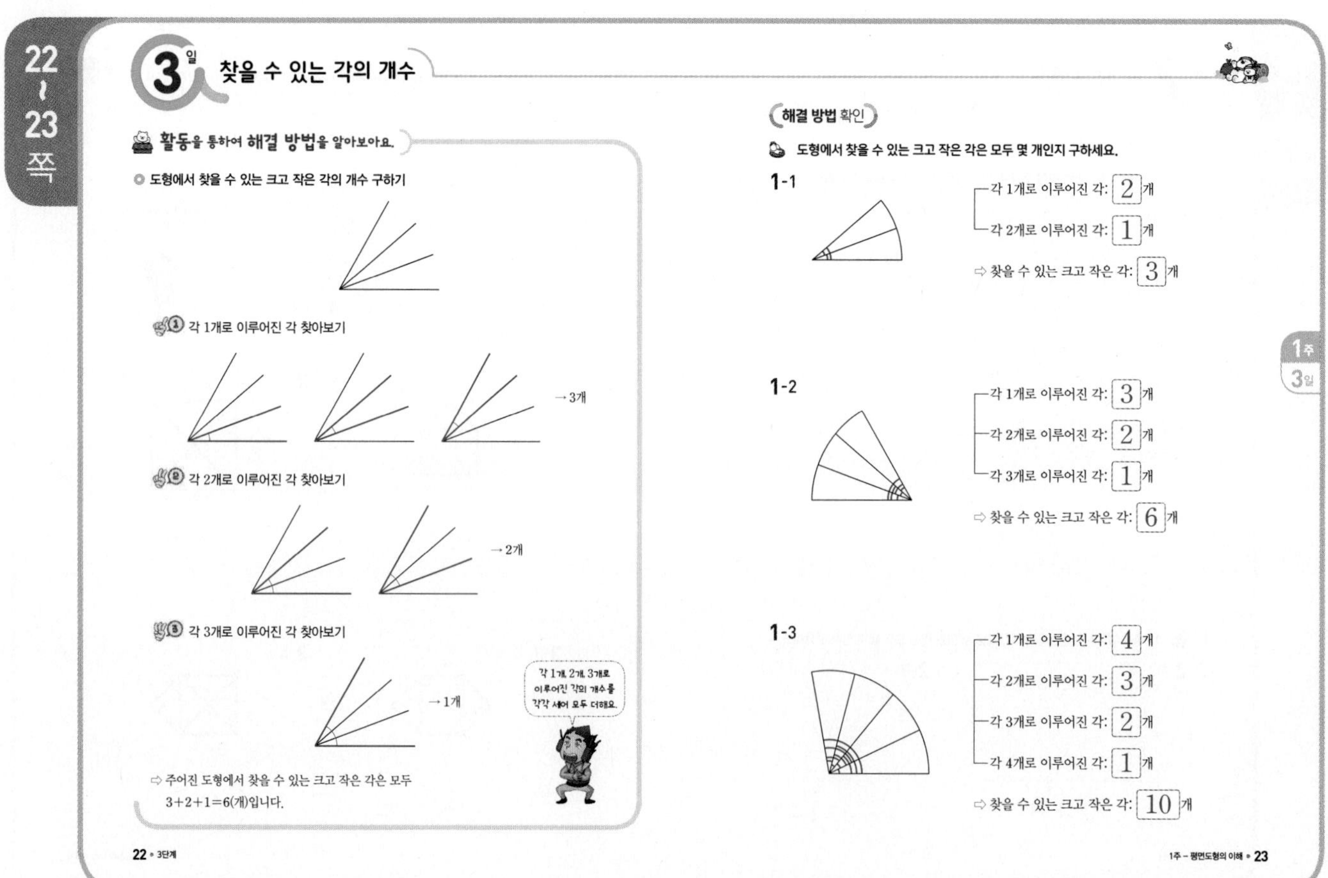

22 ~ 23 쪽

3일 찾을 수 있는 각의 개수

활동을 통하여 해결 방법을 알아보아요.

◎ 도형에서 찾을 수 있는 크고 작은 각의 개수 구하기

① 각 1개로 이루어진 각 찾아보기 → 3개

② 각 2개로 이루어진 각 찾아보기 → 2개

③ 각 3개로 이루어진 각 찾아보기 → 1개

각 1개, 2개, 3개로 이루어진 각의 개수를 각각 세어 모두 더해요.

⇨ 주어진 도형에서 찾을 수 있는 크고 작은 각은 모두 3+2+1=6(개)입니다.

해결 방법 확인

도형에서 찾을 수 있는 크고 작은 각은 모두 몇 개인지 구하세요.

1-1
- 각 1개로 이루어진 각: 2 개
- 각 2개로 이루어진 각: 1 개

⇨ 찾을 수 있는 크고 작은 각: 3 개

1-2
- 각 1개로 이루어진 각: 3 개
- 각 2개로 이루어진 각: 2 개
- 각 3개로 이루어진 각: 1 개

⇨ 찾을 수 있는 크고 작은 각: 6 개

1-3
- 각 1개로 이루어진 각: 4 개
- 각 2개로 이루어진 각: 3 개
- 각 3개로 이루어진 각: 2 개
- 각 4개로 이루어진 각: 1 개

⇨ 찾을 수 있는 크고 작은 각: 10 개

22 • 3단계

1주 – 평면도형의 이해 • 23

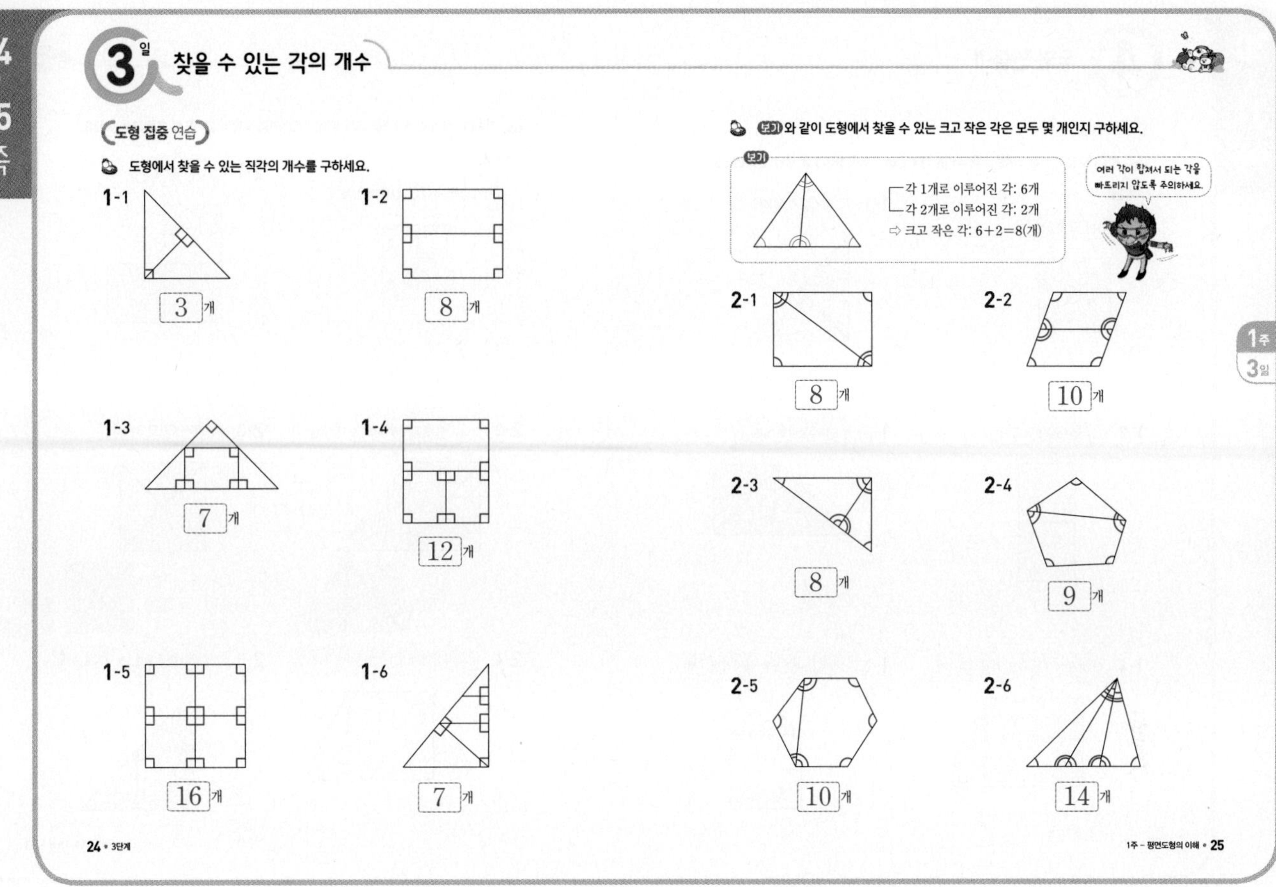
24 ~ 25 쪽
3일 찾을 수 있는 각의 개수
도형 집중 연습
도형에서 찾을 수 있는 직각의 개수를 구하세요.
1-1 3 개
1-2 8 개
1-3 7 개
1-4 12 개
1-5 16 개
1-6 7 개
보기 와 같이 도형에서 찾을 수 있는 크고 작은 각은 모두 몇 개인지 구하세요.
각 1개로 이루어진 각: 6개
각 2개로 이루어진 각: 2개
⇨ 크고 작은 각: 6+2=8(개)
여러 각이 합쳐서 되는 각을 빠뜨리지 않도록 주의하세요.
2-1 8 개
2-2 10 개
2-3 8 개
2-4 9 개
2-5 10 개
2-6 14 개
24 • 3단계
1주 – 평면도형의 이해 • 25

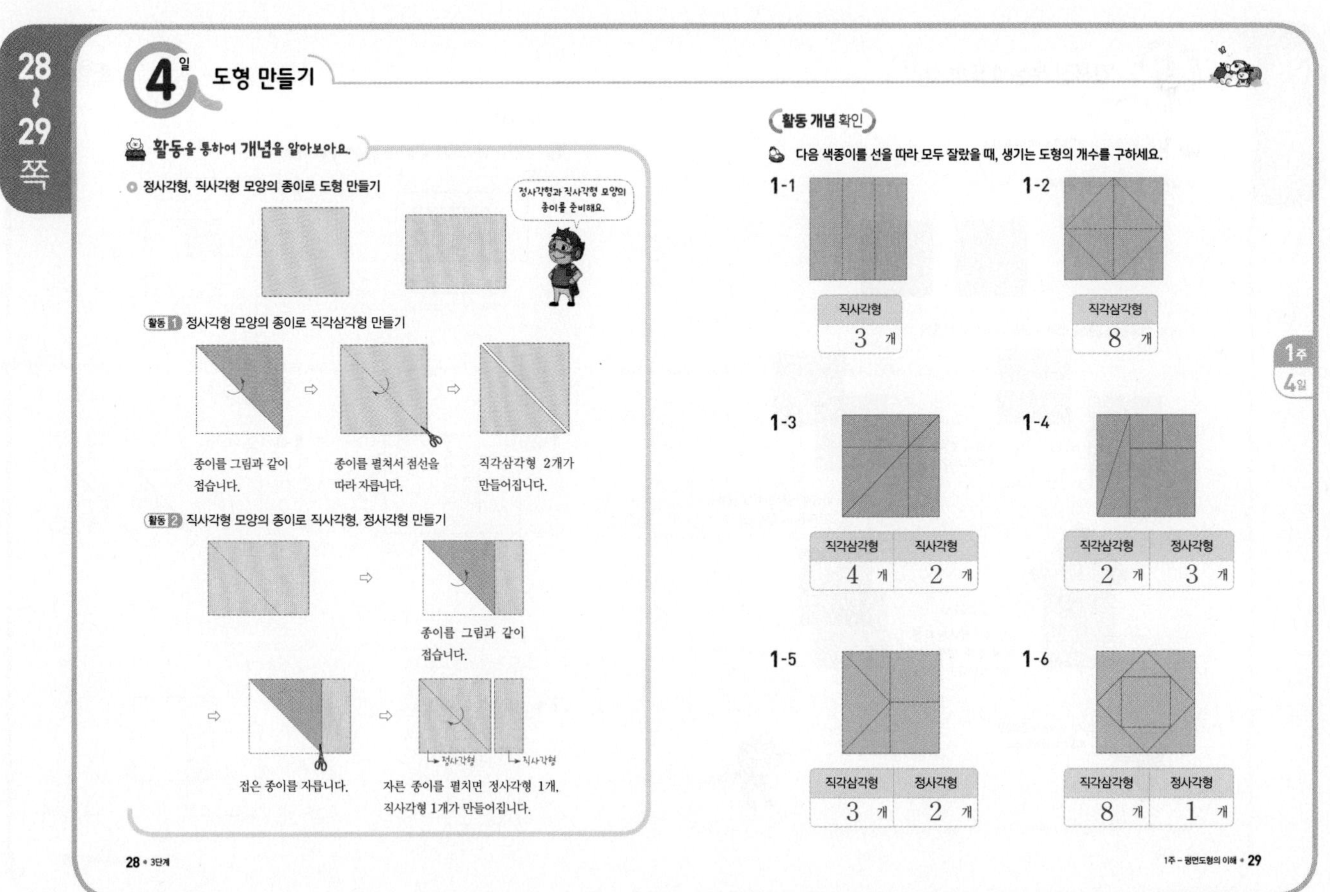
28 ~ 29 쪽
4일 도형 만들기
활동을 통하여 개념을 알아보아요.
정사각형, 직사각형 모양의 종이로 도형 만들기
정사각형과 직사각형 모양의 종이를 준비해요.
활동 1 정사각형 모양의 종이로 직각삼각형 만들기
종이를 그림과 같이 접습니다.
종이를 펼쳐서 점선을 따라 자릅니다.
직각삼각형 2개가 만들어집니다.
활동 2 직사각형 모양의 종이로 직사각형, 정사각형 만들기
종이를 그림과 같이 접습니다.
접은 종이를 자릅니다.
정사각형
직사각형
자른 종이를 펼치면 정사각형 1개, 직사각형 1개가 만들어집니다.
활동 개념 확인
다음 색종이를 선을 따라 모두 잘랐을 때, 생기는 도형의 개수를 구하세요.
1-1 직사각형 3 개
1-2 직각삼각형 8 개
1-3 직각삼각형 4 개 직사각형 2 개
1-4 직각삼각형 2 개 정사각형 3 개
1-5 직각삼각형 3 개 정사각형 2 개
1-6 직각삼각형 8 개 정사각형 1 개
28 • 3단계
1주 – 평면도형의 이해 • 29

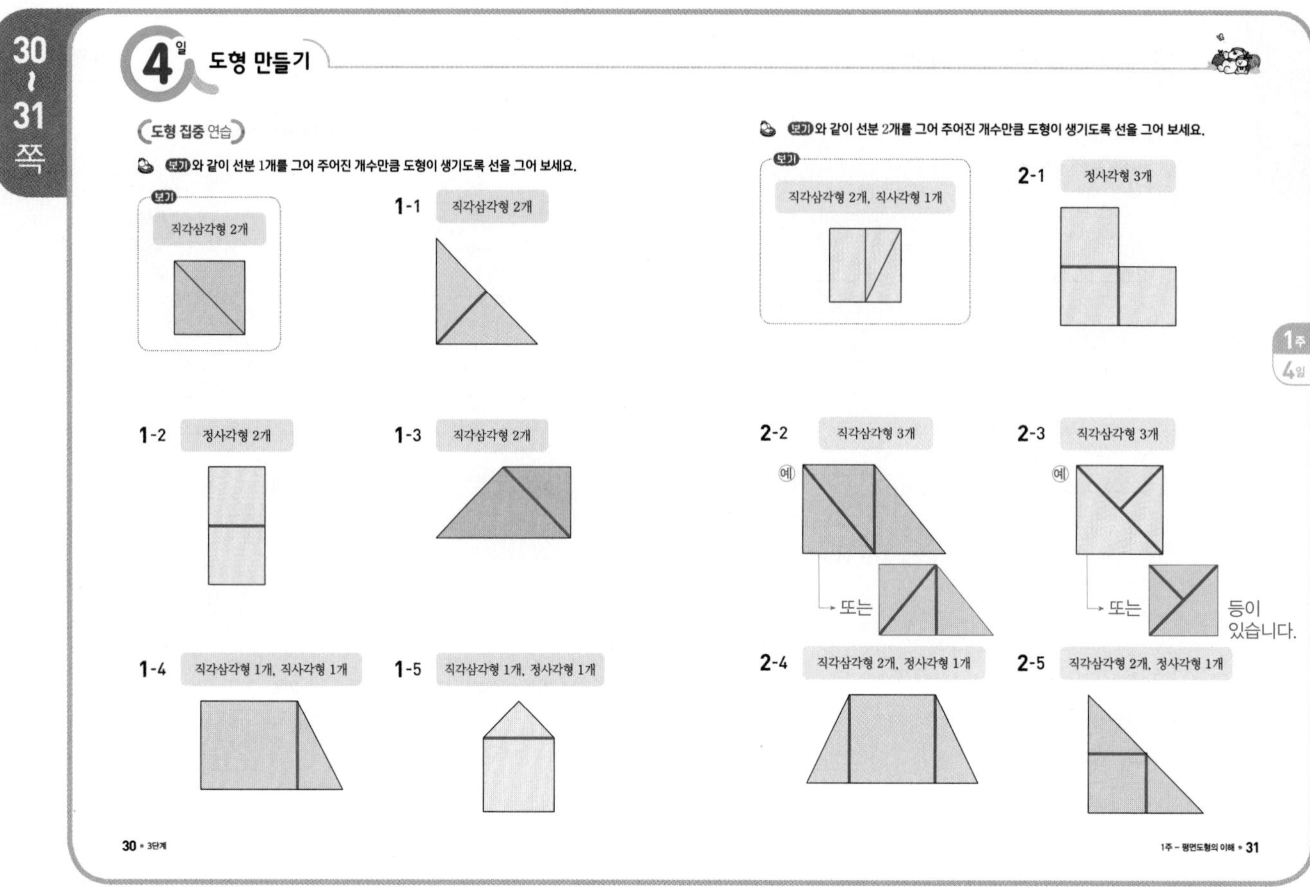

30~31쪽

4일 도형 만들기

도형 집중 연습

보기와 같이 선분 1개를 그어 주어진 개수만큼 도형이 생기도록 선을 그어 보세요.

보기 직각삼각형 2개

1-1 직각삼각형 2개

1-2 정사각형 2개

1-3 직각삼각형 2개

1-4 직각삼각형 1개, 직사각형 1개

1-5 직각삼각형 1개, 정사각형 1개

보기와 같이 선분 2개를 그어 주어진 개수만큼 도형이 생기도록 선을 그어 보세요.

보기 직각삼각형 2개, 직사각형 1개

2-1 정사각형 3개

2-2 직각삼각형 3개

예 또는

2-3 직각삼각형 3개

예 또는 등이 있습니다.

2-4 직각삼각형 2개, 정사각형 1개

2-5 직각삼각형 2개, 정사각형 1개

30 • 3단계

1주 - 평면도형의 이해 • 31

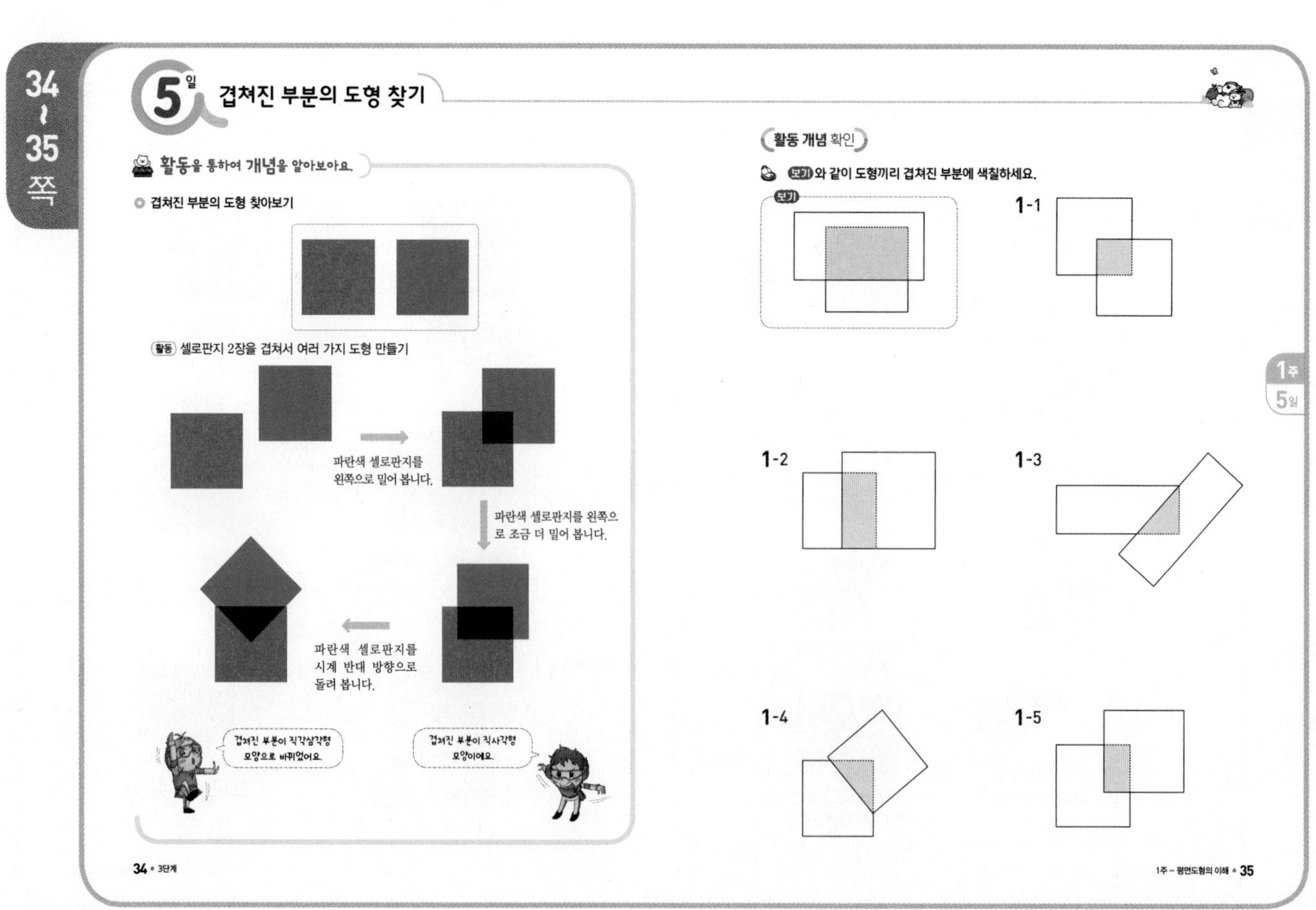

34~35쪽

5일 겹쳐진 부분의 도형 찾기

활동을 통하여 개념을 알아보아요.

○ 겹쳐진 부분의 도형 찾아보기

활동 셀로판지 2장을 겹쳐서 여러 가지 도형 만들기

파란색 셀로판지를 왼쪽으로 밀어 봅니다.

파란색 셀로판지를 왼쪽으로 조금 더 밀어 봅니다.

파란색 셀로판지를 시계 반대 방향으로 돌려 봅니다.

겹쳐진 부분이 직각삼각형 모양으로 바뀌었어요.

겹쳐진 부분이 직사각형 모양이에요.

활동 개념 확인

보기와 같이 도형끼리 겹쳐진 부분에 색칠하세요.

1-1

1-2

1-3

1-4

1-5

34 • 3단계

1주 - 평면도형의 이해 • 35

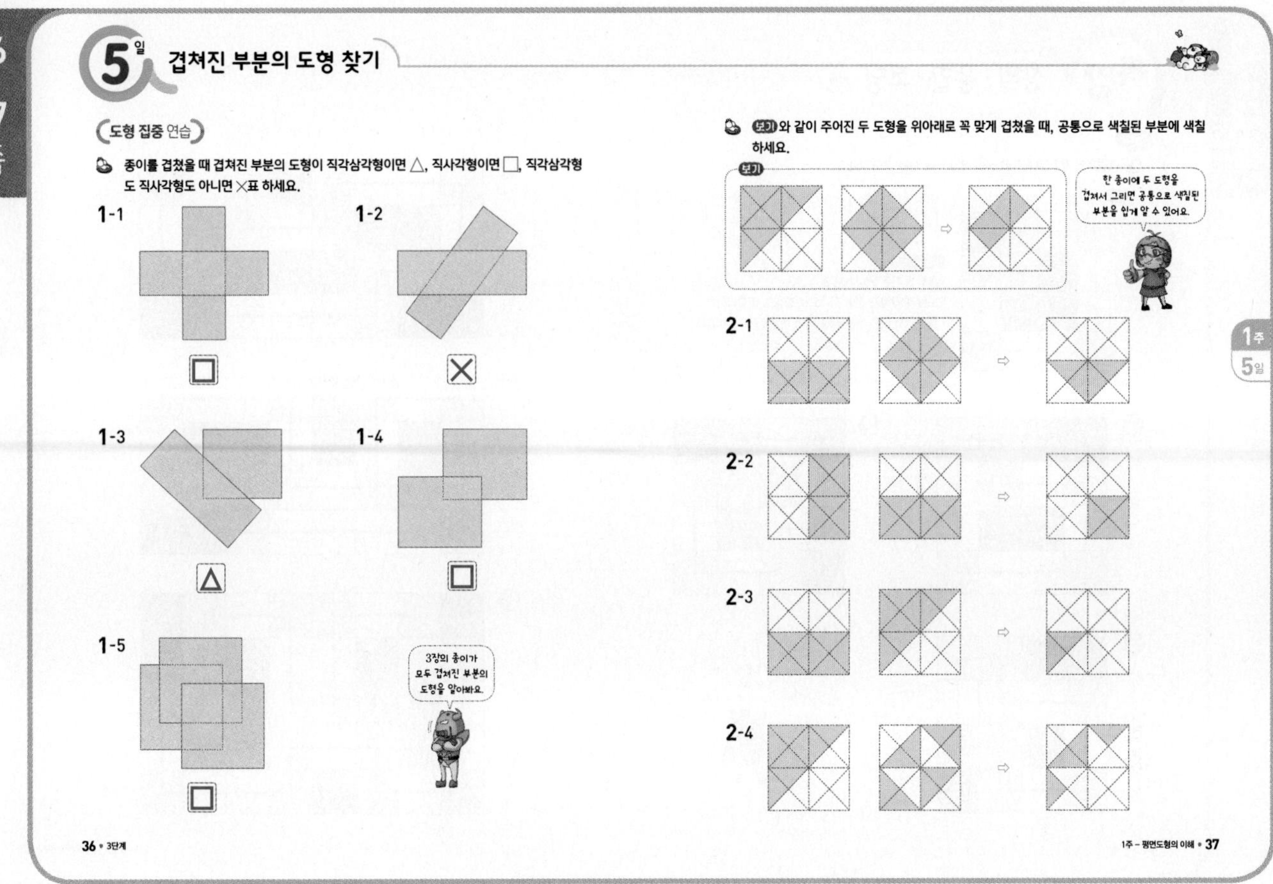
36 ~ 37 쪽
5일 겹쳐진 부분의 도형 찾기
도형 집중 연습
종이를 겹쳤을 때 겹쳐진 부분의 도형이 직각삼각형이면 △, 직사각형이면 □, 직각삼각형도 직사각형도 아니면 ×표 하세요.
1-1 □
1-2 ×
1-3 △
1-4 □
1-5 □
3장의 종이가 모두 겹쳐진 부분의 도형을 알아봐요.
보기와 같이 주어진 두 도형을 위아래로 꼭 맞게 겹쳤을 때, 공통으로 색칠된 부분에 색칠하세요.
보기
한 종이에 두 도형을 겹쳐서 그리면 공통으로 색칠된 부분을 쉽게 알 수 있어요.
2-1
2-2
2-3
2-4
36 • 3단계
1주 - 평면도형의 이해 • 37

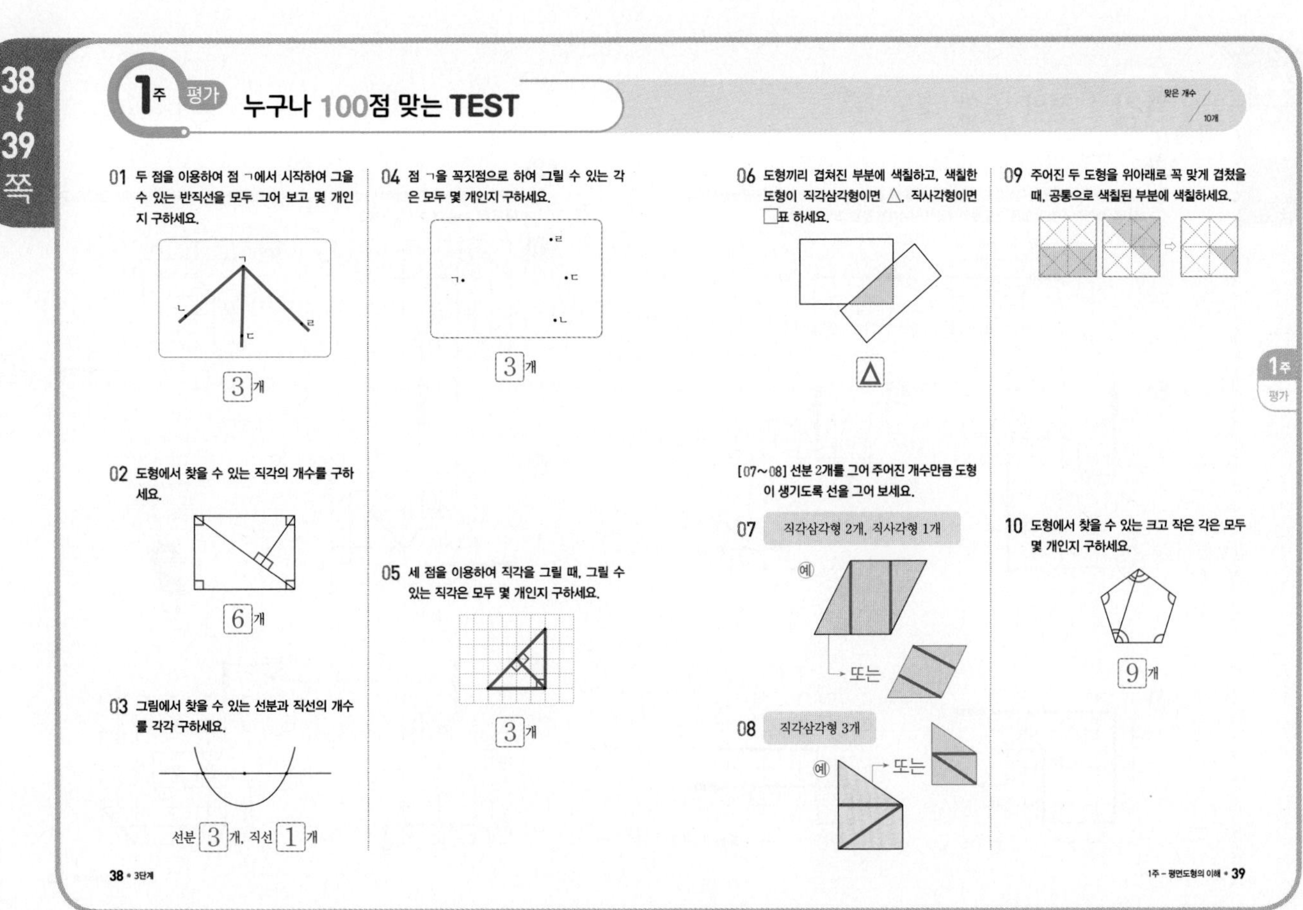
38 ~ 39 쪽
1주 평가 누구나 100점 맞는 TEST
맞은 개수 /10개
01 두 점을 이용하여 점 ㄱ에서 시작하여 그을 수 있는 반직선을 모두 그어 보고 몇 개인지 구하세요.
3개
02 도형에서 찾을 수 있는 직각의 개수를 구하세요.
6개
03 그림에서 찾을 수 있는 선분과 직선의 개수를 각각 구하세요.
선분 3개, 직선 1개
04 점 ㄱ을 꼭짓점으로 하여 그릴 수 있는 각은 모두 몇 개인지 구하세요.
3개
05 세 점을 이용하여 직각을 그릴 때, 그릴 수 있는 직각은 모두 몇 개인지 구하세요.
3개
06 도형끼리 겹쳐진 부분에 색칠하고, 색칠한 도형이 직각삼각형이면 △, 직사각형이면 □표 하세요.
△
[07~08] 선분 2개를 그어 주어진 개수만큼 도형이 생기도록 선을 그어 보세요.
07 직각삼각형 2개, 직사각형 1개
예
또는
08 직각삼각형 3개
예
또는
09 주어진 두 도형을 위아래로 꼭 맞게 겹쳤을 때, 공통으로 색칠된 부분에 색칠하세요.
10 도형에서 찾을 수 있는 크고 작은 각은 모두 몇 개인지 구하세요.
9개
38 • 3단계
1주 - 평면도형의 이해 • 39

42~43쪽

특강 창의·융합·코딩

창의

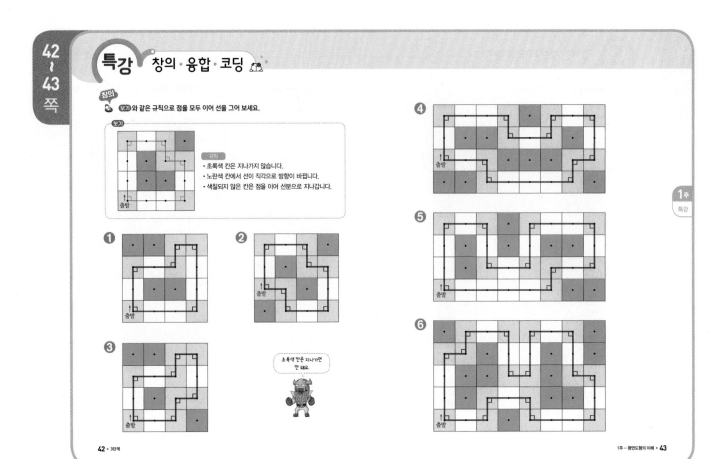

보기와 같은 규칙으로 점을 모두 이어 선을 그어 보세요.

보기

출발

규칙
- 초록색 칸은 지나가지 않습니다.
- 노란색 칸에서 선이 직각으로 방향이 바뀝니다.
- 색칠되지 않은 칸은 점을 이어 선분으로 지나갑니다.

❶ 출발

❷ 출발

❸ 출발

초록색 칸은 지나가면 안 돼요.

❹ 출발

❺ 출발

❻ 출발

1주 특강

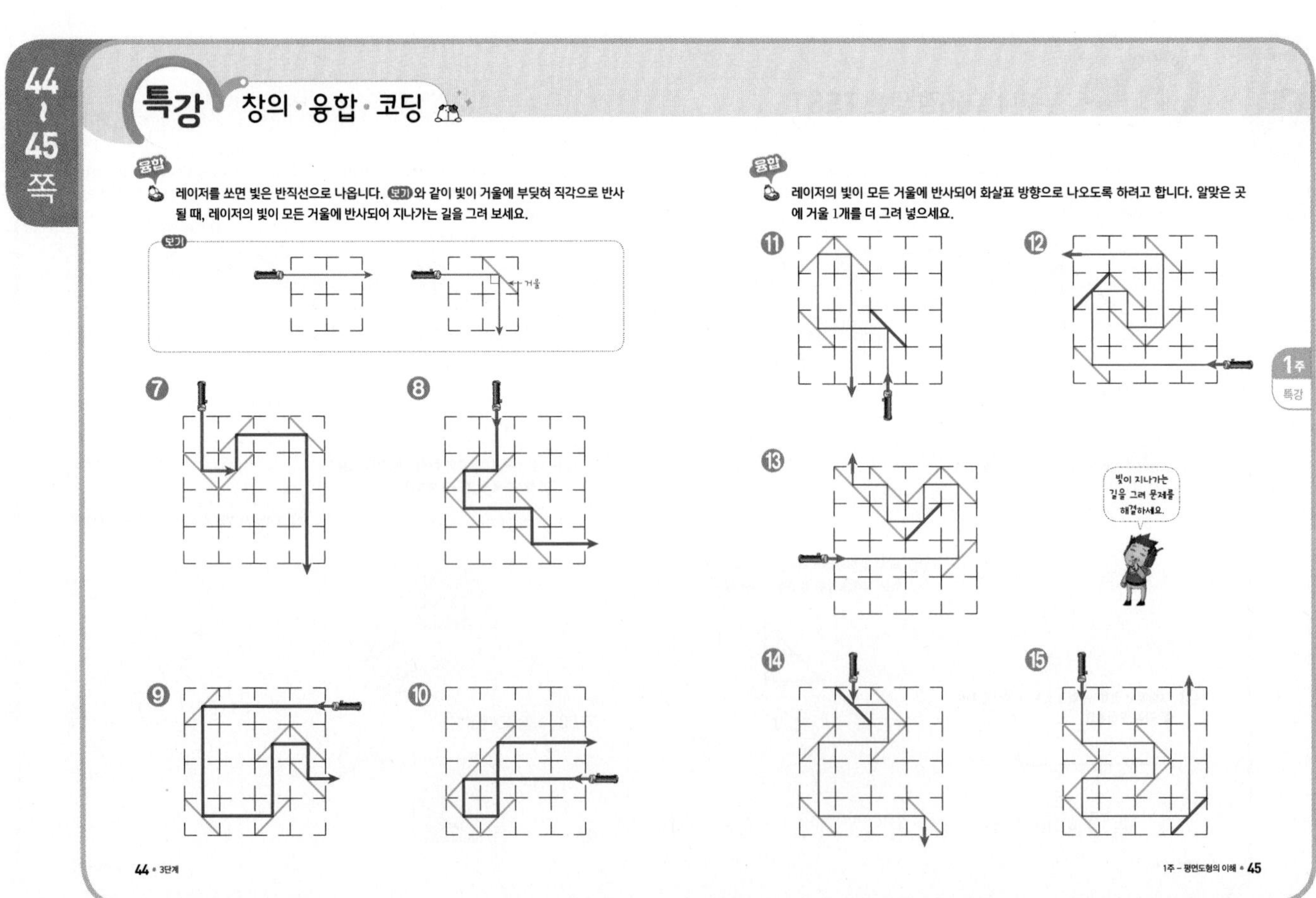
44~45쪽

특강 창의·융합·코딩

융합

레이저를 쏘면 빛은 반직선으로 나옵니다. 보기와 같이 빛이 거울에 부딪혀 직각으로 반사될 때, 레이저의 빛이 모든 거울에 반사되어 지나가는 길을 그려 보세요.

보기

거울

❼ ❽ ❾ ❿

융합

레이저의 빛이 모든 거울에 반사되어 화살표 방향으로 나오도록 하려고 합니다. 알맞은 곳에 거울 1개를 더 그려 넣으세요.

⓫ ⓬ ⓭

빛이 지나가는 길을 그려 문제를 해결하세요.

⓮ ⓯

1주 특강

2주 | 직각삼각형, 직사각형, 정사각형

48~49쪽

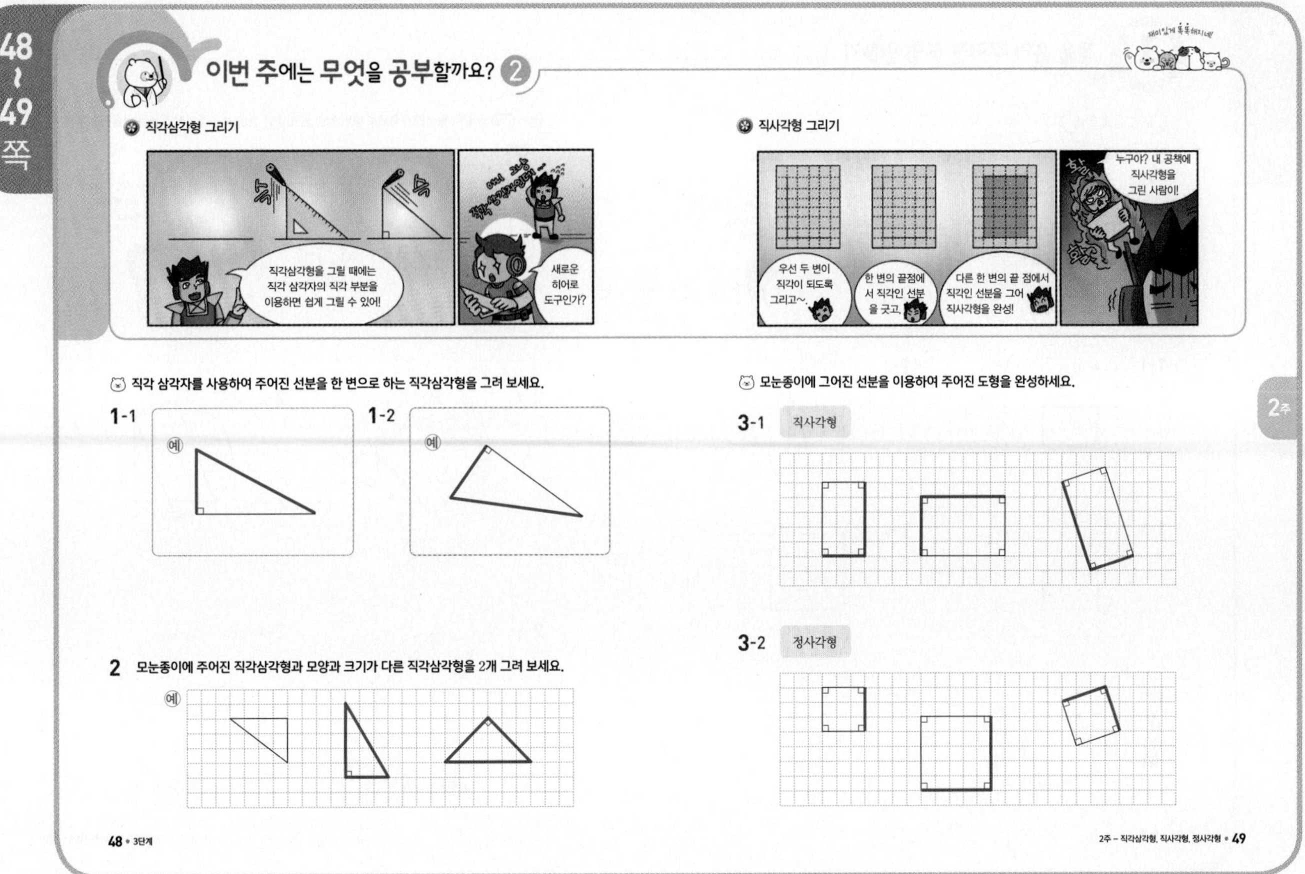

이번 주에는 무엇을 공부할까요? ②
직각삼각형 그리기
직각삼각형을 그릴 때에는 직각 삼각자의 직각 부분을 이용하면 쉽게 그릴 수 있어!
새로운 히어로 도구인가?
직사각형 그리기
우선 두 변이 직각이 되도록 그리고~
한 변의 끝점에서 직각인 선분을 긋고,
다른 한 변의 끝 점에서 직각인 선분을 그어 직사각형을 완성!
누구야? 내 공책에 직사각형을 그린 사람이!
직각 삼각자를 사용하여 주어진 선분을 한 변으로 하는 직각삼각형을 그려 보세요.
1-1 예
1-2 예
2 모눈종이에 주어진 직각삼각형과 모양과 크기가 다른 직각삼각형을 2개 그려 보세요.
예
모눈종이에 그어진 선분을 이용하여 주어진 도형을 완성하세요.
3-1 직사각형
3-2 정사각형
48 • 3단계
2주 - 직각삼각형, 직사각형, 정사각형 • 49

52~53쪽

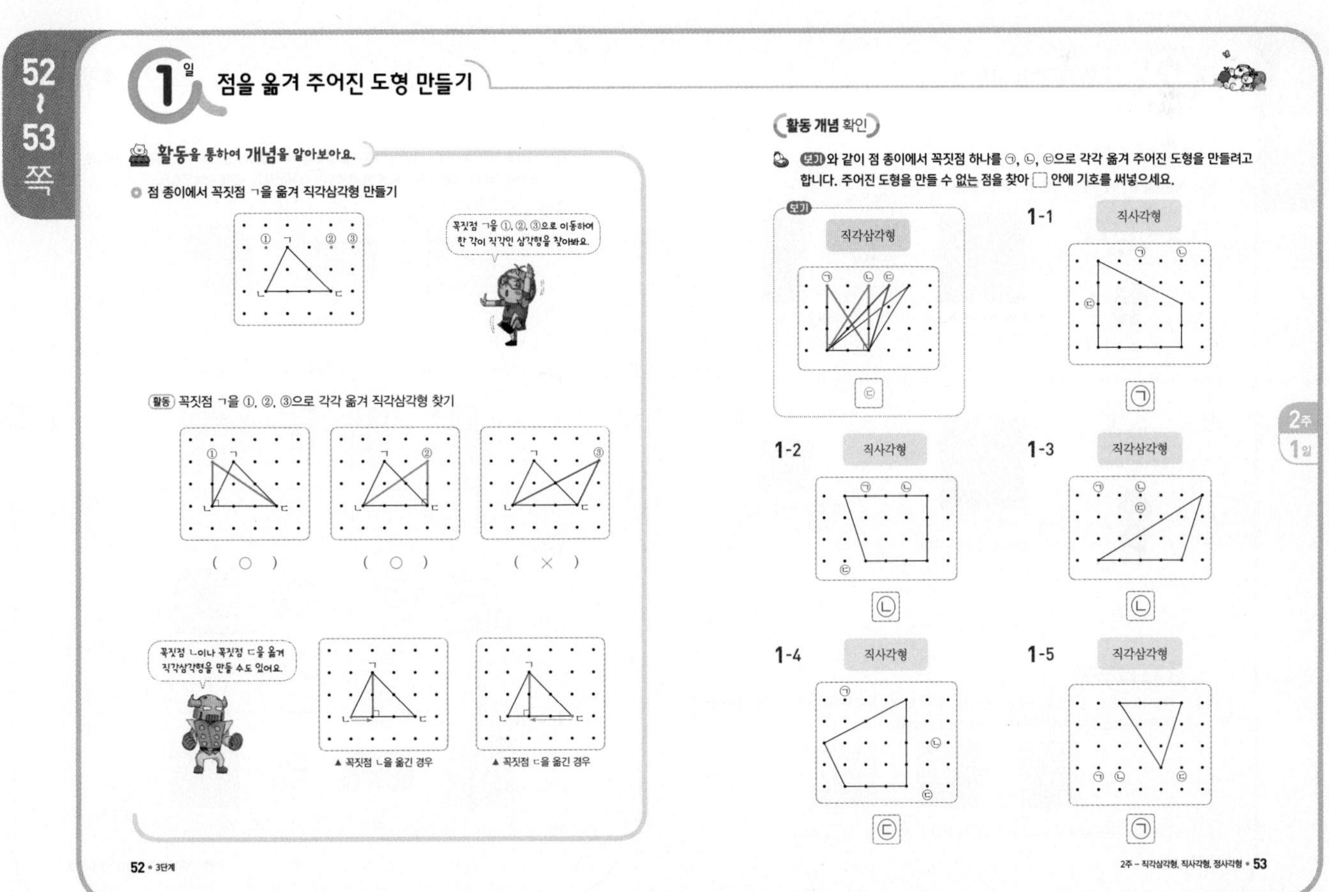

1일 점을 옮겨 주어진 도형 만들기
활동을 통하여 개념을 알아보아요.
점 종이에서 꼭짓점 ㄱ을 옮겨 직각삼각형 만들기
꼭짓점 ㄱ을 ①, ②, ③으로 이동하여 한 각이 직각인 삼각형을 찾아봐요.
활동 꼭짓점 ㄱ을 ①, ②, ③으로 각각 옮겨 직각삼각형 찾기
(○) (○) (×)
꼭짓점 ㄴ이나 꼭짓점 ㄷ을 옮겨 직각삼각형을 만들 수도 있어요.
▲ 꼭짓점 ㄴ을 옮긴 경우
▲ 꼭짓점 ㄷ을 옮긴 경우
활동 개념 확인
보기와 같이 점 종이에서 꼭짓점 하나를 ㉠, ㉡, ㉢으로 각각 옮겨 주어진 도형을 만들려고 합니다. 주어진 도형을 만들 수 없는 점을 찾아 □ 안에 기호를 써넣으세요.
보기 직각삼각형 ㉢
1-1 직사각형 ㉠
1-2 직사각형 ㉡
1-3 직각삼각형 ㉡
1-4 직사각형 ㉢
1-5 직각삼각형 ㉠
52 • 3단계
2주 - 직각삼각형, 직사각형, 정사각형 • 53

54~55쪽

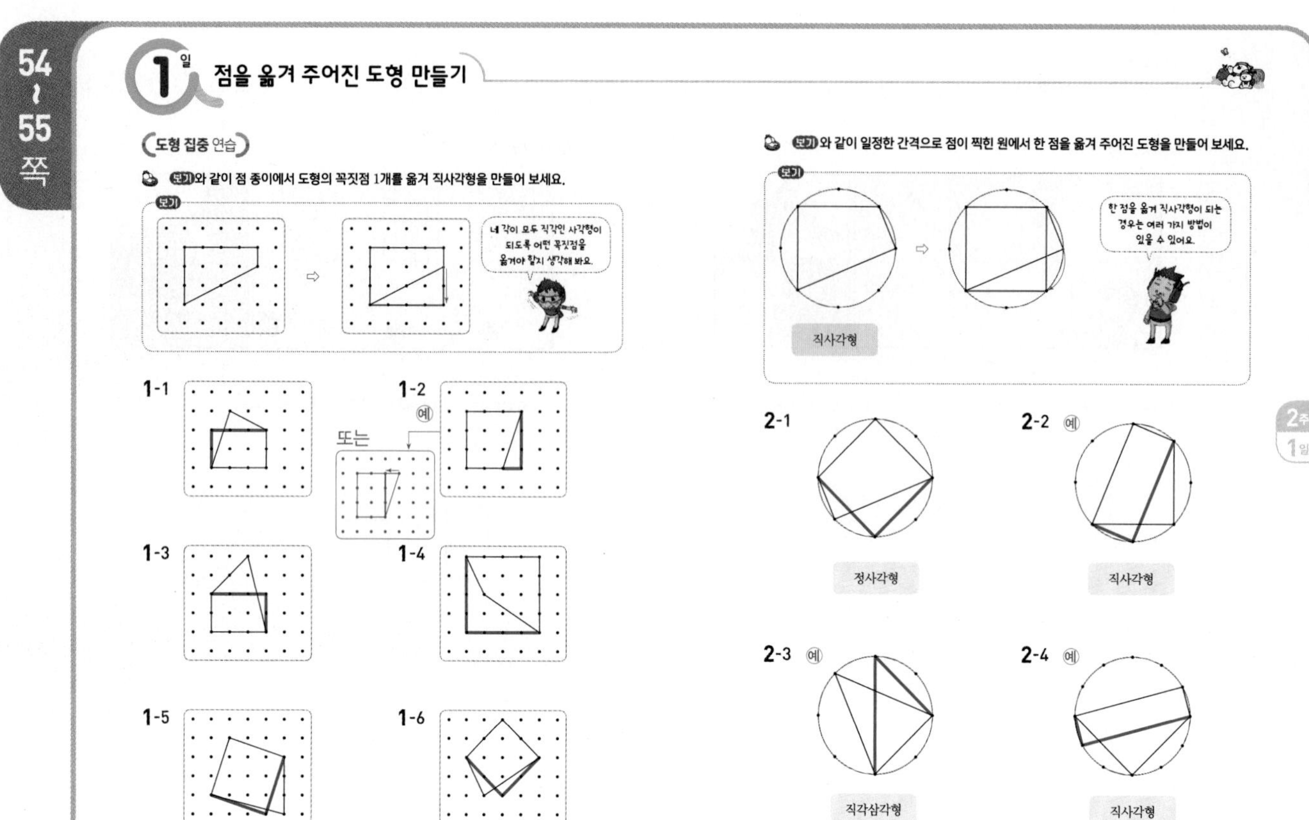

1일 점을 옮겨 주어진 도형 만들기
도형 집중 연습
보기와 같이 점 종이에서 도형의 꼭짓점 1개를 옮겨 직사각형을 만들어 보세요.
네 각이 모두 직각인 사각형이 되도록 어떤 꼭짓점을 옮겨야 할지 생각해 봐요.
1-1
1-2 예
또는
1-3
1-4
1-5
1-6
보기와 같이 일정한 간격으로 점이 찍힌 원에서 한 점을 옮겨 주어진 도형을 만들어 보세요.
한 점을 옮겨 직사각형이 되는 경우는 여러 가지 방법이 있을 수 있어요.
직사각형
2-1
정사각형
2-2 예
직사각형
2-3 예
직각삼각형
2-4 예
직사각형
54 • 3단계
2주 – 직각삼각형, 직사각형, 정사각형 • 55

58~59쪽

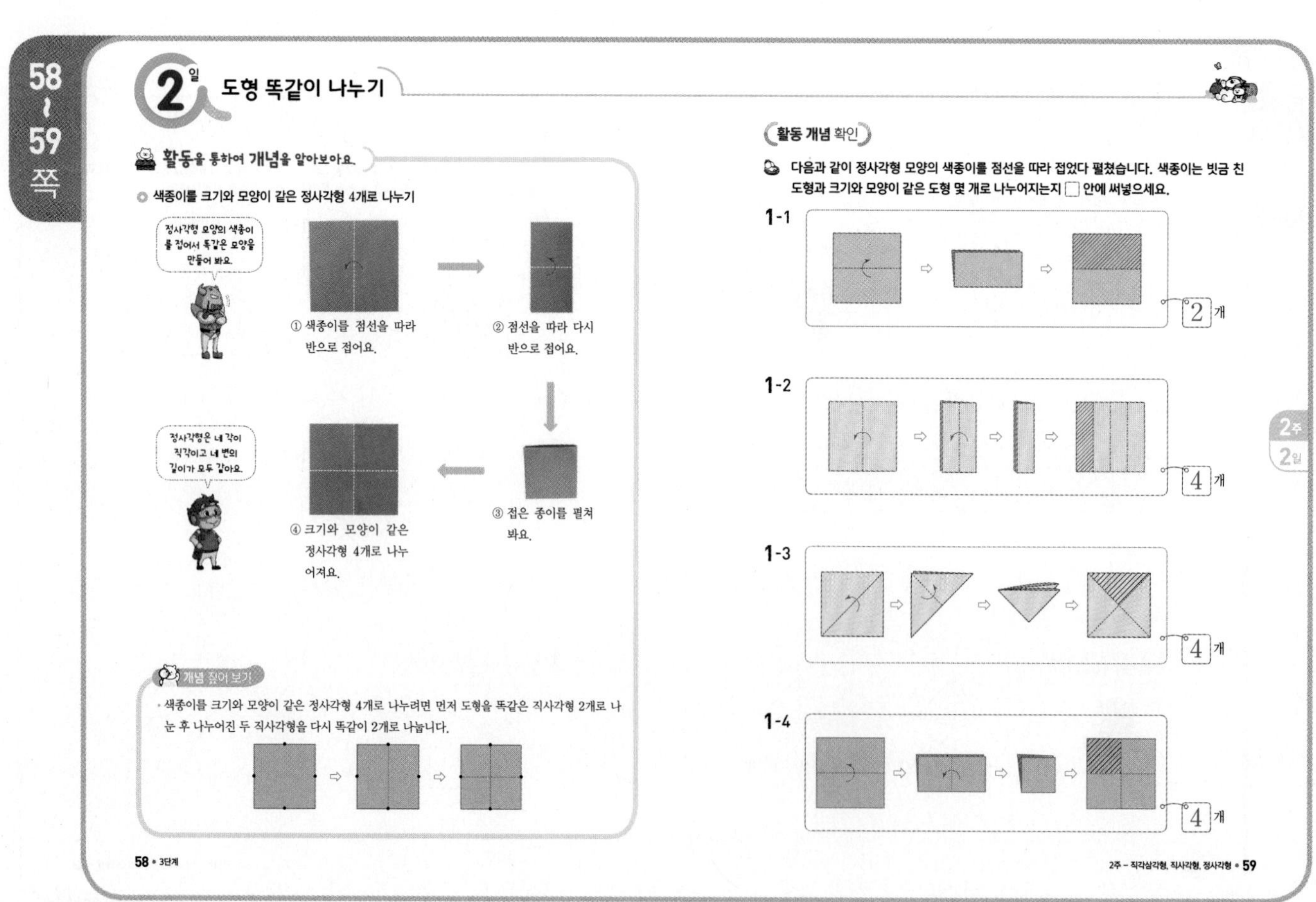

2일 도형 똑같이 나누기
활동을 통하여 개념을 알아보아요.
색종이를 크기와 모양이 같은 정사각형 4개로 나누기
정사각형 모양의 색종이를 접어서 똑같은 모양을 만들어 봐요.
① 색종이를 점선을 따라 반으로 접어요.
② 점선을 따라 다시 반으로 접어요.
③ 접은 종이를 펼쳐 봐요.
④ 크기와 모양이 같은 정사각형 4개로 나누어져요.
정사각형은 네 각이 직각이고 네 변의 길이가 모두 같아요.
개념 짚어 보기
• 색종이를 크기와 모양이 같은 정사각형 4개로 나누려면 먼저 도형을 똑같은 직사각형 2개로 나눈 후 나누어진 두 직사각형을 다시 똑같이 2개로 나눕니다.
활동 개념 확인
다음과 같이 정사각형 모양의 색종이를 점선을 따라 접었다 펼쳤습니다. 색종이는 빗금 친 도형과 크기와 모양이 같은 도형 몇 개로 나누어지는지 □ 안에 써넣으세요.
1-1 2 개
1-2 4 개
1-3 4 개
1-4 4 개
58 • 3단계
2주 – 직각삼각형, 직사각형, 정사각형 • 59

60~61쪽

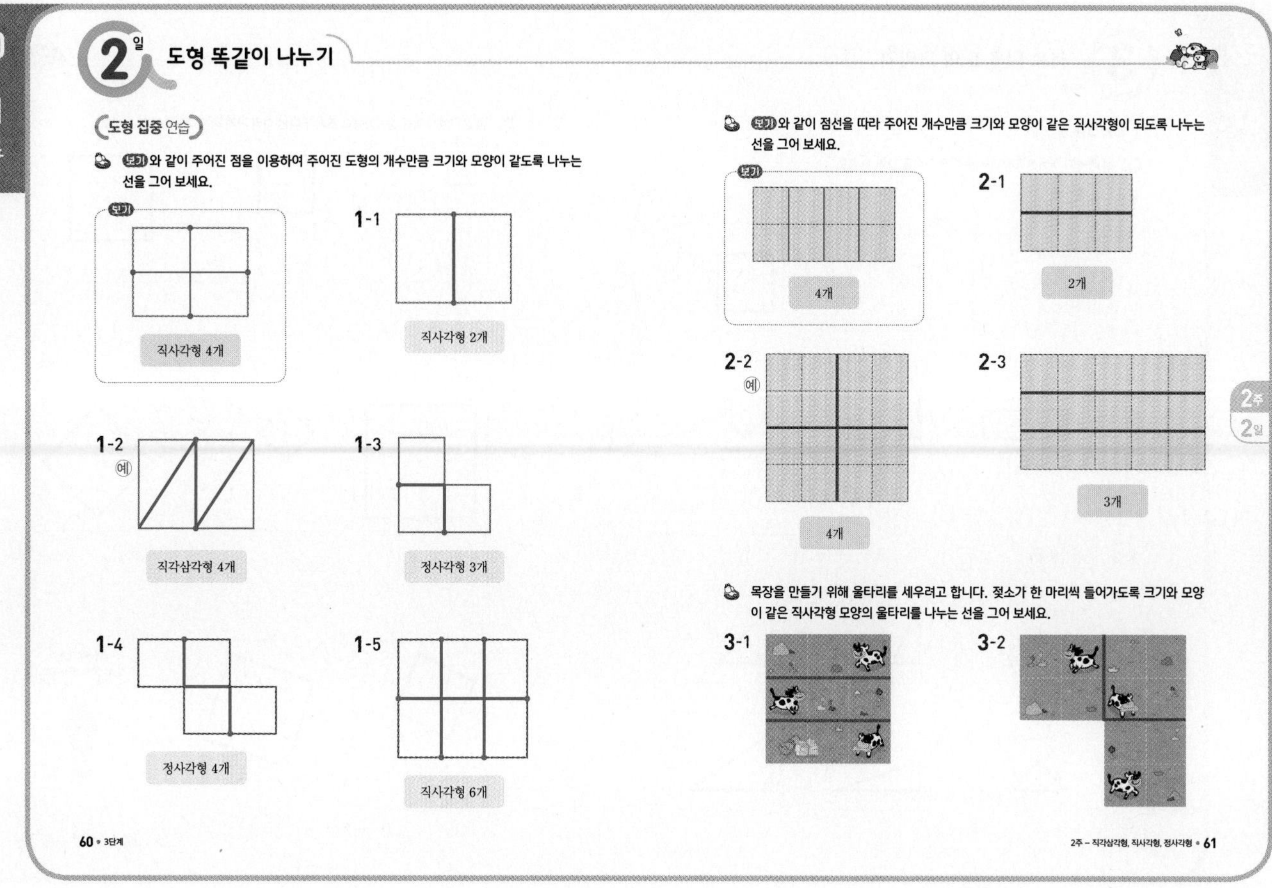
2일 도형 똑같이 나누기
도형 집중 연습
보기와 같이 주어진 점을 이용하여 주어진 도형의 개수만큼 크기와 모양이 같도록 나누는 선을 그어 보세요.
직사각형 4개
1-1 직사각형 2개
1-2 예 직각삼각형 4개
1-3 정사각형 3개
1-4 정사각형 4개
1-5 직사각형 6개
보기와 같이 점선을 따라 주어진 개수만큼 크기와 모양이 같은 직사각형이 되도록 나누는 선을 그어 보세요.
4개
2-1 2개
2-2 예 4개
2-3 3개
목장을 만들기 위해 울타리를 세우려고 합니다. 젖소가 한 마리씩 들어가도록 크기와 모양이 같은 직사각형 모양의 울타리를 나누는 선을 그어 보세요.
3-1
3-2
60 • 3단계
2주 – 직각삼각형, 직사각형, 정사각형 • 61

64~65쪽

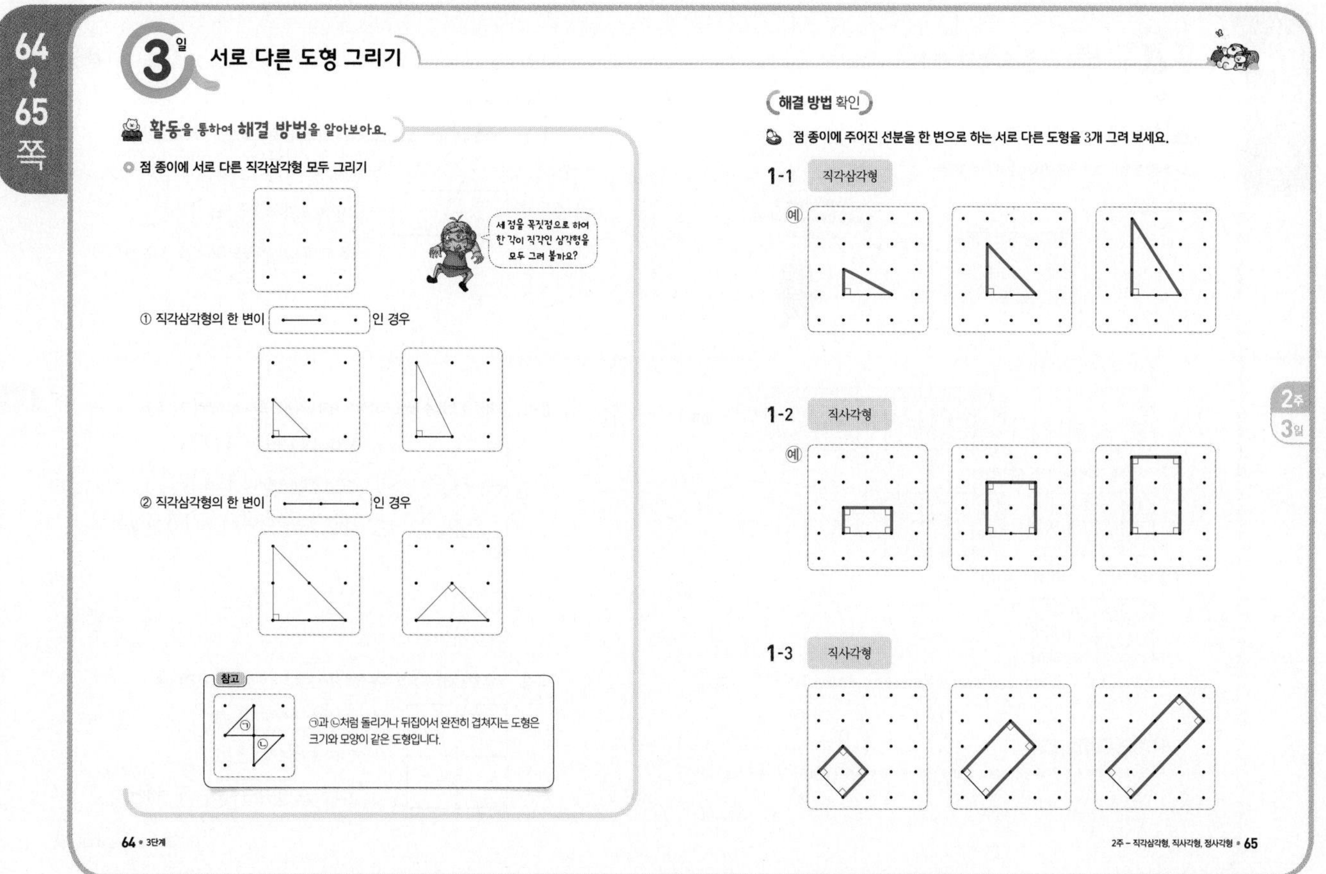
3일 서로 다른 도형 그리기
활동을 통하여 해결 방법을 알아보아요.
점 종이에 서로 다른 직각삼각형 모두 그리기
세 점을 꼭짓점으로 하여 한 각이 직각인 삼각형을 모두 그려 볼까요?
① 직각삼각형의 한 변이 인 경우
② 직각삼각형의 한 변이 인 경우
참고
㉠과 ㉡처럼 돌리거나 뒤집어서 완전히 겹쳐지는 도형은 크기와 모양이 같은 도형입니다.
해결 방법 확인
점 종이에 주어진 선분을 한 변으로 하는 서로 다른 도형을 3개 그려 보세요.
1-1 직각삼각형 예
1-2 직사각형 예
1-3 직사각형
64 • 3단계
2주 – 직각삼각형, 직사각형, 정사각형 • 65

66~67쪽

3일 서로 다른 도형 그리기

도형 집중 연습

점 종이에 주어진 도형과 서로 다른 도형을 그려 보세요.

1-1 직사각형

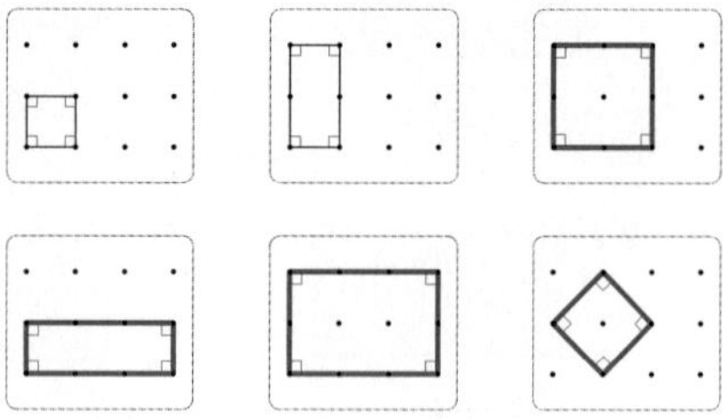

1-2 직사각형

예

→ 또는 등이 있습니다.

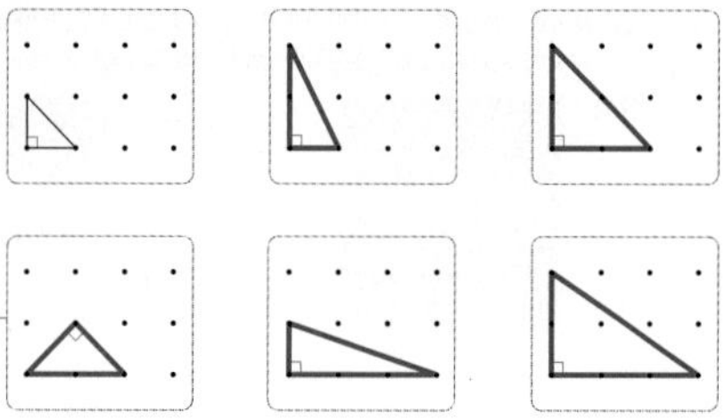

2 점 종이에 주어진 정사각형과 크기가 다른 여러 가지 정사각형을 그려 보세요.

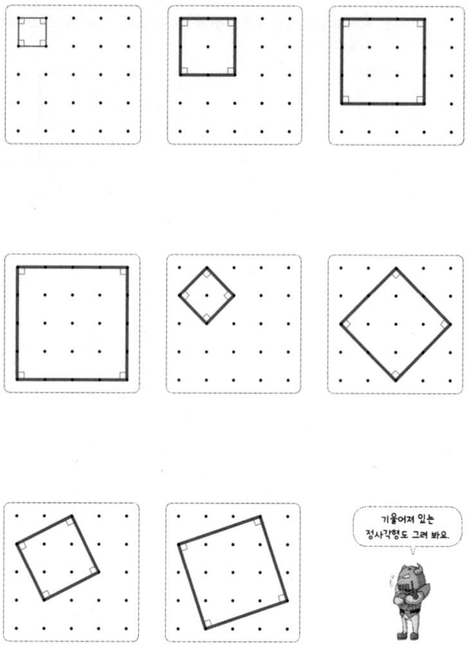

기울어져 있는 정사각형도 그려 봐요.

66 • 3단계

2주 - 직각삼각형, 직사각형, 정사각형 • 67

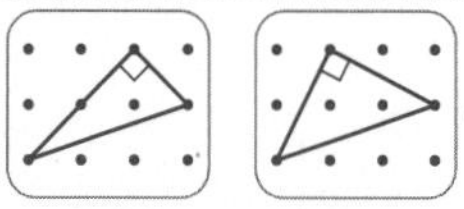

70~71쪽

4일 크고 작은 도형의 개수

활동을 통하여 해결 방법을 알아보아요.

찾을 수 있는 크고 작은 직사각형의 개수 구하기

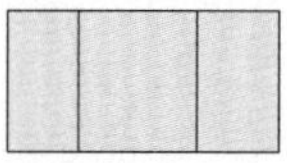

직사각형이 여러 개 모여서 만들어지는 직사각형도 찾아야 해요.

① 직사각형 1개로 이루어진 직사각형

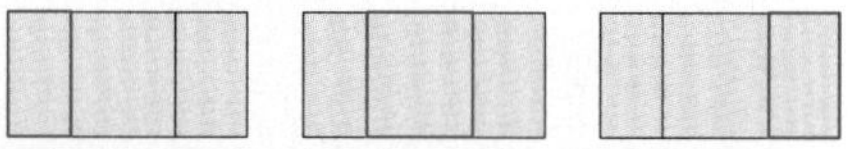

→ 3개

② 직사각형 2개로 이루어진 직사각형

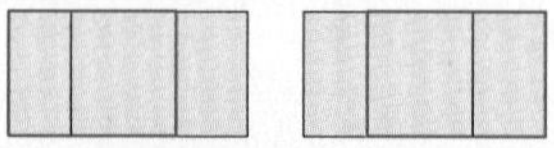

→ 2개

③ 직사각형 3개로 이루어진 직사각형

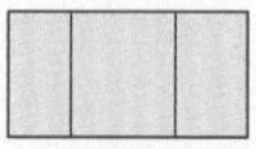

→ 1개

⇨ 그림에서 찾을 수 있는 크고 작은 직사각형은 모두 3+2+1=6(개)입니다.

해결 방법 짚어보기

크고 작은 도형을 찾을 때에는 도형 1개, 2개, 3개 ……로 이루어진 도형을 각각 세어 모두 더합니다.

해결 방법 확인

1-1 그림에서 찾을 수 있는 크고 작은 직사각형은 모두 몇 개인지 구하세요.

직사각형 1개짜리: 2 개

직사각형 2개짜리: 1 개

⇨ 찾을 수 있는 직사각형은 모두 3 개입니다.

1-2 그림에서 찾을 수 있는 크고 작은 직각삼각형은 모두 몇 개인지 구하세요.

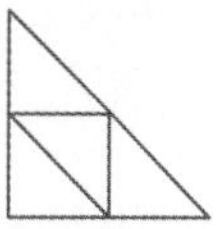

직각삼각형 1개짜리: 4 개

직각삼각형 4개짜리: 1 개

⇨ 찾을 수 있는 직각삼각형은 모두 5 개입니다.

1-3 그림에서 찾을 수 있는 크고 작은 정사각형은 모두 몇 개인지 구하세요.

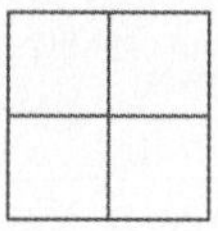

정사각형 1개짜리: 4 개

정사각형 4개짜리: 1 개

⇨ 찾을 수 있는 정사각형은 모두 5 개입니다.

70 • 3단계

2주 - 직각삼각형, 직사각형, 정사각형 • 71

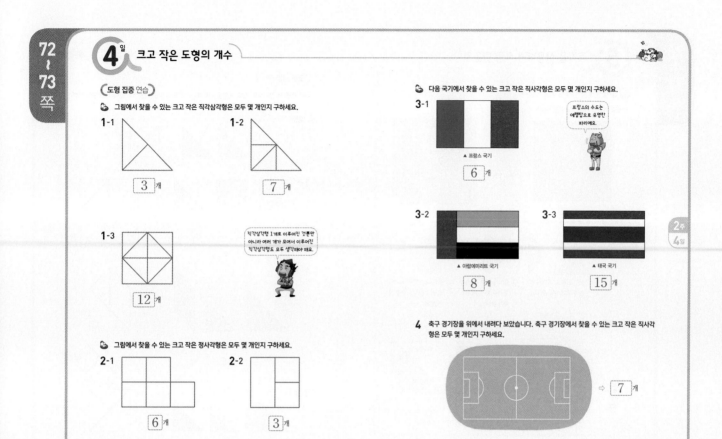

72~73쪽

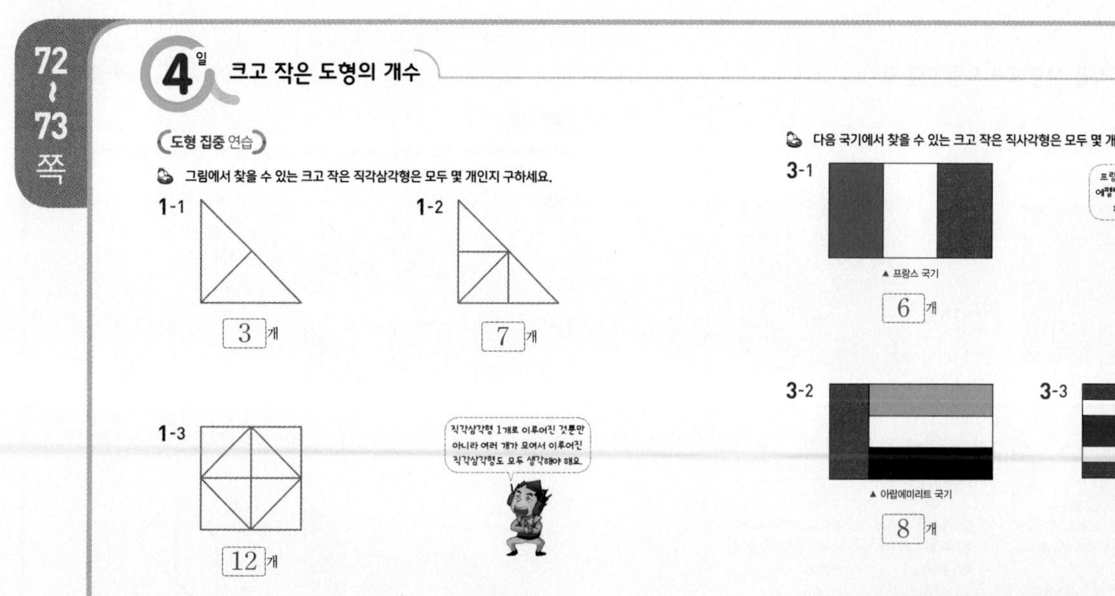

풀이

1-1 직각삼각형 1개짜리: 2개,
직각삼각형 2개짜리: 1개
⇨ 2+1=3(개)

1-2 직각삼각형 1개짜리: 4개,
직각삼각형 2개짜리: 2개,
직각삼각형 4개짜리: 1개
⇨ 4+2+1=7(개)

1-3 직각삼각형 1개짜리: 8개,
직각삼각형 2개짜리: 4개
⇨ 8+4=12(개)

2-1 정사각형 1개짜리: 5개,
정사각형 4개짜리: 1개
⇨ 5+1=6(개)

2-2 정사각형 1개짜리: 2개,
사각형 3개짜리: 1개
⇨ 2+1=3(개)

3-1 직사각형 1개짜리: 3개,
직사각형 2개짜리: 2개,
직사각형 3개짜리: 1개
⇨ 3+2+1=6(개)

3-2 직사각형 1개짜리: 4개,
직사각형 2개짜리: 2개,
직사각형 3개짜리: 1개,
직사각형 4개짜리: 1개
⇨ 4+2+1+1=8(개)

3-3 직사각형 1개짜리: 5개,
직사각형 2개짜리: 4개,
직사각형 3개짜리: 3개,
직사각형 4개짜리: 2개,
직사각형 5개짜리: 1개
⇨ 5+4+3+2+1=15(개)

4 직사각형 1개짜리: 6개,
직사각형 2개짜리: 1개
⇨ 6+1=7(개)

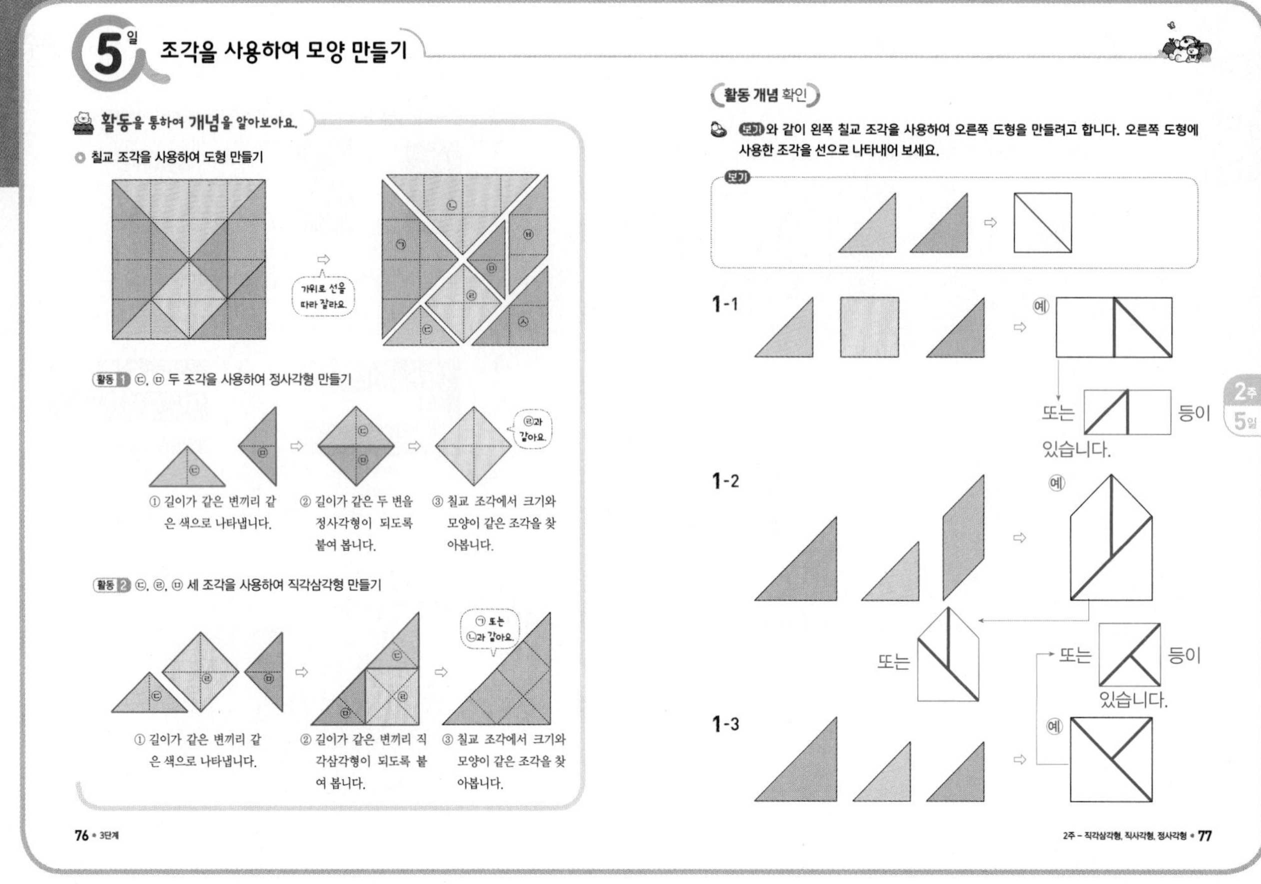
76 ~ 77 쪽
5일 조각을 사용하여 모양 만들기
활동을 통하여 개념을 알아보아요.
칠교 조각을 사용하여 도형 만들기
가위로 선을 따라 잘라요.
활동 1 ㉢, ㉤ 두 조각을 사용하여 정사각형 만들기
① 길이가 같은 변끼리 같은 색으로 나타냅니다.
② 길이가 같은 두 변을 정사각형이 되도록 붙여 봅니다.
③ 칠교 조각에서 크기와 모양이 같은 조각을 찾아봅니다.
활동 2 ㉢, ㉣, ㉤ 세 조각을 사용하여 직각삼각형 만들기
① 길이가 같은 변끼리 같은 색으로 나타냅니다.
② 길이가 같은 변끼리 직각삼각형이 되도록 붙여 봅니다.
③ 칠교 조각에서 크기와 모양이 같은 조각을 찾아봅니다.
활동 개념 확인
보기와 같이 왼쪽 칠교 조각을 사용하여 오른쪽 도형을 만들려고 합니다. 오른쪽 도형에 사용한 조각을 선으로 나타내어 보세요.
1-1
예
또는 등이 있습니다.
1-2
예
또는
또는 등이 있습니다.
1-3
예
76 • 3단계
2주 - 직각삼각형, 직사각형, 정사각형 • 77

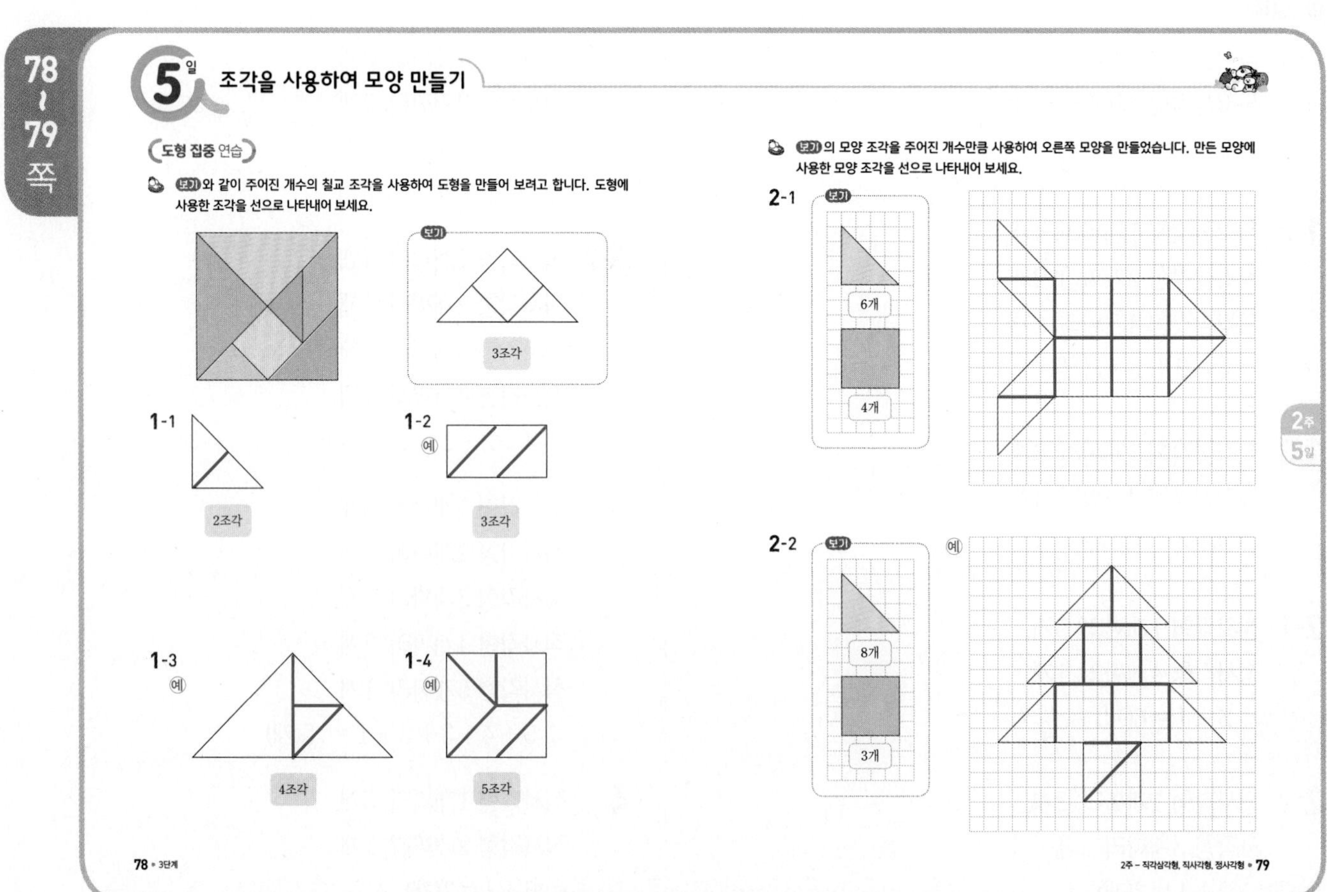
78 ~ 79 쪽
5일 조각을 사용하여 모양 만들기
도형 집중 연습
보기와 같이 주어진 개수의 칠교 조각을 사용하여 도형을 만들어 보려고 합니다. 도형에 사용한 조각을 선으로 나타내어 보세요.
보기
3조각
1-1
2조각
1-2
예
3조각
1-3
예
4조각
1-4
예
5조각
보기의 모양 조각을 주어진 개수만큼 사용하여 오른쪽 모양을 만들었습니다. 만든 모양에 사용한 모양 조각을 선으로 나타내어 보세요.
2-1
6개
4개
2-2
예
8개
3개
78 • 3단계
2주 - 직각삼각형, 직사각형, 정사각형 • 79

풀이

1-2

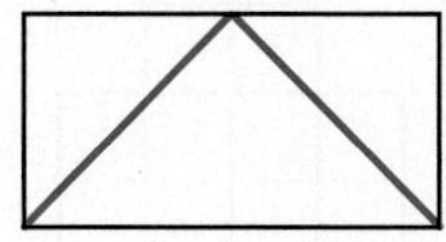

또는

등으로 나타낼 수 있습니다.

1-3

또는

등으로 나타낼 수 있습니다.

1-4 가장 큰 삼각형 모양 조각을 뺀 나머지 5조각으로 만들면 답이 됩니다.

2-2

등으로 나타낼 수 있습니다.

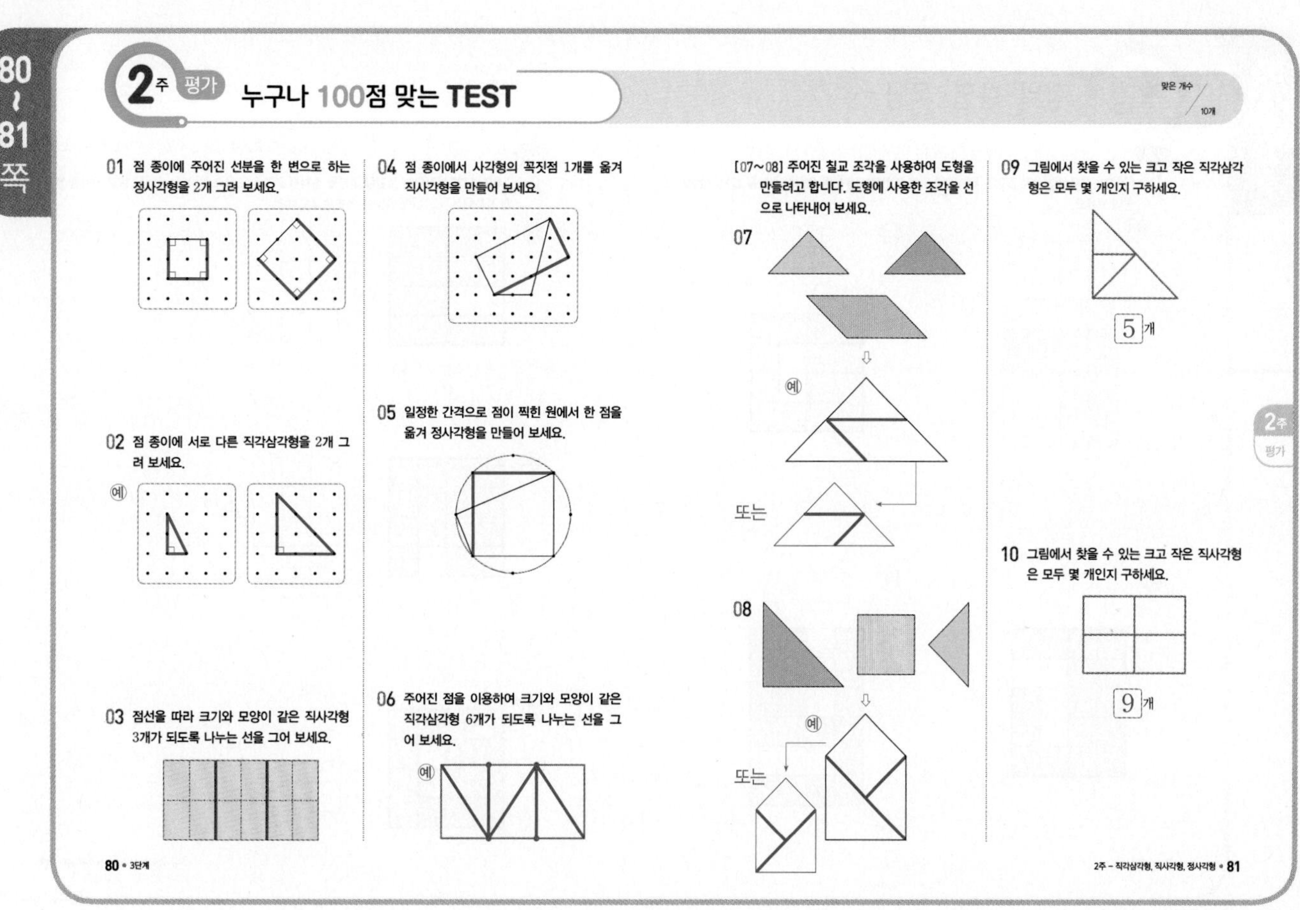

84 ~ 85 쪽

특강 창의 · 융합 · 코딩

창의

보기 와 같이 직사각형 모양으로 땅을 나누려고 합니다. 수가 쓰여 있는 칸을 포함하는 땅은 그 수만큼의 칸을 차지하도록 땅을 나누는 선을 그어 보세요.

보기

3		4	
	2		
		3	
			4

⇨

3		4	
	2		
		3	
			4

❶

	2		
2		3	
	2		4
3			

❷

		3	
3			
	2	6	
2			

❸

		2	2
4		1	
	3		4

❹

	6		3
1		2	
	4		

창의

직사각형 모양으로 땅을 나누려고 합니다. 수가 쓰여 있는 칸을 포함하는 땅은 그 수만큼의 칸을 차지하도록 땅을 나누는 선을 그어 보세요.

❺

	2		
4			
4		2	3
		3	

❻

	2		
3	2	4	
	4		1

❼

6		3	2
			2
	2		
	3		

먼저 가장 큰 수가 쓰여 있는 칸을 포함하는 직사각형부터 만들어 보세요.

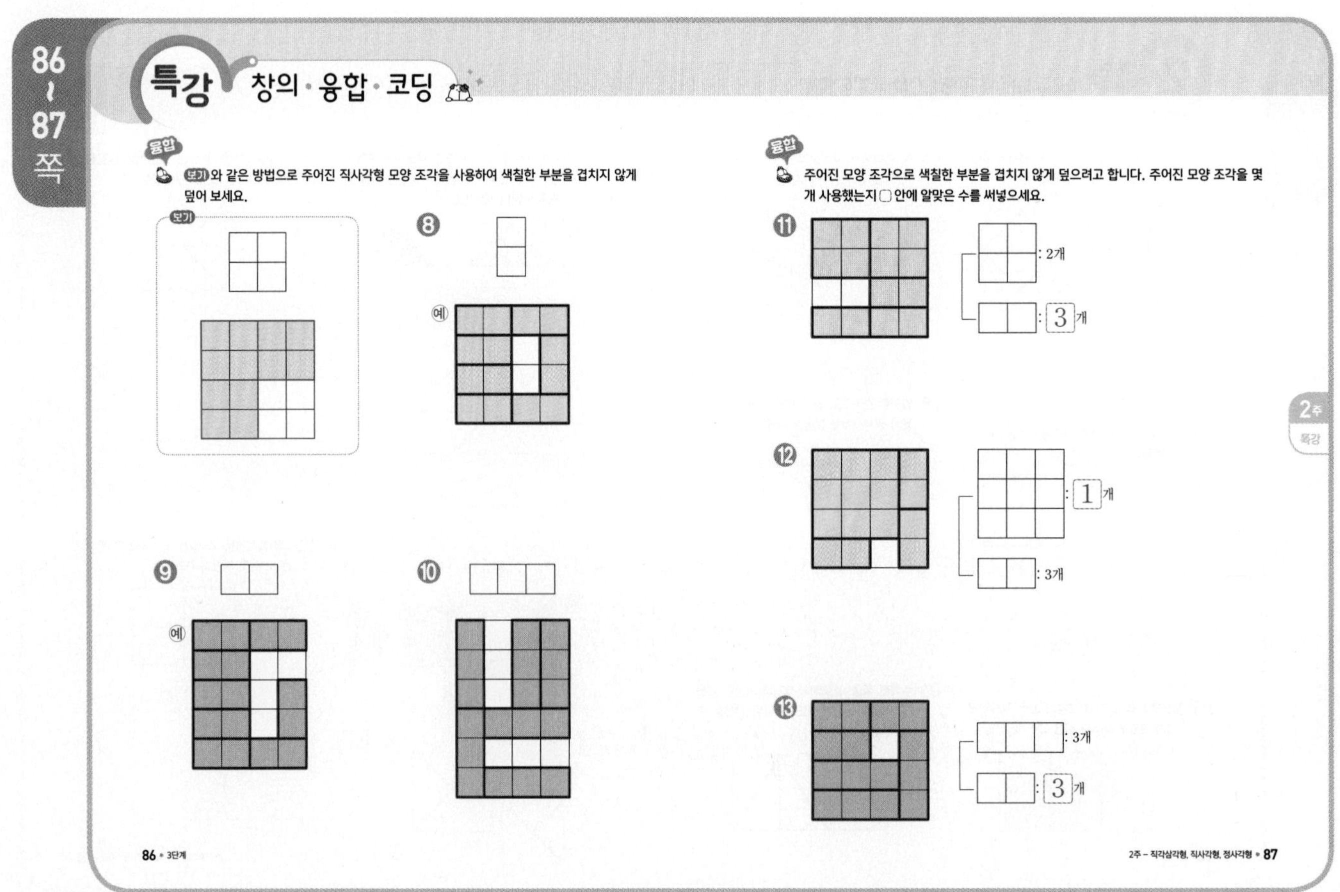

86 ~ 87 쪽
특강 창의 · 융합 · 코딩
융합
보기 와 같은 방법으로 주어진 직사각형 모양 조각을 사용하여 색칠한 부분을 겹치지 않게 덮어 보세요.
보기
❽
예
❾
예
❿
융합
주어진 모양 조각으로 색칠한 부분을 겹치지 않게 덮으려고 합니다. 주어진 모양 조각을 몇 개 사용했는지 □ 안에 알맞은 수를 써넣으세요.
⓫
: 2개
: 3 개
⓬
: 1 개
: 3개
⓭
: 3개
: 3 개
86 • 3단계
2주 – 직각삼각형, 직사각형, 정사각형 • 87

3주 | 원의 이해와 그리기

90~91쪽

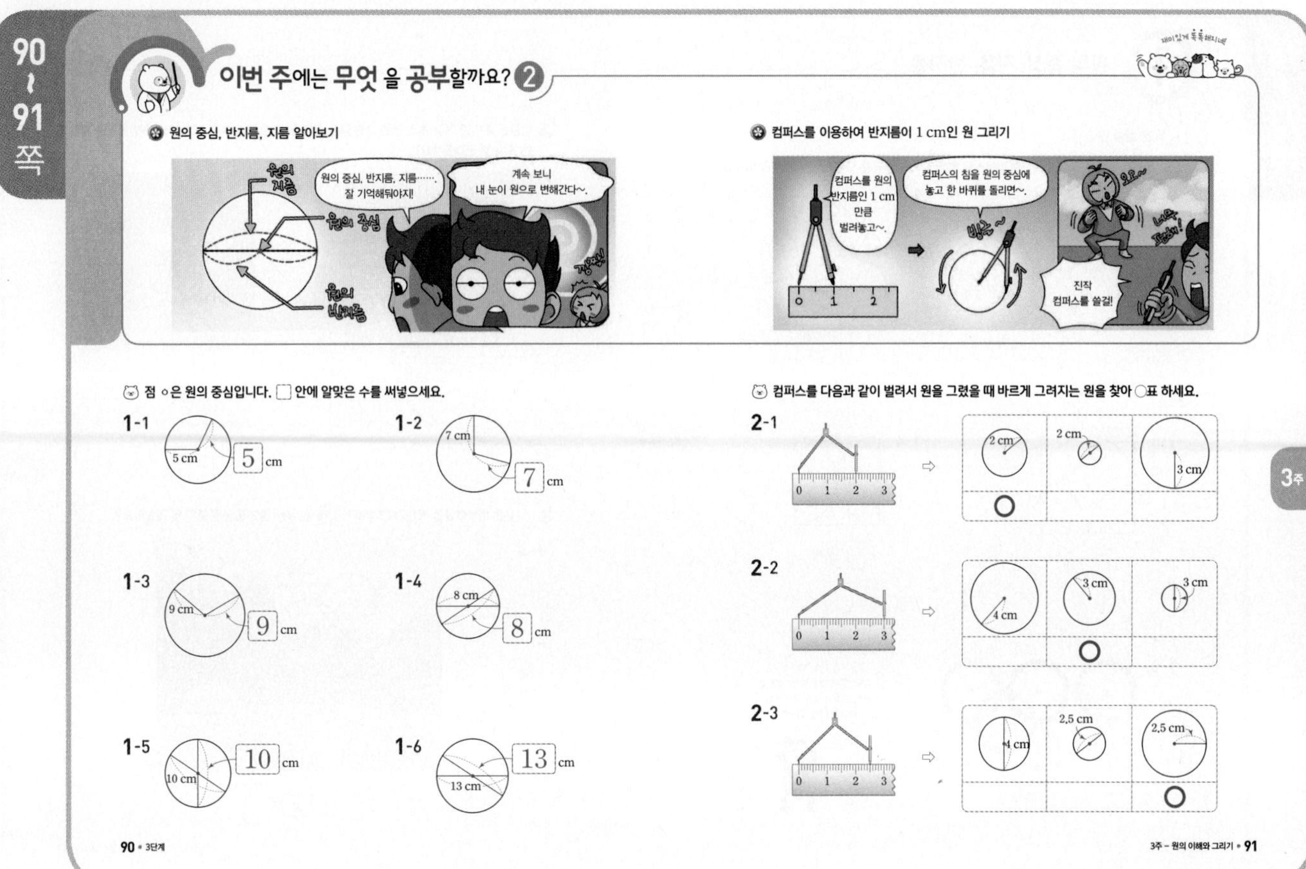

이번 주에는 무엇을 공부할까요? 2
원의 중심, 반지름, 지름 알아보기
원의 중심, 반지름, 지름…… 잘 기억해둬야지!
계속 보니 내 눈이 원으로 변해간다~.
원의 중심
컴퍼스를 이용하여 반지름이 1 cm인 원 그리기
컴퍼스를 원의 반지름인 1 cm만큼 벌려놓고~.
컴퍼스의 침을 원의 중심에 놓고 한 바퀴를 돌리면~.
진작 컴퍼스를 쓸걸!

점 ㅇ은 원의 중심입니다. □ 안에 알맞은 수를 써넣으세요.

1-1 5 cm → 5 cm
1-2 7 cm → 7 cm
1-3 9 cm → 9 cm
1-4 8 cm → 8 cm
1-5 10 cm → 10 cm
1-6 13 cm → 13 cm

컴퍼스를 다음과 같이 벌려서 원을 그렸을 때 바르게 그려지는 원을 찾아 ○표 하세요.

2-1 (2 cm) ○ / (2 cm) / (3 cm)
2-2 (4 cm) / (3 cm) ○ / (3 cm)
2-3 (4 cm) / (2.5 cm) / (2.5 cm) ○

94~95쪽

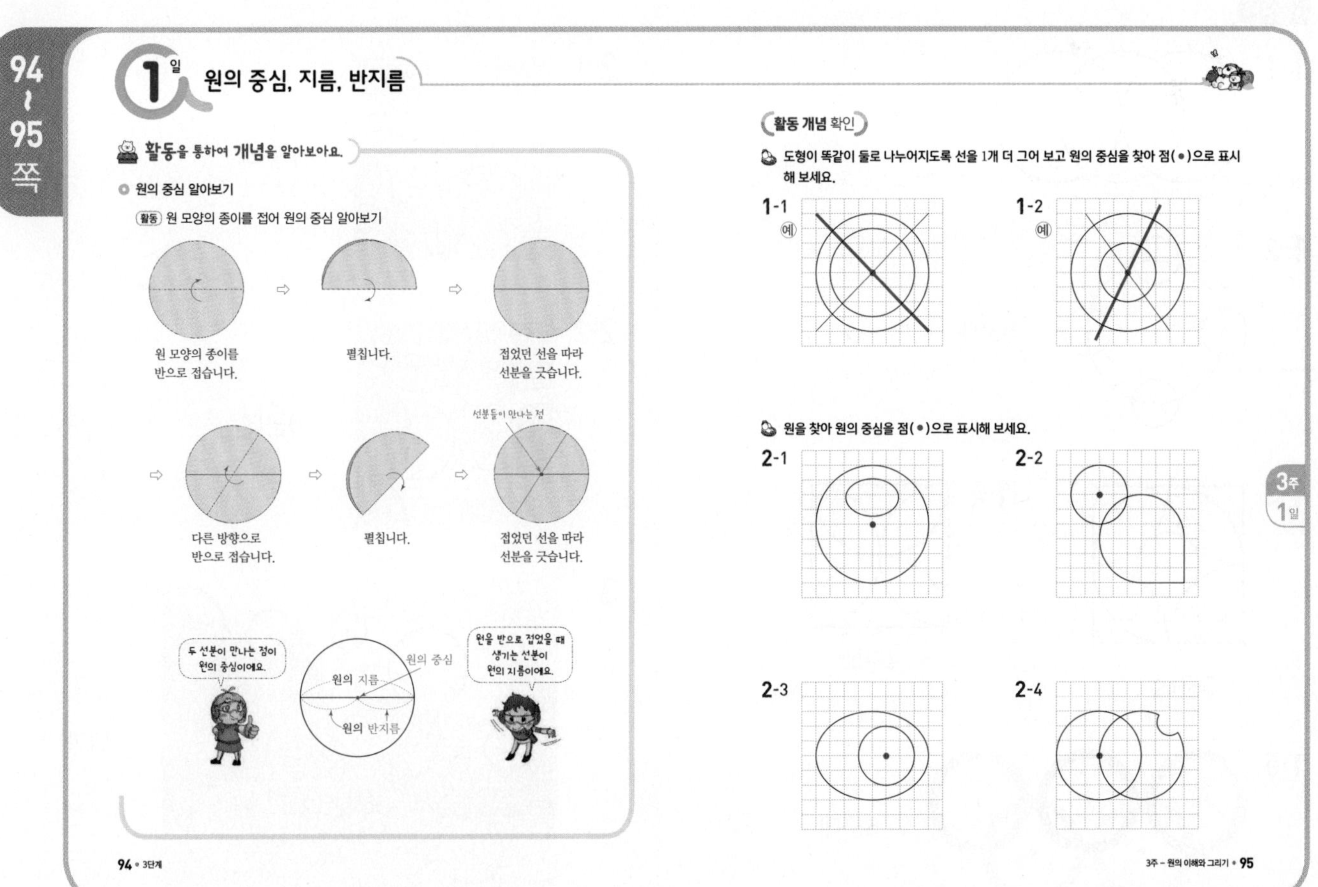

1일 원의 중심, 지름, 반지름
활동을 통하여 개념을 알아보아요.
원의 중심 알아보기
활동 원 모양의 종이를 접어 원의 중심 알아보기
원 모양의 종이를 반으로 접습니다.
펼칩니다.
접었던 선을 따라 선분을 긋습니다.
다른 방향으로 반으로 접습니다.
펼칩니다.
선분들이 만나는 점
접었던 선을 따라 선분을 긋습니다.
두 선분이 만나는 점이 원의 중심이에요.
원의 중심
원의 지름
원의 반지름
원을 반으로 접었을 때 생기는 선분이 원의 지름이에요.

활동 개념 확인

도형이 똑같이 둘로 나누어지도록 선을 1개 더 그어 보고 원의 중심을 찾아 점(•)으로 표시해 보세요.

1-1 예
1-2 예

원을 찾아 원의 중심을 점(•)으로 표시해 보세요.

2-1
2-2
2-3
2-4

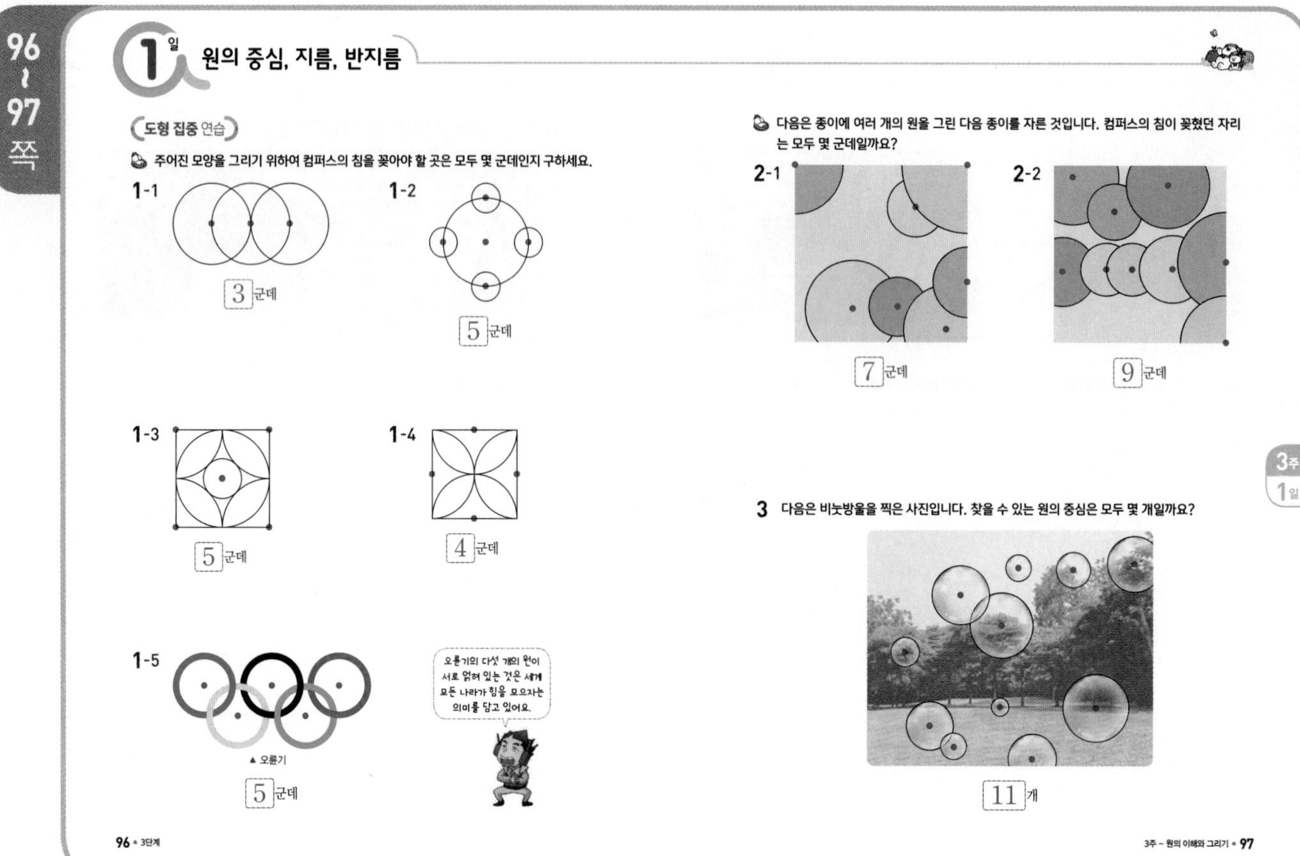

96 ~ 97 쪽
1일 원의 중심, 지름, 반지름
도형 집중 연습
주어진 모양을 그리기 위하여 컴퍼스의 침을 꽂아야 할 곳은 모두 몇 군데인지 구하세요.
1-1
3 군데
1-2
5 군데
1-3
5 군데
1-4
4 군데
1-5
▲ 오륜기
5 군데
오륜기의 다섯 개의 원이 서로 얽혀 있는 것은 세계 모든 나라가 힘을 모으자는 의미를 담고 있어요.
다음은 종이에 여러 개의 원을 그린 다음 종이를 자른 것입니다. 컴퍼스의 침이 꽂혔던 자리는 모두 몇 군데일까요?
2-1
7 군데
2-2
9 군데
3 다음은 비눗방울을 찍은 사진입니다. 찾을 수 있는 원의 중심은 모두 몇 개일까요?
11 개
96 • 3단계
3주 - 원의 이해와 그리기 • 97

풀이

1-1

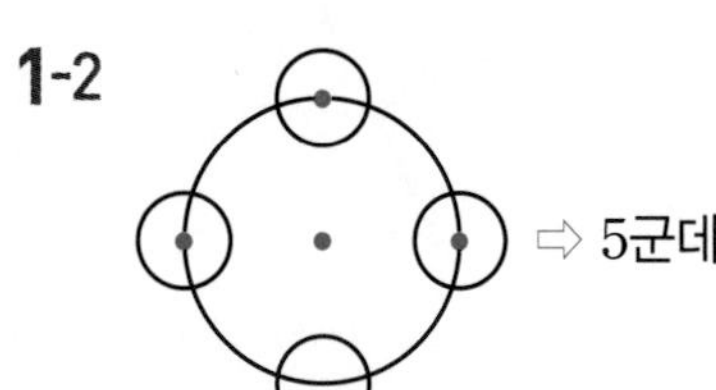

⇨ 3군데

1-2

⇨ 5군데

1-3

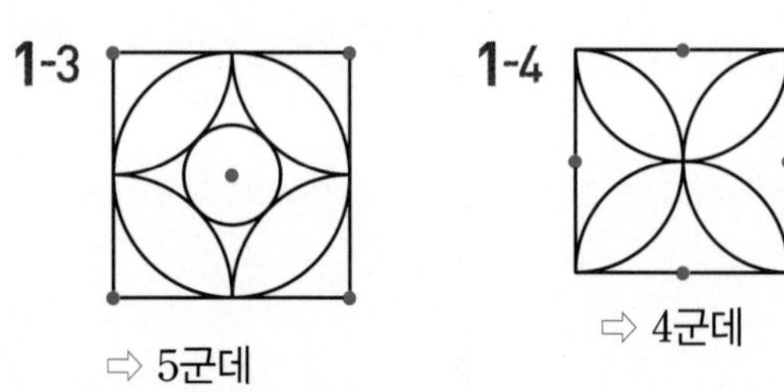

⇨ 5군데

1-4

⇨ 4군데

1-5

⇨ 5군데

2-1

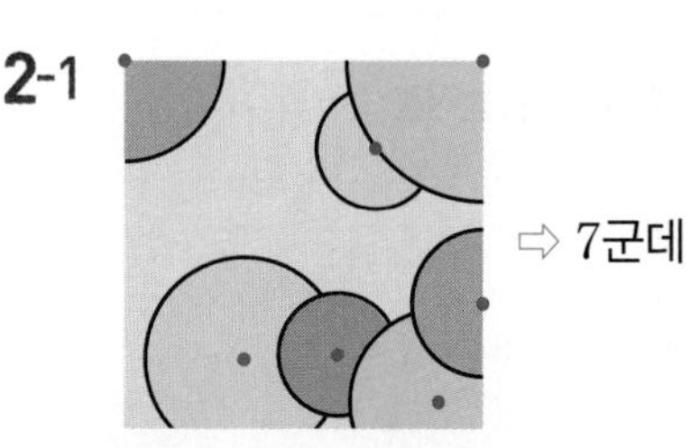

⇨ 7군데

2-2

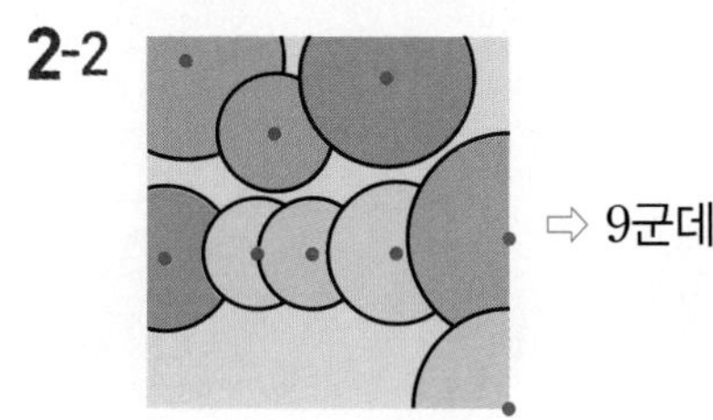

⇨ 9군데

3

⇨ 11개

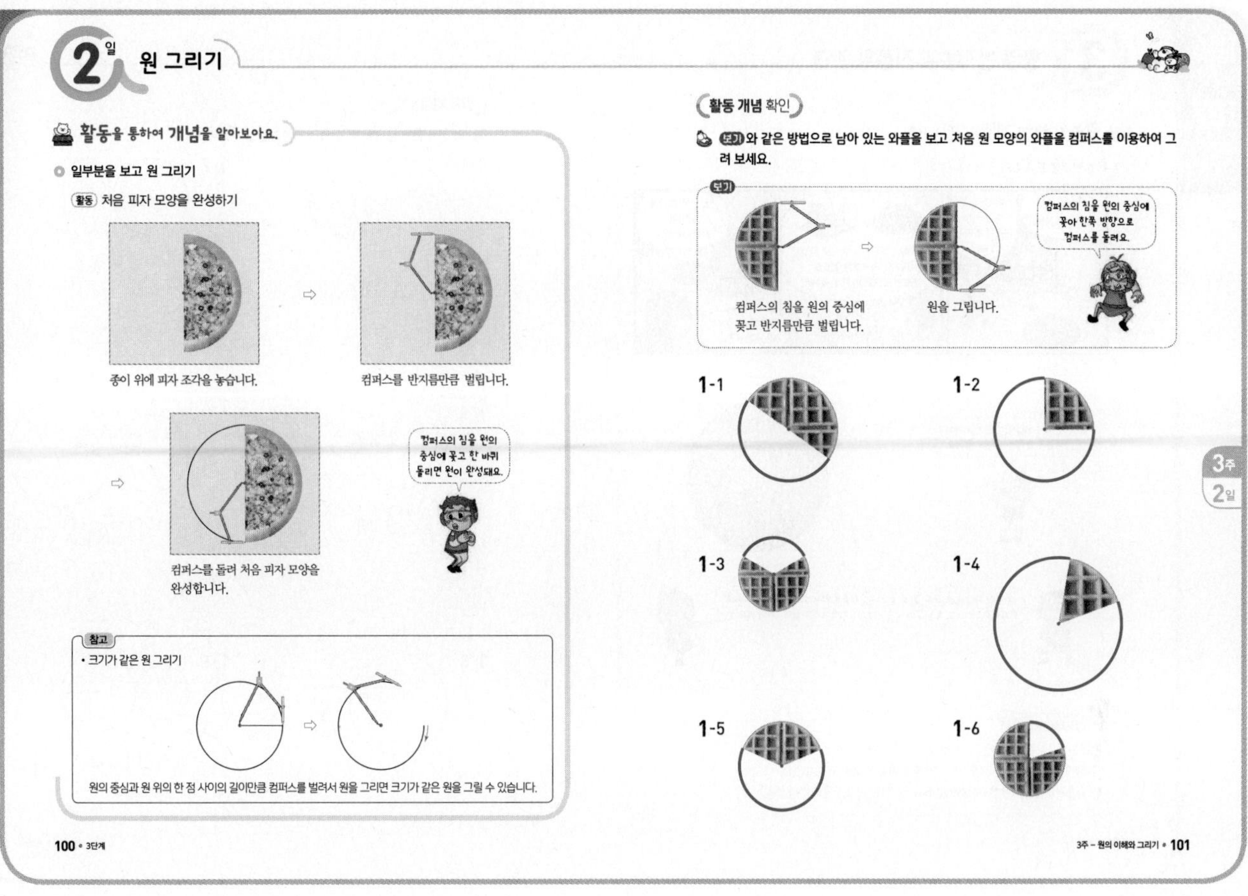

100~101쪽
2일 원 그리기
활동을 통하여 개념을 알아보아요.
일부분을 보고 원 그리기
활동 처음 피자 모양을 완성하기
종이 위에 피자 조각을 놓습니다.
컴퍼스를 반지름만큼 벌립니다.
컴퍼스를 돌려 처음 피자 모양을 완성합니다.
컴퍼스의 침을 원의 중심에 꽂고 한 바퀴 돌리면 원이 완성돼요.
참고
• 크기가 같은 원 그리기
원의 중심과 원 위의 한 점 사이의 길이만큼 컴퍼스를 벌려서 원을 그리면 크기가 같은 원을 그릴 수 있습니다.
활동 개념 확인
보기와 같은 방법으로 남아 있는 와플을 보고 처음 원 모양의 와플을 컴퍼스를 이용하여 그려 보세요.
보기
컴퍼스의 침을 원의 중심에 꽂고 반지름만큼 벌립니다.
원을 그립니다.
컴퍼스의 침을 원의 중심에 꽂아 한쪽 방향으로 컴퍼스를 돌려요.
1-1
1-2
1-3
1-4
1-5
1-6
100 • 3단계
3주 - 원의 이해와 그리기 • 101
3주 2일

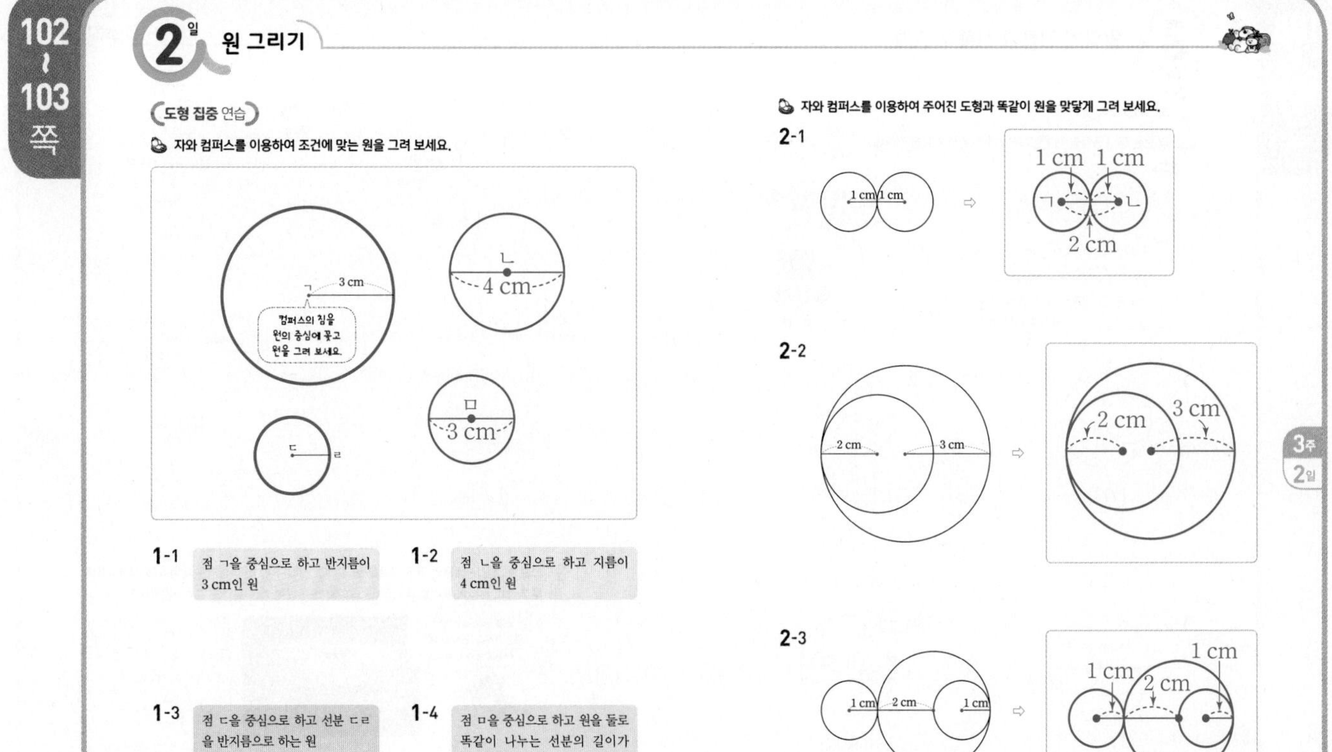

102~103쪽
2일 원 그리기
도형 집중 연습
자와 컴퍼스를 이용하여 조건에 맞는 원을 그려 보세요.
ㄱ
3 cm
컴퍼스의 침을 원의 중심에 꽂고 원을 그려 보세요.
ㄴ
4 cm
ㄷ
ㄹ
ㅁ
3 cm
1-1 점 ㄱ을 중심으로 하고 반지름이 3 cm인 원
1-2 점 ㄴ을 중심으로 하고 지름이 4 cm인 원
1-3 점 ㄷ을 중심으로 하고 선분 ㄷㄹ을 반지름으로 하는 원
1-4 점 ㅁ을 중심으로 하고 원을 둘로 똑같이 나누는 선분의 길이가 3 cm인 원
자와 컴퍼스를 이용하여 주어진 도형과 똑같이 원을 맞닿게 그려 보세요.
2-1
1 cm 1 cm
ㄱ
ㄴ
2 cm
2-2
2 cm
3 cm
2-3
1 cm
2 cm
1 cm
102 • 3단계
3주 - 원의 이해와 그리기 • 103
3주 2일

106 ~ 107쪽

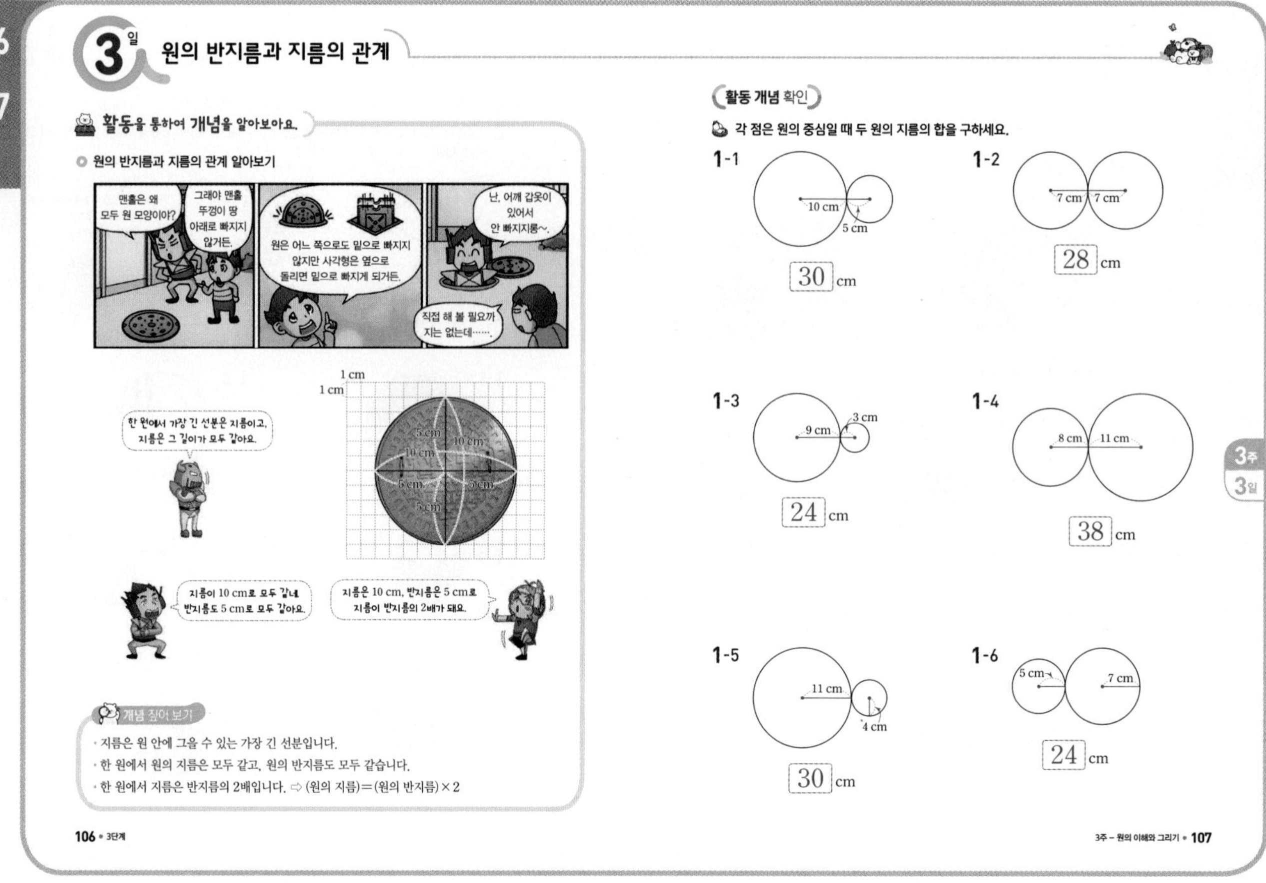

3일 원의 반지름과 지름의 관계

활동을 통하여 개념을 알아보아요.

○ 원의 반지름과 지름의 관계 알아보기

맨홀은 왜 모두 원 모양이야?
그래야 맨홀 뚜껑이 땅 아래로 빠지지 않거든.
원은 어느 쪽으로도 밑으로 빠지지 않지만 사각형은 옆으로 돌리면 밑으로 빠지게 되거든.
난, 어깨 갑옷이 있어서 안 빠지지롱~.
직접 해 볼 필요까지는 없는데……
1 cm
1 cm
한 원에서 가장 긴 선분은 지름이고, 지름은 그 길이가 모두 같아요.
지름이 10 cm로 모두 같네. 반지름도 5 cm로 모두 같아요.
지름은 10 cm, 반지름은 5 cm로 지름이 반지름의 2배가 돼요.

개념 짚어 보기

- 지름은 원 안에 그을 수 있는 가장 긴 선분입니다.
- 한 원에서 원의 지름은 모두 같고, 원의 반지름도 모두 같습니다.
- 한 원에서 지름은 반지름의 2배입니다. ⇨ (원의 지름)=(원의 반지름)×2

106 • 3단계

활동 개념 확인

각 점은 원의 중심일 때 두 원의 지름의 합을 구하세요.

1-1 (10 cm, 5 cm) 30 cm

1-2 (7 cm, 7 cm) 28 cm

1-3 (9 cm, 3 cm) 24 cm

1-4 (8 cm, 11 cm) 38 cm

1-5 (11 cm, 4 cm) 30 cm

1-6 (5 cm, 7 cm) 24 cm

3주 3일

3주 - 원의 이해와 그리기 • 107

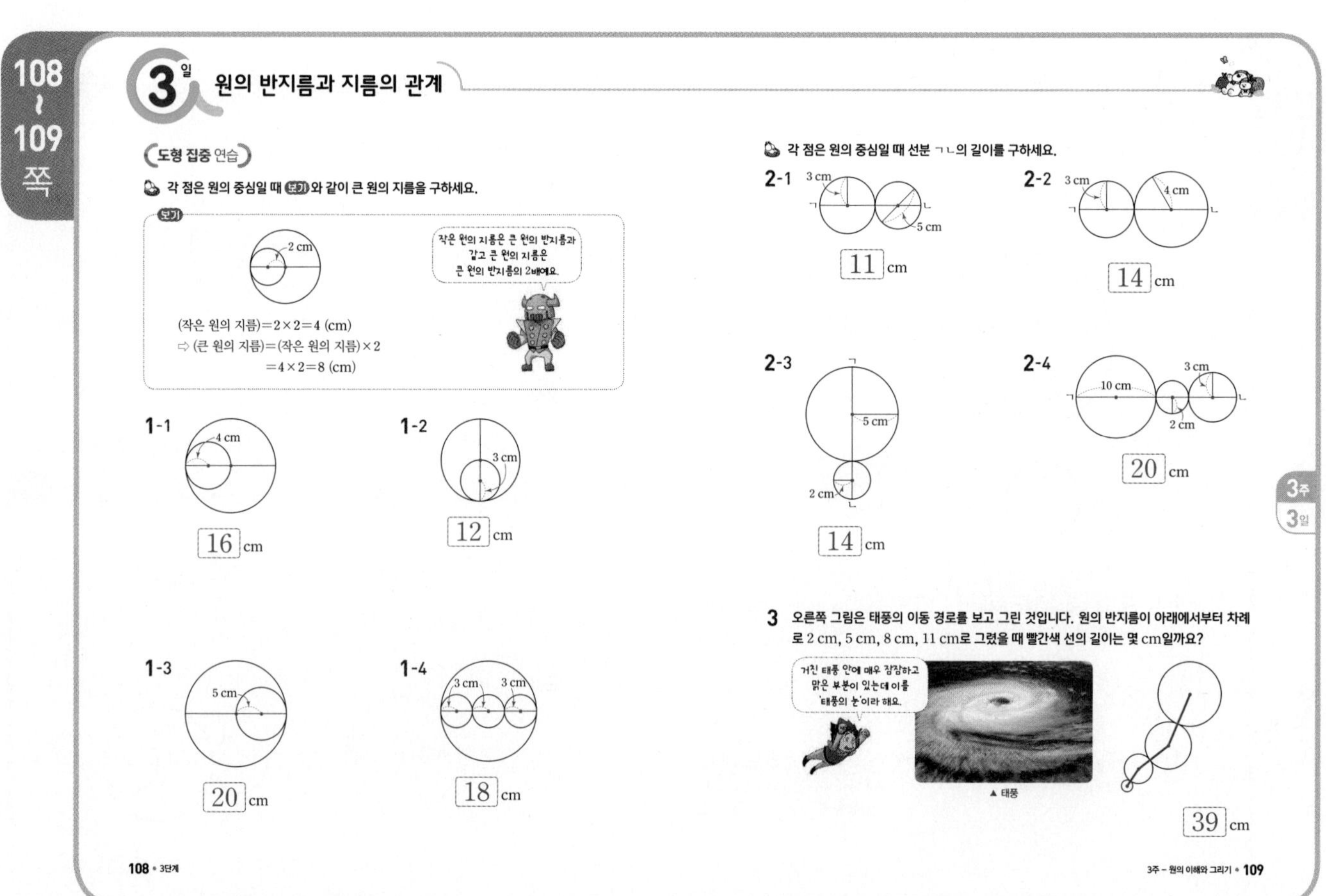

108 ~ 109쪽

3일 원의 반지름과 지름의 관계

도형 집중 연습

각 점은 원의 중심일 때 보기와 같이 큰 원의 지름을 구하세요.

보기

(작은 원의 지름)=2×2=4 (cm)

⇨ (큰 원의 지름)=(작은 원의 지름)×2

=4×2=8 (cm)

2 cm
작은 원의 지름은 큰 원의 반지름과 같고 큰 원의 지름은 큰 원의 반지름의 2배예요.

1-1 (4 cm) 16 cm

1-2 (3 cm) 12 cm

1-3 (5 cm) 20 cm

1-4 (3 cm, 3 cm) 18 cm

108 • 3단계

각 점은 원의 중심일 때 선분 ㄱㄴ의 길이를 구하세요.

2-1 (3 cm, 5 cm) 11 cm

2-2 (3 cm, 4 cm) 14 cm

2-3 (5 cm, 2 cm) 14 cm

2-4 (10 cm, 2 cm, 3 cm) 20 cm

3 오른쪽 그림은 태풍의 이동 경로를 보고 그린 것입니다. 원의 반지름이 아래에서부터 차례로 2 cm, 5 cm, 8 cm, 11 cm로 그렸을 때 빨간색 선의 길이는 몇 cm일까요?

거친 태풍 안에 매우 잠잠하고 맑은 부분이 있는데 이를 '태풍의 눈'이라 해요.

▲ 태풍

39 cm

3주 3일

3주 - 원의 이해와 그리기 • 109

풀이

1-1 (작은 원의 지름)$=4\times2=8$ (cm)
⇨ (큰 원의 지름)$=8\times2$
$=16$ (cm)

1-2 (작은 원의 지름)$=3\times2=6$ (cm)
⇨ (큰 원의 지름)$=6\times2$
$=12$ (cm)

1-3 (작은 원의 지름)$=5\times2=10$ (cm)
⇨ (큰 원의 지름)$=10\times2$
$=20$ (cm)

1-4 (작은 원의 지름)$=3\times2=6$ (cm)
⇨ (큰 원의 지름)$=6\times3$
$=18$ (cm)

2-1 (큰 원의 지름)$=3\times2=6$ (cm)
⇨ (선분 ㄱㄴ의 길이)$=6+5$
$=11$ (cm)

2-2 (작은 원의 지름)$=3\times2=6$ (cm)
(큰 원의 지름)$=4\times2=8$ (cm)
⇨ (선분 ㄱㄴ의 길이)$=6+8$
$=14$ (cm)

2-3 (큰 원의 지름)$=5\times2=10$ (cm)
(작은 원의 지름)$=2\times2=4$ (cm)
⇨ (선분 ㄱㄴ의 길이)$=10+4$
$=14$ (cm)

2-4 (가장 작은 원의 지름)$=2\times2=4$ (cm)
(중간 원의 지름)$=3\times2=6$ (cm)
⇨ (선분 ㄱㄴ의 길이)$=10+4+6$
$=20$ (cm)

3 (빨간색 선의 길이)$=2+5+5+8+8+11$
$=39$ (km)

112 ~ 113 쪽

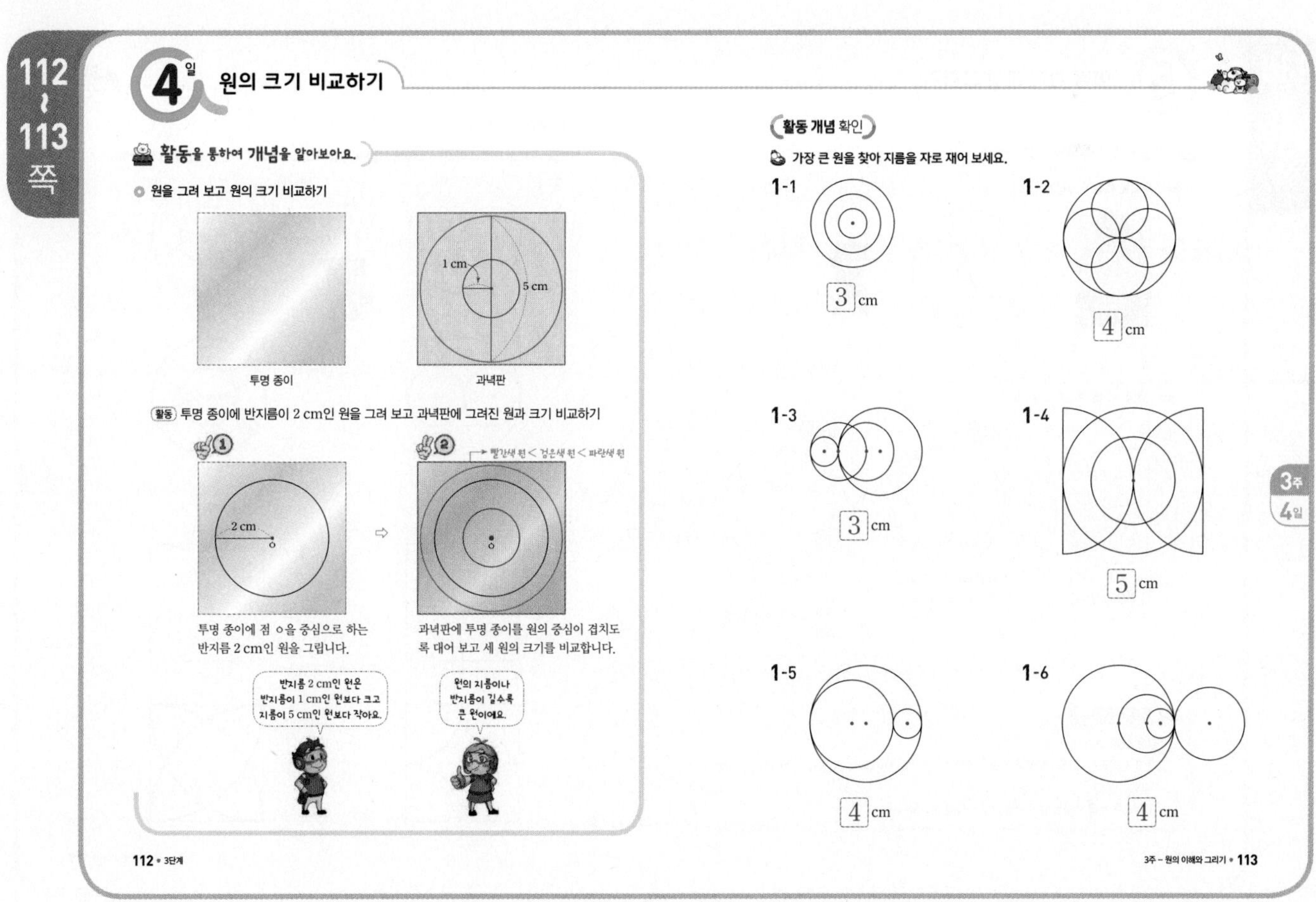

114 ~ 115 쪽

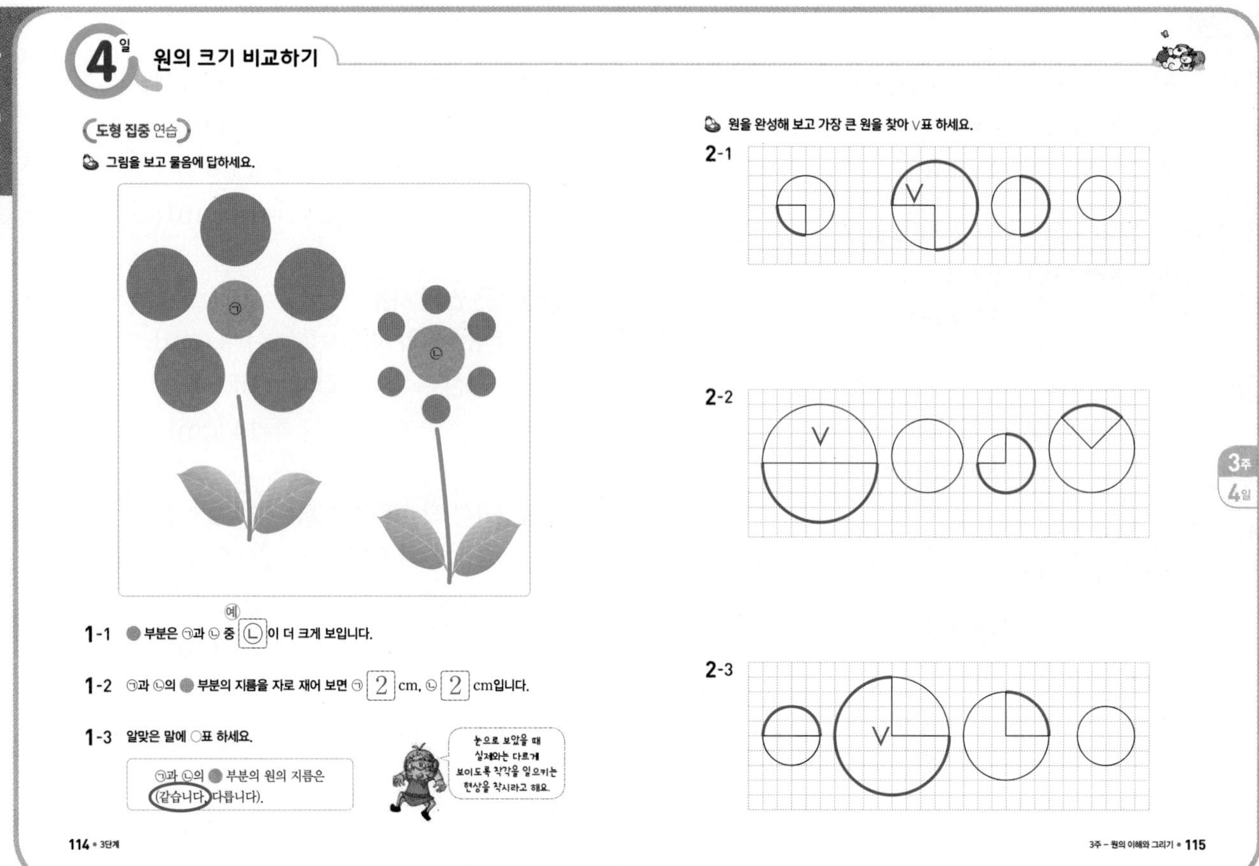
4일 원의 크기 비교하기

도형 집중 연습

그림을 보고 물음에 답하세요.

1-1 ● 부분은 ㉠과 ㉡ 중 예) ㉡ 이 더 크게 보입니다.

1-2 ㉠과 ㉡의 ● 부분의 지름을 자로 재어 보면 ㉠ 2 cm, ㉡ 2 cm입니다.

1-3 알맞은 말에 ○표 하세요.

㉠과 ㉡의 ● 부분의 원의 지름은 (같습니다, 다릅니다).

눈으로 보았을 때 실제와는 다르게 보이도록 착각을 일으키는 현상을 착시라고 해요.

원을 완성해 보고 가장 큰 원을 찾아 ∨표 하세요.

2-1

2-2

2-3

114 • 3단계

3주 – 원의 이해와 그리기 • 115

3주 4일

118 ~ 119 쪽

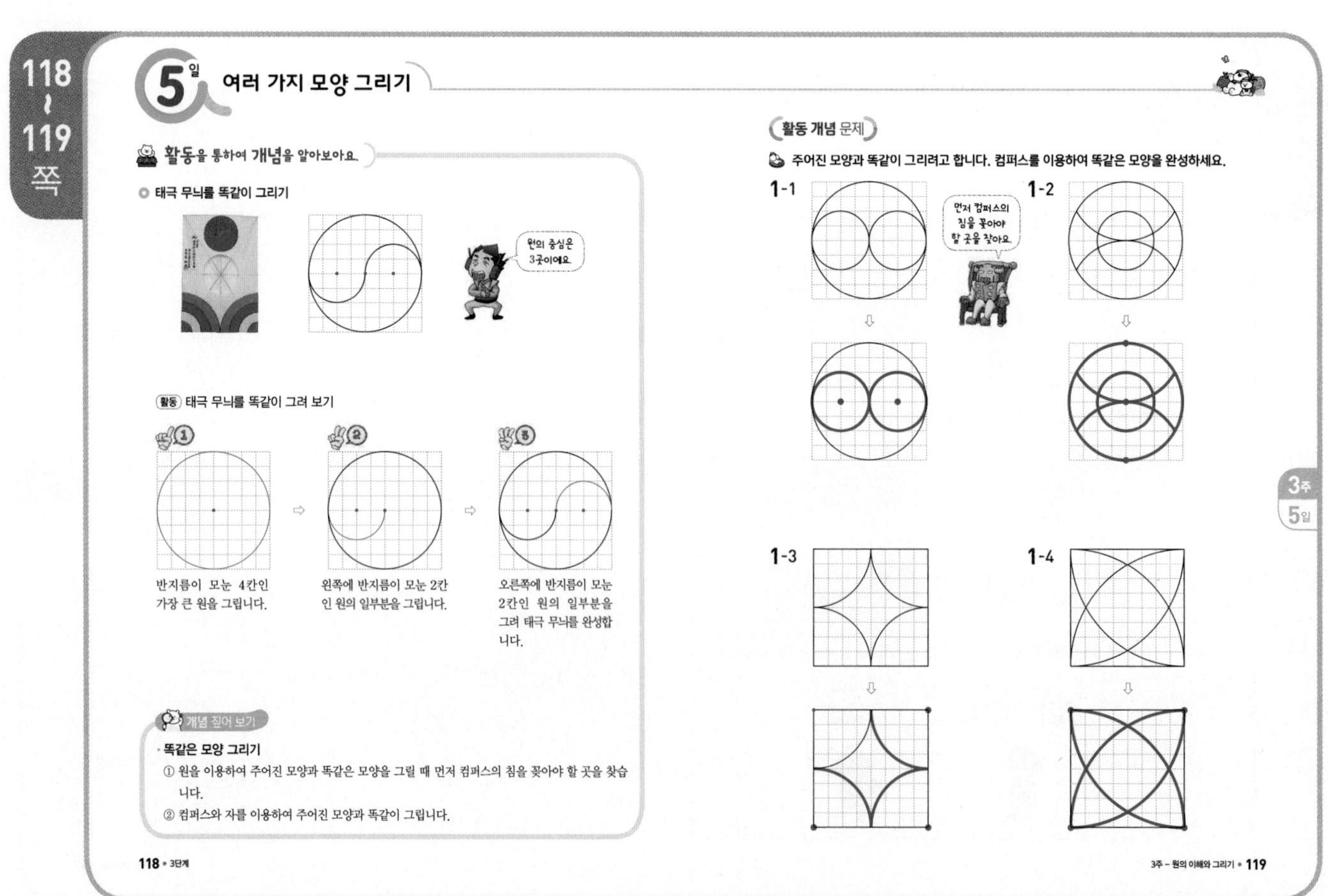
5일 여러 가지 모양 그리기

활동을 통하여 개념을 알아보아요.

◎ 태극 무늬를 똑같이 그리기

원의 중심은 3군데예요.

활동 태극 무늬를 똑같이 그려 보기

1 반지름이 모눈 4칸인 가장 큰 원을 그립니다.

2 왼쪽에 반지름이 모눈 2칸인 원의 일부분을 그립니다.

3 오른쪽에 반지름이 모눈 2칸인 원의 일부분을 그려 태극 무늬를 완성합니다.

개념 짚어 보기

- 똑같은 모양 그리기

① 원을 이용하여 주어진 모양과 똑같은 모양을 그릴 때 먼저 컴퍼스의 침을 꽂아야 할 곳을 찾습니다.

② 컴퍼스와 자를 이용하여 주어진 모양과 똑같이 그립니다.

활동 개념 문제

주어진 모양과 똑같이 그리려고 합니다. 컴퍼스를 이용하여 똑같은 모양을 완성하세요.

1-1

1-2

먼저 컴퍼스의 침을 꽂아야 할 곳을 찾아요.

1-3

1-4

118 • 3단계

3주 – 원의 이해와 그리기 • 119

3주 5일

120~121쪽

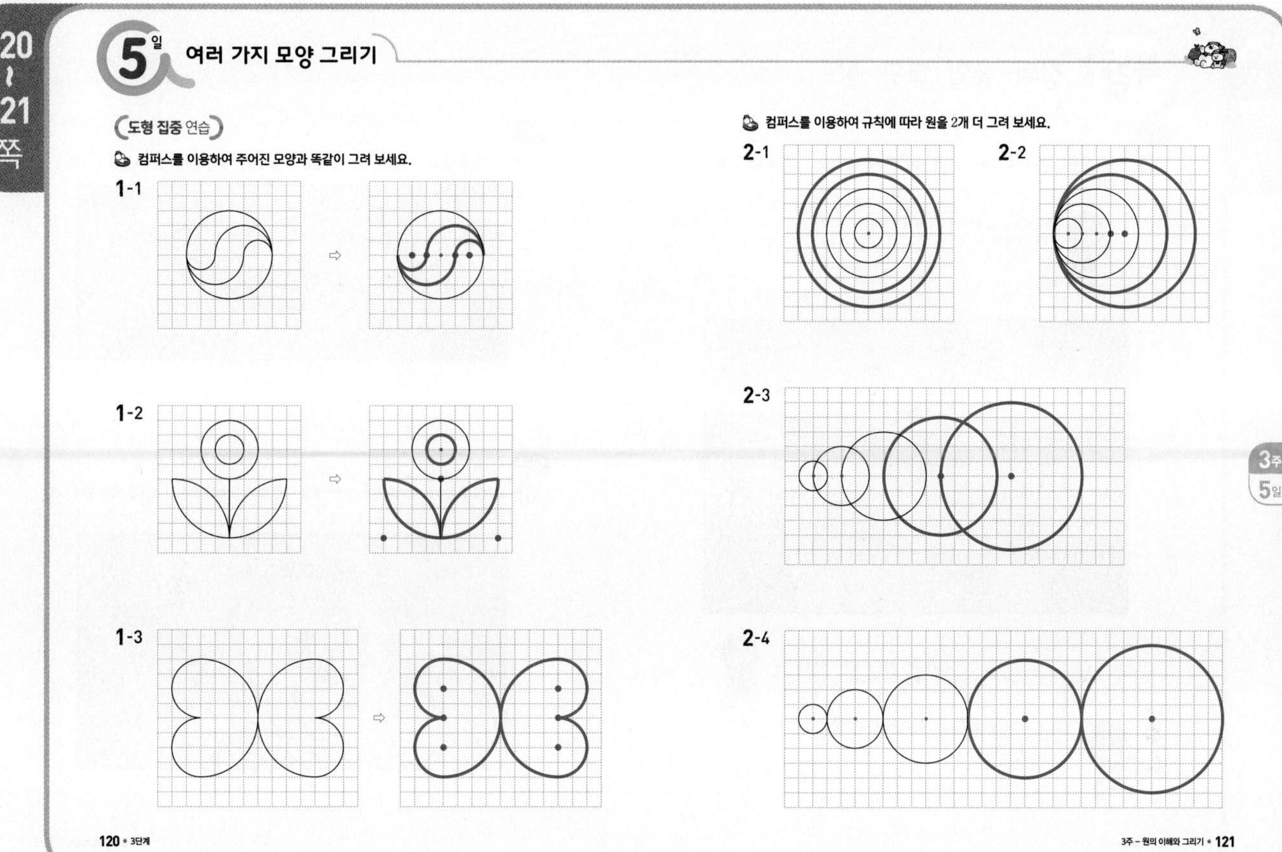

5일 여러 가지 모양 그리기
도형 집중 연습
컴퍼스를 이용하여 주어진 모양과 똑같이 그려 보세요.
1-1
1-2
1-3
컴퍼스를 이용하여 규칙에 따라 원을 2개 더 그려 보세요.
2-1
2-2
2-3
2-4
120 • 3단계
3주 - 원의 이해와 그리기 • 121

122~123쪽

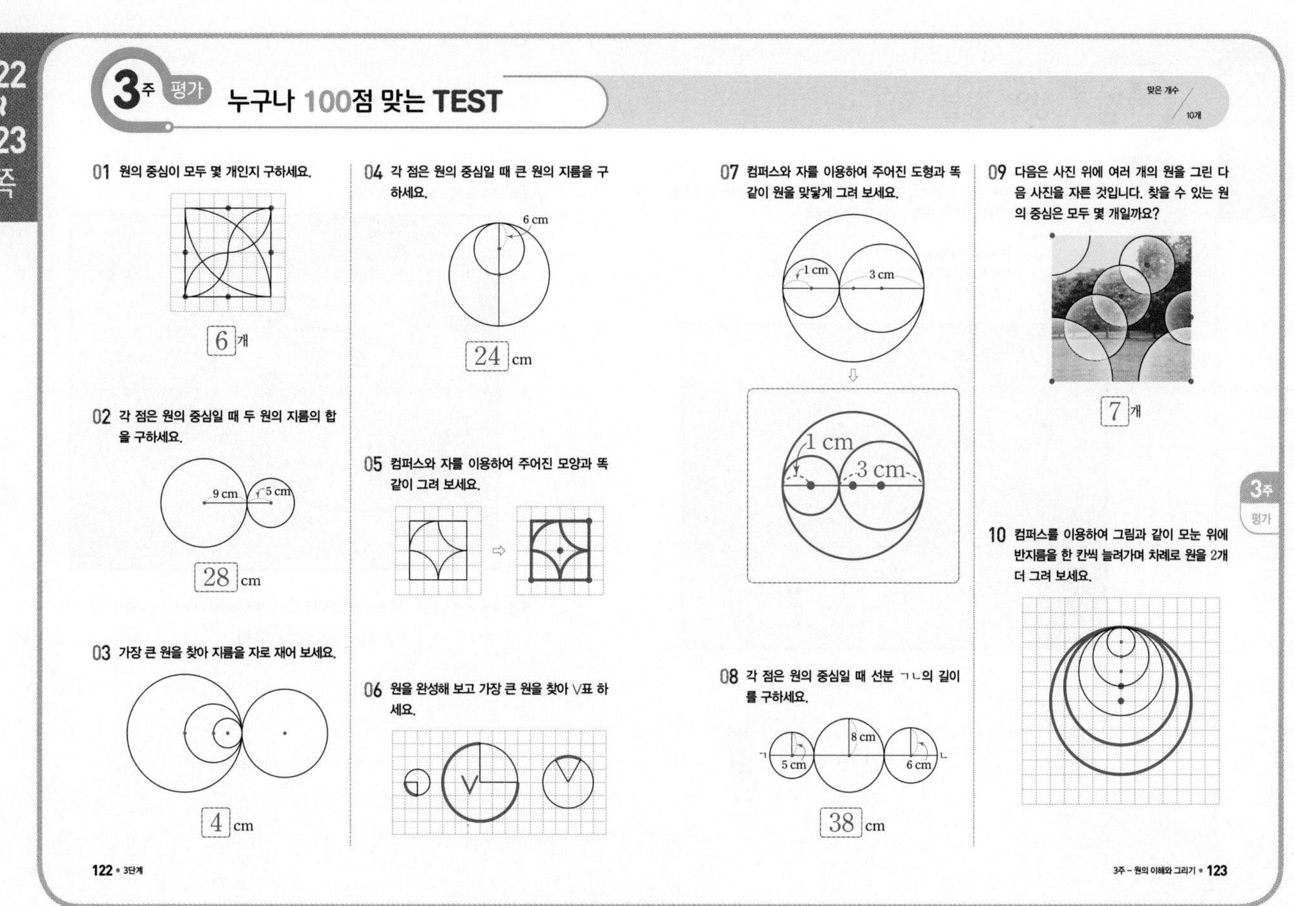

3주 평가 누구나 100점 맞는 TEST
맞은 개수 / 10개
01 원의 중심이 모두 몇 개인지 구하세요.
6 개
02 각 점은 원의 중심일 때 두 원의 지름의 합을 구하세요.
9 cm
5 cm
28 cm
03 가장 큰 원을 찾아 지름을 자로 재어 보세요.
4 cm
04 각 점은 원의 중심일 때 큰 원의 지름을 구하세요.
6 cm
24 cm
05 컴퍼스와 자를 이용하여 주어진 모양과 똑같이 그려 보세요.
06 원을 완성해 보고 가장 큰 원을 찾아 ∨표 하세요.
07 컴퍼스와 자를 이용하여 주어진 도형과 똑같이 원을 맞닿게 그려 보세요.
1 cm
3 cm
08 각 점은 원의 중심일 때 선분 ㄱㄴ의 길이를 구하세요.
8 cm
5 cm
6 cm
38 cm
09 다음은 사진 위에 여러 개의 원을 그린 다음 사진을 자른 것입니다. 찾을 수 있는 원의 중심은 모두 몇 개일까요?
7 개
10 컴퍼스를 이용하여 그림과 같이 모눈 위에 반지름을 한 칸씩 늘려가며 차례로 원을 2개 더 그려 보세요.
122 • 3단계
3주 - 원의 이해와 그리기 • 123

126 ~ 127 쪽

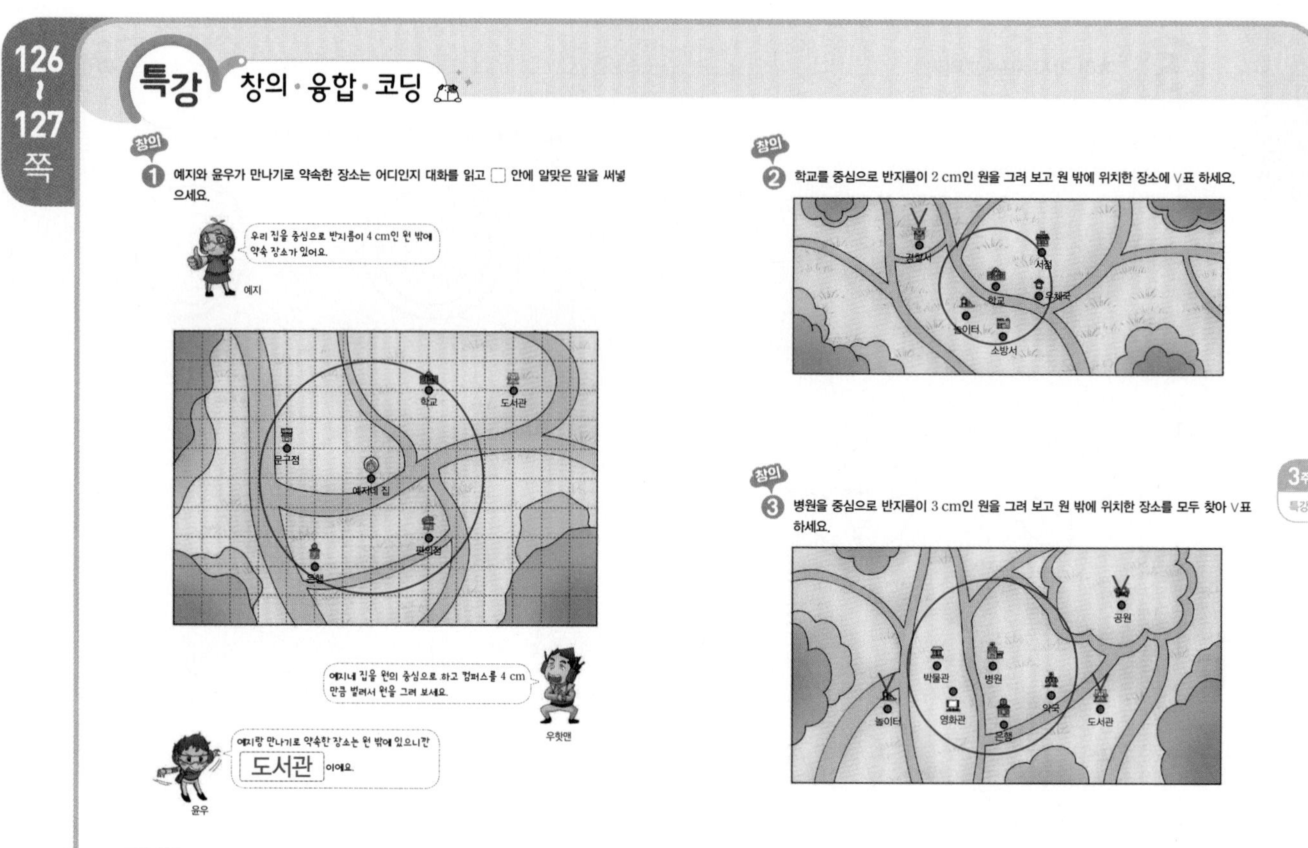

128 ~ 129 쪽

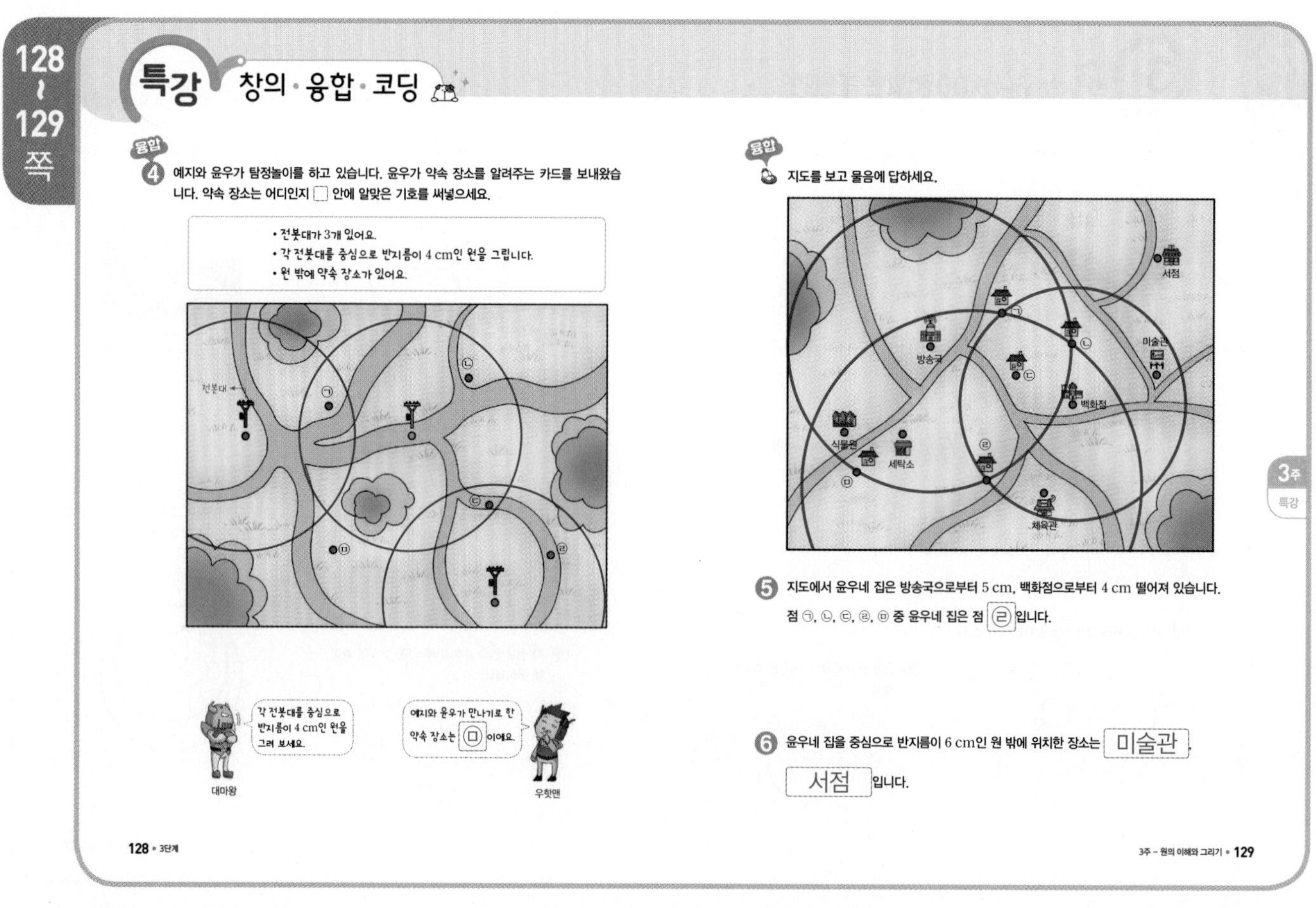

특강 창의·융합·코딩
융합
4 예지와 윤우가 탐정놀이를 하고 있습니다. 윤우가 약속 장소를 알려주는 카드를 보내왔습니다. 약속 장소는 어디인지 □ 안에 알맞은 기호를 써넣으세요.
• 전봇대가 3개 있어요.
• 각 전봇대를 중심으로 반지름이 4 cm인 원을 그립니다.
• 원 밖에 약속 장소가 있어요.
전봇대
각 전봇대를 중심으로 반지름이 4 cm인 원을 그려 보세요.
대마왕
예지와 윤우가 만나기로 한 약속 장소는 ㉤ 이에요.
우핫맨
융합
지도를 보고 물음에 답하세요.
서점
방송국
미술관
백화점
식물원
세탁소
체육관
5 지도에서 윤우네 집은 방송국으로부터 5 cm, 백화점으로부터 4 cm 떨어져 있습니다. 점 ㉠, ㉡, ㉢, ㉣, ㉤ 중 윤우네 집은 점 ㉣ 입니다.
6 윤우네 집을 중심으로 반지름이 6 cm인 원 밖에 위치한 장소는 미술관, 서점 입니다.
128 • 3단계
3주 – 원의 이해와 그리기 • 129
3주 특강

4주 | 원의 성질 이용하기

132~133쪽

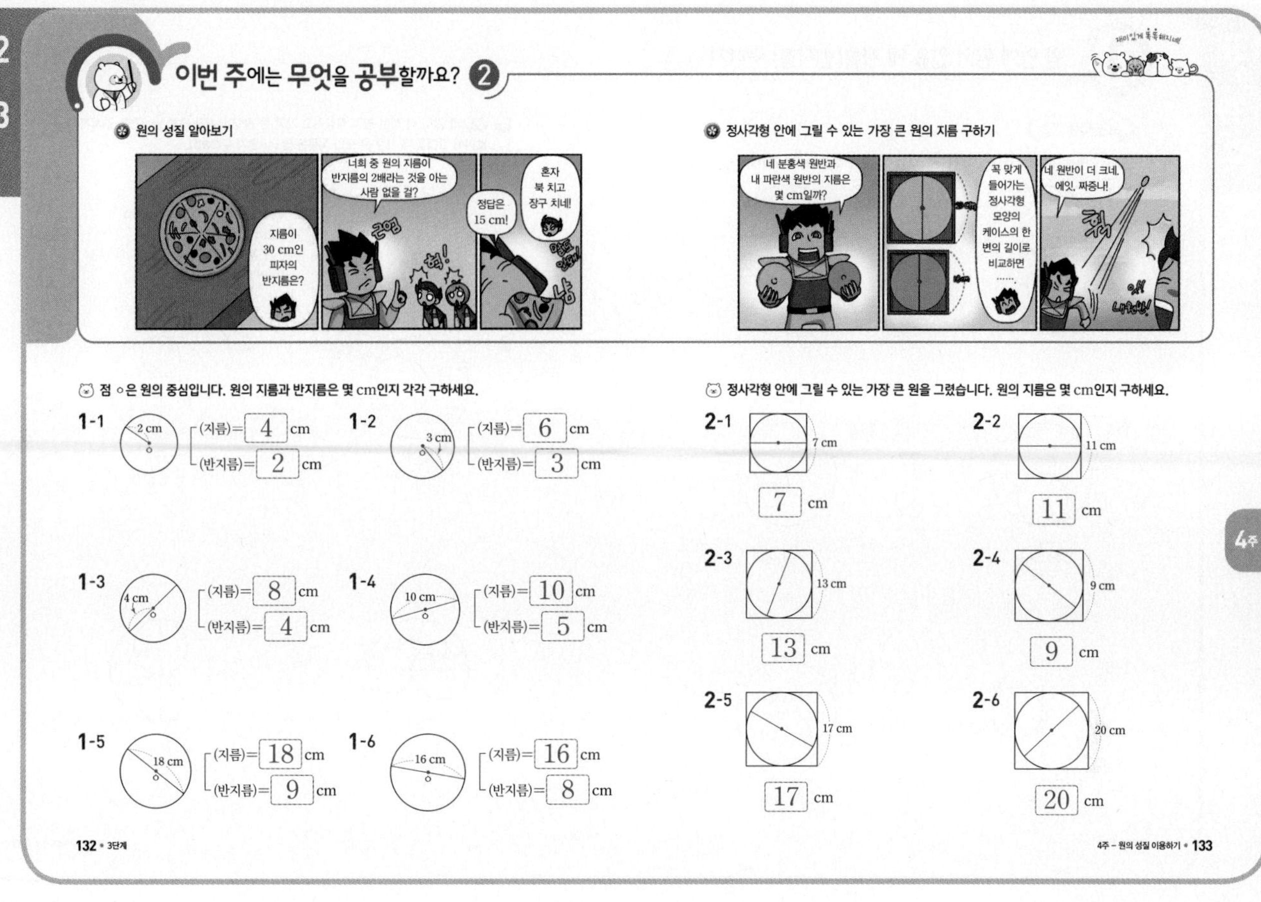

점 ○은 원의 중심입니다. 원의 지름과 반지름은 몇 cm인지 각각 구하세요.

1-1 (지름)= 4 cm, (반지름)= 2 cm
1-2 (지름)= 6 cm, (반지름)= 3 cm
1-3 (지름)= 8 cm, (반지름)= 4 cm
1-4 (지름)= 10 cm, (반지름)= 5 cm
1-5 (지름)= 18 cm, (반지름)= 9 cm
1-6 (지름)= 16 cm, (반지름)= 8 cm

정사각형 안에 그릴 수 있는 가장 큰 원을 그렸습니다. 원의 지름은 몇 cm인지 구하세요.

2-1 7 cm
2-2 11 cm
2-3 13 cm
2-4 9 cm
2-5 17 cm
2-6 20 cm

136~137쪽

1일 원 안에 원이 있을 때 지름(반지름) 구하기

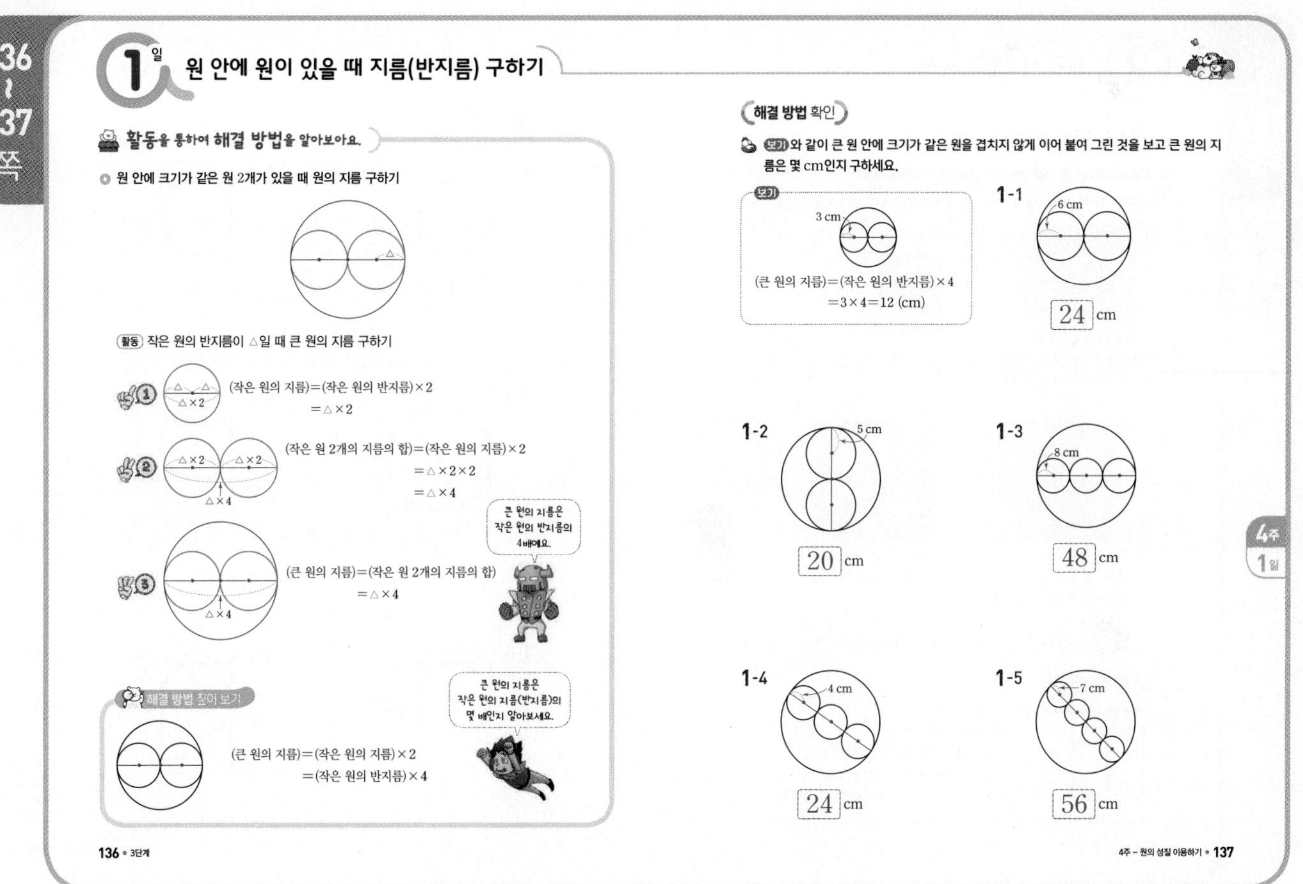

활동을 통하여 해결 방법을 알아보아요.

원 안에 크기가 같은 원 2개가 있을 때 원의 지름 구하기

활동 작은 원의 반지름이 △일 때 큰 원의 지름 구하기

① (작은 원의 지름)=(작은 원의 반지름)×2
=△×2

② (작은 원 2개의 지름의 합)=(작은 원의 지름)×2
=△×2×2
=△×4

③ (큰 원의 지름)=(작은 원 2개의 지름의 합)
=△×4

해결 방법 짚어 보기

(큰 원의 지름)=(작은 원의 지름)×2
=(작은 원의 반지름)×4

해결 방법 확인

보기와 같이 큰 원 안에 크기가 같은 원을 겹치지 않게 이어 붙여 그린 것을 보고 큰 원의 지름은 몇 cm인지 구하세요.

보기
3 cm
(큰 원의 지름)=(작은 원의 반지름)×4
=3×4=12 (cm)

1-1 24 cm
1-2 20 cm
1-3 48 cm
1-4 24 cm
1-5 56 cm

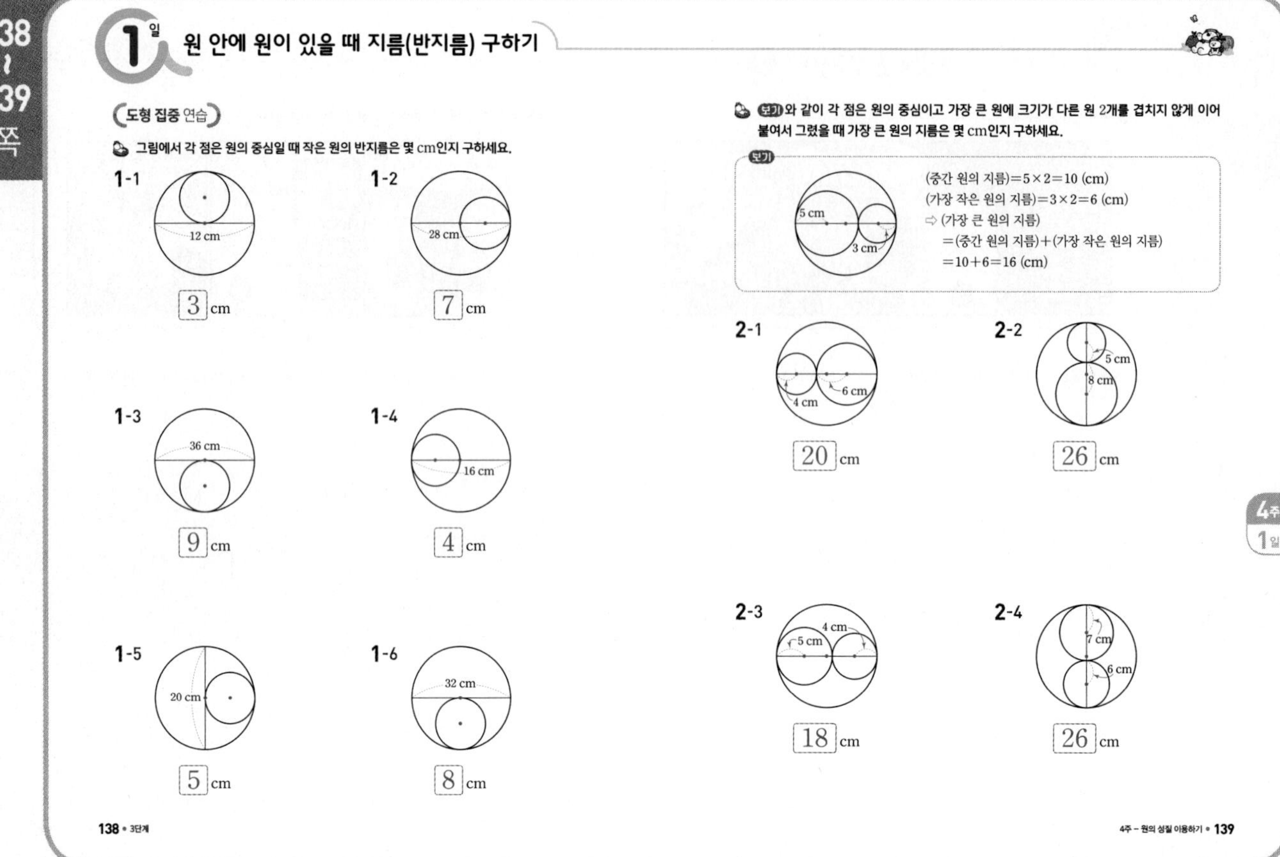
138 ~ 139 쪽
1일 원 안에 원이 있을 때 지름(반지름) 구하기
도형 집중 연습
그림에서 각 점은 원의 중심일 때 작은 원의 반지름은 몇 cm인지 구하세요.
1-1 12 cm 3 cm
1-2 28 cm 7 cm
1-3 36 cm 9 cm
1-4 16 cm 4 cm
1-5 20 cm 5 cm
1-6 32 cm 8 cm
보기와 같이 각 점은 원의 중심이고 가장 큰 원에 크기가 다른 원 2개를 겹치지 않게 이어 붙여서 그렸을 때 가장 큰 원의 지름은 몇 cm인지 구하세요.
보기
5 cm
3 cm
(중간 원의 지름)=5×2=10 (cm)
(가장 작은 원의 지름)=3×2=6 (cm)
⇨ (가장 큰 원의 지름)
=(중간 원의 지름)+(가장 작은 원의 지름)
=10+6=16 (cm)
2-1 4 cm 6 cm 20 cm
2-2 5 cm 8 cm 26 cm
2-3 4 cm 5 cm 18 cm
2-4 7 cm 6 cm 26 cm
4주 1일
138 • 3단계
4주 - 원의 성질 이용하기 • 139

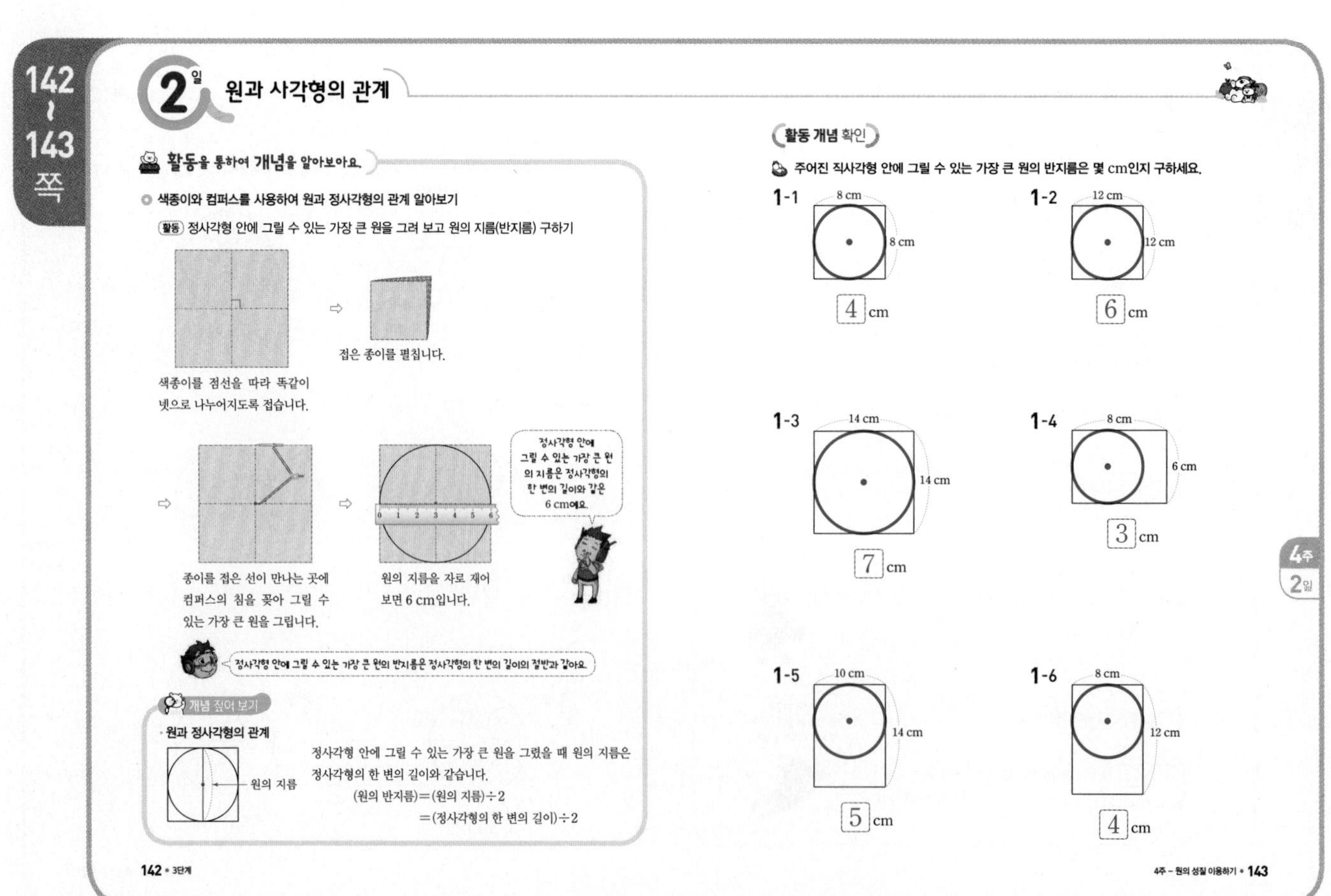
142 ~ 143 쪽
2일 원과 사각형의 관계
활동을 통하여 개념을 알아보아요.
색종이와 컴퍼스를 사용하여 원과 정사각형의 관계 알아보기
활동 정사각형 안에 그릴 수 있는 가장 큰 원을 그려 보고 원의 지름(반지름) 구하기
색종이를 점선을 따라 똑같이 넷으로 나누어지도록 접습니다.
접은 종이를 펼칩니다.
종이를 접은 선이 만나는 곳에 컴퍼스의 침을 꽂아 그릴 수 있는 가장 큰 원을 그립니다.
원의 지름을 자로 재어 보면 6 cm입니다.
정사각형 안에 그릴 수 있는 가장 큰 원의 지름은 정사각형의 한 변의 길이와 같은 6 cm예요.
정사각형 안에 그릴 수 있는 가장 큰 원의 반지름은 정사각형의 한 변의 길이의 절반과 같아요.
개념 짚어 보기
원과 정사각형의 관계
원의 지름
정사각형 안에 그릴 수 있는 가장 큰 원을 그렸을 때 원의 지름은 정사각형의 한 변의 길이와 같습니다.
(원의 반지름)=(원의 지름)÷2
=(정사각형의 한 변의 길이)÷2
활동 개념 확인
주어진 직사각형 안에 그릴 수 있는 가장 큰 원의 반지름은 몇 cm인지 구하세요.
1-1 8 cm 8 cm 4 cm
1-2 12 cm 12 cm 6 cm
1-3 14 cm 14 cm 7 cm
1-4 8 cm 6 cm 3 cm
1-5 10 cm 14 cm 5 cm
1-6 8 cm 12 cm 4 cm
4주 2일
142 • 3단계
4주 - 원의 성질 이용하기 • 143

144 ~ 145 쪽

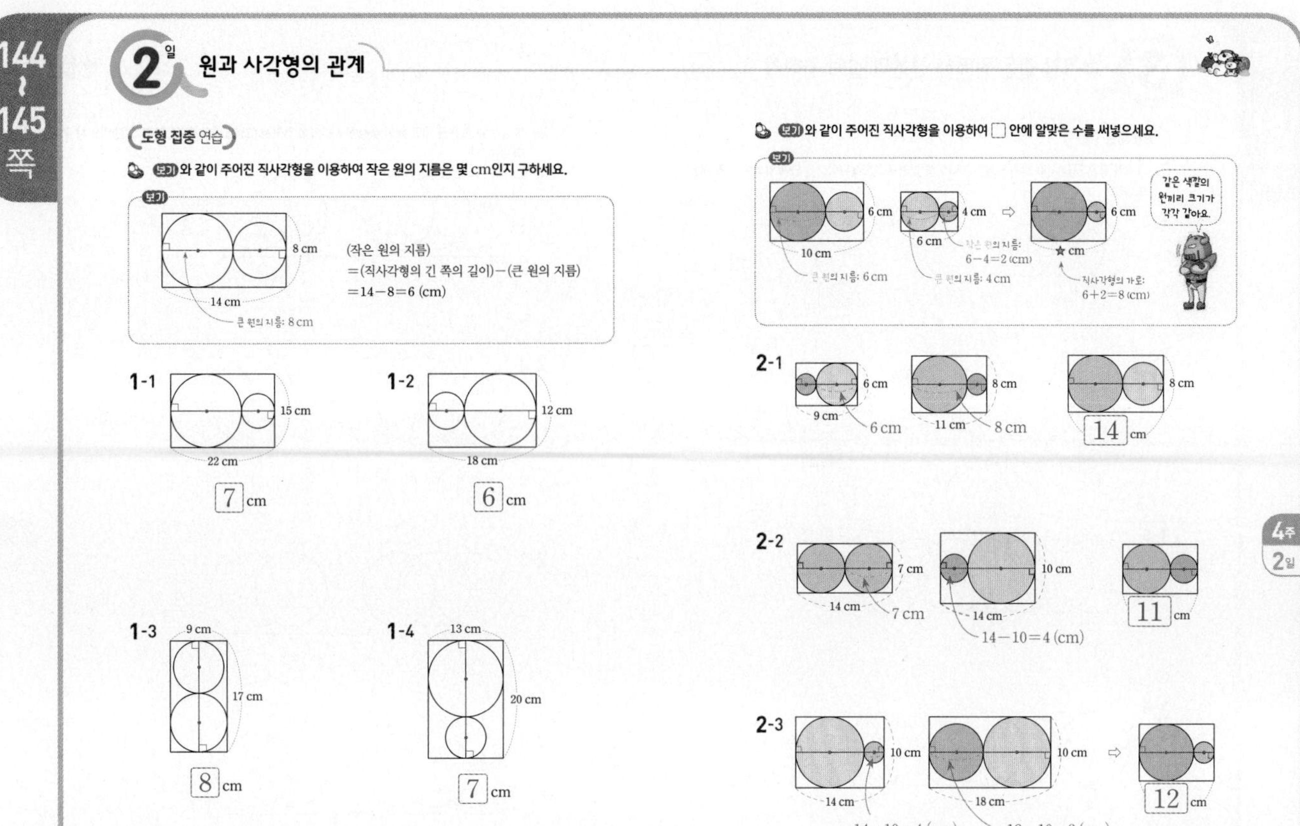

148 ~ 149 쪽

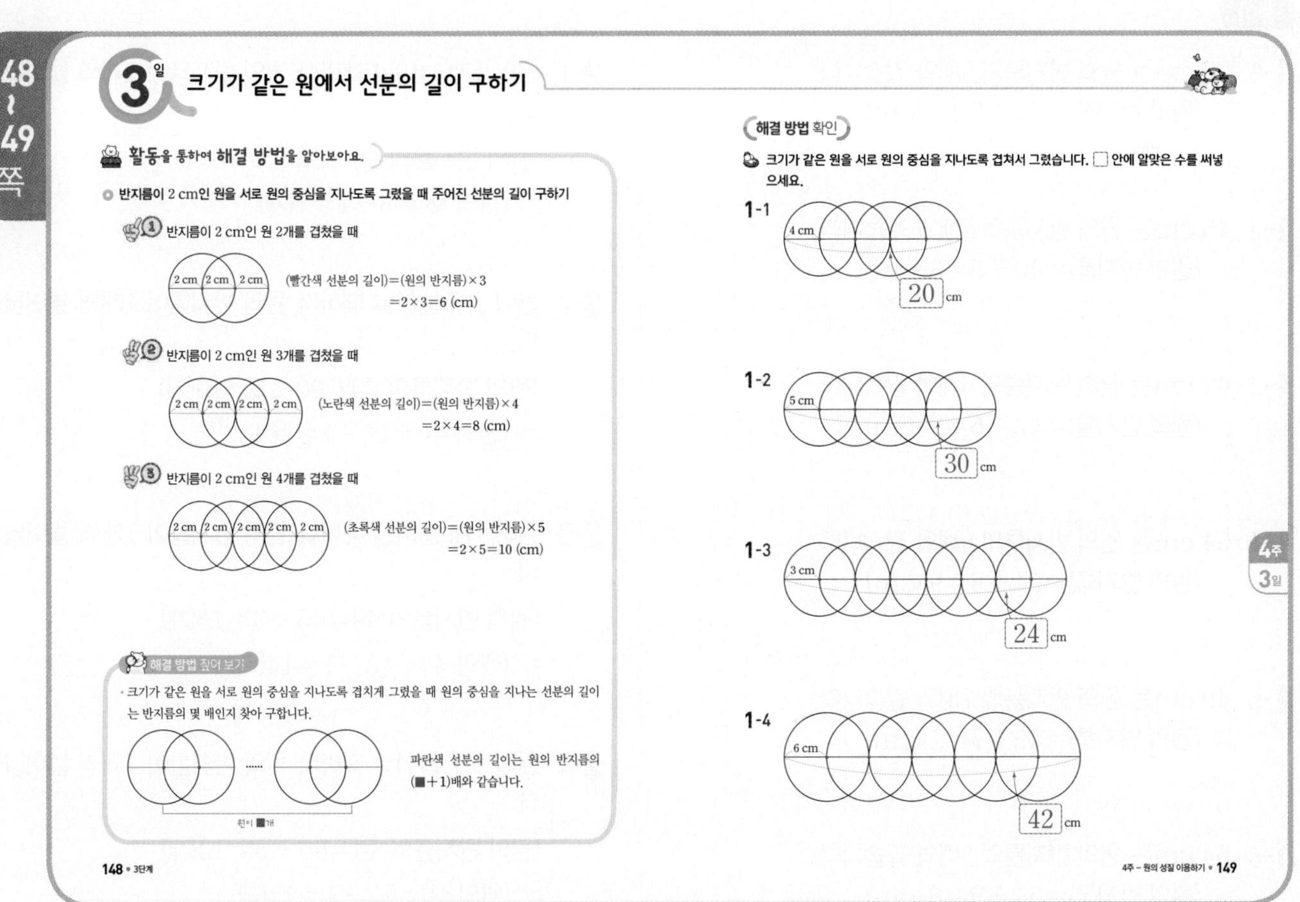

3일 크기가 같은 원에서 선분의 길이 구하기

도형 집중 연습

크기가 같은 원을 서로 원의 중심을 지나도록 겹쳐서 그렸습니다. □ 안에 알맞은 수를 써넣으세요.

1-1 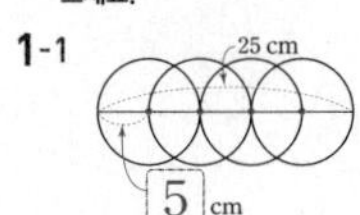

1-2 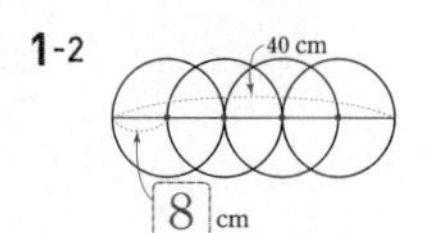

1-3 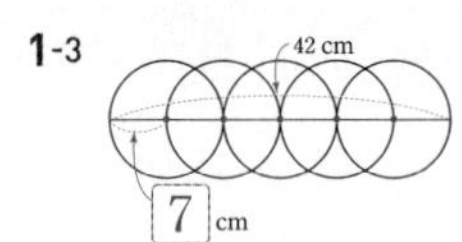

1-4 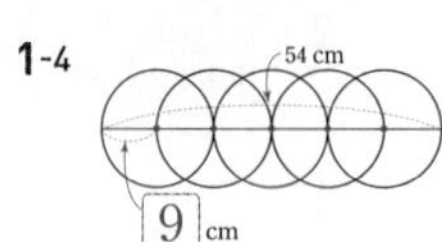

1-5 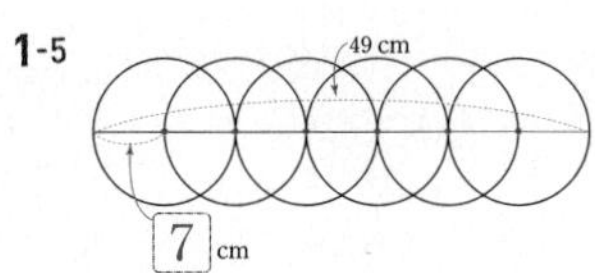

1-6 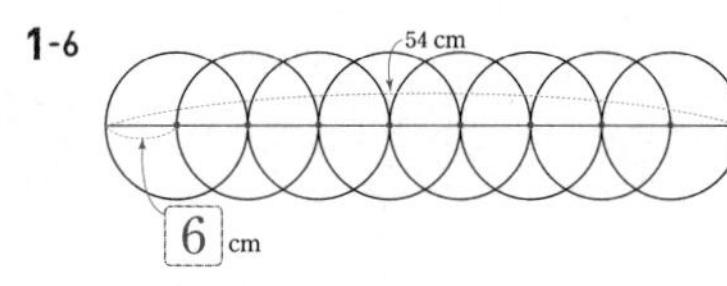

크기가 같은 원을 서로 원의 중심을 지나도록 겹쳐서 그렸습니다. 원을 몇 개 그린 것인지 구하세요.

2-1 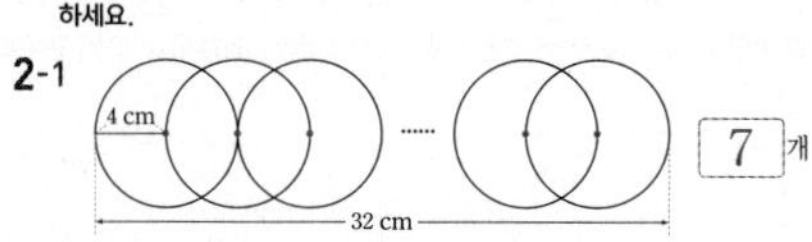

2-2 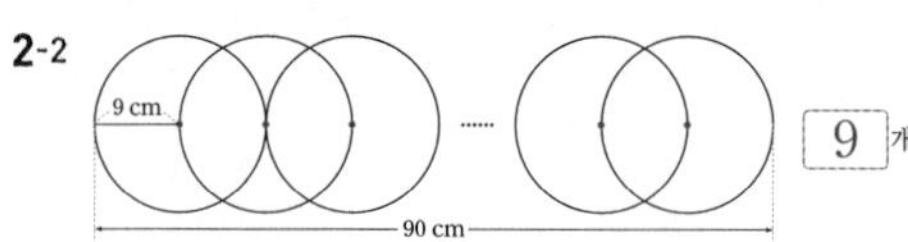

2-3 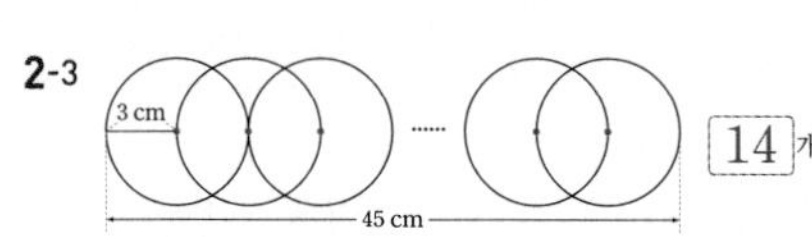

2-4 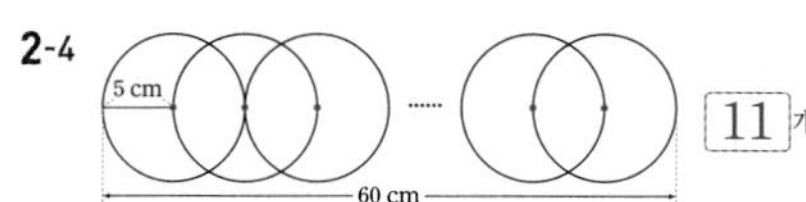

150 • 3단계　　4주 - 원의 성질 이용하기 • 151

4주 3일

풀이

1-1 25 cm는 원의 반지름의 5배와 같습니다.
⇨ (원의 반지름)$=25\div5=5$ (cm)

1-2 40 cm는 원의 반지름의 5배와 같습니다.
⇨ (원의 반지름)$=40\div5=8$ (cm)

1-3 42 cm는 원의 반지름의 6배와 같습니다.
⇨ (원의 반지름)$=42\div6=7$ (cm)

1-4 54 cm는 원의 반지름의 6배와 같습니다.
⇨ (원의 반지름)$=54\div6=9$ (cm)

1-5 49 cm는 원의 반지름의 7배와 같습니다.
⇨ (원의 반지름)$=49\div7=7$ (cm)

1-6 54 cm는 원의 반지름의 9배와 같습니다.
⇨ (원의 반지름)$=54\div9=6$ (cm)

2-1 원이 1개 늘어날 때마다 원의 반지름이 1개씩 늘어납니다.
(원의 반지름의 수)$=32\div4=8$(개)
⇨ (원의 수)$=8-1=7$(개)

2-2 원이 1개 늘어날 때마다 원의 반지름이 1개씩 늘어납니다.
(원의 반지름의 수)$=90\div9=10$(개)
⇨ (원의 수)$=10-1=9$(개)

2-3 원이 1개 늘어날 때마다 원의 반지름이 1개씩 늘어납니다.
(원의 반지름의 수)$=45\div3=15$(개)
⇨ (원의 수)$=15-1=14$(개)

2-4 원이 1개 늘어날 때마다 원의 반지름이 1개씩 늘어납니다.
(원의 반지름의 수)$=60\div5=12$(개)
⇨ (원의 수)$=12-1=11$(개)

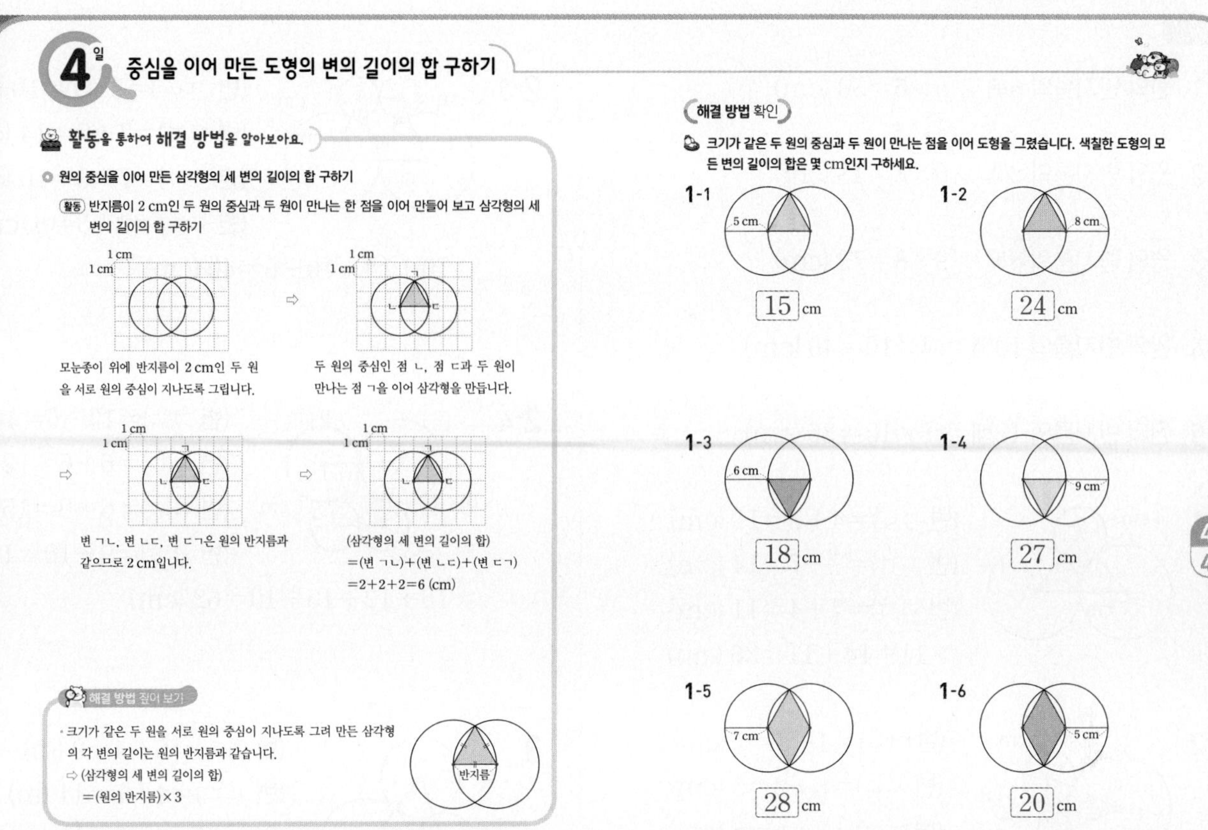

154~155쪽
4일 중심을 이어 만든 도형의 변의 길이의 합 구하기
활동을 통하여 해결 방법을 알아보아요.
원의 중심을 이어 만든 삼각형의 세 변의 길이의 합 구하기
활동 반지름이 2 cm인 두 원의 중심과 두 원이 만나는 한 점을 이어 만들어 보고 삼각형의 세 변의 길이의 합 구하기
모눈종이 위에 반지름이 2 cm인 두 원을 서로 원의 중심이 지나도록 그립니다.
두 원의 중심인 점 ㄴ, 점 ㄷ과 두 원이 만나는 점 ㄱ을 이어 삼각형을 만듭니다.
변 ㄱㄴ, 변 ㄴㄷ, 변 ㄷㄱ은 원의 반지름과 같으므로 2 cm입니다.
(삼각형의 세 변의 길이의 합)
=(변 ㄱㄴ)+(변 ㄴㄷ)+(변 ㄷㄱ)
=2+2+2=6 (cm)
해결 방법 짚어 보기
• 크기가 같은 두 원을 서로 원의 중심이 지나도록 그려 만든 삼각형의 각 변의 길이는 원의 반지름과 같습니다.
⇨ (삼각형의 세 변의 길이의 합)
=(원의 반지름)×3
반지름
해결 방법 확인
크기가 같은 두 원의 중심과 두 원이 만나는 점을 이어 도형을 그렸습니다. 색칠한 도형의 모든 변의 길이의 합은 몇 cm인지 구하세요.
1-1 5 cm 15 cm
1-2 8 cm 24 cm
1-3 6 cm 18 cm
1-4 9 cm 27 cm
1-5 7 cm 28 cm
1-6 5 cm 20 cm
154 • 3단계
4주 - 원의 성질 이용하기 • 155

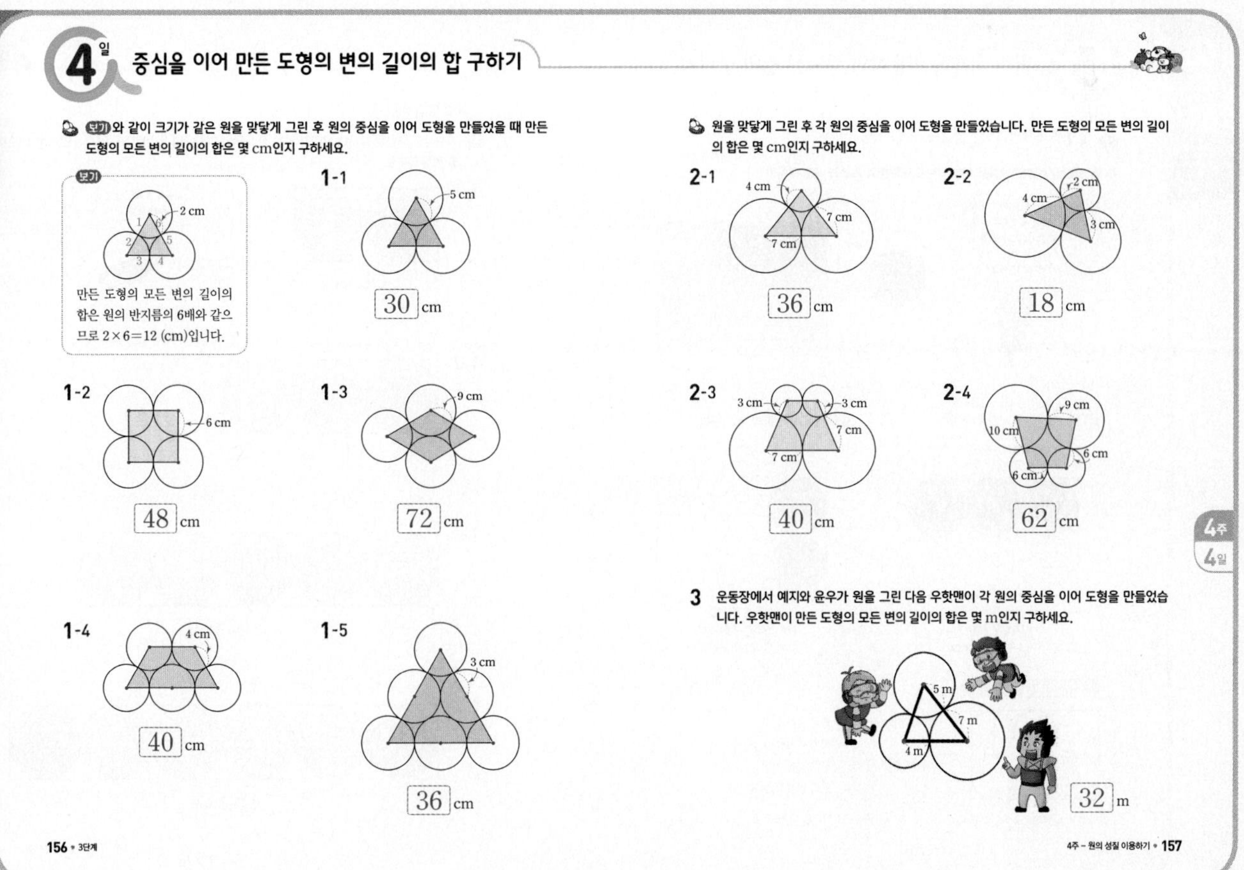

156~157쪽
4일 중심을 이어 만든 도형의 변의 길이의 합 구하기
보기와 같이 크기가 같은 원을 맞닿게 그린 후 원의 중심을 이어 도형을 만들었을 때 만든 도형의 모든 변의 길이의 합은 몇 cm인지 구하세요.
보기 2 cm
만든 도형의 모든 변의 길이의 합은 원의 반지름의 6배와 같으므로 2×6=12 (cm)입니다.
1-1 5 cm 30 cm
1-2 6 cm 48 cm
1-3 9 cm 72 cm
1-4 4 cm 40 cm
1-5 3 cm 36 cm
원을 맞닿게 그린 후 각 원의 중심을 이어 도형을 만들었습니다. 만든 도형의 모든 변의 길이의 합은 몇 cm인지 구하세요.
2-1 4 cm 7 cm 7 cm 36 cm
2-2 2 cm 4 cm 3 cm 18 cm
2-3 3 cm 3 cm 7 cm 7 cm 40 cm
2-4 9 cm 10 cm 6 cm 6 cm 62 cm
3 운동장에서 예지와 윤우가 원을 그린 다음 우핫맨이 각 원의 중심을 이어 도형을 만들었습니다. 우핫맨이 만든 도형의 모든 변의 길이의 합은 몇 m인지 구하세요.
5 m 7 m 4 m 32 m
156 • 3단계
4주 - 원의 성질 이용하기 • 157

풀이

1-1 원의 반지름의 6배 ⇨ $5\times6=30$ (cm)

1-2 원의 반지름의 8배 ⇨ $6\times8=48$ (cm)

1-3 원의 반지름의 8배 ⇨ $9\times8=72$ (cm)

1-4 원의 반지름의 10배 ⇨ $4\times10=40$ (cm)

1-5 원의 반지름의 12배 ⇨ $3\times12=36$ (cm)

2-1 (변 ㄱㄴ)$=4+7=11$ (cm),
(변 ㄴㄷ)$=7+7=14$ (cm),
(변 ㄷㄱ)$=7+4=11$ (cm)
⇨ $11+14+11=36$ (cm)

2-2 (변 ㄱㄴ)$=4+3=7$ (cm),
(변 ㄴㄷ)$=3+2=5$ (cm),
(변 ㄷㄱ)$=2+4=6$ (cm)
⇨ $7+5+6=18$ (cm)

2-3 (변 ㄱㄴ)$=3+7=10$ (cm),
(변 ㄴㄷ)$=7+7=14$ (cm),
(변 ㄷㄹ)$=7+3=10$ (cm),
(변 ㄹㄱ)$=3+3=6$ (cm)
⇨ $10+14+10+6=40$ (cm)

2-4 (변 ㄱㄴ)$=10+6=16$ (cm),
(변 ㄴㄷ)$=6+6=12$ (cm),
(변 ㄷㄹ)$=6+9=15$ (cm),
(변 ㄹㄱ)$=9+10=19$ (cm)
⇨ $16+12+15+19=62$ (cm)

3

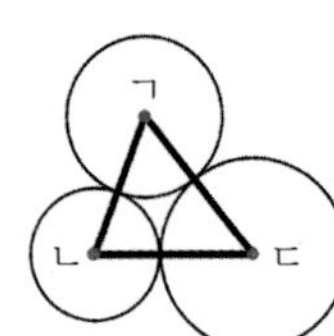

(변 ㄱㄴ)$=5+4=9$ (m),
(변 ㄴㄷ)$=4+7=11$ (m),
(변 ㄷㄱ)$=7+5=12$ (m)
⇨ $9+11+12=32$ (m)

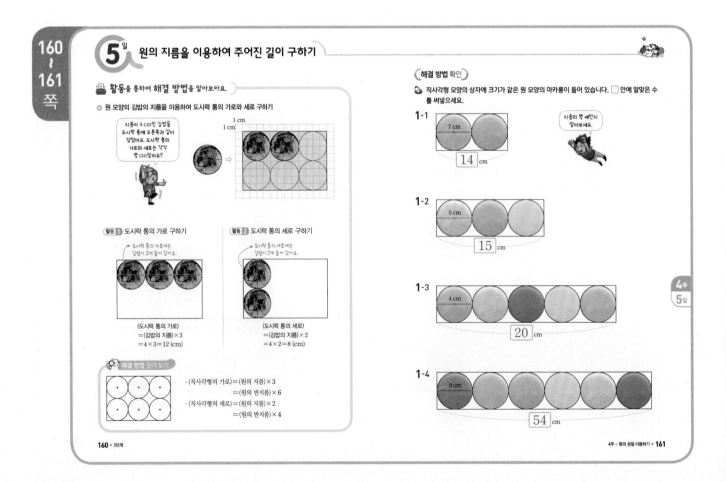

160 ~ 161 쪽

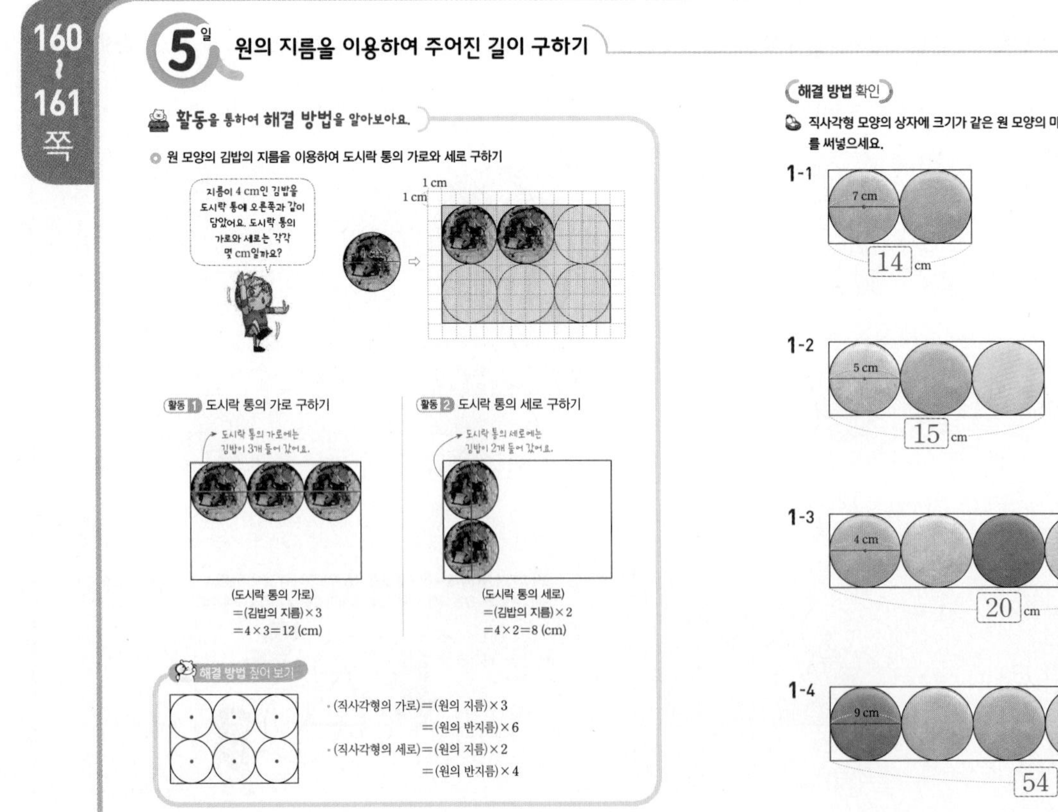

5일 원의 지름을 이용하여 주어진 길이 구하기

활동을 통하여 해결 방법을 알아보아요.

원 모양의 김밥의 지름을 이용하여 도시락 통의 가로와 세로 구하기

활동 1 도시락 통의 가로 구하기

(도시락 통의 가로)
=(김밥의 지름)×3
=4×3=12 (cm)

활동 2 도시락 통의 세로 구하기

(도시락 통의 세로)
=(김밥의 지름)×2
=4×2=8 (cm)

해결 방법 짚어 보기

- (직사각형의 가로)=(원의 지름)×3
=(원의 반지름)×6
- (직사각형의 세로)=(원의 지름)×2
=(원의 반지름)×4

해결 방법 확인

직사각형 모양의 상자에 크기가 같은 원 모양의 마카롱이 들어 있습니다. □ 안에 알맞은 수를 써넣으세요.

1-1 7 cm / 14 cm

1-2 5 cm / 15 cm

1-3 4 cm / 20 cm

1-4 9 cm / 54 cm

4주 5일

160 • 3단계

4주 - 원의 성질 이용하기 • 161

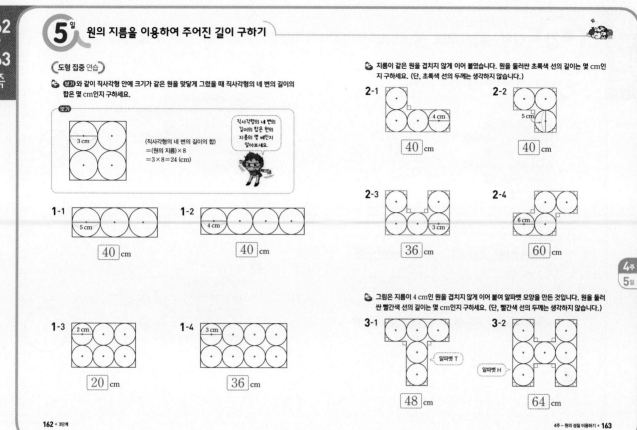

162~163쪽

5일 원의 지름을 이용하여 주어진 길이 구하기

(도형 집중 연습)

보기와 같이 직사각형 안에 크기가 같은 원을 맞닿게 그렸을 때 직사각형의 네 변의 길이의 합은 몇 cm인지 구하세요.

보기

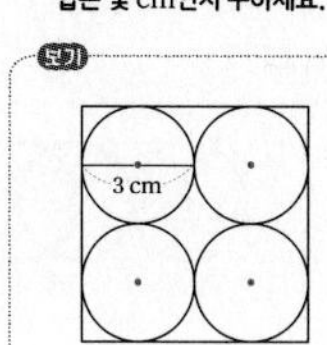

(직사각형의 네 변의 길이의 합)
=(원의 지름)×8
=3×8=24 (cm)

1-1 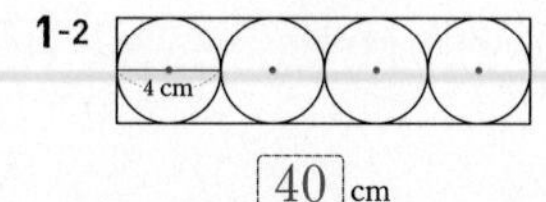

40 cm

1-2 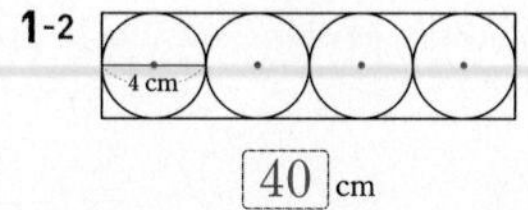

40 cm

1-3 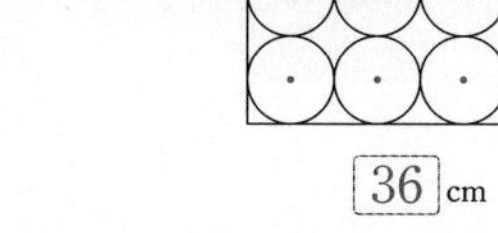

20 cm

1-4 3 cm

36 cm

지름이 같은 원을 겹치지 않게 이어 붙였습니다. 원을 둘러싼 초록색 선의 길이는 몇 cm인지 구하세요. (단, 초록색 선의 두께는 생각하지 않습니다.)

2-1 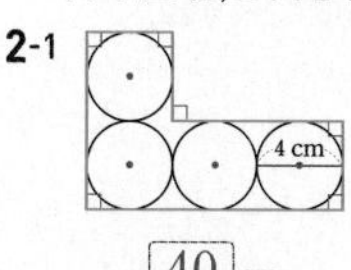

40 cm

2-2 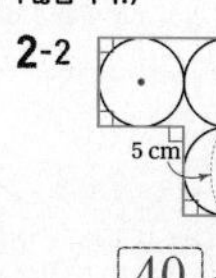

40 cm

2-3 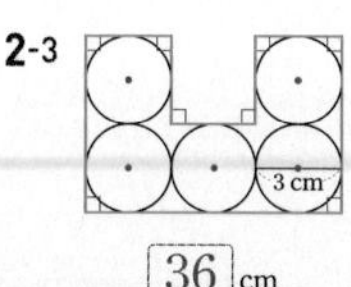

36 cm

2-4 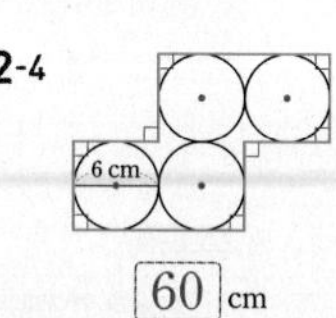

60 cm

그림은 지름이 4 cm인 원을 겹치지 않게 이어 붙여 알파벳 모양을 만든 것입니다. 원을 둘러싼 빨간색 선의 길이는 몇 cm인지 구하세요. (단, 빨간색 선의 두께는 생각하지 않습니다.)

3-1 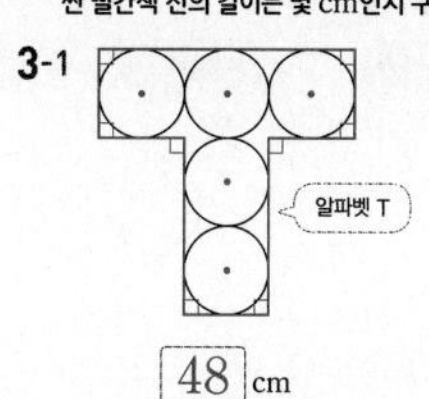

48 cm

3-2 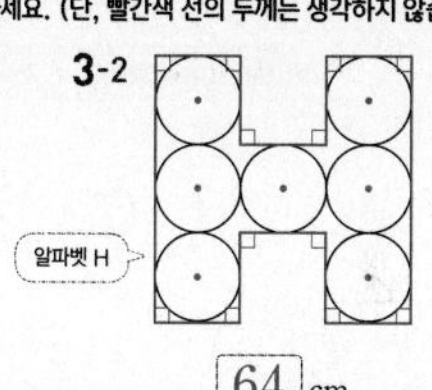

64 cm

164~165쪽

4주 평가 누구나 100점 맞는 TEST

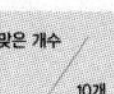

맞은 개수 / 10개

01 주어진 직사각형 안에 그릴 수 있는 가장 큰 원의 반지름은 몇 cm인지 구하세요.

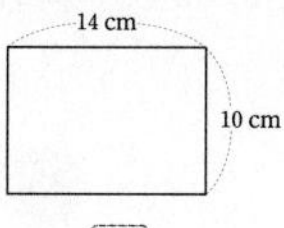

5 cm

02 그림에서 각 점은 원의 중심일 때 작은 원의 반지름은 몇 cm인지 구하세요.

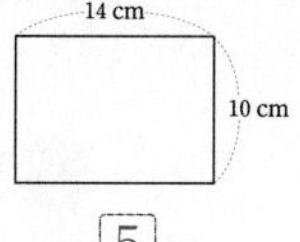

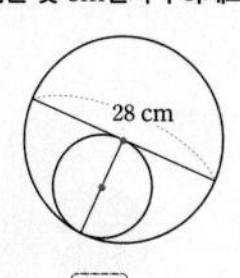

7 cm

03 큰 원 안에 크기가 같은 원을 겹치지 않게 이어 붙여 그린 것을 보고 큰 원의 지름은 몇 cm인지 구하세요.

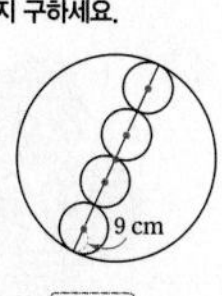

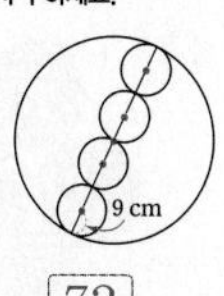

72 cm

04 크기가 같은 두 원의 중심과 두 원이 만나는 점을 이어 도형을 그렸습니다. 색칠한 삼각형의 세 변의 길이의 합은 몇 cm인지 구하세요.

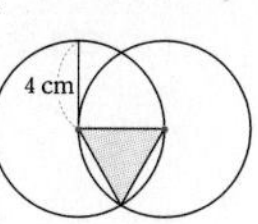

12 cm

05 주어진 직사각형을 이용하여 작은 원의 지름은 몇 cm인지 구하세요.

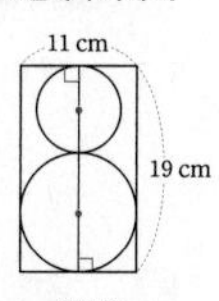

8 cm

06 크기가 같은 원을 서로 원의 중심을 지나도록 겹쳐서 그렸습니다. □ 안에 알맞은 수를 써넣으세요.

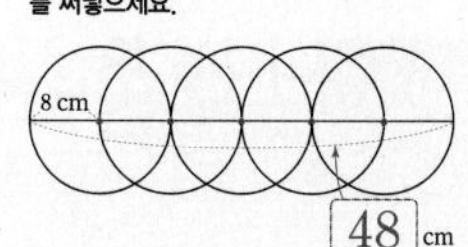

48 cm

07 직사각형 안에 크기가 같은 원을 맞닿게 그렸습니다. 직사각형의 네 변의 길이의 합은 몇 cm인지 구하세요.

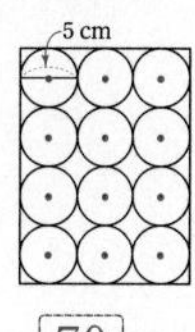

70 cm

08 크기가 같은 원을 서로 원의 중심을 지나도록 겹쳐서 그렸습니다. 원을 몇 개 그린 것인지 구하세요.

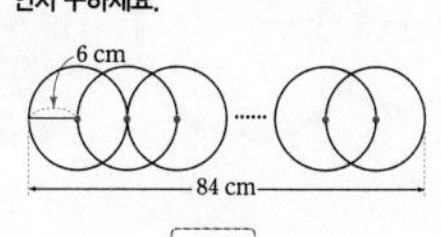

13개

09 지름이 같은 원을 겹치지 않게 이어 붙였습니다. 원을 둘러싼 주황색 선의 길이는 몇 cm인지 구하세요. (단, 주황색 선의 두께는 생각하지 않습니다.)

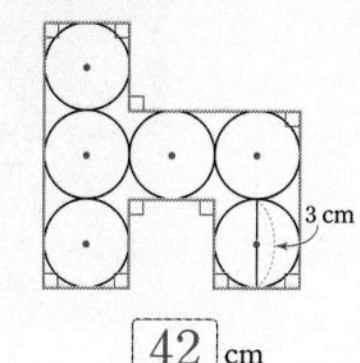

42 cm

10 원을 맞닿게 그린 후 각 원의 중심을 이어 사각형을 만들었습니다. 만든 사각형의 네 변의 길이의 합은 몇 cm인지 구하세요.

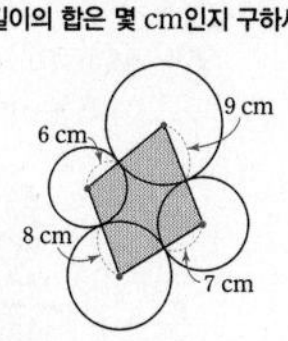

60 cm

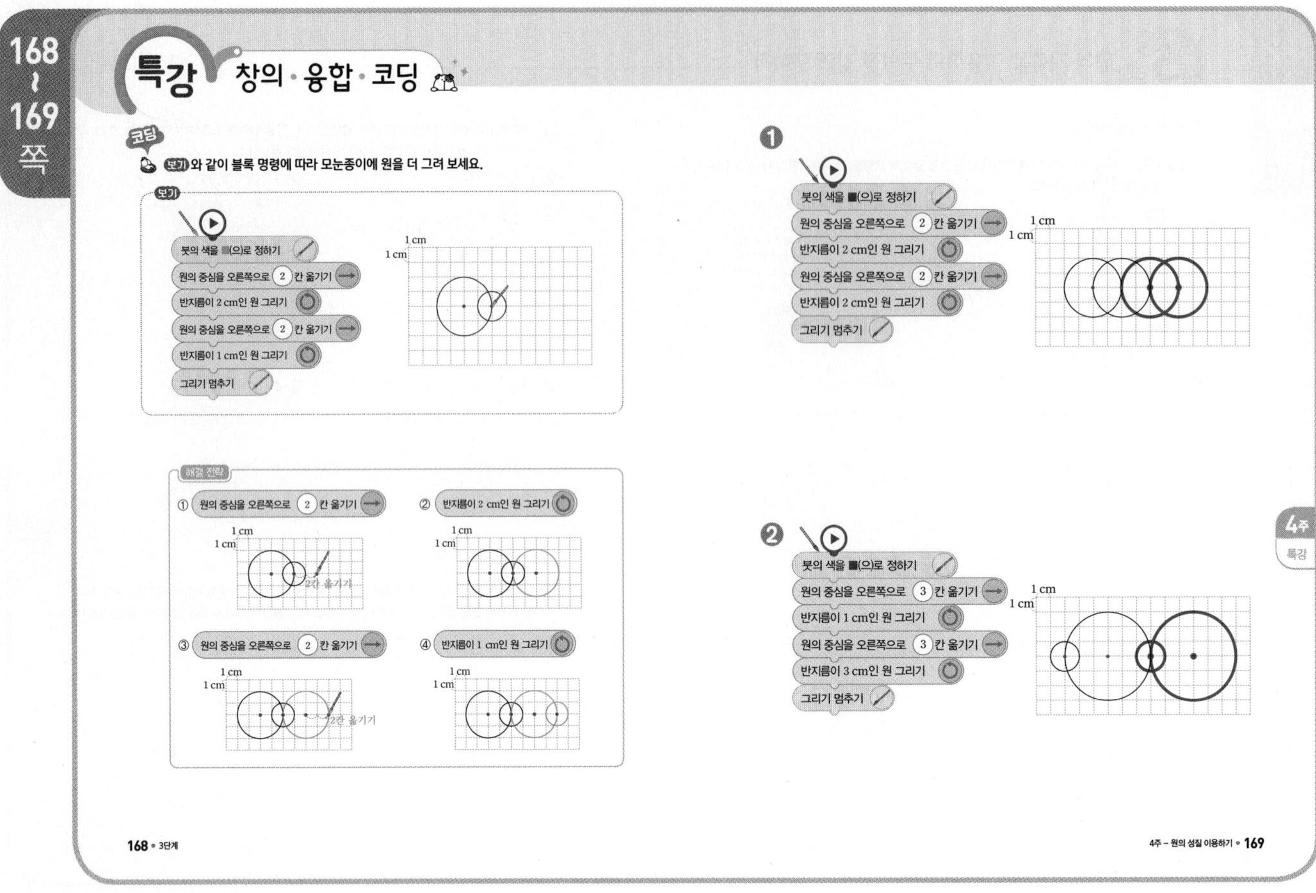
168 ~ 169 쪽

특강 창의·융합·코딩

코딩

보기 와 같이 블록 명령에 따라 모눈종이에 원을 더 그려 보세요.

보기

붓의 색을 ■(으)로 정하기
원의 중심을 오른쪽으로 2 칸 옮기기
반지름이 2 cm인 원 그리기
원의 중심을 오른쪽으로 2 칸 옮기기
반지름이 1 cm인 원 그리기
그리기 멈추기

1 cm
1 cm

해결 전략

① 원의 중심을 오른쪽으로 2 칸 옮기기 (2칸 옮기기)
② 반지름이 2 cm인 원 그리기
③ 원의 중심을 오른쪽으로 2 칸 옮기기 (2칸 옮기기)
④ 반지름이 1 cm인 원 그리기

1

붓의 색을 ■(으)로 정하기
원의 중심을 오른쪽으로 2 칸 옮기기
반지름이 2 cm인 원 그리기
원의 중심을 오른쪽으로 2 칸 옮기기
반지름이 2 cm인 원 그리기
그리기 멈추기

2

붓의 색을 ■(으)로 정하기
원의 중심을 오른쪽으로 3 칸 옮기기
반지름이 1 cm인 원 그리기
원의 중심을 오른쪽으로 3 칸 옮기기
반지름이 3 cm인 원 그리기
그리기 멈추기

168 • 3단계 4주 – 원의 성질 이용하기 • 169

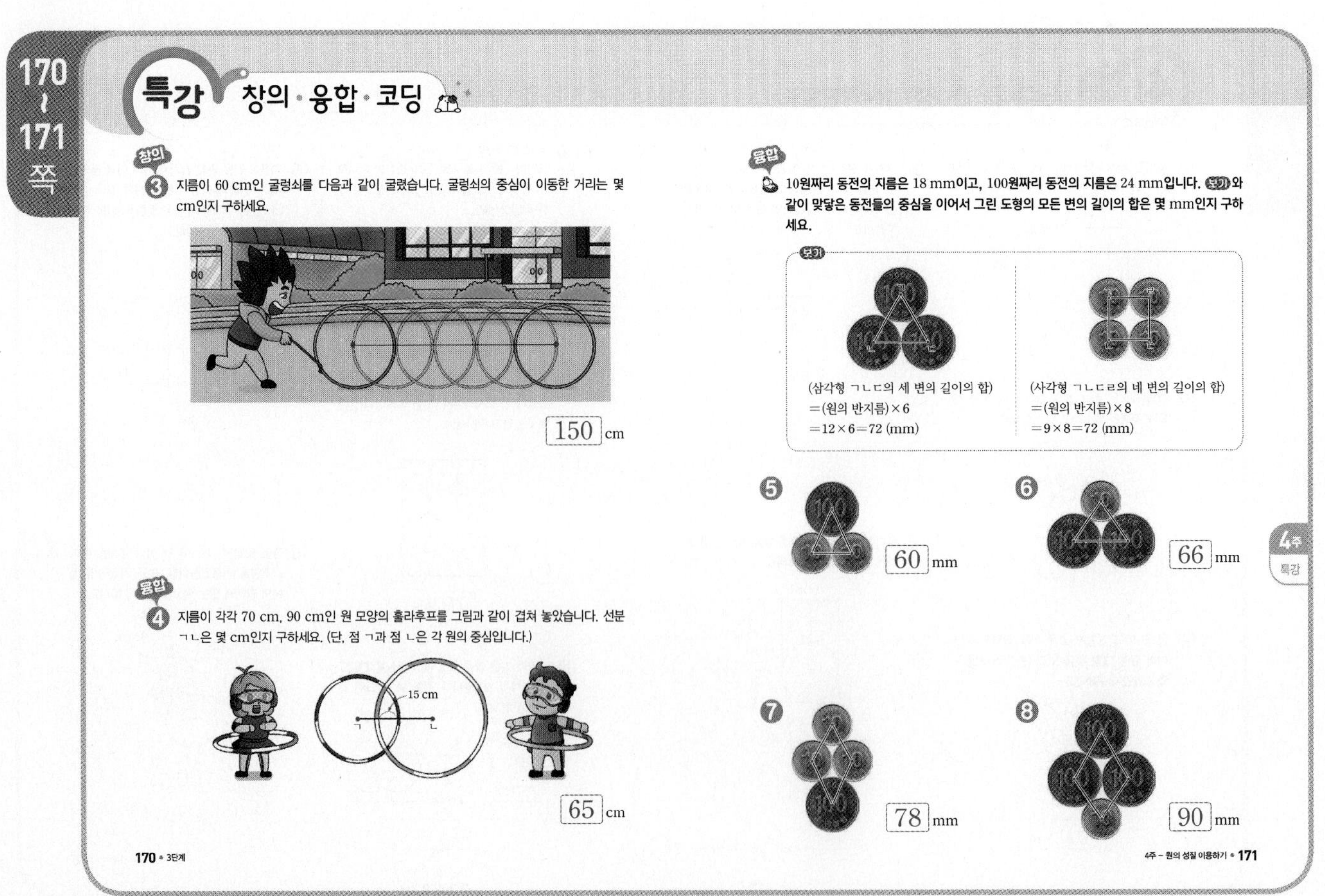
170 ~ 171 쪽

특강 창의·융합·코딩

창의

3 지름이 60 cm인 굴렁쇠를 다음과 같이 굴렸습니다. 굴렁쇠의 중심이 이동한 거리는 몇 cm인지 구하세요.

150 cm

융합

4 지름이 각각 70 cm, 90 cm인 원 모양의 훌라후프를 그림과 같이 겹쳐 놓았습니다. 선분 ㄱㄴ은 몇 cm인지 구하세요. (단, 점 ㄱ과 점 ㄴ은 각 원의 중심입니다.)

15 cm, ㄱ, ㄴ

65 cm

융합

10원짜리 동전의 지름은 18 mm이고, 100원짜리 동전의 지름은 24 mm입니다. 보기 와 같이 맞닿은 동전들의 중심을 이어서 그린 도형의 모든 변의 길이의 합은 몇 mm인지 구하세요.

보기

(삼각형 ㄱㄴㄷ의 세 변의 길이의 합)
=(원의 반지름)×6
=12×6=72 (mm)

(사각형 ㄱㄴㄷㄹ의 네 변의 길이의 합)
=(원의 반지름)×8
=9×8=72 (mm)

5 60 mm

6 66 mm

7 78 mm

8 90 mm

170 • 3단계 4주 – 원의 성질 이용하기 • 171

정답은
이안에
있어!

수학 전문 교재

- 연산 학습
  - 빅터연산 예비초~6학년, 총 20권
  - 창의융합 빅터연산 예비초~4학년, 총 16권
- 개념 학습
  - 개념클릭 해법수학 1~6학년, 학기용
- 수준별 수학 전문서
  - 해결의법칙(개념/유형/응용) 1~6학년, 학기용
- 서술형·문장제 문제해결서
  - 수학도 독해가 힘이다 1~6학년, 학기용
- 단원평가 대비
  - 수학 단원평가 1~6학년, 학기용
- 단기완성 학습
  - 초등 수학전략 1~6학년, 학기용
- 상위권 학습
  - 최고수준 수학 1~6학년, 학기용
  - 최강 TOT 수학 1~6학년, 학년용
- 경시대회 대비
  - 해법 수학경시대회 기출문제 1~6학년, 학기용

국가수준 시험 대비 교재

- 해법 기초학력 진단평가 문제집 2~6학년·중1 신입생, 총 6권

예비 중등 교재

- 해법 반편성 배치고사 예상문제 6학년
- 해법 신입생 시리즈(수학/영어) 6학년

맞춤형 학교 시험대비 교재

- 열공 전과목 단원평가 1~6학년, 학기용(1학기 2~6년)
- 해법 총정리 1~6학년, 학기용

한자 교재

- 해법 NEW 한자능력검정시험 자격증 한번에 따기 6~3급, 총 8권
- 씽씽 한자 자격시험 8~7급, 총 2권

배움으로 행복한 내일을 꿈꾸는

천재교육 커뮤니티 안내

교재 안내부터 구매까지 한 번에!

천재교육 홈페이지

자사가 발행하는 참고서, 교과서에 대한 소개는 물론
도서 구매도 할 수 있습니다. 회원에게 지급되는 별을 모아
다양한 상품 응모에도 도전해 보세요!

다양한 교육 꿀팁에 깜짝 이벤트는 덤!

천재교육 인스타그램

천재교육의 새롭고 중요한 소식을 가장 먼저 접하고 싶다면?
천재교육 인스타그램 팔로우가 필수!
깜짝 이벤트도 수시로 진행되니 놓치지 마세요!

수업이 편리해지는

천재교육 ACA 사이트

오직 선생님만을 위한, 천재교육 모든 교재에 대한 정보가 담긴
아카 사이트에서는 다양한 수업자료 및 부가 자료는 물론
시험 출제에 필요한 문제도 다운로드하실 수 있습니다.

https://aca.chunjae.co.kr

천재교육을 사랑하는 샘들의 모임

천사샘

학원 강사, 공부방 선생님이시라면 누구나 가입할 수 있는 천사샘!
교재 개발 및 평가를 통해 교재 검토진으로 참여할 수 있는 기회는 물론
다양한 교사용 교재 증정 이벤트가 선생님을 기다립니다.

아이와 함께 성장하는 학부모들의 모임공간

튠맘 학습연구소

튠맘 학습연구소는 초·중등 학부모를 대상으로 다양한 이벤트와 함께
교재 리뷰 및 학습 정보를 제공하는 네이버 카페입니다.
초등학생, 중학생 자녀를 둔 학부모님이라면 튠맘 학습연구소로 오세요!

book.chunjae.co.kr

교재 내용 문의 ······························ 교재 홈페이지 ▸ 초등 ▸ 교재상담
교재 내용 외 문의 ························· 교재 홈페이지 ▸ 고객센터 ▸ 1:1문의
발간 후 발견되는 오류 ··············· 교재 홈페이지 ▸ 초등 ▸ 학습지원 ▸ 학습자료실

ISBN 979-11-259-5967-0
정가 14,000원

My name~

		초등학교
학년	반	번
이름		

HME 국어 학력평가는

매년 전국 단위로 실시하는 국어 학력평가로,
독해, 어휘, 문법 등의 국어 기초 능력과 학년별 국어 학습 성취도를 평가하는 시험입니다. 전국 단위의 평가로 진행되어 학생들의 국어 학습 수준과 성취도를 객관적으로 평가 받을 수 있습니다.

Haebub Measurement and Evaluation of korean

HME 국어 학력평가

- 국어 평가 영역 **분석**
- 국어 **대표 유형 문제**
- **실전 모의고사**

천재교육

언제나 만점이고 싶은 친구들

Welcome!

공부하기 싫어, 놀고 싶어!
공부는 지겹고, 어려워~
그 마음 잘 알아요.
그럼에도 꾸준히 공부하고 있는 여러분은
정말 대단하고, 칭찬받아 마땅해요.

여러분, 정말 미안해요.
공부를 지겹고 어려운 것으로 느끼게 해서요.

그래서 열심히 연구했어요.
공부하는 시간이 기다려지는 책을 만들려고요.
당장은 어려운 문제를 풀지 못해도 괜찮아요.
지금 여러분에겐 공부가 즐거워지는 것이 가장 중요하니까요.

이제 우리와 함께 재미있는 공부의 세계로 떠나볼까요?